Jahrbuch für Historische Kommunismusforschung
2023

Jahrbuch für Historische Kommunismusforschung
2023

Begründet 1993 von Hermann Weber (†)

Gastherausgeber der Ausgabe 2023
Jörg Baberowski
Robert Kindler

Herausgegeben von
Ulrich Mählert
Jörg Baberowski
Bernhard H. Bayerlein
Bernd Faulenbach
Peter Steinbach
Stefan Troebst
Manfred Wilke (†)
im Auftrag der Bundesstiftung
zur Aufarbeitung der SED-Diktatur

Wissenschaftlicher Beirat:
Thomas Wegener Friis (Odense)
Stefan Karner (Graz)
Mark Kramer (Cambridge, MA)
Norman LaPorte (Pontypridd)
Krzysztof Ruchniewicz (Wrocław)
Brigitte Studer (Bern)
Krisztián Ungváry (Budapest)
Alexander Vatlin (Moskau)

Jahrbuch für Historische Kommunismus- forschung 2023

Kontrollregime und Stabilitätserwartungen im Spätsozialismus

Ⓜ METROPOL

Redaktion: Birte Meyer

JHK-Redaktion
c/o Bundesstiftung zur
Aufarbeitung der SED-Diktatur
Kronenstraße 5
D-10117 Berlin
Tel.: +49 (0) 30 / 31 98 95 - 309
Fax: +49 (0) 30 / 31 98 95 - 224
E-Mail: jhk@bundesstiftung-aufarbeitung.de
www.bundesstiftung-aufarbeitung.de/jahrbuch

Namentlich gekennzeichnete Beiträge geben nicht unbedingt die
Meinung der Herausgeber, Beiräte sowie der Redaktion wieder.

Für Links zu externen Webseiten Dritter, auf deren Inhalte wir keinen
Einfluss haben, wird keine Haftung übernommen. Für die Inhalte der
verlinkten Seiten ist stets der jeweilige Anbieter oder Betreiber der
Seiten verantwortlich. Die Verlinkungen wurden zum Zeitpunkt der
redaktionellen Fertigstellung auf mögliche Rechtsverstöße überprüft.
Rechtswidrige Inhalte waren zu diesem Zeitpunkt nicht erkennbar.
Eine weitere inhaltliche Kontrolle wird grundsätzlich nicht
vorgenommen.

Die Herausgeber und Beiräte danken der Hermann-Weber-Stiftung
in Mannheim sowie der Gerda-und-Hermann-Weber-Stiftung
in Berlin für ihre großzügige Förderung.

ISSN: 0944-629X
ISBN: 978-3-86331-690-7
© 2023 Metropol Verlag
Ansbacher Str. 70 · D–10777 Berlin
www.metropol-verlag.de
Alle Rechte vorbehalten
Einbandgestaltung: Thomas Klemm, Leipzig
Satz: fotosatz griesheim GmbH
Druck: AALEXX Druckproduktion, Großburgwedel

Inhalt

Kontrollregime und Stabilitätserwartungen im Spätsozialismus

Miszelle

Anhang

Jörg Baberowski / Robert Kindler

Kontrollregime und Stabilitätserwartungen im Spätsozialismus. Eine Einleitung

Kontrollen waren im »real existierenden Sozialismus« allgegenwärtig. Das korrekte Verhalten der »Volksmassen« wurde ebenso kontrolliert wie die Qualität von Konsumprodukten, Gleiches galt für die Umsetzung von Direktiven und Beschlüssen. Sogar die Kontrolleure selbst sahen sich zahllosen Formen der Überprüfung und Überwachung ausgesetzt. All dies verschlang erhebliche Ressourcen und machte den Unterhalt stetig wachsender Kontrollapparate erforderlich, die potenziell alle Bereiche der Gesellschaft in den Blick nehmen sollten. Aus Sicht der Führer war dieser Aufwand nicht nur gerechtfertigt, sondern notwendig. Denn: Wer Kontrolle ausübt, vermag Regeln zu setzen und Disziplin einzufordern. Wer überwacht, entscheidet über Strafmaß und -form. Vor allem aber ermöglichen regelmäßige Kontrollen die Etablierung (scheinbar) stabiler Verhältnisse.

Doch selbst umfassendste Kontrollmechanismen sind nicht in der Lage, die größte Sorge jeder autoritären Herrschaft zu zerstreuen: dass ihr trotz allem die Kontrolle entgleiten, ihre Macht brüchig werden und schließlich zerfallen könnte. Was aber können Herrscher tun, um diesem Problem der *authoritarian control* zu begegnen? Grundsätzlich haben sie immer die Wahl zwischen Zuckerbrot und Peitsche.[1] Niemals aber verlassen sich autoritäre Herrscher ausschließlich auf eine dieser beiden Strategien, sondern agieren stets mit einer Kombination unterschiedlicher Praktiken.[2] Außerdem können autoritäre Ordnungen auf Dauer nur dann Stabilität aufrechterhalten und Legitimation erzeugen, wenn sie begrenzte Formen von Partizipation zulassen: Stimmungen und Meinungen lassen sich nicht vollständig ignorieren.[3] Aber solche Zugeständnisse verlangen geradezu nach einer Ausweitung, Professionalisierung und Verfeinerung von Kontrollmechanismen und -praktiken, um Grenzen des Sagbaren zu ziehen und dafür zu sorgen, dass aus Stimmungen und Meinungen kein Widerstand erwächst.

---

1   Siehe Milan Svolik: The Politics of Authoritarian Rule, Cambridge 2012, S. 124.
2   Siehe Johannes Gerschewski: Persistenz – Kontinuität – Adaptivität: Konzeptionen politischer Stabilität in der vergleichenden Autokratieforschung, in: Eva M. Hausteiner/Grit Straßenberger/ Felix Wassermann (Hg.): Politische Stabilität: Ordnungsversprechen, Demokratiegefährdung, Kampfbegriff, Baden-Baden 2020, S. 39–55. Zum Problem politischer Legitimation: Marcin Zaremba: Im nationalen Gewande. Strategien kommunistischer Herrschaftslegitimation in Polen, 1944–1980, Osnabrück 2011.
3   Siehe Jörg Baberowski/Martin Wagner: Crises in Authoritarian Regimes. An Introduction, in: dies. (Hg.): Crises in Authoritarian Regimes. Fragile Orders and Contested Power, Frankfurt a. M. 2022, S. 11–26, hier S. 20.

Ausgehend von diesen Beobachtungen fragen die Beiträge im *Jahrbuch für Historische Kommunismusforschung 2023* nach dem Zusammenhang von Kontrolle, Repressionen und Stabilitätserwartungen in staatssozialistischen Regimen. Im Zentrum stehen die Zeit des Poststalinismus und die Siebzigerjahre des 20. Jahrhunderts. In dieser Phase der Herrschaftskonsolidierung und der relativen gesellschaftlichen Stabilisierung nahmen Repressions- und Kontrollpraktiken neue Formen an. Die Mechanismen und Methoden, derer sich die einzelnen Regime bedienten, unterschieden sich erheblich voneinander, und sie veränderten sich im Laufe der Zeit: Setzten die meisten Diktaturen anfangs auf Terror, physische Gewalt und Willkür, wurden Repressionen im Laufe der Zeit zunehmend »verregelt«. Sie wurden gezielt eingesetzt und damit für die Bevölkerung zu einem – wenigstens teilweise – kalkulierbaren Risiko. Zugleich blieben die Erfahrungen des Stalinismus in den Köpfen von Tätern wie Opfern dauerhaft präsent. In allen Gesellschaften des sozialistischen Lagers beeinflussten sie Gegenwartshandeln und Zukunftserwartungen.[4] Drei Entwicklungen fallen besonders ins Gewicht: Die Technisierung und Professionalisierung des Überwachungsapparates, die Konzentration auf Prävention *(profilaktika)* sowie die Einrichtung komplexer Systeme der wechselseitigen Sozialkontrolle. Von niemandem wurde verlangt, sich zur Sache des Sozialismus zu bekennen, es genügte, sich nicht offen gegen das System zu stellen. Der Chef der Ungarischen Sozialistischen Arbeiterpartei János Kádár brachte einmal prägnant auf den Punkt, was er für den Kern eines solchen poststalinistischen »Gesellschaftsvertrages« hielt: »Wer nicht gegen uns ist, ist für uns.«[5]

Der Unterschied zum Stalinismus, in dem Machterhalt und Herrschaftsdurchsetzung vor allem auf Zwang, Gewalt und Terror basierten, war offenkundig. Wo Willkür, der nur schwer kalkulierbare Wille des Diktators und Erwartungsunsicherheit das Leben bestimmten, war jede Form der Kontrolle stets auch eine potenzielle Bedrohung. Unter Stalin gingen Kontrolle und Repression ineinander über. Schließlich bemaß sich der Erfolg von Kontrollregimen nicht allein danach, dass Missstände entdeckt und behoben wurden, sondern auch danach, inwieweit es gelang, Abweichler und »Feinde« zu identifizieren und zu bestrafen.

Wer nicht durchsetzen kann, was er sich vorgenommen hat, hat immer noch die Wahl, Gewalt anzuwenden, um jenen Angst zu machen, die gehorchen sollen. Sporadische Macht ist auf Wiederholung angewiesen. Erst wenn sich ins Gedächtnis eingebrannt hat, wozu der Gewaltherrscher imstande ist, wird aus sporadischer dauerhafte Macht, die den Tag übersteht, an dem sie angewendet wird.[6] Das ist die Situation des inszenierten Bür-

4   Zum grundlegenden Zusammenhang siehe Reinhart Koselleck: Erfahrungsraum und Erwartungshorizont. Zwei historische Kategorien, in: ders.: Vergangene Zukunft. Zur Semantik geschichtlicher Zeiten, Frankfurt a. M. 1989, S. 349–375.
5   Thomas Ekman Jørgensen: Friedliches Auseinanderwachsen. Überlegungen zu einer Sozialgeschichte der Entspannung, 1960–1980, in: Zeithistorische Forschungen/Studies in Contemporary History 3 (2006), H. 3, S. 363–380, hier S. 369.
6   Siehe Heinrich Popitz: Phänomene der Macht, 2. Aufl. Tübingen 1992, S. 236–239. Zur stalinistischen Repression siehe Paul Gregory: Terror by Quota. State Security from Lenin to Stalin, New Haven/CT 2009, S. 219–250; Jörg Baberowski: Verbrannte Erde. Stalins Herrschaft der Gewalt, München 2012; Stephen Kotkin: Stalin: Waiting for Hitler 1929–1941, New York 2017.

gerkrieges und des Ausnahmezustandes, wie ihn Stalin und seine Helfer repräsentierten und exekutierten. Die Diktatur kann sich allem Terror zum Trotz aber nicht auf die Selbstkontrolle und Verinnerlichung der Macht verlassen und muss deshalb auf Kontrollmechanismen zurückgreifen. Die allgegenwärtigen offenen und verdeckten Techniken der Kontrolle hatten gravierende Konsequenzen: Sozialer Zusammenhalt erodierte, während das Misstrauen gegenüber Staat und Mitmenschen zunahm. »Totalitäre Herrschaft«, schreibt Hannah Arendt, »beraubt Menschen nicht nur ihrer Fähigkeit zu handeln, sondern macht sie im Gegenteil, gleichsam als seien sie alle wirklich nur ein einziger Mensch, mit unerbittlicher Konsequenz zu Komplizen aller von dem totalitären Regime unternommenen Aktionen und begangenen Verbrechen.«[7]

Aus der Perspektive des Regimes war der allgegenwärtige Terror eine erfolgreiche Strategie, weil sie einerseits die Durchsetzung von Direktiven zu garantieren schien und andererseits Sündenböcke für staatliches Versagen produzierte. Nur stieß die permanente Erzeugung von Unruhe und Angst an Grenzen. Auf diese Weise ließ sich die Folgsamkeit der Untertanen zwar erzwingen, ihre Loyalität blieb hingegen ungewiss. Und bestand nicht weiter die Gefahr, dass sich trotz allem »echte« Feinde in der Bevölkerung verbargen? Der Massenterror des Jahres 1937 war Stalins Antwort auf diese Frage. Seither lag die Drohung in der Luft, Ähnliches könne jederzeit erneut geschehen.

Bis zum Tod des Diktators im März 1953 änderte sich wenig an dieser Grundkonstellation, obgleich selbst der Geheimdienstchef Lavrentij Berija längst verstanden hatte, dass die Infrastrukturen des willkürlichen Terrors erhebliche Kosten verursachten, ohne dass es gelungen wäre, das Sicherheitsempfinden des Diktators zu steigern oder das Dilemma »autoritärer Kontrolle« aufzulösen. Letztlich war Berija das letzte Opfer des institutionalisierten Verfolgungswahns. Dennoch war die Hinrichtung des einst gefürchteten Geheimdienstchefs auch der Beginn einer Zeitenwende. Stalins Gefährten stritten miteinander, aber die Unterlegenen wurden nicht mehr verhaftet oder hingerichtet, sondern verloren allenfalls Posten und Privilegien. Der willkürliche Terror verschwand aus dem alltäglichen Leben. Die Stabilität der politischen Verhältnisse produzierte für die meisten Menschen Erwartungssicherheit: Wer sich unauffällig verhielt, musste sich vor staatlichen Repressionen in der Regel nicht mehr fürchten. Wer mit der Staatsgewalt in einen Konflikt geriet, den erwartete gewöhnlich ein Verfahren, dessen Verlauf weniger vom Gutdünken einzelner Personen abhängig war, sondern sich weitgehend an Gesetzen und berechenbaren Verfahren orientierte. Zwar verschwanden die »harten« Repressionen nicht vollständig aus dem Methodenarsenal des Staates, trafen aber nur noch diejenigen, die als Gegner und Feinde der sozialistischen Ordnung ausgemacht worden waren.[8] Der stalinsche Maßnahmenstaat, so Stefan Plaggenborg, habe sich nach 1953 in einen Normenstaat verwandelt, dessen Repressionen sich auf Recht und Gesetz beriefen, wenn-

---

7   Hannah Arendt: Elemente und Ursprünge totaler Herrschaft. Antisemitismus, Imperialismus, totale Herrschaft, 19. Aufl. München 2016, S. 975.

8   Siehe William Taubman: Khrushchev. The Man and his Era, New York 2003, S. 270–324; Pavel Kolar: Der Poststalinismus. Ideologie und Utopie einer Epoche, Köln 2016, S. 91–142.

gleich sich die Machthaber auch nach 1953 vorbehielten, jederzeit auf die Willkür des Maßnahmenstaates zurückzugreifen.[9]

Die Entstalinisierung stieß dennoch einen fundamentalen Wandel an, der sich nicht nur in der Sowjetunion, sondern in allen sozialistischen Staaten Ost- und Ostmitteleuropas vollzog. So hatte etwa Władysław Gomułka in Polen die Zeichen der Zeit klar erkannt, als er im Oktober 1956 angesichts der Unruhen in Teilen des Landes erklärte: »Man kann ein Volk beherrschen, wenn man dessen Vertrauen verloren hat, indem man sich auf die Bajonette stützt, aber wer eine solche Richtung einschlägt, der wird am Ende alles verlieren.«[10] Gerade *weil* kommunistische Regime ihre Herrschaft nicht länger ausschließlich auf Zwang und Gewalt gründeten, waren sie darauf angewiesen, effiziente Kontrollsysteme einzuführen, die Gehorsam erzwangen, ohne auf Terror zurückzugreifen.

Es mag paradox erscheinen, aber: Die Intensität der Kontrolle steigt mit dem Verzicht auf Gewalt, weil Menschen nun überwacht, abgehört, gegeneinander ausgespielt werden müssen. Die Staatsmacht benötigt Informationen über das Leben der Untertanen, sie muss in Erfahrung bringen, was sie denken und welche Wünsche sie haben, um ihr Kontrollsystem danach auszurichten. Das mag auch einer der Gründe dafür gewesen sein, dass die Zahl der Geheimpolizisten wuchs, obgleich der Einsatz roher Gewalt nicht mehr auf der Tagesordnung stand. Die Liberalisierung der Verhältnisse produzierte Widerspruch, die Kritik verursachte überhaupt erst die Krisen, auf die das Kontrollsystem eine Antwort geben musste. Alexis de Tocqueville schrieb über die Jahre, die der Französischen Revolution vorausgingen, dass die Franzosen ihre Lage umso unerträglicher empfunden hätten, je besser sie geworden sei. »Das Übel ist geringer geworden, aber die Empfindlichkeit ist lebhafter.«[11] So stand es auch um das Leben in den poststalinistischen Gesellschaften, in denen Widerspruch und Widerstand nun ein Zuhause fanden, Dissidenten den allmächtigen Staat herausforderten, nicht weil die Verhältnisse sich verhärtet, sondern weil sie sich entspannt hatten.[12]

Die Liberalisierung (halb-)öffentlicher Debatten und die Entstehung privater Räume, zu denen sich die Staatsmacht keinen Zugang mehr verschaffen konnte, stellten die Machthaber vor die schwierige Frage, wie denn die Grenzen des Sagbaren überhaupt noch zu überwachen seien. Nicht einmal durch utopische Verheißungen ließen sich nach dem Ende der stalinistischen Mobilisierungsdiktatur noch Leidenschaften entfachen oder Loyalität erzeugen, auch wenn Chruščëv versuchte, das kommunistische Experi-

---

9   Stefan Plaggenborg: Experiment Moderne. Der sowjetische Weg, Frankfurt a. M. 2006, S. 212–215. Plaggenborg bedient sich der Begriffe des Juristen Ernst Fraenkel, der mit dem Blick auf den Nationalsozialismus vom »Doppelstaat« gesprochen hat. Siehe dazu Ernst Fraenkel: Der Doppelstaat. Recht und Justiz im »Dritten Reich«, Frankfurt a. M. 1974.

10   Zit. nach: Zaremba: Im nationalen Gewande (Anm. 2), S. 26.

11   Alexis de Tocqueville: Der alte Staat und die Revolution, München 1978, S. 176. Zum Topos von Kritik und Krise siehe Reinhart Koselleck: Kritik und Krise. Eine Studie zur Pathogenese der bürgerlichen Welt, Frankfurt a. M. 1973.

12   Siehe Vladislav Zubok: Zhivago's Children. The Last Russian Intelligentsia, Cambridge/Mass. 2009, S. 60–87.

ment mit neuem Inhalt zu füllen. Trotz aller Bemühungen gelang es in den folgenden Jahrzehnten nicht, die Massen für die Sache des Sozialismus zu begeistern, auch deshalb, weil die Kommunistischen Parteien im Spätsozialismus selbst nur noch Karrieristen und Technokraten anzogen, die das Leben ordnen, aber nicht verändern wollten. Stattdessen gewannen die Konsumbedürfnisse der Bevölkerung an Bedeutung, seit sich Menschen ins Private zurückziehen und sich auf diese Weise von den Ansprüchen des Staates emanzipieren konnten. Die öffentlichen Loyalitätsbekundungen für Partei und Staat waren nur mehr Lippenbekenntnisse, die man abgab, weil sich die Lebensumstände verbessert hatten.

Aus der Perspektive der staatssozialistischen Regime war diese Entwicklung ambivalent. Zwar verzichteten die Bürger auf Widerspruch und Widerstand, solange ihr Bedürfnis nach bescheidenem Wohlstand und sozialer Sicherheit mehr oder weniger befriedigt wurde. Das Regime aber würde künftig daran gemessen werden, ob es seine sozialen Versprechungen einhielt. Der paternalistische Staat erfüllt Konsumerwartungen und die Bürger verzichten auf Widerspruch und Opposition – so lautete die Abmachung, die dem sozialistischen System in den 1960er- und 1970er-Jahren Stabilität und innere Sicherheit gab.[13] Aus einem Dilemma aber gab es keinen Ausweg: Der sozialistische Staat war nicht imstande, seine sozialen Versprechungen einzulösen. Damit erzeugte er Unzufriedenheit und delegitimierte den Vertrag, auf den sich seine Herrschaft gründete.

Unter diesen Bedingungen wurde »Kontrolle« zum eigentlichen Herrschaftsinstrument staatssozialistischer Ordnungen. Es kam darauf an, um jeden Preis zu verhindern, dass Unmut sich in Protest, Widerspruch in dauerhaften Dissens verwandelte. Die Steuerung politischer Kommunikation und ausgefeilte Techniken der Sozialkontrolle und Prävention durchströmten nun alle Bereiche des Alltagslebens. Bei der *profilaktika* ging es nicht allein darum, Personen zu verwarnen, in denen der KGB oder seine osteuropäischen »Bruderorgane« potenzielle Gefährder sahen, wie der Historiker Edward Cohn gezeigt hat. Vielmehr sollte sich die disziplinierende Wirkung dieser Strategie auf die Gesellschaft insgesamt erstrecken.[14]

All diese Maßnahmen waren Teile eines Systems gegenseitiger sozialer Kontrolle, die der Selbstdisziplinierung und -abrichtung ebenso dienten wie der Ausgrenzung von unangepassten Minderheiten. Sozialkontrolle wurde einerseits institutionalisiert, etwa in Form der sowjetischen Nachbarschaftsgerichte, deren Einrichtung von vielen Menschen durchaus begrüßt wurde.[15] Andererseits war sie – wie in jeder Gesellschaft – fester Bestandteil unzähliger Alltagspraktiken, die das spezifische Zusammenspiel von Normvorgaben und kollektiven Bedürfnissen hervorbrachte: In der »entwickelten sozialis-

---

13   Siehe James Millar: The Little Deal. Brezhnev's Contribution to Acquisitive Socialism, in: Terry L. Tompson/Richard Sheldon (Hg.): Soviet Society and Culture. Essays in Honor of Vera S. Dunham, Boulder 1988, S. 3–19.

14   Siehe Edward D. Cohn: A Soviet Theory of Broken Windows: Prophylactic Policing and the KGB's Struggle with Political Unrest in the Baltic Republics, in: Kritika: Explorations in Russian & Eurasian History 19 (2018), H. 4, S. 769–792.

15   Siehe Susanne Schattenberg: Nach Stalin: Das Funktionieren der UdSSR, in: Aus Politik und Zeitgeschichte 71 (2021), H. 16, S. 25–31, hier S. 26.

tischen Gesellschaft« sollte niemand aus der Reihe tanzen. Die sozialistischen Regime inszenierten sich als Garanten sozialer Stabilität und »Normalität«, von Recht und Ordnung. Es waren die Verheißungen von Ordnung und Sicherheit, die in der Bevölkerung auf Zustimmung stießen, weil sie sich mit Wünschen und Werten verbinden ließen, die von Bürgern und Funktionären geteilt wurden.[16] Dennoch konnte in den sozialistischen Gesellschaften nicht jeder sprechen, wie es ihm gefiel. Ohne die Kontrolle politischer Kommunikation hätte sich die Herrschaft ihrer eigentlichen Grundlage beraubt. Wer den Sprachgebrauch kontrolliert, konditioniert Menschen, auf eine bestimmte Weise zu sprechen – und über manches gar nicht mehr. Im eigentlichen Sinne »politische« Themen konnten nicht mehr Gegenstand öffentlicher Kommunikation sein, jegliches Sprechen darüber wurde strikt kontrolliert und zensiert. Innerhalb festgelegter Grenzen eröffnete sich aber immerhin die Möglichkeit, Kritik auch öffentlich vorzutragen, besonders dann, wenn sich Unzufriedenheit im Jargon und Sprachgerüst des Systems zu erkennen gab oder das System an seinen eigenen Verheißungen gemessen wurde.[17]

Die Komplexität und Ausdifferenzierung spätsozialistischer Gesellschaften stellten staatliche Kontrollansprüche vor immer größere Herausforderungen. Die Geheimdienste des Warschauer Pakts versuchten diesem Dilemma mit einer Mischung aus Akademisierung, zunehmendem Technikeinsatz und intensiverer internationaler Kooperation zu begegnen.[18] Solche Professionalisierungsbemühungen stießen jedoch an Grenzen; denn die Verbesserung der Überwachungstechnik führte nicht zwangsläufig dazu, dass die Überwacher Herren der Lage blieben. Ungeachtet des gewaltigen Aufwandes gelang es ihnen nicht, die Zentrifugalkräfte einzuhegen, die sich innerhalb und zwischen den sozialistischen Staaten entwickelten.[19]

16 Siehe Thomas Lindenberger: Öffentliche Sicherheit, Ordnung und normale Abläufe. Überlegungen zum zeitweiligen Gelingen kommunistischer Herrschaft in der DDR, in: Volker Zimmermann/ Michal Pullmann (Hg.): Ordnung und Sicherheit, Devianz und Kriminalität im Staatssozialismus. Tschechoslowakei und DDR 1948/49–1989. Vorträge der Tagung des Collegium Carolinum in Bad Wiessee vom 3. bis 6. November 2011, Göttingen 2014, S. 15–38, hier S. 37 f.

17 Siehe Stefan Merl: Politische Kommunikation in der Diktatur. Deutschland und die Sowjetunion im Vergleich, Göttingen 2012, S. 14.

18 Zum Wandel des Selbstverständnisses sozialistischer Geheimdienste: Jens Gieseke: The post-Stalinist mode of Chekism: communist secret police forces and regime change after mass terror, in: Securitas Imperii 37 (2020), H. 2, S. 16–37. Beispiele für Geheimdienstkooperation: Stefano Bottoni: »Freundschaftliche Zusammenarbeit«. Die Beziehungen der Staatssicherheitsdienste Ungarns und Rumäniens 1945 bis 1982, in: Halbjahresschrift für südosteuropäische Geschichte, Literatur und Politik 21 (2012), H. 1/2, S. 5–28; Tytus Jaskułowski: Von einer Freundschaft, die es nicht gab. Das Ministerium für Staatssicherheit der DDR und das polnische Innenministerium 1974–1990, Göttingen 2021. Zu Möglichkeiten und Grenzen der Technisierung sozialistischer Geheimdienste am Beispiel der Staatssicherheit: Rüdiger Bergien: »Big Data« als Vision. Computereinführung und Organisationswandel in BKA und Staatssicherheit (1967–1989), in: Zeithistorische Forschungen/ Studies in Contemporary History, Online-Ausgabe 14 (2017), H. 2, S. 258–285; Christian Booß: Vom Scheitern der kybernetischen Utopie. Die Entwicklung von Überwachung und Informationsverarbeitung im MfS, Göttingen 2021.

19 Ein Beispiel für das Misstrauen der Geheimdienste untereinander ist etwa das Protokoll einer Besprechung zwischen MfS-Chef Erich Mielke und dem stellvertretenden KGB-Vorsitzenden Leonid Šerbašin vom 7.4.1989. Notiz über die Besprechung zwischen Minister Mielke mit dem stellvertre-

Geradezu obsessiv sprachen die Sachwalter des Staatssozialismus von Kontrolle. Es drängt sich der Verdacht auf, dass die Allgegenwart des Begriffs nur kaschieren sollte, wie sehr es den Machthabern an Souveränität fehlte. Eine statistische Auswertung des sowjetischen Zentralorgans *Prawda* zeigt die Allgegenwart des Begriffs *kontrol* [Kontrolle]. Zwischen 1917 und 1991 tauchte er dort mehr als 46 000-mal in allen möglichen Zusammenhängen auf. Die eigentliche Karriere des Begriffs begann gegen Ende der 1960er-Jahre, als das Regime sich nur mehr »sanfter« Methoden der Repression bediente und rohe Gewalt nur noch ausnahmsweise ins Spiel kam.[20] In den letzten beiden sowjetischen Jahrzehnten gewann der Begriff der »Kontrolle« in der verordneten Sprache an Prominenz, und niemals lasen die Leser der *Prawda* das Wort häufiger als in den Jahren der Perestroika, als die politischen Verhältnisse, die eben noch »ewig« schienen, ins Wanken gerieten.[21] Man könnte sagen: Je mehr der Führung von Staat und Partei die Kontrolle entglitt, desto größer war ihr Bedürfnis, Kontrolle zu behaupten – und sei es nur in der Presse. Doch die Zweifel an der Effizienz der Überwachungs- und Kontrollapparate ließen sich so vielleicht noch für eine kurze Zeit betäuben, aber nicht mehr auf Dauer vertreiben.

Zu den Beiträgen

Die Beiträge des *Jahrbuches für Historische Kommunismusforschung 2023* setzen sich aus unterschiedlichen Perspektiven mit dem Problem der Kontrolle im Staatssozialismus auseinander. Dabei geht es einerseits um Formen staatlicher Intervention und den Aufbau von Institutionen der Kontrolle, andererseits behandeln mehrere Texte das Problem, wie Individuen und Kollektive sich dem Kontrollanspruch unterwarfen oder geschickt entzogen. Die Texte verbindet die übergeordnete Frage, auf welche Weise in staatssozialistischen Gesellschaften Ordnungen implementiert und langfristig stabilisiert wurden.

Nach dem Ende des Zweiten Weltkriegs exportierten Stalin und seine Helfer ihr Modell des strafenden Kontroll- und Überwachungsstaates. In der sowjetischen Besatzungszone sowie in den Staaten Ost- und Ostmitteleuropas etablierten sie Regime sowjetischen Typs. Von Anbeginn war dieses Projekt mit allerlei Widrigkeiten verbunden,

tenden Vorsitzenden des KfS, Bundesbeauftragte für die Unterlagen des Staatssicherheitsdienstes der ehemaligen DDR (im Folgenden: BStU), MfS, ZAIG, Nr. 5198, Bl. 100–140, https://www.stasi-mediathek.de/medien/notiz-ueber-die-besprechung-zwischen-minister-mielke-mit-dem-stellvertretenden-vorsitzenden-des-kfs/blatt/100/ (ges. am 15. November 2022).

20   Die Angaben basieren auf einer Auswertung des »Pravda Digital Archive«, https://gpa.eastview.com/pra (ges. am 15. November 2022). Für den Zeitraum 1917–1991 ergibt die Suche nach dem Begriff »kontrol« insgesamt 46 858 Treffer. Auf die Jahre 1965–1982 (Amtszeit Leonid Brežnevs) entfallen dabei ca. 15 400 Treffer (ca. 32,8 Prozent). Für die Jahre 1983–1991 (Amtszeiten Andropovs, Černenkos und Gorbačëvs) sind es 10 106 Einträge (21,56 Prozent). Die besondere Häufung in den 1980er-Jahren hängt sicher auch mit der intensiven Berichterstattung über die Verhandlungen zwischen den USA und der UdSSR zur Abrüstungskontrolle zusammen.

21   Alexei Yurchak: Everything Was Forever, Until It Was No More. The Last Soviet Generation, Princeton 2006.

weil die Kommunisten nicht nur auf Widerstand und Gegenwehr stießen, sondern sich auch untereinander in erbittert geführte Machtkämpfe verstrickten. In diesen unübersichtlichen Situationen kam es darauf an, die Kontrolle über den politischen Prozess zu gewinnen und vor allem zu behalten. Möglich war dies nur mit verlässlichen Genossen. In der sowjetischen Besatzungszone waren das insbesondere die »Moskauer«; also jene Kommunisten, die nach dem Ende des Krieges aus dem sowjetischen Exil nach Deutschland zurückkehrten. Im Beitrag von *Andreas Petersen* geht es um die Erfahrungen dieser »Davongekommenen«, die Terror und Krieg in der Sowjetunion überlebt hatten und nun die stalinsche Politik in Deutschland exekutierten. Wie der Terror die Täter selbst prägte und welchen Einfluss dies auf den Aufbau kommunistischer Regime in Ostmitteleuropa hatte, beschreibt *Molly Pucci*. Sie zeigt, dass sowjetische »Sicherheitsberater« ihre Gewalterfahrungen auch jenseits der sowjetischen Grenzen zum Maßstab ihres Handelns machten und dazu nutzten, die tschechoslowakischen Kommunisten in ihrem Sinn zu kontrollieren.

Oksana Nagornaia und *Tatjana Raeva* befassen sich mit sowjetischen Schriftstellern unterschiedlicher Generationen, die, sorgfältig ausgewählt, in der Nachkriegszeit als Kulturdiplomaten die Sowjetunion im Ausland zu vertreten hatten. Sie fragen nach dem Preis, der für solche exklusiven Privilegien zu entrichten war. Viele Autoren empfanden es als bedrückend, immer wieder für Repräsentationsaufgaben zur Verfügung stehen zu müssen. Gleichwohl wagten sie es nicht, sich dem mächtigen Staatsapparat zu widersetzen. In dieser Hinsicht hätten, so die beiden Autorinnen, allenfalls geringe Unterschiede zwischen dem Spätstalinismus und dem Poststalinismus bestanden.

Aus einer anderen Perspektive zeigt *Jörg Ganzenmüller*, dass die lange vorherrschende Annahme, der Herrschaftsantritt Chruščëvs habe einen abrupten Bruch mit der stalinistischen Vergangenheit bedeutet, differenziert betrachtet werden muss. Am Beispiel der KPdSU beschreibt sein Text, was Entstalinisierung konkret bedeutete und wie Funktionäre auf der regionalen und lokalen Ebene auf die Initiativen Chruščëvs reagierten, die ihnen mehr Einfluss übertrugen, ihnen aber auch mehr Engagement abverlangten. Als einige dieser Reformen zurückgenommen werden sollten, zeigte sich, dass Chruščëv den Apparat nicht mehr unter Kontrolle bringen konnte. Dies habe, so Ganzenmüller, schließlich entscheidend zu seinem Sturz beigetragen.

Wie aber deuteten chinesische Kommunisten die sowjetische Abrechnung mit Stalin? Diese Frage steht im Zentrum von *Martin Wagners* Aufsatz, der eine in der Literatur bisher kaum beachtete Zusammenkunft sowjetischer und chinesischer Spitzenfunktionäre im Sommer 1963 detailliert untersucht. Er kann zeigen, dass dieses Treffen von entscheidender Bedeutung für den kurz darauf folgenden Bruch beider Staaten war. Auch *Douglas Selvage* beschreibt die oft spannungsreichen Beziehungen sozialistischer Staaten untereinander. Ihn interessiert die Kooperation zwischen MfS und osteuropäischen Geheimdiensten mit ihren kubanischen Kollegen. Dabei oszillierte das komplexe Verhältnis der Abwehrspezialisten untereinander beständig zwischen dem Wunsch nach engerer Zusammenarbeit einerseits und dem – auch professionell bedingten – gegenseitigen Misstrauen andererseits.

Die Legitimation und Autorität staatlicher Ordnungen nach dem Ende des Terrors stehen im Mittelpunkt der Aufsätze von *Pavel Kolář*, *Jens Boysen* und *Muriel Blaive*. Pavel Kolář geht am Beispiel der Todesstrafe der Frage nach, wie sich die Anwendung dieser härtesten aller Strafen auf das Verhältnis von staatlicher Legitimität und Souveränität auswirkte. Jens Boysen zeigt, dass die Armee in der polnischen Gesellschaft eine lager-übergreifende Autorität besaß, die andere Institutionen für sich nicht beanspruchen konnten und die auch durch den Einsatz von Gewalt gegen die Bevölkerung nicht erschüttert wurde. Muriel Blaive befasst sich am Beispiel einer Prager Familie mit der Reichweite staatssozialistischer Kontrollorgane. Ihre Fallstudie fragt nach individuellen Handlungsoptionen und den Grenzen staatlicher Zugriffsmöglichkeiten im Spät-sozialismus.

Die Beiträge von *Roger Engelmann* und *Daniela Münkel*, *Sebastian Stude*, *Jens Gieseke* und *Christian Booß* befassen sich mit der Dynamik und Praxis der Staatssicherheit bzw. der politischen Justiz in der DDR. Roger Engelmann und Daniela Münkel fragen in ihrem Aufsatz danach, inwieweit sich die Entwicklung der MfS-Verfolgungspraxis mit dem Begriff der »Verrechtlichung« fassen lässt. Der Prozess der Verrechtlichung sei jedoch nicht ohne Verwerfungen verlaufen, eine Dynamik, die Engelmann und Münkel als einen Konflikt zwischen den Prinzipien von »Parteilichkeit« und »Gesetzlichkeit« beschreiben. In diesem Sinne charakterisiert Sebastian Stude die Staatssicherheit als »lernfähige Institution«, deren Repressionspraxis sich im Laufe weniger Jahrzehnte professionalisierte und bürokratisierte. Wie aber sahen sich die Angehörigen des MfS selbst und welche Organisationskultur herrschte im Inneren der Staatssicherheit? Jens Gieseke entwirft mit Blick auf das MfS in der späten DDR das Bild einer spezifischen »tschekistischen« Identität, in der sich Elemente der offiziellen Inszenierung der Geheim-polizei mit informellen Gewohnheiten und Praktiken verbanden. Christian Booß stellt schließlich die These infrage, das MfS habe in politischen Strafverfahren eine dominante Rolle gespielt. Damit verweist er zugleich auf die Bedeutung anderer Akteure im Bereich der politischen Repression, die angesichts der in der Forschung noch immer vorherr-schenden Fixierung auf die Staatssicherheit aus dem Blick gerieten.

Die Grenzen des Sagbaren und die Kontrolle über Diskurse in der Diktatur sind Gegenstand der Texte von *Udo Grashoff* und *Anna Schor-Tschudnowskaja*. Udo Grashoff diskutiert am Beispiel von Suiziden in der DDR die Funktion politischer Tabus in auto-ritären Gesellschaften. Politische Tabus, schreibt er, seien »eine geeignete Sonde, um Sozialkontrolle und Handlungsspielräume in poststalinistischen Staaten genauer zu analysieren«. Auch Anna Schor-Tschudnowskaja interessiert sich für Sprechverbote und ihre Funktion. Sie untersucht die individuellen Versuche ausgewählter sowjetischer Schriftsteller, Erinnerungen an den Stalinismus zu artikulieren und ins Verhältnis zu anderen Formen politischer Repression zu setzen.

Eine Miszelle von *Hendrik Berth*, *Elmar Brähler*, *Peter Förster*, *Markus Zenger* und *Yve Stöbel-Richter* beschließt das Jahrbuch: Sie werten Daten der »Sächsischen Längsschnitt-studie« aus, um in Erfahrung zu bringen, welche Art von Diktaturerfahrungen sich bei den Teilnehmerinnen und Teilnehmern der Studie nachweisen lassen.

Die meisten Texte, die in dieser Ausgabe des *Jahrbuches für Historische Kommunismus-forschung 2023* enthalten sind, basieren auf Beiträgen, die im Rahmen der »3. Hermann-Weber-Konferenz zur Historischen Kommunismusforschung« im Mai 2021 diskutiert wurden. Die jährliche Konferenzserie soll Forschung zur Kommunismusgeschichte vernetzen und anstoßen. Gefördert von der Gerda-und-Hermann-Weber-Stiftung, erinnert sie an den Mannheimer Historiker Prof. Dr. Dr. h.c. Hermann Weber (1928–2014), der das *Jahrbuch für Historische Kommunismusforschung* 1993 begründete. Die Konferenz mit dem Titel »Nach dem Terror. Formen der Herrschaft und Repression im Spätsozialismus« wurde als gemeinsame Veranstaltung vom Lehrstuhl Geschichte Osteuropas an der Humboldt-Universität zu Berlin, dem BMBF-Forschungsverbund »Landschaften der Verfolgung« sowie dem *Jahrbuch für Historische Kommunismusforschung* durchgeführt.[22] Aufgrund der damals herrschenden Kontaktbeschränkungen konnte die Konferenz lediglich online stattfinden. Dennoch kam ein überaus produktiver Austausch zustande, dessen Resultate nun in schriftlicher Form vorliegen. Wir sind allen Beiträgerinnen und Beiträgern ausgesprochen dankbar für die konstruktive und anregende Zusammen-arbeit.

Berlin, im Dezember 2022   *Jörg Baberowski und Robert Kindler*

---

22   Zu Verlauf und Programm der Konferenz siehe Samuel Kunze: Tagungsbericht. Nach dem Terror. Formen der Herrschaft und Repression im Spätsozialismus, in: H-Soz-Kult, 23.06.2021, www. hsozkult.de/conferencereport/id/fdkn-127541 (ges. am 15. November 2022). Nähere Informationen zum BMBF-Forschungsverbund »Landschaften der Verfolgung« sowie zu den in diesem Rahmen durchgeführten Forschungsvorhaben finden sich unter: www.landschaften-verfolgung.de (ges. am 15. November 2022).

Andreas Petersen

Die Gründergeneration der DDR. Lebensgeschichtliche Prägung und herrschaftspolitisches Handeln der Sowjetunionrückkehrer

In den Wochen und Monaten nach dem Ende des Zweiten Weltkrieges kehrten deutsche Kommunisten aus der Sowjetunion in den von der Roten Armee besetzten Teil Deutschlands zurück. Die allermeisten waren Überlebende der stalinistischen Säuberungen. Nach Jahren der Verfolgung im Vaterland der Werktätigen stellten sie sich vorbehaltlos in den Dienst jener, die sie, ihre Familien und Parteigenossen soeben noch terrorisiert hatten. Sie wurden zu Instrumenten und Akteuren einer Politik, die sie oft gegen die Mehrheit der Parteibasis einer zwangsvereinigten SED, ja oft gegen die Mehrheit der Alt-KPD-Mitglieder, durchsetzten. Diskussionen über die Entwicklung Deutschlands nach zwölf Diktaturjahren waren ebenso tabu wie die sowjetische Besatzungspolitik. Nibelungentreu rechtfertigten die Rückkehrer jede Facette der Moskauer Herrschaft, ja forderten und beförderten, worunter sie selbst gelitten hatten: die Bespitzelung in der Partei, die Anklagen der Parteikontrollkommission, Säuberungen und Verfolgungen. Dabei hatten sie alle bittere Erfahrungen mit diesen Instrumenten zur Ausrottung ganzer Parteiführungen machen müssen. Stalinistische Herrschaft bedeutete, so Hannah Arendt, nicht, »eine strukturlose ›klassenlose Gesellschaft‹, sondern eine atomisierte Massengesellschaft herzustellen«.[1] Eine Massengesellschaft, deren Revolutionselite vernichtet und durch eine junge, dem Führer ergebene, im stalinistischen Sinne abgerichtete Funktionärsschicht ersetzt wurde.[2]

Die folgenden Ausführungen basieren auf der Annahme, dass die Erfahrungen dieser Jahre wesentlich dazu beitrugen, dass aus den Moskauüberlebenden traumatisierte Erfüllungsgehilfen einer totalitären Machtpolitik wurden.[3] Der Text umreißt die Terrorerfahrung der sowjetischen Politemigranten, erklärt die Bedeutung der Moskaurückkehrer für die Machtdurchsetzung in der SBZ und skizziert, wo sich die Sowjetunionerfahrung in ihrem politischen Handeln zeigte, um abschließend zu erörtern, was von den am eigenen Leib erlebten Repressionserfahrungen auch nach Stalins Tod für das Herrschaftsgefüge relevant war.

---

1   Hannah Arendt: Elemente und Ursprünge totaler Herrschaft, München 1986, S. 523.
2   Siehe Nikolaus Werth: Der Stellenwert des »Großen Terrors« innerhalb der stalinistischen Repressionen. Versuch einer Bilanz, in: Hermann Weber u. a. (Hg.): Jahrbuch für Historische Kommunismusforschung 2006, Berlin 2006, S. 245–257.
3   Diesen Zusammenhang habe ich an anderer Stelle versucht ausführlich darzustellen. Der Aufsatz bezieht sich in weiten Teilen auf: Andreas Petersen: Die Moskauer. Wie das Stalintrauma die DDR prägte, 2. Aufl., Frankfurt a. M. 2019.

I. Sowjeterfahrung

Annähernd 10 000 Kommunisten emigrierten mit der Machtergreifung der Nationalsozialisten aus Deutschland. Rund die Hälfte von ihnen ging in die Sowjetunion. Die
KPD-Führung schätzte die Anzahl der deutschen Exilanten, die 1936 in der UdSSR
lebten und als »Politemigranten« anerkannt waren, auf 4600 Personen.[4] Für viele von
ihnen wurde das Sowjetexil zur Falle. 1938 notierte Paul Jäkel, Leiter der deutschen Sek-
tion in der Komintern, in einem Bericht: »Von Oktober 1937 bis März 1938 betrug die
Zahl der Verhafteten [KPD-Genossen, AP] 470. Allein im Monat März 1938 wurden
rund 100 verhaftet. […] Man kann sagen, dass über 70 Prozent der Mitglieder verhaftet
sind. Wenn Verhaftungen in diesem Umfang wie im Monat März ihren Fortgang nehmen, so bleibt in drei Monaten kein einziges deutsches Parteimitglied mehr übrig.«[5]
    Unter Stalin kamen mehr Mitglieder des KPD-Politbüros (nämlich sieben, inklusive
Kandidaten) ums Leben als unter Hitler (fünf). Von den 131 ZK-Mitgliedern oder
-Kandidaten der Weimarer Republik starben 18 unter den Nazis und 15 in den Händen
des NKWD (Volkskommissariat für innere Angelegenheiten). Von den 68 Spitzenfunk-
tionären der KPD, die sich in der Sowjetunion aufhielten, wurden 41 ermordet.[6] 1019
tote Deutsche, in ihrer überwiegenden Mehrheit Parteimitglieder oder Sympathisanten,
hingerichtet, verstorben in Lagern oder verschollen, lassen sich bis heute benennen.[7]
Dazu kommen die Überlebenden der Lager, die Verbannten, die Kinder in den Heimen
und die an die Gestapo Abgeschobenen.
    In der Komintern waren von 394 Mitarbeitern des EKKI (Exekutivkomitee der
Komintern) im Jahr 1936 im April 1938 noch 171 übrig.[8] Am Ende wurden zwei Drittel

---

4   Siehe Carola Tischler: Flucht in die Verfolgung. Deutsche Emigranten im Sowjetischen Exil – 1933
    bis 1945, Münster 1996, S. 26, 97. Siehe auch Peter Erler: Deutsche Emigranten und die KPD-
    Führung während der »Großen Säuberung« 1936 bis 1938 in der Sowjetunion. Ein Überblick, in:
    Zeitschrift des Forschungsverbundes SED-Staat (2018), H. 42, S. 3. Erler stützt sich dabei auf die
    unveröffentlichten Ergebnisse der Datenbank von Wladislaw Hedeler, in der 8011 Deutsche erfasst
    sind, die sich zwischen 1936 und 1945 in der Sowjetunion aufhielten. Angesicht der sonst wenig
    verlässlichen Daten zu den Deutschen in der Sowjetunion ist das die belastbarste Zahl.
5   Bericht von Paul Jäkel vom 29. April 1938 an das ZK der KPD, Rossijskij Gosudarstvennyj Archiv
    Social'no-Političeskoj Istorii/Russisches Staatsarchiv für Soziale und Politische Geschichte (im Fol-
    genden: RGASPI) 495/292/101, Bl. 13–18, zit. nach Oleg Dehl: Verratene Ideale. Zur Geschichte
    deutscher Emigranten in der Sowjetunion in den 30er Jahren, Berlin 2000, S. 143–149, hier S. 143 f.
    Von den 842 Verhafteten, die Jäkel nennt, wurden nur acht freigelassen.
6   Siehe Hermann Weber: Einleitung: Bemerkungen zu den kommunistischen Säuberungen, in: ders./
    Ulrich Mählert (Hg.): Terror. Stalinistische Parteisäuberungen 1936–1953, Paderborn 1998, S. 23 f.
    Von den im von Weber und Andreas Herbst herausgegebenen »Biographischen Handbuch Deutscher
    Kommunisten« (2008) aufgeführten 1675 kommunistischen Funktionärinnen und Funktionären
    sind 256 im NS-Deutschland und 208 in der Sowjetunion ermordet worden. Von 500 Funktionä-
    rinnen und Funktionären im Führungskorps der 1920er-Jahre kamen 102 unter Hitler um, 41 unter
    Stalin (siehe Weber: Einleitung, in: Weber/Mählert: Terror, S. 24).
7   Siehe Zahlenangabe Wladislaw Hedeler bzw. Arbeitsgruppe »Deutsche Antifaschisten im sowje-
    tischen Exil« bei der Berliner Vereinigung der Verfolgten des Naziregimes/Bund der Antifaschistin-
    nen und Antifaschisten.
8   Siehe Michael Buckmiller u. a. (Hg.): Biographisches Handbuch zur Geschichte der Kommunisti-
    schen Internationale, Berlin 2007, S. 376.

in die Gefängnisse und Erschießungskeller verschleppt: hunderte Funktionäre der kommunistischen Parteien Polens, Weißrusslands, der Ukraine, Italiens, Rumäniens, Spaniens, der Schweiz, Ungarns, Österreichs, Griechenlands, Irlands, Indiens und der drei baltischen Republiken. Am Ende der Verfolgungen gab es einen Großteil der kommunistischen Parteien und ihre weltweite Bewegung nicht mehr. »Der Kommunismus«, so der Nestor der KPD-Forschung Hermann Weber, »ist in der jüngeren Geschichte die einzige Bewegung, die mehr ihrer eigenen Führer, Funktionäre und Mitglieder ermordet hat, als das ihre Feinde taten«.[9] »In diesem Lande«, schrieb Susanne Leonhard, Freundin der Witwe Karl Liebknechts und selbst zwölf Jahre im Gulag, »in dem wir Kommunisten als politische Flüchtlinge Asyl suchten, spielen sich jetzt die umfassendsten und rigorosesten Kommunistenverfolgungen der Welt ab.«[10]

Die Schicksale von Kommunisten aus allen Ländern der Sowjetunion in den 1930er-Jahren sind vielfach beschrieben worden, meist gingen sie einher mit dem Schicksal ganzer Wohnheime, Kominternabteilungen, den Ausländergruppen in den Fabriken oder in Schulen, wie zum Beispiel der Karl-Liebknecht-Schule in Moskau.[11] Vorzeigeschule für Söhne und Töchter der Politfunktionäre wie Marianne Weinert, Viktor Bredel, Marianne Becher, Konrad und Markus Wolf, Gregor Kurella, Jo Kühnen, Sina Walden, Gerda und Käthe Lieben, Peter Florin, Jan Vogeler, Werner Eberlein, Wolfgang Leonhard – Erfahrungsort der dritten Führungsgeneration der DDR. Neben den Lehrerinnen und Lehrern verschwanden Eltern und Mitschülerinnen und Mitschüler. Von den 100 namentlich bekannten Pädagogen, die in die Sowjetunion gingen, wurden zwei Drittel Opfer der Verfolgungen, von den Lehrern der Karl-Liebknecht-Schule fast alle.[12] Gleiches gilt für jede andere Ausländerinstitution.

Haft, langjährige Folter, die Verhaftung des Ehepartners oder enger Freunde zerstörten Glaubenswelten, Identitäten zerbrachen.[13] »Jahre der Psychose«,[14] notierte Herbert Wehner. »Wo liegt in Zeiten wie der unseren die Grenze zwischen psychischer Normalität und Krankheit?«, fragte sich Nadežda Mandel'štam.[15]

Das Parteiklima war von jeher durch Angst vor der Stigmatisierung als Abweichler und dem Ausschluss bestimmt. Aber es gab Regeln, die die Kader über Jahre internalisiert hatten. Sie wussten, wie sie sich zu verhalten hatten, wann es ratsam war, Schuld einzugestehen, um das Ränkespiel der Parteisäuberungen zu überstehen. Diese Regeln setzte Stalin außer Kraft. Unter seiner Herrschaft konnte jeder zum »Volksfeind« werden.

9   Hermann Weber/Ulrich Mählert (Hg.): Verbrechen im Namen der Idee. Terror im Kommunismus 1936–1938, Berlin 2007, S. 7.

10 Susanne Leonhard: Gestohlenes Leben. Als Sozialistin in Stalins Gulag, Frankfurt a. M. 1988 (1956), S. 145.

11 Umfassend aufgearbeitet in: Natalja Mussijanko/Alexander Vatlin: Schule der Träume. Die Karl-Liebknecht-Schule in Moskau (1924–1938), Bad Heilbrunn 2005.

12 Siehe Christa Uhlig: Rückkehr aus der Sowjetunion. Politische Erfahrung und pädagogische Wirkungen. Emigranten und ehemalige Kriegsgefangene in der SBZ und DDR, Weinheim 1998, S. 41.

13 Siehe z. B. Reinhard Müller: Verfolgt unter Hitler und Stalin. Lebensweg der Münchner Kommunisten Anna Etterer und Franz Schwarzmüller, in: Mittelweg 36 19 (2010), H. 1, S. 3–18.

14 Herbert Wehner: Zeugnis, Köln 1982, S. 209.

15 Nadeschda Mandelstam: Das Jahrhundert der Wölfe. Eine Autobiografie, Frankfurt a. M. 1971, S. 80.

Vor diesem Bruch war klar gewesen, wie Parteibiografien ohne »schwarze Flecken« aussehen mussten. Nun aber versteckte sich hinter der Maske der makellosen Parteibiografie der »Feind«. »Wie ein listiger Fuchs greift er zu den mannigfaltigsten Methoden, um sich zu verbergen, Vertrauen zu erschleichen und die Wachsamkeit zu hintergehen«, warnte die *Prawda*.[16] Hinter den eifrigsten Aktivisten würden die besonders perfide getarnten Feinde lauern.[17]

Parteiloyalität ließ sich nicht mehr durch Denunziation bezeugen. »Die Verleumdung ehrlicher Mitarbeiter unter der Flagge der ›Wachsamkeit‹«, so Andrej Ždanov auf dem Parteitag vom März 1939, »ist gegenwärtig die verbreitetste Methode zur Tarnung und Maskierung der feindlichen Tätigkeit. Die noch nicht entlarvten Wespennester der Feinde sind vor allem unter den Verleumdern zu suchen.«[18] Im Überlebenskampf waren alle Regeln außer Kraft gesetzt. Der Terror schlug blindlings zu, vor Verhaftung gab es keinen Schutz mehr.

Hinter der Willkür des Terrors suchten die Emigranten nach einer Logik, die Gegenstrategien ermöglichen sollte. Die Situation war surreal. Die deutschen Kommunisten hatten sich vor Verfolgung, Folter und KZ aus Nazideutschland in die Sowjetunion gerettet, wo man weggesperrt, ausgeliefert oder ermordet wurde. In dem Land, für das man sein Leben riskiert hatte, war man nun ein Feind. Der Ort der Rettung war zum Ort der größten Gefahr geworden. Und die Freunde zu Mördern. Die Selbstverleugnungen, Rechtfertigungen, Denunziationen und Selbstkritiken in den Akten dokumentieren den Wahnsinn, es sind Zeugnisse der individuellen Zurichtung in einer bürokratisch organisierten Menschenvernichtung – dem Ziel stalinistischen Terrors. »Viele Ausländer«, so äußerte der Wirtschaftsberater Stalins Eugen Varga im März 1938 in Moskau, »[…] sind durch die ständige Angst halb wahnsinnig und nicht mehr zu Arbeit fähig.«[19] Paul Schwenk war 1937 verhaftet worden. Seine Frau Martha verfiel in eine »an physische und psychische Auflösung grenzende Depression«.[20] »Wenn ich die Biographie meiner Eltern, von mir und meiner Frau übersehe, ist das zum Wahnsinnigwerden«, schrieb Franz Schwarzmüller an Stalin nach der Verhaftung seiner Frau.[21] »Einige Frauen wollten sich im Büro der Deutschen Vertretung aus dem Fenster stürzen. Taube, Gertrud hatte die Absicht, ihr Kind unter die Straßenbahn zu werfen und Selbstmord zu begehen.«[22]

---

16   Prawda vom 7. August 1936, zit. nach Brigitte Studer/Berthold Unfried: Der stalinistische Parteikader. Identitätsstiftende Praktiken und Diskurse in der Sowjetunion der dreißiger Jahre, Köln 2001, S. 189.

17   Alexander Vatlin: »Was für ein Teufelspack«. Die Deutsche Operation des NKWD in Moskau und im Moskauer Gebiet 1936 bis 1941, Berlin 2013, S. 189.

18   Andrej Ždanov auf dem Parteitag der KPdSU vom März 1939, zit. nach Reinhard Müller: Menschenfalle Moskau. Exil und stalinistische Verfolgung, Hamburg 2001, S. 143.

19   Zit. nach Vatlin: Teufelspack (Anm. 17), S. 227.

20   Wehner: Zeugnis (Anm. 14), S. 199.

21   Brief von Schwarzmüller an Stalin, Molotov, Berija, Dimitroff, Pieck vom 23. April 1939, RGASPI 495/74/39, Bl. 1–15.

22   Bericht von Paul Jäkel vom 29. April 1938 an das ZK der KPD, RGASPI, 495/292/101, Bl. 13–18.

II. Die »Moskauer« als machtpolitischer Faktor

Von den 500 000 aus Deutschland Exilierten kehrten nur 30 000 zurück. Vier Fünftel gingen nach Westdeutschland, ein Fünftel in den Osten des Landes.[23] 10 000 Kommunisten waren im Land geblieben, 5000 im Exil außerhalb der Sowjetunion. Für die Herrscher im Kreml war klar, dass die entscheidenden Partei- und Politstellen nur mit Moskaurückkehrern zu besetzen waren. Anfänglich erlaubten sie 116 deutschen »Moskau-Kadern« mit Walter Ulbricht an der Spitze und 151 Kriegsgefangenen aus den Antifaschulen die Rückkehr. Damit gab es in den ersten Monaten nach dem Krieg 267 geschulte Kader in der sowjetischen Besatzungszone. 1946/47 folgten ihnen 102 deutsche Sowjetunionkader.[24] Die Moskauer kamen als »Anhängsel« der 7. Abteilung der Politischen Hauptverwaltung der Roten Armee. Von dort erhielten sie ihre Aufträge, und dahin erstatteten sie auch Bericht.[25] Für den Kreml und damit für Ulbrichts Leute war klar: Vor der Staatseroberung musste der Parteiaufbau erfolgen.[26] Von 16 durch das sowjetische Politbüro abgesegneten Mitgliedern der neu gegründeten KPD waren 13 Moskauer Kader. Das Zentralkomitee existierte nur auf dem Papier, es trat nie zusammen.[27] Für jede wichtige Frage ließ man die KPD-Führer nach Moskau kommen.[28] Die Parteisekretariatsräume in der Wallstraße wurden von Moskauern dominiert. Von 218 Emigranten aus der Sowjetunion, die zwischen 1945 und 1947 zurückkehrten, wurden 66 sofort ins ZK, den Vorstand der KPD beziehungsweise später der SED oder als Mitarbeiter in der Berliner Parteizentrale übernommen. Für Hermann Brill, einstiger Buchen-

---

23 Siehe Karin Hartewig: Zurückgekehrt. Geschichte der jüdischen Kommunisten in der DDR, Köln 2000, S. 2.

24 Die genaueste namentliche Auswertung findet sich bei Peter Erler: »Moskau-Kader« der KPD in der SBZ, in: Manfred Wilke (Hg.): Die Anatomie der Parteizentrale. Die KPD/SED auf dem Weg zur Macht, Berlin 1998, S. 229–292, hier S. 282–289; eine namentliche Auflistung der Kriegsgefangenen innerhalb der Gruppen findet sich bei Jörg Morré: Hinter den Kulissen des Nationalkomitees. Das Institut 99 in Moskau und die Deutschlandpolitik der UdSSR 1943–1946, München 2001, S. 96, 211–215. Keiderling spricht von 275 Kadern von KPD und NKFD (Nationalkomitee Freies Deutschland), die zwischen dem 1. Mai und dem 10. Juni 1945 im sowjetischen Kontrollgebiet aktiv waren. Gerhard Keiderling (Hg.): »Gruppe Ulbricht« in Berlin. April bis Juni 1945, Berlin 1993.

25 Siehe Erler: »Moskau-Kader« (Anm. 24), S. 231.

26 Siehe Wolfgang Leonhard: Die Revolution entlässt ihre Kinder, Köln 1992 (1955), S. 334 ff.; Keiderling: Gruppe Ulbricht (Anm. 24), S. 42 ff. Zum Aufbau eines Parteigeheimdienstes in einem Schreiben von Walter Ulbrich an Wilhelm Pieck vom 23.5.1945, Stiftung Archiv der Parteien und Massenorganisationen der DDR im Bundesarchiv (im Folgenden: SAPMO-BArch), NY 4182/851, Bl. 141: »[…] aber in einer solchen Form, die nicht erkennen lässt, worum es sich handelt«.

27 Unterschrieben hatten u. a. Wilhelm Pieck, Walter Ulbricht, Anton Ackermann, Gustav Sobottka, Johannes Becher, Hermann Matern, Elli Schmidt, Bernard Koenen, Otto Winzer, Hans Mahle, Edwin Hoernle, Martha Arendsee und Michael Niederkirchner. Erler: »Moskau-Kader« (Anm. 24), S. 279; Erinnerungen Gyptner, SAPMO-BArch, NY 40/EA 0691, Bl. 131. Für das Politbüro waren vorgesehen: Wilhelm Pieck, Walter Ulbricht, Anton Ackermann, Ottomar Geschke, Hans Jendretzky, Otto Winzer, Gustav Sobottka, Hans Mahle und Ellen Kuntz als Sekretärin (Frau von Albert Kuntz, der 1945 im KZ ermordet worden war).

28 Siehe Michael Kubina: Aufbau des zentralen Parteiapparates der KPD 1945–1946, in: Wilke: Anatomie (Anm. 24), S. 49–118, hier S. 65.

wald-Häftling, war das ZK wegen der Moskauer ein »Emigrantenkabinett«,[29] eine aus Moskau implementierte Führung, keinem gewählten Parteigremium verantwortlich. Diese Führung leitete die Funktionäre in den Bezirksleitungen, Verwaltungen und gesellschaftlichen Organisationen autoritär an.

Ähnliches vollzog sich in Schlüsselstellungen in Radio, Zeitungen,[30] Verlagen[31] und im Kulturleben.[32] Die ideologische und taktische Generallinie für die Medien kam aus der Abteilung Agitation, die von ergebenen Moskau-Emigranten geleitet wurde.[33]

Die »Moskauer« dominierten im Führungsgremium der Partei sowie im Apparat, in den Medien und der Kultur und konzentrierten sich auf Kaderarbeit und Propaganda, also auf Kampagnen, Umerziehung und Parteischulung.[34] Ihre Schaltstellen waren das Sekretariat, dessen Apparat, die Polizei, der sich aufbauende Geheimdienst und später die Parteikontrollkommission, in denen »die Moskauer Kader alle Schlüsselpositionen besetzen«.[35]

III. Stalinisierung der Partei

Von Anfang an setzten die Moskauer die Herrschaftspolitik des Kreml sowohl gegenüber den anderen Kaderfraktionen in der Partei als auch gegenüber der Parteibasis durch. Schon 1944 ging die KPD-Führung im Sowjetexil davon aus, dass die Partei nur noch in Form von »sektiererischen Zirkeln und Gruppen« im Land existiere.[36] Die Genossen seien zurückgeblieben »durch jahrelange Abgeschlossenheit in Konzentrationslagern und Zuchthäusern und die ideologische Autarkie des Faschismus«. Trotzkisten und stalin-kritische Münzenberg-Anhänger befänden sich unter ihnen, ja, sie seien beeinflusst von der »faschistischen Ideologie«.[37] Nun erklärten die Moskauer den Überlebenden im Land

---

29 Manfred Overesch: Machtergreifung von links. Thüringen 1945/1946, Hildesheim 1993, S. 128.

30 »Moskauer«, die für die zonenweit erscheinenden Zeitungen arbeiteten: Fritz Apelt als Chefredakteur für »Die Freie Gewerkschaft« beziehungsweise die »Tribüne«, Heinz Stern als Chef der »Jungen Welt«, Lilly Becher als Chefin der »Neuen Berliner Illustrierten«. Die KPD-Parteizeitung »Deutsche Volkszeitung« gaben Paul Wandel und Fritz Erpenbeck heraus; erster Leiter der 1946 gegründeten Allgemeinen Deutschen Nachrichtenagentur ADN war Georg Hansen, gefolgt von Max Keilson.

31 Bernward Gabelin, Lotte Treuber, Erich Wendt, Friedrich Wolf.

32 Präsident des »Kulturbundes zur demokratischen Erneuerung« wurde Johannes R. Becher, sein Generalsekretär Heinz Willmann. Dem Landesverband Mecklenburg-Vorpommern saß Willi Bredel vor, in Thüringen war es Theodor Plievier. An den Theatern wurden Hans Rodenberg, Gustav von Wangenheim und Maxim Vallentin eingesetzt – allesamt »Moskauer«.

33 Darunter: Robert Korb, Heinz Prieß, Georg Wilhelm Hansen. Korb stieg im Ministerium für Staatssicherheit bis zum Generalmajor auf.

34 Siehe Kubina: Aufbau (Anm. 28), S. 68; Erler: »Moskau-Kader« (Anm. 24), S. 279.

35 Kubina: Aufbau (Anm. 28), S. 68.

36 »Die Lage und die Aufgabe in Deutschland bis zum Sturz Hitlers« – handschriftliche Ausarbeitung Wilhelm Florins für das Referat vor der Arbeitskommission, auf der Sitzung am 8. Mai 1944 vorgetragen, in: Peter Erler/Horst Laude/Manfred Wilke (Hg.): »Nach Hitler kommen wir.« Dokumente zur Programmatik der Moskauer KPD-Führung 1944/45 für Nachkriegsdeutschland, Berlin 1994, S. 157.

37 Ebd., S. 107.

die großen Politiklinien, installierten ihre Organisations- und politischen Leiter, maß-
regelten, sonderten aus, befahlen in Rundschreiben den Parteizirkeln die Parolen,
Diskussionsthemen, ja, selbst an welchen Wochentagen die Zellenabende stattfanden,
wurde in Moskau bestimmt.

Der Partei traten letztlich nur rund 5000 Kommunisten bei, die schon vor 1933 Mitglieder gewesen waren, d. h. nur jeder zweite überlebende Vorkriegskommunist. Viele
wollten sich von den Moskauern nicht kommandieren lassen[38] und verlangten Aussprachen über die sowjetische Besatzungspolitik, über Reparationen, Ostgrenzen, Vergewaltigungen, Bandenunwesen, die Rückführung der Kriegsgefangenen und das Verschwinden von Zivilisten. Aber jede Diskussion wurde abgewürgt. Es müsse eine »Umerziehung«
der Genossen stattfinden, so die Devise der Parteispitze. Bald tauchten in den Sitzungen
stalinistisch geschulte Kader auf. Bernard Koenen, Gustav Sobottka und Richard
Gyptner zogen als »Aufklärungsreisende« durchs Land. Wer von Missständen redete,
hieß es bald, sei ein »Opfer der Reaktion und ihrer Propaganda geworden«.[39] Mit einer
solchen Denunziation konnte man schon im Herbst 1946 ins Visier der Ideologiewächter
geraten, ab 1948 kam es zum Entzug der Funktionen, zum Parteiausschluss und zu straf-
rechtlicher Verfolgung. Für viele blieb nur die Flucht in den Westen. So setzte man die
Moskauer Politlinie bis in die kleinsten Parteiorganisationen autoritär durch.

Die anderen Kaderfraktionen in der Partei hielten die »Moskauer« mithilfe der sowjetischen Besatzer von den Machtstellen fern. Dies betraf zum einen die Überlebenden
des kommunistischen Widerstands. Sie waren wenige und untereinander nicht verbunden, wussten aber – entgegen aller Propagandaerzählungen – um den stalinistischen
Verrat gegenüber dem Widerstand. Damit stellten sie eine Gefahr dar und unterlagen
von Anfang an strenger Parteiüberwachung. Eine weitere Gruppe bildeten die propagandistisch gefeierten Spanienkämpfer. Im Januar 1949 ließ die Parteispitze sie zentral erfassen. In die Dossiers ging Material über 2267 Mitglieder der Internationalen Brigaden
ein, darin viele Verdächtigungen, auf die zur Einschüchterung zurückgegriffen werden
konnte. So zitierte man viele von ihnen wegen ihrer Westkontakte vor die Parteikontroll-
kommissionen und klagte sie in Prozessen zwischen 1949 und 1954 an. Damit hatte sich
auch der Machtanspruch dieser Gruppe erledigt.[40]

Die stärksten innerparteilichen Rivalen aber waren die Überlebenden der Konzentra-
tionslager. Besonders die ehemaligen Insassen von Buchenwald hatten die Fähigkeit zur
Selbstorganisation bewiesen, waren selbstbewusst und kannten die Volksfront-Direk-
tiven. Viele von ihnen nahmen gleich nach ihrer Freilassung Funktionärsstellen ein. In
der Parteiführung hatte man sofort angefangen, über sie Material zu sammeln. Noch im
September 1945 wurden die ersten internen Anhörungen gestartet, in denen die Wahrheit über die Lagervorgänge detailliert zutage trat. Es gab Untersuchungen und Prozesse
unter der Führung der Sowjetischen Militäradministration, führende Kommunisten des

38 Siehe Jochen Laufer: »Genossen, wie ist das Gesamtbild?«. Ackermann, Ulbricht und Sobottka in
   Moskau im Juni 1946, in: Deutschland Archiv 29 (1996), H. 3, S. 355–371.
39 Andreas Malycha: Die SED. Die Geschichte ihrer Stalinisierung 1946–1953, Paderborn 2000,
   S. 199.
40 Siehe Michael Uhl: Mythos Spanien. Das Erbe der Internationalen Brigaden in der DDR, Berlin
   2004.

Lagerwiderstands wurden verhaftet und in den Gulag verschleppt.[41] 1953 löste die SED die in ihren Augen zu autonome Vereinigung der Verfolgten des Naziregimes auf.[42] An ihre Stelle trat ein vom ZK der SED installiertes Komitee der Antifaschistischen Widerstandskämpfer. Damit war auch dieser Machtkampf entschieden.

Schließlich gab es noch die Gruppe der Westemigranten. Die Ersten kamen aus der Schweiz, Frankreich und Schweden zurück, die anderen 1946 oder noch später, als die einflussreichen Posten bereits vergeben waren. Dennoch wurde der Vorwurf der Westemigration in der Sowjetunion und im ganzen Ostblock zum Standardverdacht, der es erlaubte, alle, die nicht durch die Mühlen der stalinistischen Verfolgung gegangen waren, unter Druck zu setzen und gegebenenfalls auszuschalten. Überall in den Ostblockländern wurde Material über führende Funktionäre gesammelt, nachdem Stalin zur Nachkriegserneuerung der Moskauer Herrschaft wieder Schauprozesse inszenierte. Die in Moskau erstellten Prozessdrehbücher konstruierten ein weit verzweigtes, international agierendes und schwer durchschaubares Verschwörungs- und Spionagenetz, in dessen Zentrum vielfach der US-amerikanische Diplomat Noel H. Field stand, dessen verzweigte Rettungsaktionen für Flüchtlinge ihn im Zweiten Weltkrieg zum idealen Anknüpfungspunkt für diese Konstrukte machten.[43]

Auch in Deutschland begann die Verfolgung, die sich neben jüdischen Kommunisten vor allem gegen Westemigranten und Nicht-Moskauer richtete. Schritt für Schritt weiteten die Sowjets ihren Einfluss auf die deutsche Führungsspitze aus. Die von ihnen befeuerte Kampagne gegen »Titoisten, Trotzkisten und westliche Agenten« nahm Ende 1949 hysterische Züge an. Auf den Tagungen war nun von der »trotzkistisch-terroristisch-titoistisch-faschistischen Gefahr« und den »Agentennestern in der Partei« die Rede.[44] Wilhelm Pieck erklärte auf dem III. SED-Parteitag im Juli 1950, nun gehe es darum, »die trotzkistischen Agenturen aus unseren Reihen auszumerzen«.[45] Sowjetische Agenten begannen im Hintergrund, die Berichte, Denunziationen und Charakteristika so umzuschreiben, dass sie in Stalins gegen Westemigranten, Spanienkämpfer und jüdische Kommunisten gerichtete Verschwörungstheorie passten.[46]

Ebenfalls Attacken ausgesetzt war die Gruppe der Sozialdemokraten. Zur Machterringung meinte man einst nicht auf sie verzichten zu können, aber nach den Landtagswahlen 1946, in denen die SED in keinem Land die absolute Mehrheit erreichte, und den

41   Siehe dazu Lutz Niethammer (Hg.): Der »gesäuberte« Antifaschismus. Die SED und die roten Kapos von Buchenwald, Berlin 1994.

42   Siehe Thomas Klein: »Für die Einheit und Reinheit«. Die innerparteilichen Kontrollorgane der SED in der Ära Ulbricht, Köln 2002, S. 157 f.

43   Siehe Bernd-Rainer Barth/Werner Schweizer: Der Fall Noel Field, Bd. 1, Berlin 2007.

44   So Hermann Matern auf einer Tagung des Politbüros, in: Klein: Einheit (Anm. 42), S. 127. Siehe auch Sekretariat des ZK und die ZPKK [Zentrale Parteikontrollkommission] am 7./8.12.1950, SAPMO-BArch, DY 30 IV 2/4/188, zit. nach Malycha: SED (Anm. 39), S. 421 sowie Für die organisatorische Festigung der Partei und für ihre Säuberung von feindlichen und entarteten Elementen. Beschluss des Parteivorstandes der SED vom 29. Juli 1948, in: Dokumente der SED, Band II, Berlin 1952, S. 83 ff.

45   Hermann Hodos: Schauprozesse. Stalinistische Säuberungen in Osteuropa 1948–1954, Berlin 2001, S. 183.

46   Ebd., S. 183; Wolfgang Kießling: Willi Kreikemeyer, der verschwundene Reichsbahnchef, Berlin 1997, S. 16.

Berliner Volkskammerwahlen, in denen die SED nur 19,8 Prozent der Wähler für sich gewinnen konnte, sah man in den Sozialdemokraten nur noch »unzuverlässige« Elemente.[47] Die Sowjetunionrückkehrer sollten nun auch sie – wie schon in Moskau vor Kriegsende geplant – auf Kurs bringen. »Einheit ist die Frage der SPD«, hatte sich Pieck im April 1944 notiert, »sie wird dadurch ausgeschaltet«.[48]

Etliche der 700 000 SPD-Mitglieder, die im März 1946 in die SED gekommen waren, wurden nun mit dem grotesken Vorwurf des »Sozialdemokratismus« verfolgt. Sie traten aus, verloren ihre Stellen, flohen, wurden in Speziallager verschleppt, starben. Innerhalb von fünf Jahren schrumpfte der Anteil der einstigen SPD-Anhänger in der SED von 52 Prozent auf 6,5 Prozent im Jahr 1951.[49] Die einst starke Sozialdemokratie im Osten Deutschlands war damit zerstört.[50]

Unter der Anleitung Moskaus wurden stalinistische Strukturen und Methoden eingeführt, dazu gehörten Kritik und Selbstkritik, Säuberungen, Parteiausschlüsse, Inhaftierungen und Berufsverbote. Bald wurde unverhohlen mit der Ausgrenzung und Verfolgung Andersdenkender Politik gemacht.[51]

Das Hauptinstrument zur Durchsetzung dieser Politik war die Parteikontrollkommission, bei deren Einrichtung die Handlungsrichtlinien der sowjetischen Parteikontrolle der 1930er-Jahre in weiten Teilen fast wörtlich übernommen wurden. Wer Moskau überlebt hatte, wusste um die Funktion dieser Institution. Das von Moskauern dominierte Politbüro setzte durch, dass sämtliche Funktionäre im Partei- und Regierungsapparat, in der Verwaltung und in Industrieunternehmen, die länger als drei Monate im westlichen Ausland gewesen waren, durch die Zentrale Parteikontrollkommission (ZPKK) überprüft werden mussten.[52] Gleiches galt für ehemalige politische Abweichler.[53] Die Befragungen zogen sich über ein Jahr hin. Unter den betroffenen Genossen breitete sich Panik aus. Paul Bertz war nach Franz Dahlem und Paul Merker der ranghöchste Mann der Partei aus dem früheren KPD-Sekretariat in Paris. Als man ihn vor die Kommission lud, brachte er sich um. Der Journalist Rudolf Feistmann, der verdächtigt wurde, Kurierdienste für Field übernommen zu haben, beging im Juni 1950 Selbstmord.[54] Von den Moskaurückkehrern wurde indes niemand vor die zuständige Kommission geladen.

47   Thomas Klein: SED-Parteikontrolltätigkeit in den vierziger Jahren, in: Siegfried Suckut / Walter Süß (Hg.): Staatspartei und Staatssicherheit. Zum Verhältnis von SED und MfS, Berlin 1997, S. 90.

48   Beatrix Bouvier: Ausgeschaltet! Sozialdemokraten in der sowjetischen Besatzungszone und in der DDR 1945–1953, Bonn 1996, S. 11.

49   Siehe Karl Wilhelm Fricke: Opposition und Widerstand in der DDR. Ein politischer Report, Köln 1984, S. 38 f.; Wolfgang Buschfort: Das Ostbüro der SPD, München 1990, S. 46; Peter Bordihn: Bittere Jahre am Polarkreis. Als Sozialdemokrat in Stalins Lagern, Berlin 1990.

50   Siehe Andreas Malycha: Die Illusion der Einheit – Kommunisten und Sozialdemokraten in den Landesvorständen der SED 1946–1951, in: Michael Lemke (Hg.): Sowjetisierung und Eigenständigkeit in der SBZ/DDR (1945–1953), Köln 1999, S. 117.

51   Siehe Morré: Kulissen (Anm. 24), S. 96.

52   Sitzung ZPKK vom 21. Oktober 1949, SAPMO-BArch, DY 30/IV 2/4/437, zit. nach Malycha: SED (Anm. 39), S. 410; Klein: Einheit (Anm. 42), S. 131.

53   SAPMO-BArch, Berlin, Bestand SED, I 2/3/164. In der Akte Denunziationen von SED-Mitgliedern gegenüber Paul Merker, Leo Bauer u. a.

54   Siehe Klein: Einheit (Anm. 42), S. 137.

Auf dem III. Parteitag der SED im Juli 1950 beschlossen die Delegierten schließlich eine Überprüfung aller Mitglieder und Kandidaten der SED nach sowjetischem Vorbild. Ein gigantischer Apparat mit 30 000 Parteimitgliedern in 6000 Überprüfungskommissionen, unterteilt in Grund-, Kreis-, Landes- und Sonderkommissionen, wurde installiert. Die Parteikontrolle stellte »besonders bei den einfachen Arbeitern« eine »Angstpsychose« fest.[55] Kam es zum Parteiausschluss, hatte das weitreichende Folgen. Meist verlor man die Arbeitsstelle. 1,6 Millionen Mitglieder zählte die SED vor den Säuberungen, danach waren es 317 000 weniger. Demnach verlor die Partei jedes fünfte Mitglied durch Austritte, Ausschlüsse, Streichungen oder Überprüfungsverweigerungen.[56] Diejenigen, die die Säuberungen überstanden hatten, waren eingeschüchtert oder diszipliniert und hatten oftmals stalinistische Denkschemata verinnerlicht, die über Jahrzehnte weiterwirkten.[57]

Anfang 1949 war die SED, was sie immer sein sollte: eine marxistisch-leninistische Partei Moskauer Prägung, die sich unter der Führung der »Moskauer« zwischen 1948/49 und 1952 vollständig stalinisierte.[58]

IV. Ausschaltung der Nicht-Moskauer

Was die Moskauer in der Sowjetunion erlebt hatten, wiederholten sie als Führungskern in Ostdeutschland: die Methoden, die Feindkonstrukte, die Angst, den Terror, die fingierten Anschuldigungen, das Purgatorium der Partei. Es waren dieselben Rituale hasserfüllter Exkommunikation, Denunziation und eines ideologischen Fanatismus – nur dass es nun möglich war, sich mit der Flucht in den Westen zu retten. Denunziationen lösten wieder das soziale Band, erneut gab es Isolation und Selbsthass.

Diese Mechanismen waren in der Kommunistischen Partei nicht neu. Auch die Stalinisierung der Partei in der Zwischenkriegszeit war derart vollzogen worden.[59] Nun

---

55   Ulrich Mählert: »Die Partei hat immer recht!« Parteisäuberung als Kaderpolitik in der SED (1948–1953), in: ders. (Hg.): Terror (Anm. 6), S. 404.

56   Siehe Klein: Einheit (Anm. 42), S. 151. Der Bericht der Zentralen Kommission vom 2. April 1952 vermeldete 150 696 ausgeschlossene oder gestrichene Mitglieder und Kandidaten der SED, SAPMO-BArch, ZPA J IV /2 – 208.

57   Siehe Malycha: SED (Anm. 39), S. 447.

58   Ebd., S. 371. Im Prozess der Stalinisierung spielten zwei weitere Gruppen eine wichtige Rolle, auf die hier nicht näher eingegangen werden kann: die ca. 8000 Kommunisten aus der KP Tschechiens, die als ausgesiedelte Sudetendeutsche nach Ostdeutschland kamen, und die 3200 rückkehrenden Antifa-Schüler und 200 Antifa-Lehrer aus der Sowjetunion. Hinzu kam eine sehr veränderte Mitgliederbasis. Ende 1948 betrug der Anteil der Mitglieder, die vor 1933 in der Arbeiterbewegung organisiert gewesen waren, nur noch 16 Prozent. Die Parteispitze drängte dazu noch darauf, dass die Altkommunisten in den Landes- und Kreisvorständen ersetzt würden. So wurde in den Wahlen 1949 nur noch ein Drittel der alten Leitungen wiedergewählt, was fast einer Neukonstituierung der Partei gleichkam. Allerdings galt jetzt als gesichert, dass von nun an stets mit 99,7 Prozent abgestimmt wurde (siehe Malycha: SED [Anm. 39], S. 335).

59   Siehe Herman Weber: Die Wandlung des deutschen Kommunismus. Die Stalinisierung der KPD in der Weimarer Republik, 2 Bde., Frankfurt a. M. 1969.

waren die Hauptakteure jedoch Menschen, die diese Herrschaftsmechanismen in einer Situation erlebt hatten, aus der es kein Entkommen gegeben hatte, und die diese Verschwörungskonstruktion inzwischen mehrheitlich durchschauten. Das zeigen die Verhörprotokolle der Spitzenfunktionäre sehr deutlich. Suchte man zu Beginn der Säuberungen in den 1930er-Jahren noch nach Gründen für Abschiebungen, Verfolgungen und Verhaftungen von Parteiführern und Genossen, Freunden und Verwandten, war vielen doch bereits während des »Großen Terrors« klar geworden, dass es nicht wirklich um Parteiverfehlungen oder Verrat ging. Den Erklärungen zu angeblichen Verrätern, Saboteuren und Volksfeinden glaubte schließlich niemand mehr.[60]

Den einflussreichen »Moskauern« blieb neben der Flucht aus Ostdeutschland, die nur die wenigsten überhaupt ins Auge fassten, am Ende nur die Befeuerung jener Politik, der sie gerade entronnen waren. So beförderte eine ganze Parteielite die Ausweitung der Katastrophe des Großen Terrors auf die deutschen Verhältnisse. Es herrschte eine Politclique, die die Charakteristika des Sowjetsystems der 1930er- und 1940er-Jahre vollständig verinnerlicht hatte. Damit sie diese niemals vergaßen, wurden sie nach dem Krieg in persönlichen Unterredungen mit Stalin und Molotov und in den unentwegten Belehrungen durch Sergej Tjul'panov, den Leiter der Propaganda-Abteilung der Sowjetischen Militäradministration in Deutschland, daran erinnert.[61]

Von den 80 Mitgliedern des ersten Parteivorstandes 1946, also den SED-Gründern, wurden mehr als ein Viertel, 22 Personen, schließlich aller Funktionen enthoben. Acht von ihnen wurden inhaftiert. Auch das erste »gewählte« Politbüro von 1950 wurde fast zur Hälfte von »Parteifeinden« gesäubert, sieben von 15 Mitgliedern mussten gehen: Anton Ackermann, Franz Dahlem, Rudolf Herrnstadt, Hans Jendretzky, Fred Oelßner, Elli Schmidt, Wilhelm Zaisser. Obwohl die meisten von ihnen nach 1956 »rehabilitiert« wurden, blieben sie jahrelang »Unpersonen«.

Mit einer solch durchstalinisierten Partei aber konnte man auf die Gesellschaft zugreifen. Das Grenzregime wurde ausgebaut, die bewaffneten Kräfte aufgebaut, eine zentral gelenkte Wirtschaft eingeführt, das Rechtswesen umgebaut, Kunst und Kultur zensiert. Nun ging es um die »Beseitigung der Ausbeuterklasse«, und weiten Teilen der Gesellschaft wurde der Kampf angesagt. Mit der Steuerpolitik trieb man Mittelstand, Handwerker und Gewerbetreibende in den Ruin. Durch überhöhte Abgabeforderungen

---

60 »Sogar in unserem Kinderheim«, so Wolfgang Leonhard, »war inzwischen bekannt geworden, dass 99 Prozent aller verhafteten Menschen niemals etwas gegen die Sowjetmacht getan hatten und daher selbst mit bestem Willen beim Verhör nichts gestehen konnten.« (Leonhard: Revolution [Anm. 26], S. 53) »Wir glauben nicht mehr an die Schuld aller Verhafteten«, schrieb die Ärztin Martha Ruben-Wolf in einem Brief im Mai 1938 an den stellvertretenden Volkskommissar für Auswärtige Angelegenheiten. »Es sind zu viele bewährte Genossen darunter. Man verhaftet nach Berufsgruppen, Betrieben und Häuserblocks.« (Brief Martha Ruben-Wolf an M. M. Litvinov, stell. Volkskommissar für Auswärtige Angelegenheiten, vom 9. Mai 1938, RGASPI 495/205/774, Bl. 136 f., zit. nach Reinhard Müller: Juden – Kommunisten – Stalinopfer: Martha Ruben-Wolf und Lothar Wolf im Moskauer Exil, in: Exil (2006), H. 1, S. 5 f.

61 Siehe Norman M. Naimark: Die Russen in Deutschland. Sie sowjetische Besatzungszone 1945 bis 1949, Berlin 1999, S. 398; Bernd Bonwetsch u. a. (Hg.): Sowjetische Politik in der SBZ 1945–1949, Bonn 1998, S. 143 f.

drängte man die größeren Landwirte zur Aufgabe und zwang alle Bauern Schritt für Schritt in die Landwirtschaftlichen Produktionsgenossenschaften. In den Gefängnissen verdoppelte sich die Zahl der Häftlinge innerhalb eines Jahres. Von Anfang 1951 bis April 1953 floh eine halbe Million Menschen aus der soeben gegründeten »demokratischen Republik«.

V. Herrschaftsmoment »nach dem Terror«

Treibender Motor dieser Entwicklung war die Machtpolitik Stalins, der sich die Kader nach jahrelanger Einschüchterung willenlos unterordneten. Was aber geschah nach dem Tod Stalins, als sich Formen und Funktionen der Repressionen änderten? Die Speziallager wurden geschlossen, die Massenverschleppungen in die Sowjetunion beendet, die Erschießungen von Deutschen in Moskau eingestellt. Die geplanten Schauprozesse fanden nicht statt, innerhalb der Partei griffen wieder die alten Verhaltensregeln, wie mit Anschuldigungen, Machtgerangel und Stigmatisierung umzugehen war, um im internen Ränkespiel zu bestehen.

Diese Veränderung der Repression fußte aber weiterhin auf den Strukturen, die die Moskaurückkehrer der frühen Wellen in den vorangegangenen Jahren geschaffen hatten: den innerparteilichen Geheimdiensten, der krakenartig weiterwachsenden Staatssicherheit, den eingebrannten Erinnerungen. Vor allem fand in der Personalpolitik keine Entstalinisierung statt. Karrieren waren gesichert, aus ungelernten Bergarbeitern waren Minister geworden. Die meisten Moskaurückkehrer der ersten Jahre behielten ihre führenden Posten, manche, wie Markus Wolf, gar bis in die Endphase der DDR,[62] was eine Gerontokratie entstehen ließ. Mit dem fehlenden Austausch des Personals blieben die in den Jahren der Säuberung geschaffenen Machtverhältnisse bestehen. Millionen Menschen waren geflohen. Oppositionelle, eigenständige Akteure und Kritiker gab es kaum mehr. Die Machtfrage in Partei und Gesellschaft war geklärt, auch wenn sie mit dem 17. Juni 1953 kurzfristig noch einmal zur Disposition zu stehen schien.

Die Moskauer hielten Terror nicht per se für die einzige Herrschaftsoption, sondern für ein Instrument der Politik in einer bestimmten Situation. Die Folge ihrer Abrichtung war nicht die Vorstellung von Verhältnissen, in denen Gewalt und Terror alles bestimmten, sondern bei vielen von ihnen die Aufgabe jeglicher Selbstständigkeit und die willenlose Adaption von Vorgaben, egal wie unmenschlich sie waren. Daher ließ sich auch argumentieren, dass sich in den späten 1950er-Jahren die Repression nicht nur aufgrund von Veränderungen in Moskau wandelte, sondern auch aufgrund der Anpassung an eine

---

62 Markus Wolf erlebte Verhaftungen in der Karl-Liebknecht-Schule, in der Datschensiedlung seiner Familie und im engsten Freundeskreis, er erlebte die Angst seiner Eltern, wuchs auf mit seiner Halbschwester, der Tochter von Lotte Strub, später Rayß, der Geliebten von Friedrich Wolf und über Jahre Ersatzmutter für die Wolf-Kinder. Bis 1955 war Rayß im Lager und in der Verbannung. Wolf wusste das, hat sich jedoch nie um eine Freilassung bemüht. Ihre Stasiüberwachung in der DDR verfolgte er dagegen genau. Lotte Strub-Rayß: Verdammt und entrechtet. Stuttgart – Basel – Moskau. 16 Jahre Gulag und Verbannung. Autobiographie hrsg. von Konrad Rayss, Berlin 2018.

geänderte Partei und Gesellschaft, in der der offene und dauerhafte Terror nach Jahren der stalinistischen Säuberungs- und Machtpolitik nicht mehr nötig war. Nachdem die Herrschaftsfrage in den stalinistischen Jahren der DDR geklärt worden war, brauchte es immer seltener Gewalt, um die Verhältnisse aufrechtzuerhalten. Diesem Zustand passten sich die Parteifunktionäre an, auch die Moskaurückkehrer.

Was unabhängig von allen veränderten Herrschaftsinstrumenten der Moskaurückkehrer blieb, war ihr Schweigen über die Realität in der Sowjetunion. Während sie von der »tiefen Verbundenheit mit dem Führer in Moskau« sprachen, wussten sie um die bittere Geschichte einer Partei, deren Mitglieder in Moskau einst auf Weisung Stalins pauschal als Verräter auszurotten waren. Sie schwiegen über Verhaftungen, das Verschwinden von Parteigenossen, den Terror und die Angst. Und sie schwiegen über die einstigen Genossen, die noch immer in den Lagern und der Verbannung um ihr Leben kämpften.

Erst nach Konrad Adenauers Rückholung der letzten deutschen Kriegsgefangenen aus den sowjetischen Lagern 1955 kam man auch in der DDR nicht mehr umhin, den überlebenden Genossen aus Kasachstan, Sibirien oder Workuta die Rückkehr nach Deutschland zu gestatten. Diese späten Rückkehrer waren zumeist Frauen mit ihren Kindern.[63] Auch ihnen erlegten die »Moskauer« sofort nach der Ankunft ein Schweigegebot auf, an das sich die Rückkehrerinnen – nachdem sie anfangs noch in Fragebögen, Lebensläufen und Befragungen offen über die Jahre im Gulag und der Verbannung Auskunft gegeben hatten – hielten,[64] um die Wohnung mit Heizung und fließendem Wasser, die medizinische Versorgung und ihre finanzielle Unterstützung nicht erneut zu verlieren.[65]

Auch mit Nikita Chruščevs Bericht über die Verbrechen Stalins auf dem XX. Parteitag der KPdSU 1956 blieben die Verfolgungen und das Schicksal der Ermordeten und Verschleppten Tabu. Unzensierte Informationen, ungeschönte Lebensläufe, offene Erzählungen und freies Sprechen hätten schnell die Realität der Moskaurückkehrer offenbart – und zu Fragen geführt: nach den Gründen für ihr Überleben, ihrer Gefolgschaft, ihrem fehlenden Eintreten für die eigenen Genossen, und vor allem dem Verrat, ohne den in den Terrorjahren nicht zu überleben war und von dem die Rückkehrer gegenseitig wussten. Das aber hätte ihre Machtstellungen im Dienst einer nun diskreditierten stalinistischen Politik mindestens unterminiert.

63 Die genaue Zahl der zurückgekehrten Politemigranten nach Ostdeutschland ist schwer zu bestimmen. In den Jahren 1945 bis 1947 waren es wohl 400 bis 500. Von 1955 bis 1961 noch einmal 560, zu denen später weitere 50 Rückkehrer kamen. Sie brachten 250 Kinder und Enkelkinder mit. Wilhelm Mensing kommt in einer namentlichen Auflistung auf 1241 Rückkehrer plus Nachfahren (siehe Wilhelm Mensing: Remigration deutscher Politemigranten aus der Sowjetunion in die Sowjetische Besatzungszone/Deutsche Demokratische Republik 1945–1962, in: Zeitschrift des Forschungsverbundes SED-Staat [2015], H. 38, S. 88–124).

64 Siehe Carola Tischler: Die Sprache der Akten. Wie die SED das bezeichnete, was sie nicht benennen wollte, in: Das verordnete Schweigen. Deutsche Antifaschisten im sowjetischen Exil, Pankower Vorträge (2010), H. 148, S. 30–37.

65 Ausführlich und sehr eindrücklich dokumentiert in: Meinhard Stark (Hg.): Du willst Deine Ruhe haben, schweige. Deutsche Frauenbiographien des Stalinismus, Essen 1991; ders.: »Ich muss sagen, wie es war«. Deutsche Frauen im Gulag, Berlin 1999.

Am Ende hätte ein offenes Sprechen über die stalinistische Repression aber auch zu Fragen nach der stalinistischen Politik geführt: zu den fatalen Fehleinschätzungen wie der Sozialfaschismusthese und ihrem Anteil an der Machteroberung der Nationalsozialisten, dem fehlenden Aufruf zum Widerstand 1933, dem Hitler-Stalin-Pakt als Vorbedingung für Hitlers Eroberung ganz Westeuropas, den ignorierten Warnungen der eigenen Geheimdienstleute vor dem deutschen Angriff, dem skrupellosen Umgang mit dem deutschen Widerstand und vor allem den fatalen Kriegsfolgen durch die Liquidierung der gesamten Armeeführung. »Von der Sowjetunion lernen, heißt siegen lernen.« Ein solches Mantra wäre ohne das Tabu über die Wahrheiten der 1930er-Jahre in der Sowjetunion nicht aufrechtzuerhalten gewesen. Die DDR aber lebte von den propagandistischen Sowjetmythen des heldenhaften Widerstandes, des Sieges über den Faschismus, der erfolgreichen Kriegsführung und dem Bild einer hoffnungsfrohen, industrialisierten Aufbruchsgesellschaft. Die Wahrheit über die Sowjetgesellschaft hätte die fragile Identität der jungen DDR in ihrem Fundament erschüttert. Das Schweigegebot blieb somit ein konstitutives Element der Herrschaft auch nach dem Terror. Nichts hat dies deutlicher gezeigt, als die Folgen von Gorbačëvs Glasnost-Politik, die Zensur für die Sowjetgeschichte aufzuheben.

Molly Pucci

Die Sowjets im Ausland. Der NKWD und der Staatsaufbau in Ostmitteleuropa nach dem Zweiten Weltkrieg*

Als er 1954 aus dem Dienst entlassen wurde, arbeitete Nikolaj Koval'čuk seit über 20 Jahren für die sowjetische Geheimpolizei. Er hatte nicht nur im sowjetischen Russland und der Ukraine, sondern auch in den baltischen Staaten gedient, kurz nachdem diese an die Sowjetunion angegliedert worden waren. Außerdem hatte er zum NKWD-Berater-apparat in Polen und Deutschland nach dem Zweiten Weltkrieg gehört. Der 1902 in Kiew geborene Koval'čuk hatte nur zwei Jahre die Oberschule besucht, bevor er zur örtlichen Miliz ging. Von November 1926 bis April 1932 versah er seinen Dienst in der Roten Armee. Während dieser Zeit trat er im November 1927, im Alter von 25 Jahren, der KPdSU bei, nachdem die Niederlage Trotzkis Stalins Position als Diktator gesichert hatte. Koval'čuk gehörte zu den Hunderttausenden junger Rekruten, die zwischen 1924 und 1928 in die Partei eintraten. Die Mitgliederzahl der KPdSU wuchs in dieser Zeit von 472 000 auf 1 304 471 an.[1] Im April 1932 wurde Koval'čuk für den NKWD rekrutiert, in dem er während des »Großer Terrors« ab 1936 rasch Karriere machte. Im Zweiten Weltkrieg war er beim militärischen Nachrichtendienst der 4. Ukrainischen Front und erlangte den Rang eines Generalleutnants. Ab 1945 arbeitete er an zahlreichen Orten, um Sicherheitsoperationen in den Gebieten zu überwachen, die neu an die Sowjetunion angegliedert wurden bzw. zunehmend unter deren Einfluss standen. Er wirkte als leiten-der NKWD-Berater im sowjetisch besetzten Deutschland (August 1946–August 1949) und in Polen (Juni 1953–Juli 1953), war in der Ukraine (August 1949–September 1952) und in Lettland (Februar 1953–Mai 1953) stationiert, bevor er seine Karriere in der russischen Stadt Jaroslawl (September 1953–Mai 1954) beendete.[2]

Koval'čuks Karriereweg war für einen hochrangigen NKWD-Beamten jener Zeit nicht ungewöhnlich. Eine Untersuchung, welche die Werdegänge von NKWD-Sicher-heitsberatern, die nach 1945 in Europa ihren Dienst taten, analysiert hat, zeigt, dass Koval'čuk zu einer Generation von Beamten gehörte, die in einem Kontinuum von Krieg

* Dieser Beitrag erschien erstmals in der Zeitschrift »Kritika« und wurde mit geringfügigen Änderungen übernommen und übersetzt: Molly Pucci: The Soviets Abroad: The NKVD, Intelligence, and State Building in East-Central Europe after World War II, in: Kritika. Explorations in Russian and Eurasian History 23 (2022), H. 3, S. 553–580.

1 Siehe Leonard Shapiro: The Communist Party of the Soviet Union, London 1960, S. 309.
2 Siehe Nikita Petrov: Kto rukovodil organami gosbezopasnosti, 1941–1954 [Wer leitete die Organe der Staatssicherheit, 1941–1954], Moskva 2010, S. 431–432.

und Revolution ausgebildet und befördert worden waren, das die Sowjetunion zwischen dem russischen Bürgerkrieg und dem Zweiten Weltkrieg bis ins Mark erschüttert hatte. Sie hatten hohe Posten inne (die meisten trugen den Titel eines Obersts oder Generals), da die Mehrheit von ihnen während des Großen Terrors und des Zweiten Weltkriegs nicht gezögert hatte, Feinde zu verhaften und ihre Loyalität gegenüber Stalin durch Terror und Gewalt im Inland zu beweisen. Wie Koval'čuks Werdegang zeigt, stellten zwei Epochen, die in der Wissenschaft üblicherweise getrennt betrachtet werden – der Große Terror und der Zweite Weltkrieg –, für diejenigen, die sie erlebt hatten, in Wirklichkeit einen kontinuierlichen Zeitraum dar. Als die sowjetischen Sicherheitsberater nach Osteuropa kamen, um den Aufbau der Geheimpolizeien in den neuen kommunistischen Staaten Ostdeutschland, Tschechoslowakei, Polen, Rumänien, Bulgarien, Ungarn und Albanien zu unterstützen, brachten sie ihre konspirative Weltanschauung, ihren operativen und politischen Sprachgebrauch, ihre Vorstellungen von sozialen und politischen Feinden, ihre Auffassung von angemessenen Polizeimethoden und der Berechtigung von Recht und Beweisen mit, die aus dem Terror in der Sowjetunion heraus entstanden und geprägt worden waren. Der Große Terror warf lange Schatten, nicht nur in der Sowjetunion, sondern weltweit bis in die 1950er-Jahre und darüber hinaus.

Die NKWD-Berater kamen mit der durch den Terror und den Sieg im Zweiten Weltkrieg gefestigten Überzeugung nach Europa, dass ihre Version des Kommunismus die beste für alle Länder sei. Sie hegten ein tiefes Misstrauen gegenüber Außenstehenden, insbesondere Deutschen, Polen und Juden – Gruppen, die während des Terrors als Feinde des Sowjetstaates ins Visier geraten waren. Sie waren davon überzeugt, dass eine echte Revolution Gewalt gegen Klassenfeinde und die Rekrutierung von Arbeitern für die höchsten Positionen in Staat und Partei erforderte – so hatten sie es auch zu Hause erlebt.[3] Doch eben diese Eigenschaften und Praktiken, welche die sowjetischen Sicherheitsoffiziere und Berater während Krieg und Terror verinnerlicht hatten, untergruben in vielerlei Hinsicht den Einfluss und die politische Macht der Sowjetunion im Ausland.

Während in der Literatur über die Sowjetisierung Osteuropas und der baltischen Staaten das sowjetische Modell nur selten näher erläutert wird, wirft das Leben der Männer, die es nach Europa brachten, ein Licht auf die in Krieg, Revolution und Terror geschmiedete Version des Kommunismus, welche die Sowjetunion nach dem Zweiten Weltkrieg weltweit exportierte. NKWD-Sicherheitsberater mit einem ähnlichen Hintergrund wie Koval'čuk halfen bei der Beratung und Ausbildung von Sicherheitskräften in Albanien, Bulgarien, Ungarn, China, der Mongolei, Rumänien und Nordkorea.[4] Das Thema Sicherheit war ein weites Feld. Am Beispiel Chinas im Jahr 1950 wird deutlich, was alles dazugehörte: die Bekämpfung von Untergrund-Radiostationen, die Grenzüberwachung, der Aufbau einer Miliz und die Entwicklung von neuen Technologien.[5] Ein

---

3   Siehe Sheila Fitzpatrick: Stalin and the Making of a New Elite, 1928–1939, in: Slavic Review 38 (1979), H. 3, S. 377–402.

4   Siehe Petrov: Kto rukovodil organami gosbezopasnosti (Anm. 2), S. 39 f.

5   Siehe Decision of the Politburo of the TsK VKP(b). On assistance to organs of state security of the People's Republic of China, 6 November 1950, zit. nach: David Shearer/Vladimir Khaustov: Stalin and the Lubianka: A Documentary History of the Political Police and Security Organs in the Soviet Union, 1922–1953, New Haven 2015, S. 163.

Dokument aus der Tschechoslowakei, ebenfalls aus dem Jahr 1950, belegt weitere Auf-
gabengebiete, wie den Aufbau von Abteilungen für Spionageabwehr, den »Kampf gegen
Spionage, Subversion und Industriesabotage« sowie die Organisation eines Zettelkata-
loges und den Aufbau einer Archivabteilung.[6] Die von den Sowjets ausgebildeten
Beamten trugen ihrerseits dazu bei, den Sozialismus und sein Sicherheitsmodell während
des Kalten Krieges in Ländern Lateinamerikas, Afrikas und Asiens zu verbreiten. Wie
Koval'čuks »Pilgerfahrt« von Russland in die Ukraine, das Baltikum, nach Ostmitteleuropa und wieder zurück zeigt, waren die Länder und Gebiete unter sowjetischem Einfluss nicht nur durch ihre Ideologie miteinander verbunden, sondern auch durch gemeinsame Beamte, die die Praktiken vereinheitlichten. Die sowjetische Innenpolitik war eng
mit der Politik des sozialistischen Weltreichs verbunden.

     Die sowjetischen Berater übernahmen vor allem in Sicherheitsfragen eine unterstüt-
zende Funktion. Daneben halfen sie aber auch bei Fragen zu Wirtschaft, Militär, Kultur,
in Zusammenhang mit der Kommunistischen Partei sowie in den Bereichen Technik,
Technologie und Infrastruktur. Wie Norman Naimark für Deutschland zur Zeit der
sowjetischen Besatzung untersucht hat, trugen nicht nur die Ideologie, sondern auch die
Erfahrungen der sowjetischen Berater mit der Neuen Wirtschaftspolitik, dem ersten
Fünfjahresplan, dem sozialistischen Realismus und der Kollektivierung dazu bei, die
Grundzüge des Staatsaufbaus in Deutschland festzulegen.[7] Elena Zubkova und Jan
Gross haben auf die Ähnlichkeit der »Sowjetisierung« im Ausland, sei es in Osteuropa
oder in den baltischen Staaten, mit den Kampagnen gegen Eliten und gesellschaftlich
schädliche Elemente in der Sowjetunion hingewiesen.[8] Neuere Studien über sowjetische
Berater in den Bereichen Wirtschaft und Technik haben gezeigt, dass sowjetische und
lokale Interessen in Ländern wie Albanien und China, die sich selbst als wirtschaftlich
rückständig betrachteten, einander oft mehr als nur ähnelten.[9] Während diese Studien
auf Übereinstimmungen zwischen der sowjetischen Politik und dem System, das sie ins
Ausland exportierten, hinweisen, hat sich bisher noch keine Studie mit dem Werdegang
der Berater selbst beschäftigt, die in osteuropäischen Dokumenten oft als schattenhafte
Figuren hinter den Kulissen erscheinen. Dieser Artikel möchte einen Beitrag dazu leisten,
diese Lücke zu schließen.

I. Der Bürgerkrieg und der Große Terror als prägende Erfahrung

Zu Lebzeiten der Männer, die als NKWD-Berater in Ostmitteleuropa tätig waren, hatte
sich Russland im Laufe eines Bürgerkrieges von einer Autokratie zu einer Diktatur ent-

6   Decision of the Politburo of TsK VKP(b) on sending MGB advisers to Czechoslovakia, 21 December
     1950, zit. nach: Shearer/Khaustov: Stalin and the Lubianka (Anm. 5), S. 283.
7   Siehe Norman Naimark: The Russians in Germany, Cambridge 1995, S. 467.
8   Siehe Elena Zubkova: Pribaltika i Kreml', 1940–1953 [Das Baltikum und der Kreml, 1940–1953],
     Moskva 2008; Jan Gross: Revolution from Abroad: the Soviet Conquest of Poland's Western
     Ukraine and Western Belorussia, Princeton 2002.
9   Siehe Austin Jersild: The Sino-Soviet Alliance: An International History, Chapel Hill 2014; Elidor
     Mehilli: From Stalin to Mao: Albania and the Socialist World, Ithaca 2017, S. 132.

wickelt. Der politische Pluralismus in Russland war 1918 zerstört worden, als die Bolschewiki die Menschewiki und die Sozialrevolutionäre verboten hatten. Die ersten freien Wahlen, die viele der Berater miterleben (und mitgestalten) sollten, fanden in Nachkriegsdeutschland statt.[10] Für viele dieser Männer hatte ihre Karriere in der Roten Armee begonnen. Junge Männer, die während des Stalinismus aufstiegen, wurden oft weniger von der Revolution als vielmehr vom Bürgerkrieg und ihren Erfahrungen mit Gewalt, Feinden und militärischer Disziplin geprägt.[11]

Viele von ihnen traten der Geheimpolizei bei, als die Organisation ihre Reihen und Befugnisse während der Kollektivierungsmaßnahmen des ersten Fünfjahresplans erweiterte und für Klassenkämpfe, Massenverhaftungen sowie die Deportation von Bauern verantwortlich war.[12] Ihr beruflicher Aufstieg fiel häufig mit dem Großen Terror zwischen 1936 und 1938 zusammen, in dem schätzungsweise 800 000 Sowjetbürger hingerichtet wurden.[13] Es war üblich, dass junge NKWD-Beamte ab 1937 sehr schnell befördert wurden, als die Rede von »Spionen«, »Feinden« und »konspirativen Verschwörungen« Zeitungen, Parteitage, die Volkskultur insgesamt sowie die exponentiell wachsenden NKWD-Akten beherrschte.[14] Zwischen 1937 und 1938 wurden täglich durchschnittlich 2200 Verhaftungen und 1000 Hinrichtungen vorgenommen,[15] die Befugnisse und Zuständigkeiten der Geheimpolizei wuchsen enorm.[16] Die Entscheidung, in den späten 1930er-Jahren in den NKWD einzutreten oder dort aufzusteigen, bedeutete, wie Lynne Viola hervorhebt, ein »apokalyptisches Denken und eine konspirative Weltsicht anzunehmen, die aus Krieg, Revolution, militaristischer Sprache und Bürgerkrieg erwuchs [...]«.[17] Die Beteiligung an der Gewalt wurde mit staatlichen Auszeichnungen, Beförderungen und Gehaltserhöhungen belohnt.[18] Obwohl der NKWD am Ende des Terrors selbst Massenverhaftungen ausgesetzt war, wuchs die Institution insgesamt und verfügte im Frühjahr 1938 über eine Million Beamte. Dies bedeutete auch eine Aufstockung des Personals in den zentralen und regionalen Organen, deren Größe sich verdoppelte, da die Mitarbeiter der Zivilpolizei, der Bahnpolizei und des Gulag nun ebenfalls dem NKWD zugerechnet wurden.[19]

Diese Entwicklungen bildeten den Nährboden für eine tief verankerte Paranoia in der Organisation. Während einige interne Feinde nach Klassen- oder Volkszugehörigkeit definiert wurden, waren andere gerade in den Institutionen tätig, die die Feinde bekämp-

---

10   Siehe Marc Jansen: A Show Trial under Lenin: The Trial of the Socialist Revolutionaries, The Hague 1982, S. 3.

11   Siehe Sheila Fitzpatrick: The Civil War as a Formative Experience, Washington, D. C. 1981, S. 2.

12   Ab 1922 »Obedinënnoe gosudarstvennoe političeskoe upravlenie«, Vereinigte staatliche politische Verwaltung, OGPU; ab 1934 »Narodnyj komissariat vnutrennych del«, Volkskommissariat für innere Angelegenheiten, NKWD. Siehe Shearer/Khaustov: Stalin and the Lubianka (Anm. 5), S. 4.

13   Siehe Norman Naimark: Stalin's Genocides, Princeton 2010, S. 111.

14   Siehe Evgenia Ginzburg: Journey into the Whirlwind, New York 1967, S. 26.

15   Siehe Stephen Kotkin: Stalin: Waiting for Hitler, 1929–1941, New York 2017, S. 649.

16   Siehe Shearer/Khaustov: Stalin and the Lubianka (Anm. 5), S. 9.

17   Lynne Viola: Stalinist Perpetrators on Trial, Oxford 2019, S. 173.

18   Siehe Kotkin: Stalin: Waiting for Hitler (Anm. 15), S. 668.

19   Ebd., S. 736.

fen sollten: NKWD, Kommunistische Partei, Justiz und Staatsanwaltschaft.[20] Die Verhaftung des NKWD-Chefs Nikolaj Ežov im Jahr 1938 löste einen Generationenumbruch im NKWD aus: In der Folge wurden 7372 Offiziere (22 Prozent aller operativen Mitarbeiter) aus dem Dienst entlassen, verhaftet oder hingerichtet und von 14 506 Rekruten ersetzt.[21] Diese Kampagne veränderte das soziale Profil der Institution, da die meisten unter den Neuen junge Russen waren, die aus der Arbeiterklasse oder aus Bauernfamilien stammten. Juden und Polen, vorherrschende Gruppen in der revolutionären Tscheka, wurden fast alle aus dem Dienst entlassen.[22] Die meisten der Männer, die nach 1945 im NKWD dienten, teilten diese grundlegende Erfahrung der Veränderung.

Auch General Ivan Serov hatte zwischen 1928 und 1934 in der Roten Armee gedient. Er trat dem NKWD 1939 bei, als Tausende andere aus dem Dienst entlassen wurden.[23] Er erwies sich als höchst motiviert, die feindlichen Aktivitäten der ehemaligen Sicherheitselite zu »enttarnen«.[24] Zwischen den Jahren 1939 und 1941 war er zunächst in den baltischen Staaten und Ostpolen eingesetzt. 1944 überwachte er die Deportation der Krimtataren.[25] Vom 6. März 1945 bis zum 27. April 1945 war er als Chefberater des NKWD in Polen und vom 4. Juli 1945 bis zum 24. Februar 1947 im sowjetisch besetzten Deutschland. Serovs Werdegang zeigt beispielhaft, welche Auswirkungen die einschneidende personelle Umstrukturierung über zwei Jahrzehnte auf die Geschichte der Institution hatte. Die Umbrüche im NKWD-Personal bedeuteten, dass diejenigen, die neu hinzukamen, Zeugen von Verhaftungen, Folterungen und Hinrichtungen ihrer Vorgesetzten und Vorgänger wegen »unzureichender Wachsamkeit« wurden oder daran teilnahmen – eine Erfahrung, die sie davon abhalten sollte, dieselben »Fehler« zu begehen. Der Große Terror hinterließ auch auf andere Weise seine Spuren in der Organisation. Der Begriff »sozialschädliches Element« wurde eingeführt: Der berüchtigte Befehl 00447 vom 30. Juli 1937 hatte zur Folge, dass 767 397 Sowjetbürger verurteilt und 386 798 von ihnen gemäß den zentralen Quoten hingerichtet wurden.[26]

Ab 1936, als den NKWD Berichte darüber erreichten, dass Spione und Saboteure in die UdSSR eingedrungen seien, die sich als »politische Emigranten und Mitglieder der Bruderparteien getarnt« hätten, bahnte sich eine tiefe Fremdenfeindlichkeit ihren Weg, die in Verhaftungen und Hinrichtungen von Ausländern und der personellen Dezimierung der Kommunistischen Internationale gipfelte.[27] Von der Kaderabteilung der Kom-

---

20   Ebd., S. 580.
21   Siehe Viola: Stalinist Perpetrators on Trial (Anm. 17), S. 69. Laut Viola wurden 3830 bzw. 62 Prozent der führenden operativen Beamten ersetzt, darunter die Hälfte der Leiter der NKWD-Bezirksbüros in Moskau.
22   Siehe Naimark: Stalin's Genocides (Anm. 13), S. 86.
23   Siehe Nikita Petrov: Pervyj predsedatel' KGB: Ivan Serov [Der erste Vorsitzende des KGB: Ivan Serov], Moskva 2005, S. 15–17.
24   Ebd., S. 19; Ivan Serov: Zapiski iz čemodana. Tajnye dnevniki pervogo predsedatelja KGB [Notizen aus dem Koffer: Die geheimen Tagebücher des ersten KGB-Vorsitzenden], Moskva 2016, S. 20.
25   Siehe Anne Applebaum: Iron Curtain: The Crushing of Eastern Europe, 1944–1956, New York 2012, S. 215.
26   Siehe Naimark: Stalin's Genocides (Anm. 13), S. 67.
27   Siehe William Chase: Enemies within the Gates? The Comintern and the Stalinist Repression, 1934–1939, New Haven 2001, S. 105.

intern erhielt der NKWD Hinweise auf über 3000 auf dem Gebiet der UdSSR lebende ausländische Kommunisten. Laut diesen Informationen könne man sich nicht auf die ausländischen Kommunisten verlassen, unter ihnen seien vermutlich »Spione«, »Provokateure« und »Unruhestifter«.[28] Etwa 40 Prozent der zwischen August 1937 und November 1938 in den Kampagnen gegen nationale Minderheiten Verhafteten waren Polen, von denen zwischen 54 000 und 67 000 erschossen wurden.[29] Die Organisation verhaftete 144 000 ethnische Polen und richtete 110 000 von ihnen hin. In den Augen des NKWD waren die Polen eine feindliche Nation, eine Tatsache, die die Einstellung der Agenten nach dem Krieg zwangsläufig beeinflusste. Wie Ivan Serov in einer Notiz an Lavrentij Berija erklärte, misstraute er selbst polnischen Agenten auf der eigenen Seite, da er glaubte, dass die Institution von Agenten der polnischen Heimatarmee (*Armia Krajowa*, AK) unterwandert sei, die darauf abzielten, »allgemeine Operationen zu stören«.[30] Für die Mitglieder der Kommunistischen Partei Polens gab es kaum Anlass, dem NKWD zu trauen, der viele ihrer Anhänger ermordet hatte.[31] Hunderte von Aktivisten der Kommunistischen Partei Polens waren während des Terrors verhaftet worden, darunter alle Mitglieder des Politbüros.[32] Auch Volksdeutsche gerieten ins Visier des NKWD, insbesondere im Rahmen des NKWD-Befehls 00439: »Operation zur Ergreifung von Repressivmaßnahmen an deutschen Staatsangehörigen, die der Spionage gegen die UdSSR verdächtig sind«. Während des Terrors wurden etwa 55 000 Deutsche verhaftet und 42 000 hingerichtet.[33] 41 der 68 deutschen Kommunisten, die vor Hitler in die UdSSR geflüchtet waren, wurden hingerichtet, darunter sieben Mitglieder des deutschen Politbüros von vor 1933.[34]

Die NKWD-Berater trugen auch einen besonderen Wortschatz nach Ostmitteleuropa. Dieser war bestimmt von Begriffen wie »Spion«, »Geständnis«, »Volksfeind«, »Komplott«, »Verschwörung«, »versteckte Feinde« oder »Verwurzelung im feindlichen Milieu« *(внедрятся во вражескую среду)* und hatte die Berater in den späten 1930erJahren geprägt. Insbesondere der zuletzt genannte Begriff war ein Abbild ihrer opera

28 Ebd., S. 162.

29 Siehe Andrzej Paczkowski: Poland, the ›Enemy Nation‹, in: Stéphane Courtois u. a. (Hg.): The Black Book of Communism: Crimes, Terror, Repression, Cambridge 1999, S. 363–367 [dt. Ausgabe: Das Schwarzbuch des Kommunismus. Unterdrückung, Verbrechen und Terror, München/Zürich 1998].

30 »Soobčenie narodnogo komissara vnutrennych del SSSR L. P. Berii narodnomu komissaru inostrannych del V. M. Molotovu o chode osvoboždenija pol'skich grazdan iz mest zaključenija, ssylki i specposelenii NKVD« [Mitteilung des Volkskommissars für Innere Angelegenheiten der UdSSR L. P. Berija an den Volkskommissar für Auswärtige Angelegenheiten, V. M. Molotov über den Verlauf der Freilassung der polnischen Staatsbürger aus Gefängnissen, der Verbannung und Spezialsiedlungen des NKWD], in: A. F. Noskova/T. V. Volokitina/G. P. Muraško/D. A. Ermakova (Hg.): NKVD i pol'skoe podpol'e, 1944–1945: Po »Osobym papkam« I. V. Stalina [Der NKWD und der polnische Untergrund, 1944–1945: Nach den »besonderen Akten« I. V. Stalins], Moskva 1994, S. 40.

31 Siehe Marci Shore: Caviar and Ashes: A Warsaw Generation's Life and Death in Marxism, 1918–1968, New Haven 2006.

32 Siehe Jan de Weydenthal: The Communists of Poland, Stanford 1978, S. 31.

33 Siehe Kotkin: Stalin: Waiting for Hitler (Anm. 15), S. 672.

34 Ebd., S. 662.

tiven Methoden. Mit ihm wurden langfristige Operationen bezeichnet, bei denen Agenten das Privatleben und das soziale Milieu von Verdächtigen infiltrierten. Auch die Bezeichnung »Trotzkist« wurde in Europa wieder eingeführt. Als die Kräfte der osteuropäischen Geheimpolizei angewiesen wurden, Einheiten zur Aufdeckung von Trotzkisten zu bilden, sorgte dies manchmal für Verwirrung, da Trotzki in den kommunistischen Bewegungen schon lange keinen Einfluss mehr hatte.[35] In 72 Prozent der Fälle, die von sowjetischen Militärtribunalen in Ostdeutschland verhandelt wurden, wurden die Angeklagten nach Artikel 58 des sowjetischen Strafgesetzbuches angeklagt, der die Verhaftung von Personen ermöglichte, die an konterrevolutionären Aktivitäten beteiligt waren. Straftatbestände wie »Sabotage«, »Agitation« und »Konterrevolution« wurden in Ostdeutschland neu eingeführt.[36] Ähnlich verhielt es sich auch in den baltischen Staaten Estland, Lettland und Litauen, die 1940 und 1941 gewaltsam von der Sowjetunion annektiert wurden. Hier wurde der NKWD angewiesen, in den ersten Monaten der sowjetischen Besatzung »konterrevolutionäre Elemente« zu enttarnen.[37]

Die Berichte von NKWD-Beamten über die Wahlen deuten darauf hin, dass sie diese mit allem anderen als einem friedlichen Wettbewerb zwischen politischen Parteien verbanden. Dimitri Nikitin, ein leitender NKWD-Berater in Deutschland, der 1926 in die OGPU eingetreten und ab 1939 schnell befördert worden war, beschrieb seine Beobachtungen des Vorwahlkampfes im sowjetisch besetzten Deutschland im Jahr 1946 mit Worten, die eher an einen Bürgerkrieg als an einen Wahlkampf erinnern.[38] Da er die Politik der KPD und der sowjetischen Besatzungsbehörden für richtig hielt, empfand er Kritik daran als einen staatsfeindlichen Akt. Für ihn waren Wahlen ein Kampf zwischen Richtig und Falsch, zwischen der »richtigen« und der »feindlichen« Seite, zwischen fortschrittlichen und reaktionären Kräften. Die Christlich Demokratische Union (CDU), so behauptete er, betreibe »offen Propaganda gegen die Sozialistische Einheitspartei, um die Bevölkerung zu täuschen und eine Mehrheit bei den Wahlen zu erreichen«. Er hielt fest, dass seine Agenten (die, wie aus dem Bericht hervorgeht, diese Parteien infiltriert hatten) eine Gruppe ehemaliger Sozialdemokraten aufgedeckt hätten, die geheime Treffen abhielten, um einen Kampf gegen die Sozialistische Einheitspartei

35 Siehe »Spravka o nedostatkach agenurno-operativnoj raboty organov obščestvennoj bezopasnoti«, 8. 7. 1951 [Bericht über die Mängel in der operativen Arbeit der Organe der Staatssicherheit, 8. 7. 1951], Instytut Pamięci Narodowej/Institut für Nationales Gedenken (im Folgenden: IPN) BU 01988-1.

36 Siehe Ulrich Weissgerber: Giftige Worte der SED-Diktatur: Sprache als Instrument von Machtausübung und Ausgrenzung in der SBZ und der DDR, Berlin 2010, S. 94–284.

37 Amir Weiner/Aigi Rahi-Tamm: »Getting to Know You«, in: Kritika: Explorations in Russian and Eurasian History 13 (2012), H. 1, S. 18.

38 Siehe »Pis'mo nacal'nika opersektora MVD SSSR po provincii Meklenburg i Zapadnaja Pomeranija D. M. Nikitina načal'nika provincii M. A. Skosyrevu ob itogach vyborov v nemeckie organy samoupravlenija provincii«, 24. 9. 1946 [Brief des Leiters des Operativen Sektors des MWD (Innenministerium) der UdSSR für die Provinzen Mecklenburg und Westpommern D. M. Nikitin an den Provinzleiter M. A. Skoryrev über die Ergebnisse der Wahlen zur deutschen Provinzverwaltung, 24. 9. 1946], zit. nach: Zacharov (Hg.): SVAG i nemeckie organy samoupravlenija, 1945–1949: Sbornik dokumentov, [SMAD und die deutschen Verwaltungsorgane, 1945–1949: Dokumentensammlung], Moskva 2006, S. 190 f.

(SED) zu führen.[39] Er interpretierte ein Treffen in der Wohnung eines SPD-Kandidaten als Verschwörung. Versuche nichtkommunistischer politischer Parteien, Wahlstrategien zu entwerfen, wurden sogleich als Konspiration dargestellt. Kritik an der Staatspolitik vonseiten der CDU und der FDP galt per se als »feindliche Äußerung«, welche die SED »kompromittierte« oder »reaktionäre« Standpunkte zum Ausdruck brachte.[40]

Die sowjetischen Berater sahen ihre Aufgabe grundsätzlich darin, diejenigen zu entlarven, die die Umsetzung des sowjetischen Modells verhinderten. Der Widerwille der örtlichen Bevölkerung, den Terror mitzutragen oder Ermittlungen von hochrangigen Beamten abzuwenden, wurde als Beweis für subversive Aktivitäten gedeutet. Dies war auch in der Tschechoslowakei der Fall, als die NKWD-Berater Michail Lichačëv und Nikolaj Makarov dort im Herbst 1949 eintrafen. Lichačëv war 1913 als Sohn einer armen Bauernfamilie geboren worden und trat Ende 1935 in den NKWD ein. In den Jahren 1938 bis 1945 machte er in der Organisation Karriere.[41] Makarov trat im Oktober 1929 in die OGPU und 1935 in den NKWD ein.[42] Bevor er vom 25. Dezember 1951 bis zum 22. Juni 1954 nach Ostdeutschland entsandt wurde, tat er in der Tschechoslowakei Dienst. Die Eindrücke, welche die beiden in der Tschechoslowakei gewannen, werden in einem Bericht vom März 1950 deutlich. In Prag leisteten sie »Hilfe« bei Ermittlungen und sammelten »Beweise für feindliche Aktivitäten unter hochrangigen Mitgliedern der tschechoslowakischen Regierung«.[43] Sie »bestätigten«, dass der ehemalige Außenminister und slowakische Staatsbürger Vladimír Clementis im Rahmen einer bürgerlich-nationalistischen Verschwörung subversiv tätig gewesen sei. Sie waren der Ansicht, dass der Fall Clementis beweise, dass man den lokalen Sicherheitskräften nicht trauen könne, hätten diese ihn doch nicht aufgedeckt. Lichačëv und Makarov äußerten sich besorgt über das Militär, das durch »reaktionäre Elemente« »verseucht« sei – eine Analyse, die angesichts der Rolle des NKWD bei der Aufdeckung subversiver Aktivitäten in der Roten Armee im eigenen Land nicht überrascht.

Die Annahme, dass sich Feinde oder »unerwünschte Elemente« in den kommunistischen Parteien, dem Militär und den staatlichen Institutionen versteckt hielten, galt als selbstverständlich. Die Berater waren dazu da, »subversive Aktivitäten« *(подрывная деятельность)* und »feindliche Komplotte« *(раскрывать замыслы врага)* aufzu-

---

39   Die Wahl fand kurz nach der Vereinigung der Kommunistischen Partei (KPD) und der Sozialdemokratischen Partei (SPD) zur Sozialistischen Einheitspartei (SED) im April 1946 statt. Die Sowjets hatten diesen Zusammenschluss mitorganisiert und förderten weiterhin den Einfluss der KPD in der SED.

40   Pis'mo načal'nika Opersektora MVD SSSR (Anm. 38), S. 190 f.

41   Siehe Petrov: Kto rukovodil organami gosbezopasnosti (Anm. 2), S. 548.

42   Ebd., S. 568 f.

43   »Soprovoditel'noe pis'mo V. S. Abakumova V. M. Molotovu s priloženiem soobščenija sotrudnikov MGB SSSR M. T. Lichačeva i N. I. Makarova o rabote čechoslovackich organov bezopasnosti«, 16. 3. 1950 [Begleitschreiben von V. S. Abakumov an V. M. Molotov mit der beigefügten Mitteilung der MGB-Mitarbeiter M. T. Lichačëv und N. I. Makarov über die Arbeit der tschechoslowakischen Sicherheitsorgane, 16. 3. 1950], in: T. V. Volokitina u. a. (Hg.): Vostočnaja Evropa v dokumentach rossijskich archivov 1944–1953, tom II [Osteuropa in Dokumenten russischer Archive 1944–1953, Band II], Moskva 1997, S. 285–287.

decken. Institutionen in Europa wurden als durch Feinde »verseucht« *(засоренный)* bezeichnet. In Deutschland seien sie durch ehemalige Nazis »verseucht«, in der Tschechoslowakei durch nichtkommunistische politische Parteien. Abhilfe könne nur geschaffen werden, indem Tausende von Mitarbeitern ausgeschlossen würden – eine Haltung, die dem allgemeinen Bestreben der Entnazifizierungskampagnen der Nachkriegszeit entsprach. Die NKWD-Berichte waren gespickt mit Beschreibungen über »unzuverlässige Elemente« *(ненадежные элементы),* ein Begriff, mit dem lokale Beamte bezeichnet wurden, die sich kommunistischen Parteien angeschlossen hatten, sich aber – nach Meinung der Sowjets – nicht voll und ganz der Sache verschrieben hatten. Die Einbettung einer solchen Sprache in die sowjetische Erfahrung – sowohl die Fachterminologie des NKWD als auch die Sprache, die auf Begriffen wie »Feind« und »Verschwörung« basierte und damals den öffentlichen Diskurs beherrschte – machte die Übertragung des Begriffs »Bolschewik« auf die neuen Länder zu einem schwierigen Unterfangen.[44] Da es für Begriffe, die während des Großen Terrors in der Sowjetunion entstanden waren, in anderen Ländern kaum lokale Entsprechungen gab, wurde eine Flut von Russizismen in die offizielle Terminologie der europäischen Kommunisten übernommen. Die Sprache sorgte dafür, dass die Differenzen zwischen den Sowjets und den Einheimischen in gewisser Weise anhielten.[45] Derartige Probleme traten auch in den baltischen Staaten auf, wo die Konflikte um die Sprache politischen Ursprungs waren und anhaltende Differenzen zwischen den Einheimischen und den Russischsprachigen schufen, die in Protesten und Widerstandsbewegungen mündeten, die bis zum Zusammenbruch der Sowjetunion fortbestanden.[46]

Wenn man das Russische und insbesondere sein Feind-Vokabular, das typisch für den Stalinismus war, als ein Indiz für die Fremdartigkeit der Sowjetunion nimmt, gilt dies auch für das von den Sowjets importierte Narrativ, das ebenso vom Terror beeinflusst war wie die Institutionen und das Personal der Sowjetunion. Der Terror prägte Stalins »Meistererzählung« über die Sowjetunion und den Weltkommunismus. Die NKWD-Agenten hatten einen russlandzentrierten Kommunismus verinnerlicht, der von »feindlicher Infiltration, Spionen sowie inneren und äußeren Feinden« bedroht war. Da die *Geschichte der Kommunistischen Partei der Sowjetunion (Bolschewiki): Kurzer Lehrgang* während des Großen Terrors geschrieben wurde – zum Teil, um diesen zu erklären und zu rechtfertigen –, stellte sie den Kampf gegen die Feinde in den Mittelpunkt der kommunistischen Weltsicht.[47] Aus europäischer Sicht etwas befremdlich, wurde die Komintern aus der Geschichte der sozialistischen Revolution herausgeschrieben. Den europäischen Kommunisten konnte das völlige Fehlen von Verweisen auf wichtige europäische

44 Siehe Stephen Kotkin: Magnetic Mountain: Stalinism as a Civilization, Berkley 1997.
45 Eines von vielen Beispielen war eine Prüfung für Offiziere des Korps für innere Sicherheit in Polen im Jahr 1947, die, wie es in einem kritischen Bericht heißt, »zu viele Russismen« enthielt. Es sei schwierig, dies zu vermeiden, lautete die Antwort, da »unsere Dozenten nach russischen Vorschriften geschult sind«. Brief an den Leiter des KBW [Korpus Bezpieczeństwa Wewnętrznego, Internes Sicherheitskorps], 24. März 1947, IPN BU 578/513.
46 Siehe Zubkova: Pribaltika i Kreml' (Anm. 8), S. 158.
47 Ebd., S. 6.

Marxisten, die in den 1920er-Jahren zum Aufbau des Weltkommunismus beigetragen hatten, nicht entgehen. Stalin persönlich hatte solche Hinweise aus dem Kurzlehrgang gestrichen, weil eine große Zahl von Komintern-Agenten als Spione und Saboteure hingerichtet worden waren. Mit der Auslöschung der Komintern verlor der Marxismus seine Wurzeln in den europäischen Gesellschaften, Kulturen und nationalen Bewegungen und wurde zu einem ausländischen Exportartikel gemacht.

Obwohl die sowjetischen Berater in der Sprache, der Weltanschauung und dem Narrativ des Terrors verharrten, wurde die in der Sowjetunion in den Jahren 1937/1938 ausgeübte Gewalt in Europa nie reproduziert. Dies lag zum einen an der Zurückhaltung, dem Zögern und dem passiven Widerstand der lokalen kommunistischen Funktionäre; zum anderen daran, dass die Periode des Stalinismus in Europa nicht so lange anhielt wie in der Sowjetunion. Im Gegensatz zu drei Jahrzehnten in der Sowjetunion, dauerte sie hier etwa sechs Jahre (1948–1954). Die Erinnerung an den Terror blieb komplex. Schließlich hatte Stalin selbst die »Exzesse« verurteilt, die örtlichen NKWD-Führer beschuldigt, es »zu weit getrieben« zu haben, und die Hauptfigur, Nikolaj Ežov, aus der Geschichte und dem öffentlichen Gedächtnis getilgt. Als Stalin 1949 mit osteuropäischen Führern über die Staatssicherheit sprach, erwähnte er Ežov mit keinem Wort.[48] Im offiziellen sowjetischen Geschichtsbewusstsein gab es zwei Interpretationen des Terrors. Während Stalin einerseits die Stärke und den Triumph des stalinistischen Regimes demonstrierte, stand er andererseits für eine Periode der Gewalt, die in den Händen machthungriger NKWD-Offiziere außer Kontrolle geriet. Das polnische Politbüromitglied Hilary Minc warnte die Polnische Vereinigte Arbeiterpartei (*Polska Zjednoczona Partia Robotnicza*, PZPR) Ende 1949 davor, eine weitere »Jeschowschtschina« *(Ежовщина)* zu beginnen – ein negativer Begriff für den Terror im sowjetischen Sprachgebrauch.[49] Dies ist ein Beispiel für den Interpretationsspielraum oder sogar die immensen Lücken im Kern des sowjetischen Modells.

II. Der NKWD und der Zweite Weltkrieg

Der Terror war für die sowjetischen Berater nicht die einzige prägende Erfahrung. Alle waren im Dienst befördert worden, während sie im Zweiten Weltkrieg an den Fronten von Stalingrad, der Ukraine, Weißrussland, Deutschland, Polen und anderen Orten gekämpft hatten. Einige hatten den Nürnberger Prozess verfolgt oder an den Entnazifizierungsverfahren in Nachkriegsdeutschland teilgenommen. Diese Erfahrungen erklären zum Teil ihre Besessenheit, die Grenzen des Landes vor ausländischen Angriffen zu

---

48 Siehe Marc Jansen/Nikita Petrov: Stalin's Loyal Executioner: People's Commissar Nikolai Ezhov, 1895–1940, Stanford 2002, S. x.

49 »Pis'mo B. Z. Lebedeva I. V. Stalinu ob ocenke K. K. Rokossovskim situacii v rukovodstve PORP, nojabr'skogo plenuma CK PORP, nastroenii pol'skich rabočich i krest'jan I dr.«, 26. 2. 1950 [Brief von B. Z. Lebedev an I. V. Stalin über die Einschätzung von K. K. Rokossovski zur Lage in der Führung der PZPR, des Novemberplenums des Zentralkomitees der PZPR und zur Stimmung der polnischen Arbeiter und Bauern, 26. 2. 1950], in: Volokitina u. a. (Hg.): Vostočnaja Evropa v dokumentach rossijskich archivov 1944–1953, Tom II (Anm. 43), S. 311.

sichern. Sie prägten auch ihren Blick auf den wachsenden Einfluss der Sowjetunion in Europa, der als Entschädigung für die enormen zivilen und militärischen Opfer, die Verwüstungen und das Massensterben auf dem Weg nach Berlin betrachtet wurde.[50] Der Sieg im Zweiten Weltkrieg hatte dem stalinistischen Regime auch innenpolitisch ein noch nie dagewesenes Ansehen verschafft und schien für viele die Opfer von Gewalt, Terror und Bürgerkrieg in den 1930er-Jahren zu rechtfertigen.[51] Für den NKWD trug die starke Überzeugung, dass sich das sowjetische System während des Krieges bewährt hatte, zu der Ansicht bei, dass die Osteuropäer es bis ins Detail nachahmen sollten.

Der NKWD hatte auch im Krieg eine besondere Rolle, eine, die den Kampf an der Front mit der Fortsetzung des Kampfes gegen vermeintliche Feinde in den eroberten Gebieten, der Roten Armee und den nach dem Krieg an die Sowjetunion angegliederten Gebieten (Westukraine, Weißrussland, baltische Staaten) verband. Bis 1945 hatten diese Männer ihre gesamte berufliche Laufbahn in militärisch geprägten Institutionen verbracht, sei es in der Roten Armee, im NKWD oder im militärischen Nachrichtendienst SMERSch. Durch die ununterbrochene Kriegserfahrung waren sie »Befehl und Gehorsam, strenge Disziplin und Unanfechtbarkeit eines Kommandos« gewöhnt und hatten die Überzeugung gewonnen, dass es notwendig sei, Feinde, Verräter und Deserteure zu vernichten.[52] Bald nach dem Einmarsch der Nationalsozialisten in die Sowjetunion nahm der NKWD seine »nationalen« Operationen wieder auf. Hunderttausende Wolgadeutsche wurden nach Sibirien und Kasachstan verbannt.[53] Derartige Operationen wurden auch auf die neuen Gebiete ausgedehnt. Als die Sowjets die baltischen Staaten Estland, Lettland und Litauen annektierten, deportierte der NKWD schätzungsweise 118 599 Litauer, 52 541 Letten und 32 540 Esten nach Sibirien, Zentralasien und in den hohen Norden.[54] Auch die Polen wurden erneut zur Zielscheibe. Schätzungsweise 300 000 Polen wurden aus den von der Sowjetunion annektierten Gebieten deportiert.[55] Im April und Mai 1940 richtete der NKWD 21 857 Polen hin – ein Kriegsverbrechen, das vom sowjetischen Staat lange geleugnet und als Massaker von Katyn bekannt wurde.[56]

Der Umbruch im NKWD hatte bewirkt, dass Juden zugunsten von Russen aus der Organisation verdrängt worden waren. Die Zahl der Juden im NKWD sank von 38,54 Prozent im Jahr 1934 auf 3,92 Prozent im Jahr 1939, eine Verschiebung, die die russische

50 Siehe Vladislav M. Zubok: A Failed Empire: The Soviet Union in the Cold War from Stalin to Gorbachev, Chapel Hill 2007, S. 8.
51 Siehe Elena Zubkova: Russia after the War: Hopes, Illusions and Disappointments, Alabama 1998, S. 32.
52 Ebd., S. 19.
53 Siehe Amy Knight: Beria: Stalin's First Lieutenant, Princeton 1993, S. 126.
54 Siehe Naimark: Stalin's Genocides (Anm. 13), S. 89.
55 Siehe Jan T. Gross: Revolution from Abroad: the Soviet Conquest of Poland's Western Ukraine and Western Belorussia, Princeton 2002.
56 Siehe Piotr Kosicki: »The Katyń Massacres of 1940«, 8. September 2008, http://www.sciencespo.fr/ mass-violence-war-massacre-resistance/en/document/katyn-massacres-1940 (ges. am 8. November 2022).

Identität der Organisation stärkte.[57] Bald nach dem Krieg, insbesondere in den Jahren 1948/1949, leitete Stalin eine Reihe antisemitischer Kampagnen gegen prominente jüdische Ärzte und Intellektuelle ein. Zu den neuen Feindbildern gehörten »wurzellose Kosmopoliten« und »Zionisten«.[58] Diese Kampagnen beeinflussten die sowjetischen Berater in Osteuropa. 1949 deuteten die Sowjets an, dass sie von den Tschechoslowaken erwarteten, den Begriff »wurzelloser Kosmopolitismus« zur »tschechoslowakischen Realität« zu machen, ein Begriff, der im parteiinternen Terror in der Tschechoslowakei und im Prozess gegen den Generalsekretär Rudolf Slánský erhebliche Bedeutung erlangte.[59] Die Sowjets erfassten sorgfältig jene Juden, die die höchsten Posten der osteuropäischen kommunistischen Parteien und Staaten innehatten.[60] Der Prozess gegen Rudolf Slánský, der 1952 in der Tschechoslowakei mit tatkräftiger Unterstützung von NKWD-Beratern inszeniert wurde und von starker antisemitischer Rhetorik geprägt war, war als Wegbereiter für einen Prozess gegen jüdische Ärzte in Moskau geplant, der jedoch nie stattfand.[61]

Obwohl der Krieg in der Sowjetunion ein Gefühl der Solidarität gegen den gemeinsamen Feind hervorrief, hatte er wenig Einfluss auf die Überzeugung des NKWD, dass sich in den sowjetischen Institutionen Feinde versteckt hielten. Während des Großen Terrors hatte der NKWD die Zahl der Soldaten in der Roten Armee dezimiert und führende Offiziere aus der Zeit des Bürgerkriegs vertrieben, verhaftet oder hinrichten lassen. Während des Zweiten Weltkriegs überwachte der NKWD die Rote Armee und verhaftete Offiziere und Soldaten, die als potenziell untreu galten, darunter auch solche, die in deutsche Gefangenschaft geraten waren.[62] Manchmal wurden NKWD-Agenten zum SMERSch versetzt.[63] In der Gründungsurkunde des NKWD wurde seine Rolle im »Kampf gegen Treulosigkeit und den Verrat am Vaterland in den Einheiten und Dienststellen der Roten Armee« (Desertieren auf die Seite des Feindes, Verstecken von Spionen und allgemein die Unterstützung des Feindes) hervorgehoben, sowie bei der Überprüfung von Militärangehörigen und anderen Personen, die sich in Gefangenschaft befunden hatten und vom Feind eingekreist worden waren.[64] Zur Abschreckung führte der NKWD willkürliche Hinrichtungen von als Deserteure eingestuften Rotarmisten durch, manchmal vor den Augen ihrer Einheiten.[65]

57 Siehe Viola: Stalinist Perpetrators on Trial (Anm. 17), S. 21.
58 Zubkova: Russia after the War (Anm. 51), S. 136.
59 Siehe Volokitina u. a.: Vostočnaja Evropa v dokumentach rossijskich archivov, Tom II: 1944–1953 (Anm. 43), Fußnote 2, S. 87.
60 Siehe »Pis'mo V. Lebedeva A. Ja. Vyšinskomu o položenii v rukovodstve PORP«, 10. 7. 1949 [Brief von V. Lebedev an A. Ja. Vyšinskij über die Situation in der Führung der PZPR, 10. 7. 1949], in: Volokitina u. a. (Hg.): Vostochnaja Evropa v dokumentach rossiiskich archivov, Tom II: 1944–1953 (Anm. 43), S. 177 f.
61 Siehe Knight: Beria (Anm. 53), S. 169.
62 Ebd., S. 113.
63 Siehe Shearer/Khaustov: Stalin and the Lubianka (Anm. 5), S. 255.
64 Ebd., S. 256.
65 Ebd., S. 257.

Ein Dokument, das die Spannungen – oder Ressentiments – zwischen dem NKWD und der Roten Armee offenlegt, stammt aus dem sowjetisch besetzten Deutschland von Oktober 1945: Ein sowjetischer Militärkommandant meldete das ungebührliche Verhalten zweier NKWD-Agenten, die in Gewahrsam genommen worden waren, nachdem sie in betrunkenem Zustand eine Schlägerei vor einem Arbeiterclub begonnen hatten.[66] Die NKWD-Agenten griffen die Militäroffiziere, die sie festhielten, an und bedrohten sie, indem sie sagten: »Ich habe schon für die Entlassung von mehr als einem Militärkommandanten gesorgt.« Weiterhin bezeichneten sie alle Anwesenden als »verdächtige Personen«. Einer der Agenten rief wiederholt den Namen von Ivan Serov, der, so drohte er, sie »lehren« würde, keine NKWD-Mitglieder zu verhaften. Diese Schilderungen sagen viel darüber aus, wie die NKWD-Beamten ihre Machtstellung gegenüber der Roten Armee ausnutzten und welche Ängste mit den Namen ihrer Vorgesetzten verbunden waren. Der Bericht beschreibt diesen als »einen von mehreren Fällen«, in denen NKWD-Mitarbeiter ungerechtfertigte Verhaftungen vornahmen, das Eigentum deutscher Bürger beschlagnahmten oder ihre Position zur persönlichen Bereicherung oder für Erpressungen im sowjetisch besetzten Deutschland nutzten. Nach dem Krieg unterzog der NKWD sowjetische Staatsbürger und Kriegsgefangene, die aus Europa ins Land zurückkehrten, einer strengen Kontrolle, um »Spione« und »Verräter« in den eigenen Reihen aufzuspüren – ein Prozess, bei dem Hunderttausende von Heimkehrern verhaftet wurden.[67]

III. Fallstudie: Der sowjetische Geheimdienst und die tschechoslowakische Revolution

Moskau erhielt seine Informationen nicht nur vom NKWD, sondern auch von sowjetischen Diplomaten, Pressekorrespondenten und Vertretern der panslawischen Bewegung, die sich aus dienstlichen Gründen in der jeweiligen Region aufhielten. Das Material, das sie nach Moskau schickten, soll hier näher analysiert werden. Der Schwerpunkt liegt dabei auf der kommunistischen Machtübernahme in der Tschechoslowakei im Jahr 1948. Stalin erhielt seine Informationen über Osteuropa nach dem Zweiten Weltkrieg von Pressekorrespondenten der *TASS*, von Journalisten der *Prawda* oder der *Iswestija*;[68]

---

66 Siehe »O neprावel'noj rabote mestnoj opergruppy organov NKVD – Raport voennogo komendanta g. Kosvic V. H. Gordienko načal'niku komendantskoj služby SVA provincii Saksonija G. D. Muchinu o protivozakonnych dejstvijach rabotnikov mestnoj opergruppy NKVD v otnošenii rabotnikov voennoj komendatury u apparata burgomista«, 31. 10. 1945 [Über die fehlerhafte Arbeit der lokalen operativen Gruppe der NKWD-Organe. Bericht des Militärbefehlshabers der Stadt Koswitz (Coswig?) V. Gordienko an den Leiter der SVA der Provinz Sachsen G. Mukhin über ungesetzliche Handlungen von Mitarbeitern der örtlichen operativen Gruppe des NKWD gegenüber den Mitarbeitern der Militärkommandantur und dem Apparat des Bürgermeisters, 31. 10. 1945], zit. nach: Zacharov (Hg.): SVAG i nemeckie organy samoupravlenija, 1945–1949 (Anm. 38).

67 Siehe Geoffrey Roberts: Stalin's Wars: From World War to Cold War, 1939–1953, New Haven 2015, S. 332.

68 Siehe »Pismo predstavitelja Sovinformburo V. Sokolovskogo i korrespondenta gazety 'Izvestija' v Pol'še M. Jarovogo V. G. Grigor'janu o nedostatkach v propagande pol'skoj storonoj peredovogo

von Beamten, die die panslawische Organisation vertraten, und von sowjetischen Diplomaten.[69] Dies zeigt, dass die durch den Terror vermittelte Mentalität nach dem Zweiten Weltkrieg in allen sowjetischen Institutionen im Ausland Einzug gehalten hat. Die Zahl der sowjetischen Botschaften, die eine Schlüsselrolle beim Sammeln von Informationen im Ausland gespielt hatten, war während des Terrors dezimiert worden.[70] Die neuen Beamten waren oft einsprachig und in der Kunst der Diplomatie ungeschult, jedoch hatten sie enge Verbindungen zum sowjetischen Geheimdienst.[71] Ihre Dokumente zeugen von einem mangelnden Verständnis – ja sogar einem Kulturkonflikt – zwischen den europäischen und sowjetischen Vorstellungen vom Kommunismus.

Die sowjetischen Berichte über die Ereignisse in der Tschechoslowakei während und nach der kommunistischen Machtübernahme im Februar 1948 sind alles andere als enthusiastisch in Bezug auf den neuen kommunistischen Staat.[72] Nach Gesprächen mit lokalen Kommunisten und Aktivisten in den böhmischen Ländern, Mähren und der Slowakei bezeichnete ein sowjetischer Vertreter der panslawischen Bewegung die revolutionären Räte der tschechoslowakischen Kommunisten als chaotisch und äußerte sich beunruhigt über den »Mangel an Klarheit« bezüglich ihrer Rolle nach dem Februar.[73] Die Aktionskomitees waren in der Tat improvisiert und das tschechoslowakische System bestand 1948 aus mehreren Machtbasen in den Regionalregierungen, intellektuellen Kreisen, persönlichen Netzwerken und zivilgesellschaftlichen Organisationen. Im Jahr 1949 behauptete ein sowjetischer Beobachter, der für die *TASS* arbeitete, dass die Führung der Kommunistischen Partei der Tschechoslowakei (KSČ) gegenüber den Feinden des Sozialismus nachsichtig gewesen sei und es versäumt habe, eine echte Revolution durchzuführen. Sie hätten den Sieg »ohne ernsthaften Kampf und ohne Blutvergießen

opyta sovetskich rabočich i dejatel'nosti sovetov v SSSR, 3. 11. 1950« [Brief des Vertreters des Informationsbüros V. Sokolovski und des Korrespondenten der Zeitung »Iswestija« in Polen M. Jarov an V. G. Grigor'jan über Mängel in der Propaganda der polnischen Seite bezüglich der fortschrittlichen Erfahrungen der sowjetischen Arbeiter und die Aktivitäten der Sowjets in der UdSSR, 3. 11. 1950], in: T. V. Volokitina u. a.: Sovecskii faktor v vostočnoj evrope [Der sowjetische Einfluss in Osteuropa], Moskva 1999, S. 395.

69   Die sowjetischen Berater machten den Tschechen klar, dass 70 bis 80 Prozent der Botschaftsmitarbeiter auch Geheimdienstmitarbeiter sein sollten. Siehe Karel Kaplan: Sovětští poradci v Československu, 1949–1956 (Ústav pro soudobé dějiny AV ČR 1993) [Sowjetische Berater in der Tschechoslowakei, 1949–1956 (Institut für Zeitgeschichte der Tschechischen Republik 1993)], S. 39 f. Volokitina u. a. (Hg.): Vostočnaja evropa v dokumentach rossijskich archivov 1944–1953, Tom II (Anm. 43); T. V. Volokitina u. a. (Hg.): Sovecskii faktor v vostočnoj evrope 1944–1953 [Der sowjetische Einfluss in Osteuropa 1944–1953], Bd. 2, Moskva 2002.

70   Siehe Kotkin: Stalin: Waiting for Hitler (Anm. 15), S. 664.

71   Ebd., S. 852.

72   Ein lesenswerter Bericht über den Februar 1948 in der Tschechoslowakei: Karel Kaplan: Pět kapitol o únoru [Fünf Kapitel über den Februar], Brno 1997.

73   »Informacionnaja zapiska otvetstvennogo sekretarja Obščeslavjanskogo komiteta I. N. Medvedeva v CK VKP(b) o vnutripolitičeskom položenii v Čechoslovakii posle fevral'skogo krizisa 1948«, 29. 3. 1948 [Informationsnotiz des Sekretärs des Panslawischen Komitees I. N. Medvedev an das ZK der VKP(b) über die innenpolitische Lage in der Tschechoslowakei nach der Februarkrise 1948, 29. 3. 1948], S. 806–811.

errungen, ein Sieg der Versammlungen und Demonstrationen«.[74] Während es für die Tschechoslowaken zum Aufbau des kommunistischen Staates gehörte, die Reihen der Partei zu erweitern, auf die Symbole des früheren Regierungssystems zurückzugreifen und ehemaligen politischen Rivalen den Eintritt in die KSČ zu ermöglichen, beunruhigten solche Tendenzen die Sowjets, die argumentierten, dass ehemalige Mitglieder nichtkommunistischer politischer Parteien »zweifelhafte politische Elemente« seien. Die Zulassung von Mitgliedern nichtkommunistischer politischer Parteien zur KSČ bedeutete auch, dass Einheimische auf diese Weise ihre Position im Staatsdienst oder in der Verwaltung behalten konnten. Der sowjetische Vertreter beschrieb den Februarumsturz der Kommunistischen Partei weniger als Klassenkampf, denn als politischen Kampf. In der Tat wurde damit eher der politische Pluralismus des Landes bekämpft als die ungerechte Verteilung des Wohlstands oder die sozialen Strukturen insgesamt. Erst die »stalinistische« Revolution, die von den Beratern ab Ende 1949 mit vorangetrieben wurde, führte zu einer Umverteilung des Eigentums und zur Förderung von Frauen und Minderheiten im politischen Lager.[75] Der sowjetische Beobachter unterschätzte jedoch die Bedeutung des Jahres 1948 im tschechoslowakischen Kontext. Während der politische Pluralismus in der Sowjetunion nur oberflächlich verwurzelt gewesen war und wenig Bedeutung gehabt hatte, war er ein integraler Bestandteil der tschechoslowakischen Politik und Kultur.

Ein Streitpunkt zwischen beiden Seiten war die Rolle der Intellektuellen in der Revolution. Der sowjetische Beobachter, der von der antiintellektuellen Kampagne in der Sowjetunion beeinflusst war, kritisierte 1948 die Rolle der Intellektuellen in der Tschechoslowakei: »Den Intellektuellen mangelt es an Verständnis für die inneren Vorgänge und sie leiden unter einem erschreckenden Maß an ideologischer Verwirrung bei der Beurteilung der subversiven Aktivitäten der rechten Parteien und ihrer Anführer.« Sein Begriff für »ideologische Verwirrung« war *разброд*, ein russisches Wort, das im Kern »in verschiedene Richtungen wandern« bedeutet. Für die sowjetischen Beamten gab es nur eine einzige, vom Zentrum vorgegebene Deutung der Ideologie. Für die Tschechoslowaken war sie dagegen ein Ausgangspunkt für Diskussionen, Meinungsverschiedenheiten und sogar für heftige Auseinandersetzungen über Denkschulen. Das »tschechoslowakische Modell« setzte eine wichtige Rolle der Intellektuellen voraus.[76] Die sowjetische Kritik an den tschechoslowakischen Intellektuellen wurde im Laufe der Zeit immer schärfer, weil man merkte, dass sie nicht bereit waren, Andrej Ždanovs Angriffe auf sowjetische Litera-

---

74 »Zapiska korespondenta TASS v Prage V.S. Medova o vnutripolitičeskoj situacii v Čechoslovakii«, 17. 5. 1949 [Notiz des TASS-Korrespondenten in Prag V. S. Medov über die innenpolitische Lage in der Tschechoslowakei vom 17. 5. 1949], in: Volokitina u. a.: Vostočnaja evropa v dokumentach rossijskich archivov 1944–1953, Tom II (Anm. 43), S. 114.

75 Siehe Molly Pucci: A Revolution in a Revolution: the Secret Police and the Origins of Stalinism in Czechoslovakia, in: East European Politics and Societies 32 (2018), H. 1, S. 3–22.

76 Siehe Bradley Abrams: The Struggle for the Soul of the Nation: Czech Culture and the Rise of Communism, Lanham 2004, S. 51 f.; Jiří Kocian/Markéta Devátá: Únor 1948 v Československu nástup komunistické totality a proměny společnosti [Februar 1948 in der Tschechoslowakei: Der Beginn des kommunistischen Totalitarismus und die Veränderungen in der Gesellschaft], Praha 2011.

tur, Theater und die Kulturschaffenden Anna Achmatova und Michail Zoščenko im Jahr 1946 zu akzeptieren.[77]

Mit der Dauer des Kalten Krieges nahm auch die Feindseligkeit in den sowjetischen Berichten über die Tschechoslowakei zu. Ein *TASS*-Korrespondent in Prag wetterte im Mai 1949 gegen die Beziehungen des Landes zum Westen. Er führte den Einfluss des Westens darauf zurück, dass es den Tschechoslowaken nicht gelungen sei, eine echte Revolution durchzuführen. Die KSČ wurde für ihre mangelnde Entschlossenheit bei der Unterdrückung politischer Feinde verurteilt, durch die sich der amerikanische Einfluss im Land auf zweierlei Weise verbreitet habe. Erstens seien die politischen Feinde ins Exil gegangen und hätten ihre Aktivitäten im Ausland fortgesetzt, anstatt getötet zu werden. Zweitens seien die tschechoslowakischen Institutionen mit Personen besetzt, die über Reichtum und Verbindungen zum Westen verfügten: »Unternehmer, Kaufleute und Millionäre, die in der neuen Republik Reichtum angehäuft haben, sind geblieben. Reaktionäre Beamte sind geblieben (viele wurden zwar aus dem Dienst entlassen, durften aber in den Ruhestand gehen). Reaktionäre Generäle und Offiziere sind im Militär und im Nationalen Sicherheitsdienst geblieben. Kurzum, die Amerikaner haben eine breite, im Grunde genommen alte, aber illegale Basis behalten, um ihre subversiven Aktivitäten gegen die Volksdemokratien und die Sowjetunion fortzusetzen.«[78] Er zeichnete ein völlig übertriebenes Bild von den Unruhen in der Tschechoslowakei und behauptete, dass es gegen den Februarumsturz Widerstand in Form von regierungsfeindlichen Flugblättern gegeben habe – was sogar zutraf. Er schloss daraus schnell auf die »wahrscheinliche« Möglichkeit einer größeren Verschwörung: »Die Tatsachen sprechen dafür, dass reaktionäre Kräfte von Propaganda und Agitation zu aggressiveren Formen des Kampfes übergehen.« Er war davon überzeugt, dass es notwendig sei, auch kleine Widerstandshandlungen im Keim zu ersticken, bevor sie zu größeren würden. Er fügte hinzu, dass die Tschechen über einen »traditionellen Widerstandsgeist« verfügten, den diese Flugblätter offenbar provozieren würden.[79]

Die Sowjets, tief verwurzelt in antiwestlichen Überzeugungen, lehnten die Übernahme westlicher Praktiken durch die tschechoslowakischen Kommunisten zur Gestaltung ihres Systems ab.[80] Ende 1949 wurde Prag daher dazu gedrängt, eine »Isolationskampagne« durchzuführen,[81] um die kulturellen und außenpolitischen Verbindungen zum Westen zu kappen. Doch viele der untergeordneten Sicherheitsbehörden setzten sie nicht um, und außerhalb von Prag hatte sie wenig Erfolg.[82] Die tschechoslowakische

77   Siehe Zapiska korespondenta TASS v Prage V. S. Medova o vnutripolitičeskoj situacii v Čechoslovakii (Anm. 74).
78   Ebd.
79   Es wurde der Ausdruck »tradicionnyj duch soprotivlenie« verwendet, wobei unklar ist, woher dieser stammt. Ebd., S. 111 f.
80   Ebd., S. 115.
81   Milan Bárta: Akce »Isolace«. Snaha Státní bezpečnosti omezit návštěvnost zastupitelských úřadů kapitalistických států [Aktion »Isolation« – ein Versuch der tschechoslowakischen Sicherheitsbehörden, Besuche in Botschaften kapitalistischer Länder einzuschränken], in: Paměť a dějiny 2 (2008), H. 4, S. 41–50.
82   Siehe Zapiska korespondenta TASS v Prage V.S. Medova o vnutripoliticheskoi situatsii v Chekhoslovaki (Anm. 74), S. 44.

Revolution wurde als gescheitert betrachtet. Der sowjetische Beobachter beschrieb den tschechoslowakischen »nationalen Weg zum Sozialismus« folgendermaßen: »Die Verfechter des ›tschechoslowakischen Weges zum Sozialismus‹ versuchen, neue sozialistische Inhalte in alte bürgerlich-demokratische Formen zu pressen. Das Alte wird nicht zerstört, sondern bewahrt und modernisiert. [...] Nach wie vor werden bei öffentlichen Auftritten des Präsidenten feierliche Trompetenstöße gespielt. Zusätzlich zu seiner Residenz im Schloss hat der Präsident ein Schloss auf dem Lande. Seine Frau praktiziert die gleichen Rituale (wie z. B. die Schirmherrschaft über die Gesellschaft des Roten Kreuzes und wohltätige Zwecke) wie zuvor. Die neuen Minister leben wie die alten in Villen mit Bediensteten und fahren nicht in einheimischen Fahrzeugen (die übrigens nicht schlecht sind), sondern in ausländischen Autos. Sie lassen sich bei öffentlichen Anlässen ununterbrochen fotografieren. Äußerlich verhalten sie sich wie die alten Minister. Ein tschechischer Bürger (und Tschechen neigen zum Philistertum) oder ein durchschnittlicher Mensch, der sich all dies ansieht, könnte sich nun fragen: Was hat sich eigentlich geändert?«[83]

Nach der Lektüre dieser Berichte und der Furcht, Sorge und Panik, die sie hervorriefen, ist es nicht verwunderlich, dass die Sowjets darauf bestanden, Berater in die Tschechoslowakei zu entsenden, um mehr Druck innerhalb der Kommunistischen Partei und des Staates zu erzeugen. Die sowjetische Kritik an den Tschechoslowaken, insbesondere an den Beziehungen des Landes zum Westen und dem politischen Charakter des Februarumsturzes, beruhte darauf, dass man die Beweise selektiv auswertete und bewusst oder unbewusst dazu neigte, Beweise zu sammeln, die eine bestimmte Weltsicht stützten, und gleichzeitig jene zu ignorieren, die dem entgegenstanden.

Die NKWD-Berater witterten in allem Intrigen, Verschwörungen, Widerstand und Unruhen. Aus diesem Grund beschlossen sie, die Verhaftung einheimischer Beamter in Ostmitteleuropa voranzutreiben – zur Verblüffung dieser Beamten, die glaubten, sie hätten Moskaus Anweisungen genau befolgt. Der parteiinterne Terror untergrub den Einfluss der Sowjetunion in der Region, verbreitete Angst und Misstrauen, schadete der Autorität, die sich die Sowjets durch ihre Opfer im Zweiten Weltkrieg erworben hatten, und legte ihre Informationsnetze in der Region lahm. Die Sowjets schädigten ihre Informationsbasis, indem sie die einheimische Bevölkerung veranlassten, Informationen zu verbergen und quasi »zweisprachig« zu werden. Seit dem parteiinternen Terror der späten 1940er-Jahre betrachteten die örtlichen Informanten sowjetische Vertreter nicht mehr nur als Berater, Diplomaten oder Lehrer des »Modells«, sondern als Verbindungsleute Moskaus, gegenüber denen sie ihre Glaubwürdigkeit, Loyalität und ihren Hass auf den Feind unter Beweis stellen mussten – eine Tendenz, welche die von ihnen gelieferten Informationen inhaltlich verzerrte. Die Unterschiede zwischen den sowjetischen und den lokalen Vorstellungen vom Kommunismus traten zutage, wenn verschiedene Wertvorstellungen und Vermutungen aufeinanderprallten, über die nie ausführlich gesprochen oder die nie richtig verstanden wurden, da die Tschechoslowaken nicht in die internen Berichte der Sowjets eingeweiht waren. Die Meinungsverschiedenheiten bezogen sich

---

83 Ebd., S. 111 f.

nicht auf allgemeine Ziele wie die »Verwirklichung des Sozialismus«, sondern auf zahllose Fragen der Auslegung, der Methoden und der Organisation. So mächtig die sowjetischen Berater auch waren, ihre Forderung, das sowjetische Modell bis ins kleinste Detail nachzubilden, machte viele Aspekte davon für die Kommunisten im Ausland unverständlich, die sich oft schon *vor* dem Beginn des Hochstalinismus kommunistischen Bewegungen angeschlossen hatten und in ihrem eigenen nationalen Kontext argumentierten und planten.

IV. Fazit: Information und Terror

Die beruflichen und persönlichen Erfahrungen der sowjetischen Berater, die nach dem Zweiten Weltkrieg nach Ostmitteleuropa kamen, waren zutiefst von Gewalt, militärischer Disziplin und Krieg geprägt. Während die meisten Mitglieder dieser Gruppe grundlegende Erfahrungen teilten, verlief ihr weiterer Werdegang nach 1953 recht unterschiedlich. Die Chruščëv-Ära war eine Zeit großer Unsicherheit.[84] Einige Beamte, wie Viktor Abakumov und Michail Lichačëv, wurden 1954 zusammen mit Berija hingerichtet. Ivan Serov setzte seine Karriere als Vorsitzender des KGB in den Jahren 1954 bis 1958 fort und führte die Säuberung von 18 000 seiner Kollegen aus der Organisation an. Diejenigen, die, insbesondere nach 1956, aus dem Dienst entlassen worden waren, wurden wegen »Verstößen gegen die sozialistische Rechtsordnung« angeklagt. Andere wurden unter Serovs Nachfolger beseitigt.[85] Einige setzten ihren Dienst für den KGB in der Sowjetunion, in Osteuropa oder, während einer neuen Welle des sowjetischen Einflusses in der Welt nach 1953, sogar in Ländern der Dritten Welt wie Kuba fort.

In diesem Artikel wird die These vertreten, dass die sowjetischen Sicherheitsberater 1945 mit einer bestimmten Version des »sowjetischen Modells« in Europa ankamen, die tief von ihren Erfahrungen und ihrer Ausbildung während des Großen Terrors und des Zweiten Weltkriegs geprägt war. Der Große Terror erhielt auf diese Weise ein »zweites Leben« in Europa, da er in den Weltanschauungen der Berater, den institutionellen Praktiken, der Sprache, dem offiziellen Narrativ des stalinistischen Regimes und dem institutionellen Bewusstsein der Agenten, die in diesem Regime ausgebildet und gefördert worden waren, verankert war. Feindbilder aus der Sowjetunion der späten 1930er-Jahre, seien es Intellektuelle, Juden, bürgerliche Nationalisten oder Anhänger des Westens, wurden in Osteuropa »wiederentdeckt«. Innerhalb der Sowjetunion nahmen die Berater eine zentrale Rolle bei der Annexion der baltischen Staaten und der östlichen Grenzgebiete Polens in den Jahren 1940 und 1941 ein, Gebiete, die einen ähnlichen Prozess der »Sowjetisierung« durchliefen wie Osteuropa.[86] Der Werdegang dieser Männer hilft zu verstehen, warum die Verbreitung des Kommunismus so eng mit Terror und Völkermord

---

84 Siehe Julie Fedor: Russia and the Cult of State Security: the Chekist Tradition from Lenin to Putin, London 2011, S. 30.
85 Ebd.
86 Siehe Zubkova: Pribaltika i Kreml' (Anm. 8), S. 6.

verbunden war, eine Tatsache, die der kommunistischen Ideologie allgemein zugeschrieben wird.[87] Was dem Rest der Welt vermittelt wurde, war die Interpretation einer Ideologie, die sich in der gewalttätigsten Periode der sowjetischen Geschichte entwickelt hatte.

Während sich dieser Artikel darauf konzentriert, welche Auswirkungen die Entwicklungen jener Jahre auf die Sicherheitskräfte gehabt haben, deuten ähnliche Studien über sowjetische Wirtschafts- oder Militärberater auf weitere Verbindungen zwischen den sowjetischen Inlandserfahrungen und der Version des Kommunismus hin, die nach 1945 gelehrt, erfahren und übernommen wurde. Zu dem Zeitpunkt, als der Kommunismus ins Ausland exportiert wurde, war er bereits mehr als nur eine Ideologie. Er war eine Diktatur, in welcher der Marxismus, genauer gesagt der Marxismus-Leninismus-Stalinismus, in Praktiken und institutionelle Formen eingebettet war. Die sowjetischen Berater brachten eine brutale Form der Herrschaft mit, die sich zwar auf den ersten Blick als mächtig, auf lange Sicht jedoch als kurzsichtig erwies. Schließlich waren die Gebiete, die sie dem Sowjetimperium einverleibt hatten, seien es die baltischen Staaten oder osteuropäische Länder, die mit der UdSSR verbunden waren, letztendlich diejenigen, welche die Sowjetmacht 1989 und 1991 zu Fall brachten.

Aus dem Englischen übersetzt von Alexei Khorkov und Indra Holle-Chorkov

---

87   Siehe dazu Courtois u. a. (Hg.): Schwarzbuch (Anm. 29).

Oksana Nagornaia / Tatjana Raeva

Stalins »Kulturattachés«. Sowjetische Kulturdiplomatie im beginnenden Kalten Krieg

Der Sieg im Zweiten Weltkrieg veränderte den außenpolitischen Status der Sowjetunion grundlegend. Von einem Ausgestoßenen im System der internationalen Beziehungen wurde das Land zu seiner Stütze. Sowjetische Ideologen versprachen sich vom neuen Image als Befreier der Welt vom Faschismus erhebliches Potenzial. Um dieses zu nutzen, sollte das Ziel fortan darin bestehen, den Kreis der ausländischen Öffentlichkeit, der dem sowjetischen Projekt loyal oder zumindest wohlwollend gegenüberstand, zu erweitern und den sowjetischen Einfluss in der Welt zu stärken. Zusätzlich bestand die Herausforderung, die neuen Einflusssphären in Osteuropa auch symbolisch zu erschließen.

In der Tradition des Spätstalinismus blieben sowjetische Schriftsteller auch in der Frühphase des Kalten Krieges wesentliche Akteure der außenpolitischen Repräsentation. Sie besaßen ein beträchtliches symbolisches Kapital: Sie verfügten über Ruhm und Ansehen und häufig auch über weitreichende Kontakte ins Ausland. Sie waren in der Lage, den Erfolg des »diplomatischen Spektakels« im In- und Ausland durch ihre Redekunst, politische Kompetenz, Disziplin zu gewährleisten. Sie wurden vom Regime sorgfältig ausgewählt und durch Einschüchterung und Ermutigung ständig geistig mobilisiert. Diejenigen unter ihnen, die den Mühlen des Terrors entkommen waren, verloren auch nach dem Tod des Diktators nicht an Einfluss. Einerseits standen sie innerhalb des Systems für persönliche und ideologische Kontinuität, andererseits waren sie nach 1956 gezwungen, sich an den Prozess der Entstalinisierung anzupassen und im Ausland die damit verbundenen Vorstellungen zu repräsentieren, auch wenn sie mitunter nicht ihren eigenen Ansichten entsprachen.

Vor diesem Hintergrund geht es in diesem Beitrag um die folgenden Fragen: Wie veränderten sich die Mobilisierungs- und Disziplinierungsstrategien bzw. -praktiken im System der sowjetischen Kulturdiplomatie zwischen Spätstalinismus und Tauwetterperiode? Welcher Kontrollinstrumente bedienten sich die Parteiorgane, um die Loyalität des engen Kreises von Kulturdiplomaten in den privilegierten »Schaufenstern des Sozialismus« sicherzustellen? Wie reagierten die Schriftsteller selbst auf die Abschaffung des Terrors? Welche Verhaltens- und Kommunikationsstrategien entwickelten sie dabei?

In ihren jüngsten Veröffentlichungen untersuchen Il'ja Kukulin und Il'ja Venjavkin, die sich vor allem auf Ego-Dokumente stützen, die Mechanismen der Entstehung einer »privilegierten Kaste von unter Zensur stehenden Schriftstellern«, ihre Versuche, einen »Überlebensmodus im sowjetischen System« zu finden, sowie die moralischen, schöpferischen und emotionalen Opfer, die sie dafür bringen mussten.[1] Nur selten hat die

---

1 Zit. nach Il'ja Kukulin: Mladšij podčinennyj otrjad: Pisateli kak odna iz kast vnutri sovetskoj ierarchii [Eine rangniedere Untereinheit: Die Schriftsteller als eine der Kasten in der sowjetischen

Forschung bislang Aktivitäten stalinistischer Schriftsteller im Bereich der Kulturdiplomatie untersucht, die zu einem spezifischen Raum der direkten und indirekten Gewalt, der Illusionen eines kreativen Internationalismus und der Handlungsfreiheit wurde. Der ambivalente Charakter dieses Raums wurde nach dem Tod Stalins mit der einsetzenden innenpolitischen Liberalisierung und Chruščëvs »Kulturoffensive« im Bereich der außenpolitischen Propaganda noch verschärft. Dieser Beitrag nimmt diese Überlegungen auf und trägt damit einerseits zu aktuellen Debatten um die Herausbildung einer spezifischen Subjektivität der sowjetischen Kulturträger in den Zeiten des Terrors[2] und danach bei, sowie andererseits zu Diskussionen über den Eigensinn von Akteuren im System der sowjetischen Außenpropaganda und der internationalen Beziehungen im Zeichen des Kalten Krieges.[3]

Im Mittelpunkt der Analyse stehen dabei sowjetische Schriftsteller unterschiedlicher Generationen, die hier als Kulturdiplomaten begriffen werden: Il'ja Ėrenburg, Konstantin Fedin, Aleksandr Fadeev, Boris Polevoj. Es geht um den Vergleich von Mechanismen der (Selbst-)mobilisierung und Anpassungspraktiken kreativer Persönlichkeiten, die jeweils eine vorrevolutionäre und sowjetische Sozialisation durchliefen. Das Quellenmaterial stammt aus dem Russischen Staatsarchiv für Literatur und Kunst (RGALI). Den Ego-Dokumenten der schreibenden Kulturdiplomaten (Tagebücher und persönliche Korrespondenz) kommt dabei eine Schlüsselrolle zu. So wird etwa das analytische Potenzial von Fedins Tagebuch, das die Anpassungsstrategien des Schriftstellers an das System der sowjetischen Kulturdiplomatie, seine Emotionen und seine Wahrnehmung der Propaganda widerspiegelt, durch den Umfang und systematischen Charakter der Aufzeichnungen verstärkt. Die Tagebücher Fedins spiegeln drei Schlüsselphasen in der Entwicklung der außenpolitischen Repräsentation der UdSSR wider: Anpassung an den Supermachtstatus direkt nach dem Krieg, die Kulturoffensive Chruščëvs und die Routinisierung des Propagandasystems in den 1970er-Jahren. Auch Polevojs Berichte *Amerikanskie dnevniki* [Amerikanische Tagebücher] (1956) und *30 000 li po Kitaju* [30 000 Li durch China] (1957), die er im Kontext seiner Auslandsreisen verfasste, haben autobiografischen Charakter. Die Originalmanuskripte mit redaktionellen (Zensur-)Korrekturen ermöglichen es, die Diskrepanz zwischen dem Wortlaut des Autors und dem sich rasch ändernden Kanon des Zulässigen aufzuzeigen.

Der Kontext, in dem die analysierten Ego-Dokumente entstanden sind, wurde anhand der Archivbestände der Auslandskommission des Sowjetischen Schriftstellerver-

Hierarchie], in: https://arzamas.academy/courses/89/1 (ges. am 31. August 2021); Il'ja Venjavkin: Sovetskij pisatel' vnutri bol'šogo terrora [Der sowjetische Schriftsteller während des Großen Terrors], in: https://arzamas.academy/mag/309-afinogenov (ges. am 31. August 2021).

2 Jochen Hellbeck: Revolution on My Mind: Writing a Diary Under Stalin, Cambridge 2006; Igal Halfin: Terror in My Soul: Communist Autobiographies on Trial, Cambridge 2003; Heidrun Kämper: Telling the Truth: Counter-Discourses in Diaries under Totalitarian Regimes (Nazi Germany and Early GDR), in: Willi Steinmetz (Hg.): Political Languages in the Age of Extremes, Oxford 2011, S. 215–241.

3 Oxana Nagornaia/Olga Nikonova: Sowjetische Kulturdiplomatie in Osteuropa in der Nachkriegszeit. Ein Überblick über die neuesten Veröffentlichungen, in: Jahrbücher für Geschichte Osteuropas 66 (2018), H. 2, S. 274–298.

bandes (SSV), der Allunionsgesellschaft für kulturelle Verbindung mit dem Ausland (VOKS), der Union der Sowjetischen Gesellschaften für Freundschaft und kulturelle Beziehungen mit dem Ausland (SSOD) und der Abteilungen des ZK der KPdSU rekonstruiert.

I. Auswahl der außenpolitischen Propagandisten: (un)günstige Biografien, Gemeinschaft und Opfer

Für die sorgfältig ausgewählten Botschafter der sowjetischen Kulturdiplomatie bot die Nachkriegssituation erheblichen Handlungsspielraum. Neben zusätzlichen Privilegien erhielten sie Zugang zu neuen Ressourcen, wie z. B. einer Ausreiseerlaubnis, Kulturtourismus, internationalen Netzwerken und persönlichen Kontakten. Die Aufnahme in die Riege der außenpolitischen Vertreter und die Verpflichtung, die Sowjetunion im Ausland würdig zu repräsentieren, bot vielen von ihnen die Chance, ihre Loyalität gegenüber dem System zu beweisen. Doch Ehrenämter und internationales Prestige garantierten keine persönliche Sicherheit. In den ersten Nachkriegsjahren gab es nicht nur individuelle, sondern auch kollektive Repressionen gegen Kulturdiplomaten. Unter den Opfern waren auch Aktivisten des Jüdischen Antifaschistischen Komitees, das bis dahin eine wichtige symbolische Rolle in der Kommunikation mit den Alliierten gespielt hatte. 1952 wurden 13 Mitglieder des Komitees hingerichtet, ein weiteres wurde noch vor Beginn eines Gerichtsprozesses ermordet.

Unter diesen Bedingungen wurde Konstantin Fedin im Jahr 1949 in den Kreis der sowjetischen Kulturdiplomaten aufgenommen. Dass er auf eine erfolgreiche Karriere als Schriftsteller und Verleger in der Zwischenkriegszeit zurückblicken konnte, überzeugte die Kuratoren, sich trotz der für einen sowjetischen Schriftsteller seiner Generation nicht ganz kanonischen Biografie für ihn zu entscheiden. Fedin hatte nicht am revolutionären Kampf teilgenommen und es fehlte ihm eine »bolschewistische Vorgeschichte«, außerdem waren ihm ideologische Abweichungen und sogar Spionage zugunsten Deutschlands unterstellt worden.[4] Ausschlaggebend für seine Beförderung zum Kulturattaché war schließlich die Loyalität, die Fedin aufgrund seiner persönlichen Eigenschaften bewies: sein Glaube an die sozialistische Idee und seine charakterliche Flexibilität.[5] Paradoxerweise verhalfen ihm wohl auch das Bewusstsein der Machtlosigkeit gegenüber dem System[6] und seine tragische Erfahrung mit den Machtmechanismen des Stalinismus im Bereich der Literatur zur neuen Position. Während seiner langjährigen Tätigkeit als Jour-

4   Siehe Vlast' i chudožestvennaja intelligencija. Dokumenty CK RKP(b) – VKP(b), VČK – OGPU, NKVD o kul'turnoj politike. 1917–1953 [Die Staatsmacht und die künstlerische Intelligenz. Dokumente des Zentralkomitees der KPdSU, Tscheka-OGPU-NKWD zur Kulturpolitik], Moskva 1999, S. 494.

5   Siehe Iurij Okljanskij: Uroki s repetitorom, ili Ministr sobstvennoj bezopasnosti [Unterrichtsstunden mit Nachhilfelehrer, oder Minister für (die) eigene Sicherheit], in: http://magazines.russ.ru/druzhba/2014/5/10o.html (ges. am 31. August 2021).

6   Siehe Kukulin: Mladšij podčinennyj otrjad (Anm. 1).

nalist und Redakteur vor dem Krieg hatte er es verstanden, sich die offizielle Rhetorik anzueignen, die Grenzen der zulässigen öffentlichen Selbstdarstellung auszuloten und sie nicht nur aufgrund des äußeren Zwangs, sondern auch mithilfe von Selbstzensur einzuhalten.

In seinem Tagebuch analysiert er den Geist der »Sowjetzeit« und die neue Situation der Literatur. Er unterstreicht dabei, dass eine schöpferische Tätigkeit nur im Rahmen bedingungsloser Unterwerfung unter die Ideologie und die »Führer« der proletarischen Kunst möglich sei.[7] Auf diese Weise rechtfertigte und versöhnte sich Fedin, der eine solche Ordnung innerlich ablehnte, mit einer Situation offener und latenter Gewalt: »Wir sind es uns selbst schuldig, uns mit unserer Zeit zu verbinden, denn sonst sind wir zur Fruchtlosigkeit verdammt. Auch wenn wir die Irrtümer der Zeit sehen, sind wir – die Schriftsteller – verpflichtet, diese Irrtümer zu teilen«[8], verteidigte er seinen konformistischen Standpunkt. Mitte der 1940er-Jahre, als das mit Liebe zum literarischen Lehrer geschriebene Werk *Gor'kij sredi nas* (*Gorki unter uns,* 1943) heftig kritisiert wurde und die Gefahr eines politischen Prozesses wegen Spionage drohte, geriet Fedin in eine schwere Schaffenskrise. Der Druck von oben machte ihn noch nachgiebiger, vorsichtiger und bequemer für die Machthaber, auch in seiner Rolle als Kulturbotschafter. Seine Arbeit als Sonderkorrespondent der Zeitung *Iswestija* bei den Nürnberger Prozessen (von 1945 bis Februar 1946) erhöhte seine Chancen für einen weiteren Auslandseinsatz. Die Verleihung des Stalinpreises 1. Klasse im Jahr 1949 für seine Romane *Pervye radosti* (*Frühe Freuden,*1945) und *Neobyknovennoe leto* (*Ein ungewöhnlicher Sommer,* 1947/1948), die den sowjetischen Führer verherrlichen, war ein symbolisches Zeichen der Vergebung und der Aufnahme in die Riege der führenden sowjetischen Schriftsteller, die das Bild der UdSSR nach außen tragen durften.

Neben seiner öffentlich zum Ausdruck gebrachten Loyalität gegenüber dem System als Ganzem zeichnete sich Fedin durch eine Reihe von bedeutsamen Eigenschaften aus, die für die Ausübung der ihm übertragenen Aufgaben unerlässlich waren. Die Erfahrung eines langen Aufenthalts in Europa ermöglichte es ihm, sich in seiner neuen Rolle relativ wohl und sicher zu fühlen: Wie der Schriftsteller selbst in seinem Tagebuchs bezeugt, erlebte er nicht den Schock, Neuankömmling im Leben »der anderen« zu sein, und als er nach Hause zurückkehrte, überraschten ihn die Unterschiede nicht.[9] Fedin beherrschte nicht nur die deutsche Sprache ausgezeichnet, sondern ebenso den für westliche Intellektuelle üblichen Kommunikationsstil und konnte sich damit beim ausländischen Publikum beliebt machen.

---

7   Zit. nach Irina Kabanova: Veliki perelom v ego-dokumentach K. A. Fedina konca 1920 – načala 1930-ch godov [Der große Umbruch in Ego-Dokumenten von K. A. Fedin Ende der 1920er- bis Anfang der 1930er-Jahre], in: Irina Ivanjušina/Irina Tarasova: Epocha velikogo pereloma v istorii kul'tury. Sbornik naučnych statej [Die Epoche »des großen Umbruchs« in der Geschichte der Kultur: Sammlung wissenschaftlicher Artikel], Saratov 2015, S. 238 f.

8   Zit. nach Boris Fresinckij: Sud'by Serapionow [Das Schicksal der Serapionsbrüder], in: https://cool-lib.com/b/296128 (ges. am 31. August 2021).

9   Konstantin Fedin: Dnevnik, avgust–dekabr' 1955 goda [Tagebuch, August–Dezember 1955], Rossijskij gosudarstvennyj archiv literatury i iskusstva/Russisches Staatsarchiv für Literatur und Kunst (im Folgenden: RGALI), f. 1817, op. 3, d. 25, Bl. 49 f.

Derartige Fähigkeiten gab es unter den Botschaftern der sowjetischen Kultur nur selten: Bei Auslandsreisen in den späten 1940er- und 1950er-Jahren war Fedin oft der einzige sowjetische Vertreter, der Deutsch sprach.[10] Zudem war er auch im Ausland bekannt. Schon vor dem Krieg lernte er mit Unterstützung Maksim Gor'kijs Johannes R. Becher, Lion Feuchtwanger, Leonhard Frank, Louis Aragon und andere Vertreter der europäischen Literaturelite kennen. Seine Werke, die sich mit der westeuropäischen Moderne befassen, stießen bei einem bestimmten ausländischen Leserkreis auf Interesse. Für die sowjetische Kulturdiplomatie war allerdings auch Fedins öffentliches Auftreten von großer Bedeutung: Sein sympathisches und intelligentes Benehmen, seine Fähigkeit, Gesprächspartner zum Lächeln zu bringen, und seine wohl modulierte Stimme (ein Erbe seiner schauspielerischen Vergangenheit) trugen dazu bei, den Eindruck einer kultivierten sowjetischen Persönlichkeit zu vermitteln. Diese Kombination aus persönlichen und professionellen Qualitäten, die von der Partei- und Staatsführung anerkannt wurden, sorgte dafür, dass Fedin in die Riege der inoffiziellen Botschafter des ersten sozialistischen Staates aufgenommen wurde. Er wurde als profunder Kenner der europäischen Kultur positioniert, seine Teilnahme an fast allen sowjetischen Veranstaltungen mit Bezug zu West- und Osteuropa war Pflicht.[11]

Die Nürnberger Prozesse waren auch für Boris Polevoj die erste berufliche Auslandserfahrung. Er gehörte zur Schriftstellergeneration nach Fedin: Seine Sozialisierung und sein künstlerischer Werdegang hatten vollständig in der Sowjetzeit stattgefunden. Obwohl Polevoj nicht aus dem Volk stammte (sein Vater war Jurist, seine Mutter Ärztin), begann seine journalistische Laufbahn im sowjetischen Rabkor-System (Arbeiter- und Bauernkorrespondentenbewegung). Dort schrieb er im Geiste der neuen bolschewistischen Kultur, d. h., er durchlief den »reinigenden Schmelztiegel der revolutionären Wirklichkeit«. Im Jahr 1939 veröffentlichte die Zeitschrift *Oktjabr'* seine Erzählung *Gorjačij Cech* [Die heiße Zeche], die ihn berühmt machte und von den Helden des ersten Fünfjahresplanes handelt. Seine Werke über den Großen Vaterländischen Krieg wurden nicht nur mit dem Stalinpreis ausgezeichnet, sondern auch Teil der sowjetischen Schullektüre.

Dennoch schien er nicht geeignet, eng in das System der außenpolitischen Propaganda der UdSSR eingebunden zu werden. Für Polevoj beschränkten sich die Auslandserfahrungen bei Kriegsende auf die Befreiung Europas und die Nürnberger Prozesse. Sein ausländischer Bekanntenkreis bestand lediglich aus Kriegsberichterstattern anderer ausländischer Zeitungen. Er verfügte also weder über Sprachkenntnisse, noch hatte er Erfahrung mit dem Leben außerhalb der Sowjetunion, weiterhin konnte er keine persönlichen Kontakte zur ausländischen Öffentlichkeit und Literaturszene vorweisen. Bemerkenswert ist, dass Polevoj in seinem Essay *Silujety* [Umrisse][12] seine Beobachtungen über

---

10   Siehe ders.: Dnevnik, ijul' 1950 goda [Tagebuch, Juli 1950], RGALI, f. 1817, op. 3, d. 14, Bl. 108 f.

11   Siehe ders.: Dnevnik, nojabr' 1952 goda [Tagebuch, November 1952], RGALI, f. 1817, op. 3, d. 15, Bl. 136 f.

12   Boris Polevoj: Dal'nobojnost' [Die Reichweite], in: ders.: Silujety [Umrisse], Moskva 1974, siehe auch: https://www.litmir.me/br/?b=202770 (ges. am 2. November 2022).

die Arbeit Fedins in Nürnberg schildert: Die Reflexion der zwischen ihnen existierenden Unterschiede als »Auslandskenner« machen einen wesentlichen Teil des Textes aus.

Obwohl das sowjetische Propagandasystem in der Nachkriegszeit darauf abzielte, den Kreis der Kulturdiplomaten zu erweitern, blieben die Befugnisse für Schriftsteller wie Polevoj begrenzt. Sie waren in die öffentliche und administrative Arbeit des sowjetischen Schriftstellerverbandes und seiner Auslandskommission sowie der sowjetischen und internationalen Friedensorganisationen (z. B. Weltfriedensrat) eingebunden und korrespondierten über Dolmetscher und offizielle (zensierte) Kanäle mit ihren ausländischen Kollegen (in Polevojs Fall mit den amerikanischen Kulturgrößen Howard Fast und Paul Robeson). Erst die Intensivierung des interkulturellen Austauschs während der frühen Tauwetterperiode ermöglichte es Polevoj, mit Gruppen sowjetischer Schriftsteller und Journalisten ins Ausland zu reisen. Diese Aufenthalte führten zur Veröffentlichung seiner Reiseessays (*Amerikanskie dnevniki* [Amerikanische Tagebücher] (1956), *Za tridevjat'zemel'* [In einem fernen Land] (1956), *30 000 li po Kitaju* [30 000 Li durch China] (1957). Chruščëvs Abkehr von den strengen Regeln der internationalen Kommunikation, die sein Vorgänger aufgestellt hatte,[13] reduzierte auch die Anforderungen an die eigenen Botschafter der außenpolitischen Propaganda. Dennoch war die Entstalinisierung auch für Polevoj eine Bewährungsprobe: Er hinterließ nicht die gleichen tiefgründigen Reflexionen wie Fedin, hatte aber offensichtlich nicht genug Zeit, sich an die sich rasch verändernden Zensurbedingungen anzupassen. Eine beträchtliche Zahl seiner wertenden Passagen wurde von der Zensur gestrichen. Es ist bemerkenswert, dass Polevoj, der »Attaché mittleren Ranges«, von der Behörde als kreative »strafende Hand« für den abtrünnigen Howard Fast ausgewählt wurde, der nach dem Einmarsch in Ungarn 1956 ostentativ seine Verbindungen zur UdSSR abgebrochen hatte. Das internationale Ansehen von renommierteren Kulturattachés (Fedin, Michail Šolochov, Nikolaj Tichonov) wurde genutzt, um linke europäische Intellektuelle, wie z. B. französische Schriftsteller, die die friedensstiftende Mission des sozialistischen Systems infrage stellten, öffentlich in die Schranken zu weisen.

II. Sowjetische Schriftsteller und außenpolitische Propaganda im Spätstalinismus

Die Teilnahme an Kongressen und Tagungen internationaler Organisationen, Treffen mit ausländischen Vertretern, Besuche feierlicher Veranstaltungen (Freundschaftswochen, Freundschaftsmonate) sowie Auftritte in ausländischen und sowjetischen Medien zu internationalen Themen wurden für einen ausgewählten Kreis von Schriftstellern des Spätstalinismus zu einer obligatorischen gesellschaftlichen und politischen »Arbeitslast«. Der kulturelle und diplomatische Auftrag erfasste auch den privaten Bereich. Die Zustimmung der Akteure zur Teilnahme an diesen Veranstaltungen war oft

---

13   Siehe Susanne Schattenberg: Diplomatie als interkulturelle Kommunikation, in: Zeithistorische Forschungen/Studies in Contemporary History, Online-Ausgabe, 8 (2011), H. 3, https://zeithistorische-forschungen.de/3-2011/4676, DOI: https://doi.org/10.14765/zzf.dok-1639.

nicht erforderlich: Sie wurden von der *Instanzija* [Politbüro] direkt und indirekt verwaltet. So konnten etwa sowjetische Botschaften eine ihrer Meinung nach geeignete sowjetische Kulturpersönlichkeit benennen, die an bestimmten Veranstaltungen teilnehmen sollte.[14] Einer der typischen Einträge in Fedins Tagebuch veranschaulicht die untergeordnete Stellung des Schriftstellers: »Heute war ich bei der VOKS, es ist unmöglich, sich der Reise zu entziehen. In drei Tagen muss ich zusammen mit der gesamten Delegation nach Rumänien abreisen.«[15] Die Verpflichtung, in der Zeit des Spätstalinismus einen derartigen diplomatischen »Auftrag« zu erfüllen, bedeutete nicht nur, dass man ihn nicht ablehnen oder zurückweisen konnte, sondern ließ auch keinen Platz mehr für ein Privatleben: Als Fedins Frau 1952 schwer erkrankte, während er auf einer seiner Reisen war, enthielt ihm der Leiter der Delegation, Konstantin Simonov, diese Information zwei Tage lang vor, um ihn nicht von seinem Treffen mit dem deutschen Bundeskanzler abzulenken.[16]

Die Arbeitsweise der sowjetischen kulturellen und diplomatischen Organisationen war gekennzeichnet von häufigen Absagen oder Verschiebungen von Veranstaltungen, Zusammenlegungen von Delegationen und verspäteten Informationen an die Teilnehmer, was sich auf die Qualität der Veranstaltungen auswirkte. Diese Art der Steuerung führte bei den Akteuren an der Basis zu umfangreichen Reisen durch mehrere Länder und Städte mit dem Besuch vieler verschiedener Veranstaltungen und einer endlosen Anzahl von damit verbundenen Aufträgen. Einer der Gründe dafür war natürlich die Devisenknappheit. Auf seiner Reise zu einer Konferenz zum Schutz von Kindern im Jahr 1952 traf sich Fedin beispielsweise auch mit der Freundschaftsgesellschaft und mit Literaturredakteuren, die seine Werke im Ausland veröffentlichten, hielt Vorträge an Universitäten und begleitete auf der Rückreise ausländische Delegierte einer der Friedenskonferenzen, die über Moskau nach Hause zurückkehrten.[17]

Die reaktive Arbeitsweise sorgte dafür, dass sich die Schriftsteller in einem Zustand ständiger Einsatzbereitschaft befanden, von der Planung einer Reise bis hin zur Berichterstattung darüber. Trotz der vorherigen Ausarbeitung und den obligatorischen Instruktionen für die Delegationen durch die zuständige Abteilung des Zentralkomitees oder der VOKS erhielten die Schriftsteller von den sowjetischen Diplomaten erst am Zielort endgültige Klarheit über das Programm während ihres Aufenthalts. Die damit einhergehenden notwendigen Anpassungen der vorbereiteten Auftritte verursachten oft zusätzlichen Aufwand, Reden mussten von vornherein auf allgemeine, unspezifische Formulierungen beschränkt werden. Nach Fedins Tagebucheinträgen auf den Auslandsreisen zu urteilen, waren der Terminplan und das Tempo der Veranstaltungen zermürbend: »ein unerbittliches Rennen«, »20 Tage ununterbrochen Sitzungen, ich kann mich kaum noch auf den Beinen halten«, »konnte über meine Zeit nicht verfügen«, »keine Zeit für Schlaf«.[18]

14 Siehe Konstantin Fedin: Dnevnik 1953 god [Tagebuch 1953], RGALI, f. 1817, op. 3, d. 19, Bl. 148.
15 Ders.: Dnevnik, ijul' 1950 goda [Tagebuch, Juli 1950], RGALI, f. 1817, op. 3, d. 14, Bl. 145 f., 157 f.
16 Siehe ders.: Dnevnik 1952 god [Tagebuch 1952], RGALI, f. 1817, op. 3, d. 18, Bl. 9 f.
17 Siehe ders.: Dnevnik [Tagebuch], RGALI, f. 1817, op. 3, d. 16.
18 Ebd., d. 31.

Doch auch nach der Reise hörten die kulturellen und diplomatischen Verpflichtungen der Delegationsmitglieder nicht auf: Sie erstatteten Bericht auf Versammlungen, veröffentlichten Artikel über ihre Reisen und vermittelten einem einheimischen Publikum die ideologisch korrekte Darstellung der internationalen Lage und der kulturellen Beziehungen der UdSSR.

Angesichts der geringen Zahl jener, die ins Ausland reisen durften, war eine Kombination vieler internationaler öffentlicher Ämter für die Kulturdiplomaten der ersten Nachkriegsjahre charakteristisch: So war Il'ja Ėrenburg u. a. Mitglied des Präsidiums des Weltfriedensrates (ebenso wie Aleksandr Fadeev und Aleksandr Kornejčuk), des Komitees für den Internationalen Friedenspreis sowie Vorsitzender der Gesellschaft für Sowjetisch-Französische Freundschaft; Fedin war Mitglied des Weltfriedensrates und Vorsitzender der Gesellschaft für Sowjetisch-Deutsche Freundschaft. Die politische Verantwortung, die ihm übertragen wurde, war so belastend, dass er nicht mehr zum Schreiben kam. Seine Kreativität wurde durch einen zermürbenden Marathon von Reisen, Besuchen, Empfängen, Reden, Berichten und Händeschütteln zunichtegemacht. Laut Fedins Tagebuch (hier überträgt er eindeutig seine eigenen Gefühle auf seinen Kollegen) war es die Verpflichtung, soziale und kreative Funktionen miteinander zu vereinbaren, die den Schriftsteller in A. Fadeev erdrückte: »Fadeev ist sehr erschöpft und offensichtlich gequält von dem außergewöhnlichen Ausmaß seiner Mission, der internationalen [...] und unserer literarischen und sozialen Mission, für die er zunehmend verantwortlich ist und die immer passiver wird. Natürlich quält ihn auch die Tatsache, dass er überhaupt keine Zeit mehr zum Schreiben hat. [...] Er hat bittere Scherze darüber gemacht: ›Ich habe alle möglichen Geschichten für dich – natürlich nur mündlich. Denn ich bin kein Schriftsteller mehr, sondern ein Akyn [Volkssänger].‹ Es ist nicht verwunderlich, wenn man unter diesen unmöglichen Arbeitsbedingungen zu trinken beginnt – von morgens bis abends ist alles für die ›Öffentlichkeit‹ und nichts für einen selbst, d. h. für die <u>eigene</u> Literatur.«[19]

Nachdem er zu einem der Hauptakteure der sowjetischen Kulturdiplomatie geworden war, fand sich Fedin in einer nicht enden wollenden Reihe von Imageveranstaltungen wieder. Die schablonenhaften Reden bei den Feiern der Freundschaft und der internationalen Zusammenarbeit sowie die Veröffentlichung von Jubiläumsartikeln, die sich auf die Wiedergabe des offiziellen Diskurses beschränkten, waren ihm oft eine Last. Nach seiner Rückkehr aus Deutschland, wo er 1950 am Deutschen Schriftstellerkongress teilnahm und den Auftrag erhielt, einen Beitrag zu verfassen, schrieb Fedin: »Das Seltsame ist, dass ich den schmerzhaften Eindruck gewonnen habe, dass meine Persönlichkeit, meine individuelle Einstellung zu den Dingen, nicht gebraucht wird. Meine Hand wird nicht mehr von meinem Willen geleitet. [...] Mich beschäftigt [...] die Angst, dass es (das Wort) etwas anderes auslösen könnte als die Resonanz der gewöhnlichen und allgemeinen Gedanken. [...] Diese winzig kleinen, aber unaufhörlichen Lektionen können ihre enorme Wirkung nicht verfehlen: Man hört auf zu glauben, dass man sich selbst-

---

19 Siehe ders.: Dnevnik, ijul' 1950 goda [Tagebuch, Juli 1950], RGALI, f. 1817, op. 3, d. 14, Bl. 175 f. Hervorhebung im Original.

ständig ohne Vorgaben, Korrekturen, Stützen und Zusätze ausdrücken kann, und ist dazu verdammt, zu einem Mechanismus zu werden, der von irgendeinem Amateurschreiber kontrolliert wird.«[20]

Die Befürchtung, die eigene Stimme zu verlieren, bewahrheitete sich auf das Schlimmste: Die Berichte über die Reise, die gleichzeitig an einen westlichen Korrespondenten und an die *Prawda* geschickt wurden, wurden stark redigiert und auf Sätze reduziert, die »alltäglich sind und von allen [...], die man trifft, ausgesprochen werden«.[21] Versuche, keine formellen Reden in der Öffentlichkeit halten zu müssen, verstärkten den Druck von oben. »Fadeev bestand darauf, dass ich an dem Tag, an dem [Victor] Hugo geehrt wurde, eine Rede ›von nur einer Seite‹ halte«,[22] schrieb Fedin nach zahlreichen Versuchen, sich dieser Aufgabe zu entziehen, in sein Tagebuch. [23]

Selbst der auch international so gefragte Fedin, Träger zahlreicher ausländischer Ehrungen und Preise, war nicht vor Publikationsverboten sicher, die im Spätstalinismus als Disziplinierungsmaßnahmen vonseiten der Behörden und des Schriftstellerverbandes ergriffen wurden. 1950, nach einem weiteren Besuch im zentralen Verlag der UdSSR »Meschdunarodnaja Kniga« [Das internationale Buch] und einer Überprüfung ausländischer Aufträge für die Übersetzung und Veröffentlichung seiner Werke, schrieb Fedin: »Jeder Winkel stinkt nach Geheimnissen und Ängsten. [...] Ich sah auf drei meiner Werke den Vermerk ›nicht zugelassen‹ (Anfragen aus Deutschland, Bulgarien und Rumänien). Als ich fragte, wer das nicht erlaubt hat und warum, herrschte Schweigen. Drei Romane sind verboten, sie sind für das Ausland nicht zugelassen worden, obwohl sie im Heimatland des Autors nicht geahndet werden. Dem Autor wurde nichts darüber mitgeteilt. Warum, ist mir ein Rätsel; ob ich es berücksichtigen und auch schweigen soll oder mich irgendwohin wenden soll mit einer Anfrage und wohin genau, ist meiner Vernunft überlassen.«[24]

Es ist dieses Gefühl der ständigen Angst, das sich wie ein roter Faden durch die Seiten von Fedins Tagebuch zieht; es war die Grundlage für eine strenge Selbstzensur, die verhinderte, dass etwas Unpassendes gesagt oder geschrieben wurde, und infolgedessen seine schöpferische Kraft im Keim erstickte. Es ist der Sommer 1950. Fedin schildert seine Eindrücke von der Erzählung seines Freundes, eines »Malers«, der für die Veröffentlichung seiner Zeichnungen gezwungen worden war, 35 »Unterschriften in den Abteilungen des staatlichen Verlags« zu sammeln: »Diese 35 Unterschriften haben mich an die Unterschriften erinnert, die ich ständig gedanklich in meinen Gehirnwindungen generiere, um dann ein Wort in meinem Manuskript zuzulassen. Wie eine Herde von

---

20 Ebd., Bl. 116 f.

21 Ebd., Bl. 118.

22 Ders.: Dnevnik 1952 god [Tagebuch 1952], RGALI, f. 1817, op. 3, d. 16, Bl. 19.

23 Die inneren Monologe des Schriftstellers helfen in gewisser Weise, die Auswirkungen der Formalisierung des internationalen Diskurses in der UdSSR zu erklären: seine Degeneration bis hin zu leeren performativen Phrasen. Siehe auch Alexei Yurchak: Everything Was Forever, Until It Was No More: The Last Soviet Generation, Princeton 2006.

24 Konstantin Fedin: Dnevnik, ijul' 1950 goda [Tagebuch, Juli 1950], RGALI, f. 1817, op. 3, d. 14, Bl. 119 f.

Dämonen ist die Finsternis der Zensoren in mein Bewusstsein eingedrungen und quält mich mit Angst: Du darfst nicht, du darfst nicht, du darfst nicht!«[25]

Angesichts der Unfähigkeit zu schreiben erscheint die Beteiligung an der internationalen Kommunikation in Fedins Reflexionen als Substitut für die schöpferische Betätigung, als Entschuldigung für das Fehlen nennenswerter Literaturwerke, als ein lästiges, aber notwendiges Opfer auf dem Altar des allgemeinen Interesses. In seinem Tagebuch gesteht er sich ein, dass sein gesellschaftliches Engagement nicht nur ein Zugeständnis an den äußeren Druck ist, sondern zu einem inneren, eigennützigen Bedürfnis geworden sei, das auf Eitelkeit, Selbstrechtfertigung und Anpassung an die Realität beruhe. Die Tatsache, dass er »Bitten nachkam und Aufträge erledigte«, betrachtete er als Erfüllung einer wichtigen sozialen Aufgabe »gegenüber seinen Kameraden oder sogar gegenüber dem Volk!«.[26] Das Dilemma der Nachkriegszeit – »wie viel Energie man für die Öffentlichkeit und wie viel für die eigene Literatur aufwendet« – liest sich wie die illusorische Vorstellung, das schöpferische Subjekt hätte ein Wahlrecht gehabt, das es in Wirklichkeit nicht besaß.

Diese Situation, in der die Last der öffentlichen Aufgaben und der Zwang, sie zu erfüllen, es fast unmöglich machten, sich beruflich zu entfalten, haben nicht nur Fadeev und Fedin erlebt, sondern in der einen oder anderen Form alle sowjetischen Medienvertreter, die in der Kulturdiplomatie tätig waren. Fedin musste, wie andere auch, Anpassungsstrategien für seine neue Rolle als internationaler Mediator entwickeln. Die fehlende Möglichkeit, auferlegte Pflichten abzulehnen, und die Angst, den Unmut der Partei zu erregen und den erreichten Status zu verlieren, führten zu einer Taktik des Abwartens: Der Schriftsteller zeigte keine Initiative und bot sich nicht an, Aufgaben zu übernehmen; unter Zwang oder Druck stimmte er dem Auftrag entweder zu oder versuchte, sich diesem unter verschiedenen Vorwänden zu entziehen. Die Erfahrung in der Kommunikation mit höheren Instanzen und der ständige Kontakt mit Vertretern des Partei- und Staatsapparats ermöglichten es Fedin, die Erfolgschancen der einen oder anderen Taktik vorherzusagen. Darunter waren die Berufung auf Krankheit oder bürokratische Hürden, durch die eine Teilnahme an Veranstaltungen verzögert oder verhindert oder Terminpläne durchkreuzt wurden. »Vom sowjetischen Komitee für Weltfrieden kam die Anfrage, ob ich bereit sei, zu einem Kongress der Quäker nach England zu fahren. [...] Ich habe zugestimmt. Die Erfahrung hat gezeigt, dass solche Angebote nur selten verwirklicht werden. [...] Wie viele derartige Projekte sind schon gescheitert, bevor sie überhaupt eine Chance hatten, zu entstehen? Neulich wurde ich gefragt, ob ich bereit sei, nach Ungarn zu fahren, aber als Nina [Fedins Tochter] zurückrief, um die Details zu klären, sagten sie, dass meine Teilnahme nicht mehr nötig sei. Frankreich, England, die Tschechoslowakei nicht mehr aktuell, und plötzlich wieder Ungarn – ein Kongress der ungarischen Schriftsteller. Abzulehnen ist unmöglich: eine A n o r d n u n g«;[27] »13. September: Plötzlich taucht ein VOKS-Vertreter auf und überredet mich, nach Österreich

25   Ebd., Bl. 75 f.
26   Ders.: Dnevnik, oktjabr' 1951 goda [Tagebuch, Oktober 1951], RGALI, f. 1817, op. 3, d. 15, Bl. 115 f.
27   Ders: Dnevnik, ijul' 1950 goda [Tagebuch, Juli 1950], RGALI, f. 1817, op. 3, d. 14, Bl. 187 f. Hervorhebung im Original.

statt in die Tschechoslowakei zu fahren [...] 14. September: Ein Anruf von VOKS. Sie bitten mich, die Vereinbarung hinsichtlich der Tschechoslowakei aufrechtzuerhalten – Österreich fällt weg [...] 30. September: Anruf von VOKS. Wieder geändert: Ich muss doch nach Österreich und das so schnell wie möglich! Wenn ich meine Abreise bis zum 12. Oktober verschieben kann, habe ich Glück.«[28]

Nachdem er sich mit dem System arrangiert und seine schöpferische Inspiration auf dem Altar der propagandistischen Arbeit geopfert hatte, sah Fedin seine Hauptaufgabe darin, auf internationalem Parkett das positive Image der UdSSR zu verbreiten. Diese Haltung stimmte vollkommen mit seinen Überzeugungen überein. Er, der an den ideologischen Fundamenten des Sowjetstaates grundsätzlich keine Zweifel hegte, suchte das ausländische Publikum eifrig von der Richtigkeit der sozialistischen Ideen zu überzeugen. Die offensichtlichen Unzulänglichkeiten des Alltagslebens in der Sowjetunion und die beobachteten materiellen Errungenschaften der westlichen Länder ließen ihn weder zu dem Schluss kommen, der Kapitalismus sei überlegen, noch zerstörten sie für ihn die Werte und Ideale des sowjetischen Systems. Die Gründe für Fedins Beharrlichkeit lagen in seiner Akzeptanz einer Ordnung, in der die sowjetische Rhetorik von der Alltagsrealität abwich, seiner Rationalisierung der sowjetischen Rückständigkeit, indem er sie mit der enormen vorrevolutionären Rückständigkeit und den Auswirkungen des Krieges in Verbindung brachte, sowie seiner Überzeugung von der Aggressivität der kapitalistischen Welt und der Friedfertigkeit der UdSSR, die Vertrauen, Sympathie und Wohlwollen dem Westen gegenüber unmöglich mache und seine positive Einstellung zur eigenen Regierung festigte.

Die Arbeit mit einem ausländischen Publikum, das der UdSSR gegenüber skeptisch oder sogar feindselig eingestellt war, war für Fedin eine rhetorische Inspirationsquelle: Er reagierte darauf, indem er jegliche Anschuldigungen von ausländischer Seite zurückwies und oft sogar einen aggressiven Ton anschlug. Da Fedin die Kritik des Westens als Teil eines politischen Spiels gegen die Sowjetunion verstand, sah er es als seine Aufgabe an, sie abzuwehren und der antisowjetischen Propaganda keinen neuen Nährboden zu bieten, insbesondere während seiner Aufenthalte in kapitalistischen Ländern. Selbstbeherrschung und eine vorsichtige Haltung gegenüber ausländischen Gesprächspartnern, von denen er viele für Spione hielt, erleichterten ihm diese Aufgabe. Während er sich auf den Seiten seines Tagebuchs über den Druck von außen und die Selbstzensur beklagte, wies er in der Öffentlichkeit die Andeutungen ausländischer Gesprächspartner, die sowjetischen Schriftsteller bekämen richtungsgebende Anordnungen und würden ihrer schöpferischen Grundlagen beraubt, scharf zurück: »Bei einem Treffen mit Professoren an der Universität Jena stellt ein schüchterner Professor die Frage, ob wir in der UdSSR schreiben, was wir wollen, oder ob wir ›Richtlinien‹ bekommen. Ich werde direkt aggressiv und fühle mich wieder sehr jung. So sehr, dass ich gegen Ende Goethe im Original und in den Übersetzungen von Žukovskij und Lermontov zitiere. [...] Die Begegnung war in jeder Hinsicht außergewöhnlich.«[29]

---

28 Ders: Dnevnik, sentjabr' 1951 goda [Tagebuch, September 1951], RGALI, f. 1817, op. 3, d. 15, Bl. 91 f.
29 Ders: Dnevnik, ijul' 1950 goda [Tagebuch, Juli 1950], RGALI, f. 1817, op. 3, d. 14, Bl. 147 f.

III. »Meine Unterschrift auf dem Brief wurde telefonisch mit mir abgestimmt«: Nötigung in der Tauwetterzeit

Der Tod des Diktators, der XX. Parteitag und der Einmarsch der sowjetischen Truppen in Budapest wurden zu Schlüsselereignissen der poststalinistischen Zeit, welche die Orientierungen und Einstellungen der sowjetischen Schriftsteller, die in der internationalen Vermittlung eingesetzt waren, in ihren Grundfesten erschütterten. Die undurchsichtige Situation auf den Führungsebenen der Partei erschwerte es ihnen zusätzlich, ihrer Verantwortung nachzukommen, nach außen ein positives Bild der UdSSR und des sozialistischen Lagers zu vertreten. Die Reaktion des vorsichtigen und flexiblen Fedin, der sich nur wenige Monate nach Stalins Tod demonstrativ weigerte, eine Mission im Ausland zu übernehmen, ist bezeichnend: »VOKS ergriff eine Reihe von Maßnahmen, um mich zu überreden, nach Deutschland zu gehen: Telefonanrufe, Telegramme. Ich habe Denisov eine förmliche Absage geschickt. Aber eine ganze Delegation kam zu meiner Datscha und setzte zum Angriff an: Es stellte sich heraus, dass ›die Entscheidung, mich auf eine Reise zu schicken, bereits getroffen worden war‹ und die VOKS ›nichts mehr daran ändern kann‹, ›die Entscheidung auf nachdrücklichen Forderungen aus Deutschland basiert‹, dass ich kommen soll. Die Deutschen bitten, unser Botschafter schlägt es vor usw. Ich antwortete: Betrachten Sie mich als tot. Und ich habe abgelehnt.«[30]

Unter den zahlreichen Taktiken, die zuvor vornehmlich aus Abwarten, Aufschieben und Vermeiden bestanden, fanden sich plötzlich offener Widerstand und eine formelle schriftliche Absage. Offensichtlich erschien dem Verfasser ein solcher Protest weniger riskant als das Risiko, in seinen Ansprachen vor der ausländischen Öffentlichkeit von der (noch nicht festgelegten) Parteilinie abzuweichen.

In Fedins Tagebuch sind die Reflexionen zum XX. Parteitag geprägt von Unmut über den »Verrat« der federführenden Behörden, die sowjetische Kulturschaffende ohne die üblichen konkreten und präzisen Anweisungen ins Ausland schickten: »Jetzt stehen wir mit unserer neuen Politik und den unerwarteten Ereignissen im Mittelpunkt, und das ist für mich sehr bedrückend. Ich habe mich schon immer für alles verantwortlich gefühlt, was in Russland passiert. Jetzt schmerzt das wie ein Abszess. In Italien und in Österreich schallt und zischt es von allen Zäunen, Mauern und Zeitungen, wenn von unserer aktuellen Situation die Rede ist. Vercors [eigentlich Jean Bruller, französischer Schriftsteller] hat mich privat befragt und mir gesagt, dass er sich keinen Reim auf das Geschehene machen könne, und dass in Frankreich jeder, der auch nur den geringsten Kontakt zur Öffentlichkeit habe, hin- und hergerissen und verwirrt sei. In Wien wurde unsere Delegation bei einer Pressekonferenz der Österreichisch-Sowjetischen Gesellschaft belagert.« Um den Schock abzumildern, betont der Schriftsteller weiter das geschickte Vorgehen der Delegation, sich aus der Situation zu befreien, ohne das Gesicht zu verlieren: »[...] aber unsere Mission nutzte ihr diplomatisches Können, und alles ist scheinbar gut ausgegangen«.[31]

---

30   Ders: Dnevnik 1953 god [Tagebuch 1953], RGALI, f. 1817, op. 3, d. 19, Bl. 148.
31   Ders: Dnevnik 1956 god [Tagebuch 1956], RGALI, f. 1817, op. 3, d. 23, Bl. 113 f.

Fedins Notizen anlässlich der dramatischen Ereignisse in Polen und Ungarn im Jahr 1956 zeigen, wie ihn die Situation verwirrte. Einerseits erkennt er die überfällige Umsetzung der »Prinzipien des Sozialismus« und die Notwendigkeit an, von der Bürokratisierung des gesellschaftlichen Lebens »zum einzelnen Menschen« überzugehen. Andererseits sind seine Erklärungsversuche von den üblichen Verschwörungstheorien über die Notwendigkeit einer bewaffneten sowjetischen Intervention vor dem Hintergrund der Unzuverlässigkeit der ungarischen Armee, der amerikanischen Einmischung, der Aufstachelung durch Putschisten und schließlich – und das ist vielleicht am wichtigsten – »der Unordnung, die in den Demokratien durch die Abkehr von dem Kurs Stalins verursacht wurde«, durchzogen.[32] All das klingt auch wie eine Rechtfertigung für die eigenen früheren Handlungen. Die Verantwortung wird auf höhere Instanzen abgewälzt, die die allgemeine Linie so radikal geändert haben: »Ich erinnere mich an Rákosi, an unseren Besuch bei ihm im Frühjahr '51. Es war wirklich schwer zu sagen oder vorauszusehen, dass wir den Anführer der ›kriminellen Clique‹ besuchten! Oh, was für eine Zeit! Sie begingen ›schwere und kriminelle Fehler‹ und wir waren verpflichtet, sie zu respektieren und ihre ›grundlegenden Anordnungen‹ zu befolgen. Ja, und nur das!«[33]

Fedin, der sich in Selbstgeißelung und Selbstrechtfertigung erging, war nicht der Einzige, dem in der Zeit des Übergangs vom Spätstalinismus zum frühen Tauwetter die Orientierung fehlte. Die Zensurvermerke in den Manuskripten von Polevojs Reiseberichten offenbaren zahlreiche Verstöße gegen die für alle undurchsichtigen Zensurvorschriften. So erwähnt der Autor in den *Amerikanskie dnevniki* [Amerikanischen Tagebüchern] die Faszination des Publikums für das »kleine Büchlein« von Lion Feuchtwanger *Moskau 1937*, ~~»das sich damals so außergewöhnlich anfühlte, und über~~ dessen Autor ~~natürlich gestritten wurde, der damals von Stalin so herzlich empfangen wurde«.~~[34] In seinen autobiografischen Essays über China erzählt Polevoj dem Leser die chinesische Legende des Kriegsherrn Yue Fei und erwähnt den Verräter, den Verleumder, den hinterhältigen Minister Qin Hui, der auf den Ruhm des Helden eifersüchtig war und seine Entmachtung befürchtete. Auch der lyrische Vergleich »mit diesem Beria von einst«[35] fiel der Feder des Zensors zum Opfer. Selbst verschleierte Anspielungen auf das System der politischen Repressionen und den Gulag wurden präventiv aus dem Manuskript entfernt: »Ja, es war ein sehr merkwürdiges Gespräch, als wäre das Ganze ein Traum gewesen. Aber was daran war denn so merkwürdig? Oder an den dreißiger Jahren in unserem Land? Oder an dem enormen und sehr fruchtbaren Prozess der Umerziehung durch Arbeit? Oder an dem Bau des Weißmeer-Ostsee-Kanals und des Moskaukanals? Oder an den ›Aristokraten‹ und dem ›Kostja-Kapitän‹ von Pogodin? Ist der chinesische Kostja nicht genau so einer, und hat er nicht gerade eben hier in meinem Zimmer gesessen?«[36]

---

32 Ebd., RGALI, f. 1817, op. 3, d. 26, Bl. 14 f.
33 Ebd., Bl. 37 f.
34 Boris Polevoj: Amerikanskie dnevniki [Amerikanische Tagebücher], RGALI, f. 619, op. 4, d. 136, Bl. 169. Durch die Zensur im Original gestrichen.
35 Ders.: Putečestvie po Kitaju [Eine Reise durch China], RGALI, f. 619, op. 4, d. 184, Bl. 64.
36 Ebd., Bl. 117.

Polevojs in der Literatur erprobte Techniken, die ihm in früheren Zeiten zu Ruhm und Ansehen innerhalb der privilegierten schöpferischen Elite verholfen hatten, waren für die Bedingungen der Transformation von Propagandakonzepten und -parolen nicht geeignet. Aufgrund der begrenzten Quellenlage bleibt die Frage offen, wie er selbst darauf reagierte, dass seine Arbeit mit der Zensur nicht übereinstimmte.

Eine der zwangsweise gewählten Strategien der Kulturträger in dieser Situation war die freiwillige Ablehnung jeglicher Initiative in Bezug auf die Aufenthalte im Ausland. Beispielsweise stimmte Il'ja Ėrenburg jede seiner Reden, die er im Ausland halten sollte, mit den übergeordneten Instanzen ab. So bat er Molotov im Jahr 1954, den Text seiner Rede auf der Sitzung des Weltfriedensrates zum ersten Punkt »Kollektive Sicherheit in Europa« zu billigen: »Obwohl sich mein Text in nichts von unseren Noten und Erklärungen unterscheidet, ist die Frage der Friedensbewegungs-Strategie so komplex, dass ich wage, Sie mit der Bitte zu belästigen, sich anzusehen, was ich beigefügt habe.«[37] Eine von Michail Suslov unterzeichnete schriftliche Bestätigung, dass es keine grundsätzlichen Einwände gab, war zumindest eine gewisse Garantie für den Fall möglicher Komplikationen.

Polevoj, der recht spät in das sowjetische System der Kulturdiplomatie eingegliedert wurde, lernte sehr schnell die Verhaltensregeln und Einschränkungen des Systems, was sich darin äußerte, dass er es stets vermied, bei der Pflege ausländischer Kontakte Eigenständigkeit und Initiative zu zeigen. So bat der Schriftsteller beispielsweise, nachdem er über das sowjetische Außenministerium eine Kopie eines Schreibens von Präsident Eisenhower erhalten hatte, in dem dieser ihm für sein Buch *Povest' o nastojaščem čeloveke* (*Der wahre Mensch*, 1946) dankte, umgehend das ZK der KPdSU um Anweisungen, da er nicht wisse, »wie man in solchen Fällen reagiert«.[38] Als Jessica Smith, eine der führenden Persönlichkeiten der Kommunistischen Partei Amerikas und Herausgeberin der *New World Review*, Polevoj bat, ihr seine Eindrücke von seiner Reise in die Vereinigten Staaten oder einen Essay von ihm über die UdSSR zukommen zu lassen, bot er ihr unter Hinweis auf seinen vollen Terminkalender und den Mangel an frischem Material eine bereits veröffentlichte und durch die Zensur genehmigte Version seiner Erzählungen in englischer Sprache an, in der Hoffnung, dass einige davon »gut aufgenommen« würden.[39]

Offensichtlich blieb das Thema Freiheit und Zwang auch nach dem Beginn der außenpolitischen Kulturoffensive Chruščëvs hochaktuell. Trotz des Verzichts auf physischen Terror, blieben die Schriftsteller in ihrer schöpferischen Tätigkeit sehr eingeschränkt. Der Druck von oben wurde dadurch nicht geringer, sondern eher noch größer.

37 Pis'mo Il'i Erenburga V. M. Molotovu [Il'ja Ėrenburg an V. M. Molotov], Rossijskij gosudarstvennyj archiv novejšej istorii/Russländisches Staatsarchiv der neueren Geschichte (RGANI), f. 5, op. 28, d. 140, Bl. 85.

38 Obrašenie Polevogo po pis'mu Ejzengauera [Das Schreiben anlässlich des Briefes von Eisenhower], 1.12.1955, RGALI, f. 631, op. 26, d. 3851, Bl. 1 f.

39 Perepiska s redaktorom žurnala o publikacii proizvedenija Polevogo, 22.12.1955 [Korrespondenz mit dem Herausgeber der Zeitschrift über die Veröffentlichung von Polevojs Werk], RGALI, f. 631, op. 26, d. 3842, Bl. 1–3.

Hatte Fedin früher unter der Notwendigkeit gelitten, öffentliche Reden ohne Inspiration schreiben zu müssen, wurden die Reden nun auch für die angesehensten Schriftsteller von Ressortbeamten verfasst. Infolgedessen hielt er nach einem Abend, der der Gründung der Gesellschaft für Deutsch-Sowjetische Freundschaft gewidmet war, folgenden Eintrag in seinem Tagebuch fest: »Ich las zum ersten Mal eine Rede laut vor, die die Mitarbeiter von VOKS für mich vorbereitet hatten. Ich fühlte mich wie ein Grammofon.«[40] Ein weiteres Beispiel ist der Brief der sowjetischen Schriftsteller von 1956: »Meine Unterschrift wurde mit mir telefonisch abgestimmt«,[41] schreibt Fedin dazu in seinem Tagebuch. Unfähig, dem Druck des Systems zu trotzen, kritisiert er in seinen Reflexionen nicht den Brief selbst oder dessen Inhalt, sondern lediglich die misslungene Rhetorik.

Woran sich auch während der Tauwetterperiode nichts änderte, war die Tatsache, dass die Kulturträger im Ausland weiterhin durch Dolmetscher, Delegationsleiter und Botschaftsmitarbeiter überwacht wurden. In einem Versuch, diese Situation des Misstrauens ihm gegenüber vonseiten des Systems zu rechtfertigen, beklagte sich Fedin in seinem Tagebuch eher über die unprofessionellen Arbeitsmethoden der Geheimdienste als über die Tatsache, ständig »auf dem Radar« zu sein: »Ich beschloss, in den Zirkus zu gehen, aber da es keine Karten gab, bat ich den Kontrolleur um irgendeinen Logenplatz, so sehr wollte ich in den Zirkus gehen. Meine Beharrlichkeit muss mich verdächtig gemacht haben – sie nahmen mich ins Visier. [...] Im Zirkus setzte sich ein Mann zu mir, der unter dem Deckmantel eines Zeitungsreporters meine Eindrücke vom neuen Programm aufnehmen wollte. Das Abenteuer mit diesem dummen alten Spitzel war komisch und albern. [...] Ich habe ihn scharf zurechtgewiesen, mich über ihn lustig gemacht und ihn fast schon vertrieben, woraufhin er sich zurückzog. [...] Aber wenn in einem so diffizilen Bereich Idioten wie mein ›Reporter‹ arbeiten, der keine Ahnung von Zeitungsleuten hat, ist es für echte, im Westen ausgebildete Spione doch umso einfacher, im Osten alles zu erbeuten, was sie brauchen.«[42]

IV. Fazit

Der Vergleich zweier scheinbar unterschiedlicher Perioden in der Entwicklung der sowjetischen Kulturdiplomatie aus der Bottom-up-Perspektive zeigt eine beträchtliche Zahl von parallelen Entwicklungen auf, zumindest beim Übergang vom Spätstalinismus mit seinem Terror und seiner totalen Angst zum »Tauwetter«. Die personelle Kontinuität im System der außenpolitischen Repräsentation der UdSSR und die institutionelle Resistenz trugen einen Teil dazu bei. Der Tod des Diktators, die Demaskierung des Personenkults und die tragischen Ereignisse in Ungarn führten zum Zusammenbruch erlernter Verhaltensstrategien: Die Angst als strukturierender Faktor hatte an Einfluss verloren.

---

40 Konstantin Fedin: Dnevnik, fevral' 1958 goda [Tagebuch, Februar 1958], RGALI, f. 1817, op. 3, d. 27, Bl. 9 f.

41 Ders.: Dnevnik 1956 god [Tagebuch 1956], RGALI, f. 1817, op. 3, d. 26, Bl. 43 f.

42 Ebd., RGALI, f. 1817, op. 3, d. 28, Bl. 27 f.

Der Verzicht auf brutale Repressionen führte zu einer gewissen Routine im Einsatz von Mobilisierungs- und Disziplinierungsinstrumenten des Systems: Das Wegfallen der Bedrohung durch physische Gewalt führte nicht zur Abschaffung von strikter Kontrolle und Druck. Die Entprivatisierung des Lebens und der rücksichtslose Einsatz des Systems für seine Kulturoffensive gegen die ausländische Öffentlichkeit waren vergleichbar mit der Zeit des Spätstalinismus. Die stalinistisch geprägten Schriftsteller konnten sich kaum an den vagen (oder für sie persönlich inakzeptablen) Parametern der neuen Propaganda orientieren, schon gar nicht im Ausland. Ihre Reaktionen reichten vom Versuch, Auslandsreisen zu verweigern, über ein Gefühl der völligen Orientierungslosigkeit, für das die leitenden Behörden verantwortlich waren, bis hin zur Akzeptanz des Verlusts einer schöpferischen Autonomie beim Schreiben »persönlicher« Briefe an ausländische Korrespondenten und von Reden vor einem ausländischen Publikum. Die von den Kulturbotschaftern so sehr kritisierte Formalisierung der sowjetischen außenpolitischen Propaganda war deshalb nicht nur ein »von oben« gesteuerter Prozess – sie trugen vielmehr selbst aktiv dazu bei.

Aus dem Russischen übersetzt von Alexei Khorkov und Indra Holle-Chorkov

Jörg Ganzenmüller

Chruščёvs Wiederherstellung der Parteidiktatur. Entstalinisierung und regionale Herrschaftspraxis in der Sowjetunion

Die Herrschaft Nikita Chruščёvs gilt als zutiefst widersprüchlich. Sie markiert den Übergang vom Stalinismus zur sowjetischen »Normalität« der 1960er- und 1970er-Jahre, wobei der Nachfolger Stalins nie vollständig mit der Gewalt gebrochen und Normalität nie ganz erreicht hat. Diese vermeintliche Widersprüchlichkeit hat das Verständnis der Entstalinisierung tief geprägt. Lange Zeit wurde die Entstalinisierung als ein politisches Projekt Chruščёvs verstanden und nach dessen Reichweite gefragt. Infolgedessen galt Chruščёv vielen als ein gescheiterter Reformer. Er habe das Land zu liberalisieren versucht, sei aber über die Inkonsequenzen seines Entstalinisierungskurses und die konservativen Beharrungskräfte in der Partei gestürzt.[1]

Die Vorstellung, Nikita Chruščёv habe eine Liberalisierung der Sowjetunion angestrebt, hat ihren Ursprung in der Kennzeichnung seiner Reformen als »Tauwetter« durch Il'ja Ėrenburg, die durchaus die Erfahrungen der sowjetischen Kulturschaffenden widerspiegelte.[2] Im dissidentischen Rückblick von der Brežnev-Zeit auf das »Tauwetter« erscheint dieses erst recht als »Jahre der Freiheit«. Deren Narrative prägten wiederum stark die westliche Historiografie, die vor der Archivrevolution der 1990er-Jahre nur auf wenige Quellen jenseits staatlicher Verlautbarungen zurückgreifen konnte.[3] Allerdings sind sowohl »Entstalinisierung« als auch »Liberalisierung« Fremdzuschreibungen und

---

1 Siehe u. a. Donald Filtzer: Die Chruschtschow-Ära. Entstalinisierung und die Grenzen der Reform in der UdSSR, 1953–1964, Mainz 1995, S. 94 ff.; Manfred Hildermeier: Geschichte der Sowjetunion 1917–1991. Entstehung und Niedergang des ersten sozialistischen Staates, München 1998, S. 803 f.; Stephan Merl: Entstalinisierung, Reformen und Wettlauf der Systeme 1953–1964, in: Stefan Plaggenborg (Hg.): Handbuch der Geschichte Russlands, Bd. 5, 1945–1991. Vom Ende des Zweiten Weltkriegs bis zum Zusammenbruch der Sowjetunion, Stuttgart 2002–2003, S. 175–318, hier S. 228–233 und 314–318.

2 Siehe Robert Hornsby: Protest, Reform and Repression in Khrushchev's Soviet Union, Cambridge 2013, S. 29 f.; Nancy Condee: Cultural Codes of the Thaw, in: William Taubman/Sergej Khrushchev/Abbott Gleason (Hg.): Nikita Khrushchev, New Haven/London 2000, S. 160–176; Dirk Kretzschmar: Die sowjetische Literaturpolitik 1953–1991, in: Stefan Plaggenborg (Hg.): Handbuch der Geschichte Russlands, Bd. 5: 1945–1991 – Vom Ende des Zweiten Weltkriegs bis zum Zusammenbruch der Sowjetunion, Stuttgart 2002–2003, S. 1153–1197, hier S. 1153–1160; Karen Laß: Vom Tauwetter zur Perestroika. Kulturpolitik in der Sowjetunion 1953–1991, Köln u. a. 1999, S. 26–28.

3 Siehe Ludmilla Alexeyeva/Paul Goldberg: The Thaw Generation. Coming of Age in the Post-Stalin Era, Pittsburgh 1993, S. 4 f.; Steven V. Bittner: The Many Lifes of Khrushchev's Thaw. Experience and Memory in Moscow's Arbat, Ithaca 2008, S. 5–7.

keine Begriffe, mit denen Chruščëv seine Politik jemals selbst charakterisiert hat. Die neuere Forschung hat zudem den Blick auf die sowjetische Gesellschaft geweitet und betont die Langlebigkeit der stalinistischen Kultur, die sich in politischen Einstellungen und kulturellen Praktiken der Menschen manifestierte, etwa in den argwöhnischen Reaktionen der Bevölkerung gegenüber den Gulag-Heimkehrern.[4] Evgenij Evtušenko hatte dieses Problem bereits 1961 in einem Gedicht auf den Punkt gebracht: Man habe nun zwar Stalin aus dem Mausoleum geholt und in der Erde vergraben, aber – so fragte er – »wie aus Stalins Erben Stalin entfernen?«[5]

Die Erben Stalins im engeren Sinne waren die Kader der Kommunistischen Partei. Umso erstaunlicher ist es, dass die Auswirkungen der Entstalinisierung auf die Partei bislang kaum untersucht worden sind. Dabei hatte Nikita Chruščëv bereits 1953 die Marginalisierung der Partei unter Stalin kritisiert. Schon zu diesem frühen Zeitpunkt kündigte er an, der Partei wieder mehr Gewicht geben zu wollen. Der folgende Beitrag untersucht deshalb die Rolle der Partei in Chruščëvs Entstalinisierungspolitik: Mit welchem Ziel und auf welche Weise versuchte Chruščëv die Partei zu revitalisieren? Wie reagierten die lokalen und regionalen Funktionäre auf diese Politik? Und welche Folgen hatte diese Politik für die Entstalinisierung insgesamt? Dabei soll gezeigt werden, dass der Entstalinisierung eine wichtige Scharnierfunktion im Übergang von Stalins persönlicher Diktatur zur oligarchischen Herrschaftspraxis unter Leonid Brežnev zukam.

I. Die Partei in der politischen Konzeption Chruščëvs

Der XX. Parteitag im Jahr 1956 gilt aufgrund der Geheimrede, die Chruščëv in einer letzten, geschlossenen Sitzung hielt, als Entstalinisierungsparteitag. Zuvor hatte man allerdings zwölf lange Tage über Wirtschaftsfragen diskutiert und den 6. Fünfjahresplan verabschiedet. Die Partei war sich darin einig, dass die regionalen und lokalen Partei-organisationen stärker am Planungsprozess und der Umsetzung der Vorgaben beteiligt werden sollten. Es war vor allem Nikita Chruščëv, der in seinem Rechenschaftsbericht – und zwar im öffentlichen Teil des Parteitags – Kritik an den Kadern vor Ort übte: »In den leitenden Funktionen gibt es auch solche Leute, die man zur Kategorie der ›beschäftigten Nichtstuer‹ zählen kann. Auf den ersten Blick sind sie sehr aktiv, und sie arbeiten tatsächlich sehr viel, aber ihre Aktivität ist Leerlauf. Sie führen Sitzungen ›bis zum dritten Hahnenschrei‹ durch, galoppieren alsdann durch die Kollektivwirtschaften, schimpfen die Zurückgebliebenen aus, berufen Beratungen ein und halten allgemeine und in der Regel im Voraus geschriebene Reden, rufen dazu auf, ›die Prüfung zu bestehen‹, ›alle Schwierigkeiten zu überwinden‹, ›einen Umschwung herbeizuführen‹, das ›Vertrauen zu

---

4   Siehe Susanne Schattenberg: Von Chruščëv zu Gorbačëv – Die Sowjetunion zwischen Reform und Zusammenbruch, in: Neue Politische Literatur 55 (2010), H. 2, S. 255–284, hier S. 278; Miriam Dobson: Khrushchev's Cold Summer. Gulag Returnees, Crime, and the Fate of Reform after Stalin, Ithaca 2009.

5   Siehe Jörg Baberowski: Verbrannte Erde. Stalins Herrschaft der Gewalt, München 2012, S. 509–511, hier S. 510.

rechtfertigen‹ usw. Aber so geschäftig ein solcher Leiter auch ist, am Ende des Jahres stellt sich doch heraus, dass die Sache sich nicht zum Besseren gewendet hat. Der Mensch ist, wie es im Volksmund heißt, ›in Schweiß geraten und hat doch nichts geschafft‹«.[6] Chruščëv kritisiert hier mit beißendem Spott die stalinistische Mobilisierungsdiktatur. Viele Funktionäre seien lediglich Maulhelden, die sich mangels fachlicher Kompetenz in großspurige Ankündigungen und allgemeine Aufrufe flüchteten. Die regionalen Parteiversammlungen übten keine Kontrolle aus, sondern seien zu reinen Inszenierungen verkommen, in denen sich die Parteisekretäre feiern ließen. Es fehle das Verantwortungsbewusstsein, das wieder neu geweckt werden müsse: »Ein großes Übel besteht auch darin, dass sich in der praktischen Tätigkeit vieler Partei- und Sowjetfunktionäre eine verantwortungslose Einstellung zu den übernommenen Verpflichtungen eingebürgert hat. Überprüft man, wie diese oder jene Gebiete, Rayons, Kollektivwirtschaften und Sowjetwirtschaften ihre sozialistischen Verpflichtungen erfüllen, so stellt sich heraus, dass Worte und Taten weit auseinandergehen. Und wird die Erfüllung dieser Verpflichtungen denn überhaupt kontrolliert? Nein, sie wird in der Regel nicht kontrolliert. Niemand ist verantwortlich für die Nichterfüllung von Verpflichtungen, weder materiell noch moralisch. Es muss gesagt werden, dass Presse und Rundfunk bei uns jene preisen, die hohe Verpflichtungen übernehmen, aber schweigen, wenn sie versagen, obwohl für die Erfüllung der übernommenen Verpflichtungen alle Voraussetzungen gegeben waren. Man muss bei den Menschen das Verantwortungsgefühl für ihre Verpflichtungen stärken.«[7]

Diese fundamentale Kritik an den Kadern war nicht neu, sondern knüpfte unmittelbar an die Missbilligung von Bürokratismus an, die bereits unter Stalin regelmäßig artikuliert worden war. Auch Chruščëv hatte in internen Schreiben bereits seit 1954 kritisiert, dass Anordnungen aus Moskau in der Provinz auf Inkompetenz und Angst vor Neuerungen treffen würden. Bürohengste ohne Kontakt zu den Menschen würden sich mit dem bloßen Abschreiben und Weiterreichen der zentralen Direktiven begnügen, anstatt diese den Verhältnissen vor Ort anzupassen und auch tatsächlich umzusetzen.[8]

Dieser Kritik aus dem Zentrum waren zahlreiche Beschwerden aus den Regionen des Landes vorausgegangen. Seit 1952 und vermehrt seit Stalins Tod am 5. März 1953 gingen Schreiben beim Zentralkomitee ein, die von Erschöpfungserscheinungen aus den lokalen und regionalen Parteiorganisationen berichteten: Parteiveranstaltungen seien schlecht besucht und fänden teilweise nur noch unregelmäßig statt, unter den Parteikadern herrsche Apathie und es gebe erste Anzeichen eines moralischen Verfalls. Die regionalen Parteifunktionäre seien häufig sogar unfähig, auf Parteiversammlungen zu ideologischen oder wirtschaftlichen Fragen Stellung zu nehmen. Trotz dieser Missstände wage es aber

---

6　Rechenschaftsbericht des Zentralkomitees der KPdSU an den 20. Parteitag. Referat von Nikita S. Chruschtschow, gehalten am 14. Februar 1956, Berlin (Ost) 1956, S. 138.

7　Ebd.

8　Schriftliche Mitteilung N. S. Chruščëvs an das Präsidium des ZK der KPdSU vom 19.1.1954, in: Regional'naja politika N. S. Chruščëva. ZK KPSS i mestnye partijnye komitety 1953–1964gg. [Die Regionalpolitik Nikita Chruščëvs. Das ZK der KPdSU und die örtlichen Parteikomitees 1953–1964], hg. v. Oleg V. Chlevnjuk u. a., Moskau 2009, S. 100–103.

niemand, Kritik zu üben. Vielmehr werde die Lage überall schöngeredet.[9] Der stellvertretende ZK-Abteilungsleiter für Partei-, Gewerkschafts- und Komsomolangelegenheiten, Jakov V. Storožev, brachte in seinem Bericht an Chruščëv vom 15. April 1954 die aus allen Regionen gemeldeten Probleme zusammenfassend auf den Punkt: Es gebe zu viele Direktiven und zu viele Gremiensitzungen, es werde zu viel am Schreibtisch gearbeitet und zu wenig in den Betrieben oder auf den Kolchosen nach dem Rechten gesehen, und vor allem: Keiner wolle Verantwortung übernehmen, sondern schiebe diese einfach auf den Nächsten weiter.[10] Auch die Tauwetter-Literatur kritisierte die Blockadehaltung einer verantwortungsscheuen Verwaltung: Der innovative Ingenieur, dessen segensreiche Initiativen an einem bornierten Bürokraten scheiterten, war ein zentraler Topos in Il'ja Ėrenburgs Erzählung *Tauwetter* aus dem Jahr 1954 oder in Vladimir Dudincevs Roman *Der Mensch lebt nicht vom Brot allein* von 1956.[11] Chruščëv machte Stalin posthum für diese Apathie der Kader verantwortlich. Stalin habe die innerparteiliche Demokratie verletzt und ergebene Parteifunktionäre seien zu Opfern seines willkürlichen Unterdrückungsapparats geworden. Die Massenrepressalien – so Chruščëv in seiner Geheimrede – hätten die Partei zutiefst verunsichert: »Man darf auch nicht daran vorbeigehen, dass infolge der zahlreichen Verhaftungen von Partei-, Sowjet- und Wirtschaftsfunktionären viele unserer Mitarbeiter ängstlich zu arbeiten begannen, übermäßige Vorsicht an den Tag legten, sich vor allem Neuen, ja vor dem eigenen Schatten fürchteten, dass sie weniger Initiative in der Arbeit zu zeigen begannen.«[12] Krankhafter Argwohn habe sich zwischen den Kommunisten breitgemacht, Verleumder und Karrieristen hätten Auftrieb erhalten. An die Stelle von innerparteilicher Diskussion sei »das nackte Administrieren« getreten, das »Vertuschen von Fehlern und das Schönfärben der Realität«. Es wimmele – so Chruščëv – von »Speichelleckern, Lobhudlern und Betrügern«.[13]

Wie konnte man die Partei aus dieser Schockstarre befreien? Chruščëv setzte an drei Stellen an. Erstens stellte er die Kontrolle der Partei über die staatlichen Organe wieder her, insbesondere über den Geheimdienst. Der Geheimdienst musste sich ein ziviles Image zulegen und sich fortan als Ordnungshüter in den Diensten der Partei inszenieren. Die Lubjanka sollte kein Haus des Schreckens mehr sein, sondern eine staatliche Sicherheitsbehörde.[14]

9   Siehe Yoram Gorlizki: Party Revivalism and the Death of Stalin, in: Slavic Review 54 (1995), H. 1, S. 1–22, hier S. 4–6.

10 Bericht des stellvertretenden Leiters der Abteilung für Partei-, Gewerkschafts- und Komsomolangelegenheiten beim ZK der KPdSU, Ja. V. Storožev, an N. S. Chruščëv vom 15.1.1953, in: Regional'naja politika (Anm. 8), S. 92–100.

11 Il'ja Ėrenburg: Ottepel', Moskau 1954 (dt. Übersetzung: Tauwetter, Berlin 1957); Vladimir Dudincev: Ne chlebom edinym, Moskau 1956 (dt. Übersetzung: Der Mensch lebt nicht vom Brot allein, Hamburg 1957).

12 Die Geheimrede Chruschtschows. Über den Personenkult und seine Folgen, Berlin 1990, S. 74.

13 Ebd.

14 Siehe Jörg Baberowski: Wege aus der Gewalt. Nikita Chruschtschow und die Entstalinisierung 1953–1964, in: Ulrich Bielefeld/Heinz Bude/Bernd Greiner (Hg.): Gesellschaft – Gewalt – Vertrauen. Jan Philipp Reemtsma zum 60. Geburtstag, Hamburg 2012, S. 401–437, hier S. 421.

Zweitens folgte Chruščëv einer Analyse von Michail Suslov, Politbüromitglied und Chefideologe der Partei, der aus den zahlreichen Berichten lokaler Parteiorganisationen das Fazit gezogen hatte: Die persönliche Verantwortung jedes einzelnen regionalen und lokalen Parteifunktionärs müsse gestärkt werden, indem er die Verantwortung für die Durchführung der ihm auferlegten Aufgaben zu übernehmen habe.[15] Es galt, den Albdruck, der auf dem Land lag, zu nehmen, und die Menschen wieder zu aktivieren. Dabei handelte es sich nicht um eine »Schein-Partizipation«, wie dies mit Blick auf das sowjetische Eingabewesen formuliert worden ist.[16] Gesellschaftliche Teilhabe war im autoritären Politikverständnis Chruščëvs nicht verankert, er dachte in Kategorien wie »Pflichterfüllung« und »Verantwortungsgefühl«.

Nach bolschewistischer Auffassung konnte eine Aktivierung des Landes nur die Partei als Vorreiterin aller gesellschaftlichen Entwicklungen übernehmen. Doch die Partei war durch die permanenten Säuberungen der Stalin-Zeit selbst gelähmt. Deren Indienstnahme setzte voraus, ihren Kadern die Angst vor der Verantwortung zu nehmen. Denn aus der Angst, Fehler zu machen und für diese persönlich einstehen zu müssen, agierten die Partei- und Wirtschaftskader in den engen Bahnen der erhaltenen Anordnungen, scheuten jegliche Eigeninitiative und versuchten Mängel zu vertuschen, anstatt sie zu beheben. Die Nachfolger Stalins standen also vor dem Problem, zunächst die Partei und dann alle Werktätigen wieder zu aktivieren. Nikita Chruščëv tat dies, indem er die Massengewalt beendete, die Straflager öffnete und bei seinen Auftritten signalisierte, dass eine neue, offenere Diskussionskultur herrsche. Den arg zurückhaltenden Funktionären einer Betriebsparteiversammlung in Moskau rief er etwa 1955 zu, sie sollten keine Angst mehr haben, schließlich sei Stalin ja tot.[17]

Das wichtigste Signal an die Partei war die Geheimrede.[18] Chruščëv ging es dabei weniger um eine moralische Aufarbeitung der Verbrechen Stalins oder eine Legitimation

---

15   Bericht des ZK-Sekretärs M. A. Suslov an das Präsidium des ZK der KPdSU [vor dem 14. 9. 1957], in: Regional'naja politika (Anm. 8), S. 117–119. Beschluss des Zentralkomitees der KPdSU vom 14. Februar 1957, in: Boris Meissner: Russland unter Chruschtschow, München 1960, S. 284–288. Zu Chruščëvs Politik der Dezentralisierung siehe Merl: Entstalinisierung, Reformen und Wettlauf der Systeme (Anm. 1), S. 228–232; William J. Thompson: Industrial Management and Economic Reform under Khrushchev, in: William Taubman/Sergej Khrushchev/Abbott Gleason (Hg.): Nikita Khrushchev, New Haven/London 2000, S. 138–159.

16   Stephan Merl: Politische Kommunikation in der Diktatur. Deutschland und die Sowjetunion im Vergleich, Göttingen 2012, S. 82–100; ders.: Political Communication under Khrushchev. Did the Basic Modes Really Change after Stalin's Death?, in: Thomas M. Bohn/Rayk Einax/Michel Abeßer (Hg.): De-Stalinisation reconsidered. Persistence and Change in the Soviet Union, Franfurt a. M./ New York 2014, S. 65–92.

17   Rede Chruščëvs auf der Parteiversammlung der Fabrik Nr. 23 am 11. 8. 1955, in: Nikita Sergeevič Chruščëv – Dva cveta vremeni. Dokumenty iz ličnogo fonda N. S. Chruščëva [Nikita Sergeevič Chruščëv – Zwei Farben der Zeit. Dokumente aus dem persönlichen Bestand Nikita Chruščëvs], hg. v. Natal'ja G. Tomlinina, 2 Bde., Moskau 2009, Bd. 1, S. 549–556, hier S. 555.

18   Zur Genese der Geheimrede siehe Vladimir P. Naumov: Zur Geschichte der Geheimrede N. S. Chruščëvs auf dem XX. Parteitag der KPdSU, in: Forum für osteuropäische Ideen- und Zeitgeschichte 1 (1997), H. 1, S. 137–177.

seiner eigenen Herrschaft.[19] Sein Anliegen bestand vielmehr darin, die Herrschaftsfähig-
keit der Partei wiederherzustellen. Dies verbirgt sich hinter dem Euphemismus von der
»innerparteilichen Demokratie«, deren Verletzung er Stalin vorwarf.[20] Es ging Chruščëv
um die Wiederherstellung der Lenin'schen Parteidiktatur und dies war mit übervorsich-
tigen Bürokraten unmöglich. Die Geheimrede sollte der Partei die Angst nehmen und
die Kader aus ihrer Lähmung befreien. Deshalb wurde die Rede, die ja eigentlich nicht
geheim war, sondern nur in einer geschlossenen Sitzung des Parteitages gehalten wurde,
im Anschluss an alle regionalen und lokalen Parteiorganisationen verschickt, dort ver-
lesen und mit den Parteimitgliedern diskutiert.[21] Dabei zeigten sich einmal mehr die
schweren Defizite der lokalen und regionalen Parteikader, die in den Diskussionen über
die Geheimrede mit der Parteibasis häufig überfordert waren und bei einem unvorherge-
sehenen Verlauf der Debatte geradezu hilflos reagierten. Die Parteiführung in Moskau
registrierte die Berichte von diesen Versammlungen sehr aufmerksam.[22]

Um die ängstlichen und überforderten Parteikader nicht weiter zu verunsichern,
stellte Chruščëv die Partei auch als das eigentliche Opfer des Stalin'schen Terrors dar, den
er ausschließlich auf Stalins Persönlichkeit zurückführte: Dessen Verfolgungswahn,
dessen Launen und dessen grobe Umgangsformen hätten dazu geführt, dass die Partei
sich ihm unterworfen habe. Und dann machte sich Chruščëv auch noch öffentlich über
Stalin lustig, indem er etwa behauptete, dieser habe im Zweiten Weltkrieg militärische
Operationen auf einem Globus geplant![23] Die gewünschte Reaktion auf seine Rede
konnte man kurze Zeit später in der Zeitung lesen. Die *Prawda* eröffnete unmittelbar
nach dem XX. Parteitag eine Artikelserie, in der einfache Parteimitglieder über Missstände in ihren Betrieben oder Parteiorganisationen berichteten. Niemand – so behauptete die *Prawda* – habe nunmehr Angst, einen Beschwerdebrief an die Zeitung zu
schreiben und diesen auch mit seinem Namen zu unterzeichnen, jeder könne jetzt offen
Kritik am Verwaltungsapparat oder an der Betriebsleitung üben.[24]

Dies berührt bereits den dritten Punkt auf Chruščëvs Agenda zur Revitalisierung der
Partei. Durch Kritik und Selbstkritik sollten die Funktionäre wieder stärker von den
werktätigen Massen und der Parteibasis kontrolliert werden, um dem grassierenden
Bürokratismus Einhalt zu gebieten: »Das Zentralkomitee hat die Parteiorganisation zur

---

19   Jörg Baberowski deutet die Entstalinisierung als ein »moralisches Projekt« und die Geheimrede
     Chruščëvs als eine Befreiung von der moralischen Last seiner Mittäterschaft, siehe Baberowski:
     Wege aus der Gewalt (Anm. 14), S. 406 und S. 412 f. Nach Stephan Merl war Chruščëv von reinem
     Machtkalkül getrieben und habe den Betroffenen lediglich gemimt, siehe Stephan Merl: Berija und
     Chruščëv: Entstalinisierung oder Systemerhalt? Zum Grunddilemma sowjetischer Politik nach
     Stalins Tod, in: Geschichte in Wissenschaft und Unterricht 52 (2001), S. 484–506, hier S. 494.
20   Die Geheimrede Chruschtschows (Anm. 12), S. 8 f.
21   Siehe Susanne Schattenberg: ›Democracy‹ or ›Despotism‹? How the Secret Speech was Translated
     into Everyday Life, in: Polly Jones (Hg.): The Dilemmas of De-Stalinization. Negotiating Cultural
     and Social Change in the Khrushchev Era, London/New York 2007, S. 64–79, hier S. 65–69.
22   Siehe Polly Jones: From the Secret Speech to the Burial of Stalin. Real and Ideal Responses to
     De-Stalinization, in: dies.: The Dilemmas of De-Stalinization (Anm. 21), S. 41–63, hier S. 44 ff.
23   Die Geheimrede Chruschtschows (Anm. 12), S. 52.
24   Siehe Schattenberg: ›Democracy‹ or ›despotism‹ (Anm. 21), S. 68.

allseitig entfalteten Kritik und Selbstkritik, zur kritischen Einschätzung der Ergebnisse der geleisteten Arbeit, zum entschlossenen Kampf gegen Selbstbetrug, Prahlerei und Überheblichkeit aufgerufen. Viele Mängel, gegen die wir jetzt einen Kampf führen, hätten wir nicht gehabt, hätten sich nicht seinerzeit in einzelnen Teilen der Partei Stimmungen der Selbstzufriedenheit breitgemacht und hätte es nicht Versuche gegeben, die tatsächliche Sachlage zu beschönigen. Prinzipielle und offene Kritik und Selbstkritik – das ist der richtige Weg zur weiteren Stärkung der Partei, zur raschesten Behebung der Mängel, zu neuen Erfolgen an allen Abschnitten des kommunistischen Aufbaus.«[25]

Chruščëv knüpft hier an das ursprüngliche Verständnis von Kritik und Selbstkritik an, das sich im Stalinismus zu einer individuellen Selbstbezichtigung gewandelt hatte. Zunächst verstanden die Kommunisten darunter die erlaubte, konstruktive, notwendige, wohlmeinende, kameradschaftliche Kritik, die sich von der verbotenen, destruktiven, unnötigen, böswilligen Kritik der Opposition und des Klassenfeindes absetzte. Selbstkritik in diesem Sinne meinte, dass sich die Arbeiterklasse selbst kritisierte, und gerade die Kritik an Parteifunktionären und Staatsbürokratie die Verbindung der Partei mit den Massen aufrechterhalte.[26]

Auch in dieser Hinsicht meldete die *Prawda* unmittelbar nach der Beendigung des XX. Parteitages Vollzug, indem sie über die neuen Formen der Partizipation berichtete. Parteisekretäre schilderten nun, wie sie sämtliche Parteiresolutionen vor ihrer Verabschiedung zunächst mit den Menschen diskutierten. Mehr Menschen als jemals zuvor strömten in die Parteiveranstaltungen, um an den offen und kontrovers geführten Diskussionen teilzunehmen. Ein Bezirksparteisekretär aus Baschkirien zog daraus den Schluss: Alle Parteifunktionäre sollten lernen, auf die Stimme der Volksmassen zu hören. Andere Artikel berichteten von einem neuen Betriebsklima in ihren Fabriken: Seien auf den betrieblichen Parteiversammlungen früher endlose Reden gehalten worden, die nur aus allgemeinen Floskeln bestanden hätten, so könnten Arbeiter und Ingenieure nun offen Probleme im Produktionsprozess ansprechen, und sie würden nicht nur angehört, sondern ihre Lösungsvorschläge häufig auch aufgegriffen und umgesetzt. Diese offene Gesprächskultur habe dafür gesorgt, dass die betrieblichen Parteiversammlungen nun stark frequentiert seien und selbst parteilose Betriebsangehörige an ihnen teilnehmen würden.[27]

Auch wenn diese lancierten Berichte eher einem Wunschbild als der Realität entsprochen haben mögen, weisen sie darauf hin, wie sich die Parteiführung nach dem XX. Parteitag politische und wirtschaftliche Entscheidungsprozesse vorstellte: im gemeinsamen Ringen aller Beteiligten um die sachlich beste Lösung von Problemen. Doch wie reagierten die regionalen Parteiorganisationen tatsächlich auf diese Inanspruchnahme von oben? Wie ging man in der sowjetischen Provinz mit diesen neuen Möglichkeiten, aber auch neuen Erwartungen um?

---

25 Rechenschaftsbericht des ZK der KPdSU an den 20. Parteitag (Anm. 6), S. 132.

26 Siehe Lorenz Erren: »Selbstkritik« und Schuldbekenntnis. Kommunikation und Herrschaft unter Stalin (1917–1953), München 2008, S. 93–134.

27 Siehe Schattenberg: ›Democracy‹ or ›despotism‹ (Anm. 21), S. 67.

II. Die Reaktionen der regionalen Parteifunktionäre

Jüngere Untersuchungen haben gezeigt, dass die Reaktionen auf die Geheimrede sehr unterschiedlich ausfielen. Etlichen Teilnehmern regionaler Parteiversammlungen, auf denen die Rede diskutiert wurde, ging die Abrechnung mit Stalin viel zu weit, andere forderten, nun auch die Verbrechen seiner Helfershelfer im Politbüro zu untersuchen.[28] Doch wie veränderte sich die Diskussionskultur in der Partei auf längere Sicht?

Nach der Geheimrede nahm die Diskussionsbeteiligung der Basis merklich zu. Viele einfache Parteimitglieder bezogen Chruščёvs Stalin-Kritik nicht nur auf den Diktator, sondern bedienten sich seiner Argumente in Auseinandersetzungen mit hohen Partei-funktionären oder Betriebsleitern vor Ort. So warf eine Parteiversammlung in Kasachstan ihrem Ersten Gebietsparteisekretär vor, er habe die kollegiale Führung im Parteibüro zerstört. Sein Führungsstil sei arrogant, schon den zweiten Parteisekretär kenne er nicht beim Namen, ganz zu schweigen von den Kolchosvorsitzenden. Zudem sei er beratungs-resistent, berufe keine Sitzungen des Gebietsparteikomitees mehr ein und würde Anders-denkende einschüchtern.[29] Vielerorts beklagten sich nun einfache Parteimitglieder, dass die örtliche Parteiführung ihre Fehler verschleiere und auf Kritik mit unverhohlenen Drohungen reagiere.[30] Diese Kritik am Führungsstil ging häufig mit dem Vorwurf anderer schwerwiegender Verfehlungen einher, insbesondere der Bereicherung am Volks-eigentum, Schwarzmarktgeschäften und eines verschwenderischen Lebensstils. Einfache Parteimitglieder kritisierten die Privilegien der Nomenklatura, vor allem private Datschen, große Limousinen mit Chauffeur, Spezialgeschäfte und spezielle Kranken-häuser. Auf einer Parteiversammlung in Samara erregte die Nachricht den Saal, dass jährlich eine Million Rubel für die Bewachung der Datschen einiger regionaler Partei-funktionäre ausgegeben werde: »Halten sich unsere Gebietsparteisekretäre für Sergej Kirov?«, fragte ein kritisches Parteimitglied.[31] Wiederholt wurden die »groben« Umgangs-formen von führenden Parteifunktionären beklagt, womit die jeweiligen Verfasser einen zentralen Begriff aus der Geheimrede übernahmen, mit dem Chruščёv Stalins Umgangs-formen charakterisiert hatte.[32] Eine derartige Stigmatisierung hoher Parteifunktionäre

---

28   Siehe Cynthia Hooper: What Can and Cannot Be Said: Between the Stalinist Past and New Soviet Future, in: Slavonic and East European Review 86 (2008), H. 2, S. 306–327, hier S. 314.

29   Bericht des zweiten Sekretärs des ZK der KP Kasachstans, N. N. Rodionov, an das ZK der KPdSU vom 20.1.1960, in: Regional'naja politika (Anm. 8), S. 186–189.

30   Bericht der Abteilung Parteiorgane des ZK der Unionsrepubliken an das Sekretariat des ZK der KPdSU vom 5. 8. 1955, in: Regional'naja politika (Anm. 8), S. 74–78; Bericht der Abteilung Partei-organe des ZK der RSFSR an das Sekretariat des ZK der KPdSU vom 5. 1. 1955, in: ebd., S. 79–81; Bericht des stellvertretenden Leiters der Abteilung Parteiorgane des ZK an den ZK-Sekretär M. M. Sevast'janov vom 15. 11. 1955, in: ebd., S. 81–85; Sitzungsprotokoll des VII. Plenums des Gebietsko-mitees des Sverdlovsker Komsomol vom 26. 10. 1955, in: Obščestvo i vlast'. Rossijskaja provincija 1917–1985. Sverdlovskaja oblast'. Dokumenty i materialy [Gesellschaft und Macht. Die russische Provinz 1917–1985. Das Sverdlovsker Gebiet. Dokumente und Materialien], Bd. 2: 1941–1985, Ekaterinburg 2006, S. 331–357.

31   Siehe Hooper: What Can and Cannot Be Said (Anm. 28), S. 322.

32   Bericht der Abteilung Parteiorgane des ZK der Unionsrepubliken an das ZK-Sekretariat der KPdSU vom 5. 8. 1955, in: Regional'naja politika (Anm. 8), S. 74–78; Bericht des zweiten Sekretärs des ZK

als »kleine Stalins«, die noch dazu korrupt seien, blieb in der Regel nicht ohne Folgen: Stellten sich die Vorwürfe als richtig heraus, enthob das ZK die Beschuldigten ihrer Posten oder versetzte sie in abgelegene Regionen.

Im Zuge von Chruščĕvs Geheimrede fand also ein punktueller Elitenwechsel statt, und es wurden insbesondere jene regionalen Parteifunktionäre ersetzt, die sich durch Selbstherrlichkeit hervorgetan hatten oder denen man dies zumindest glaubhaft vorwerfen konnte. Trotz derartiger Fälle des erfolgreichen Aufbegehrens regionaler Parteiorganisationen gegen ihre Führungen kann nicht von einer Demokratisierung der Partei gesprochen werden. Im Gegenteil: Waren in den ersten Jahren nach der Geheimrede die Erfolgsaussichten auf die Ablösung von Parteikadern durchaus hoch, sanken die Chancen bereits Ende der 1950er-Jahre wieder. Die Protokolle der regionalen Parteikonferenzen zeigen, dass es den führenden Funktionären zunehmend gelang, Kritik an ihrer Person als überzogen, völlig unbegründet oder gar als »konterrevolutionär« zu brandmarken. In Penza verhinderte die örtliche Parteiführung etwa die Aufführung eines Kinofilms, der Funktionäre als korrupt und inkompetent darstellte und sie der Lächerlichkeit preisgab.[33] Es sind aber auch Fälle überliefert, in denen die Parteifunktionäre mithilfe der örtlichen Miliz und Staatsanwaltschaft unliebsame Kritiker vor Gericht brachten.[34]

Wer sich in der Provinz an der Macht halten wollte, der musste nun gut vernetzt sein. Unter Stalin galten regionale Netzwerke als konkurrierende Machtzentren und potenzielle Opposition. Lediglich während des Krieges duldete der Diktator eine Dezentralisierung seines Herrschaftsapparats, da flexiblere Entscheidungsstrukturen zur Landesverteidigung beitrugen. Nach dem Krieg gerieten die Machtzentren jenseits der Kremlmauern rasch erneut ins Visier und wurden mit Gewalt zerschlagen. 1949 ging Stalin gegen die Leningrader Partei wegen »separatistischer Tendenzen« vor, und 1951 musste der Geheimdienstchef Lavrentij Berija in der »Mingrelischen Affäre« seine eigene regionale Machtbasis in Georgien auflösen.[35] Aus diesem Grund war es in diesen Jahren ratsam gewesen, sich zum autonomen Herrscher über die Partei und damit als regionales Abbild Stalins zu stilisieren. Nach der Geheimrede war es hingegen Erfolg versprechender, sich mit den einflussreichen Personen der Wirtschaft, der Sicherheitsorgane, der

der KP Kasachstans, N. N. Rodionov, an das ZK der KPdSU vom 20. 1. 1960, in: ebd., S. 186–189; Rede des ZK-Sekretärs der KP Usbekistans, M. A. Abdurazakov, auf dem ZK-Plenum der KP Usbekistans am 14. 3. 1959, in: ebd., S. 211–222.

33 Bericht des Ersten Sekretärs des Gebietsparteikomitees (Land) von Penza, L. B. Ermin, an das ZK der KPdSU vom 20. 10. 1964, in: Regional'naja politika (Anm. 8), S. 530 f.

34 Siehe Rede des Vorsitzenden des Ministerrates der Aserbaidschanischen Sowjetrepublik, V. Ju. Achundov, auf dem ZK-Plenum der Aserbaidschanischen KP am 7. 7. 1959, in: Regional'naja politika (Anm. 8), S. 236–251.

35 Siehe Bernd Bonwetsch: Die »Leningrad-Affäre« 1949–1951. Politik und Verbrechen im Spätstalinismus, in: Deutsche Studien 28 (1990), S. 306–322; Jelena Subkowa: Kaderpolitik und Säuberungen in der KPdSU (1945–1953), in: Hermann Weber/Ulrich Mählert (Hg.): Terror. Stalinistische Parteisäuberungen 1936–1953, Paderborn u. a. 1998, S. 187–236; Oleg Chlevnjuk: Die sowjetische Wirtschaftspolitik im Spätstalinismus und die »Affäre Gosplan«, in: Osteuropa 50 (2000), S. 1031–1047; Yoram Gorlizki/Oleg Khlevniuk: Cold Peace. Stalin and the Soviet Ruling Circle, 1945–1953, Oxford 2004.

Justiz und auch der Medien vor Ort gut zu stellen, um einer Kritik der Basis nicht unge-
schützt ausgesetzt zu sein.[36]

Die Sekretäre der regionalen Parteiorganisationen waren also gut beraten, weniger
»grob« zu ihren Genossen zu sein. Deshalb machten sie sich durch Wohltaten beliebt. Die
Mangelwirtschaft bot seit jeher viele Möglichkeiten, sich Freunde zu machen, etwa durch
die Bevorzugung bei der Wohnungsvergabe oder mit einer kleinen Datscha am Stadt-
rand. Auch nahm die Verleihung von Auszeichnungen in der zweiten Hälfte der 1950er-
Jahre exorbitant zu. Statt herausragender Stoßarbeiter wurden nun pauschal sämtliche
Betriebsangehörige für ihre Leistung ausgezeichnet oder Veteranen ein Orden für die
bloße Teilnahme am Krieg verliehen. Allein im Jahr 1956 wurden 358 000 Personen für
ihre Verdienste im Krieg ausgezeichnet, ohne dass sie irgendeine bemerkenswerte Tat
vollbracht hatten.[37] Gab es keinen Anlass für die Auszeichnung einflussreicher Akteure,
wurde ein solcher einfach erfunden. In Tjumen verlieh etwa die lokale Parteiorganisation
den Redakteuren der *Tjumenskaja Prawda* 1958 eine Medaille zum 50-jährigen Bestehen
der Zeitung, obwohl diese eigentlich erst seit 14 Jahren existierte.[38]

Waren regionale Netzwerke unter Stalin in Verruf geraten, blühten sie nun wieder
auf. Allerdings nutzten die örtlichen Parteifunktionäre die Möglichkeiten einer dezen-
tralisierten Staatswirtschaft ganz anders, als es sich ihr Erster Sekretär vorgestellt hatte.
Chruščëv hatte in seinem Rechenschaftsbericht auf dem XX. Parteitag ein klares Leitbild
vorgegeben: »In unsere Partei treten die Menschen nicht ein, um persönliche Vorteile zu
erlangen, sondern um das große Ziel, den Aufbau des Kommunismus, zu verwirklichen.
Der führende Kern der Partei ist keine durch persönliche Beziehungen oder gegenseitigen
Vorteil verbundene Gruppe von Menschen, sondern ein tätiges Kollektiv von leitenden
Genossen, deren Beziehungen sich auf prinzipieller ideologischer Grundlage aufbauen,
die weder gegenseitige Nachsicht noch persönliche Feindschaft zulässt.«[39]

Die Berichte aus den lokalen und regionalen Parteiorganisationen zeichnen allerdings
ein ganz anderes Bild. Die landwirtschaftlichen Betriebe in Rjasan hatten in den 1950er-
Jahren die Planvorgaben für die Fleischproduktion nur zur Hälfte erfüllt. Um diesen
Misserfolg zu verschleiern, kauften die staatlichen Kolchosen das zur Planerfüllung
fehlende Fleisch auf den freien Bauernmärkten hinzu: und zwar zu einem höheren Preis,
als sie es als staatlicher Betrieb anschließend weiterverkaufen konnten! Zum Ausgleich
des Defizits musste der Rjasaner Gebietssowjet bei der sowjetischen Staatsbank einen
Kredit über 234 Millionen Rubel aufnehmen. Die lokalen Kreisparteikomitees beteiligten

36 Siehe Oleg V. Chlevnjuk: Regional'naja vlast' v SSSR v 1953 – konce 1950-ch godov. Ustrojčivost' i
    konflikty [Die regionale Macht in der UdSSR von 1953 bis Ende der 1950er-Jahre. Widerstands-
    fähigkeit und Konflikte], in: Otečestvennaja istorija (2007), H. 3, S. 31–49; Nikolai Mitrokhin:
    The Rise of Political Clans in the Era of Nikita Khrushchev, in: Jeremy Smith/Melanie Ilic (Hg.):
    Khrushchev in the Kremlin. Policy and Government in the Soviet Union, 1953–1964, London/New
    York 2011, S. 26–40, hier S. 26.
37 Siehe Brief des ZK der KPdSU an die ZK der Unionsrepubliken, der Kreis-, Gebiets-, Stadt- und
    Rajonskomitees vom 20. 1. 1959, in: Regional'naja politika (Anm. 8), S. 181–185.
38 Ebd.
39 Rechenschaftsbericht des ZK der KPdSU an den 20. Parteitag (Anm. 6), S. 130.

sich an diesem Betrug ebenso wie das Gebietsparteikomitee. Es wurde ein ganzes System von falschen Rechnungen und fiktiven Quittungen aufgedeckt, das diese Zukaufpraxis geschickt verschleiert hatte. Die örtliche Staatsanwaltschaft hatte Anzeigen unterschlagen, und die Zeitungsredaktionen hatten kritische Leserbriefe nicht veröffentlicht, sondern an das Gebietsparteikomitee weitergeleitet, das die Verfasser ausfindig machte und von der Miliz einschüchtern ließ.[40]

Diese »Rjasaner Fleischaffäre« war kein Einzelfall, sondern wurde in dieser Zeit vielmehr zu einer gängigen Praxis. Das ZK deckte seit Anfang der 1960er-Jahre zunehmend Fälle auf, in denen Kolchosen, die den Plan nicht erfüllt hatten, die fehlende Menge auf Bauernmärkten oder von anderen Kolchosen, die den Plan übererfüllt hatten, zu überhöhten Preisen zukauften.[41] Diese Zukaufpraxis nahm immer größere Ausmaße an, und bald glichen ganze Regionen ihre schlechten Bilanzen durch Zukäufe in Überschussregionen aus.[42] In der industriellen Produktion waren die Verhältnisse nicht anders. Hier kauften Betriebe zu erhöhten Preisen dringend benötigte Vorprodukte, die in anderen Betrieben jenseits des Produktionsplans hergestellt wurden.[43] Die örtlichen Parteifunktionäre nutzten somit die im Zuge der Dezentralisierung vorgenommene Kompetenzverlagerung von zentralen Behörden auf die regionalen Parteiorgane und die Volkswirtschaftsräte *(sovnarchozy)* auf Republikebene, um im Interesse ihrer Region, ihres Kreises oder ihrer Kolchose, und damit natürlich auch im Interesse ihrer eigenen politischen

40 Bericht des Ersten Parteisekretärs des Rjasaner Gebietskomitees, K. N. Grišin, an das Büro das ZK der KPdSU [nicht früher als der 28. 11. 1960], in: Regional'naja politika (Anm. 8), S. 261–264; Bericht des stellvertretenden Leiters der landwirtschaftlichen Abteilung des ZK der KPdSU, P. Semenov, an das Büro des ZK der KPdSU vom 28. 11. 1960, in: ebd., S. 265–272; Sitzungsprotokoll des Büros des ZK der KPdSU vom 2./3. 12. 1960, in: ebd., S. 272–311. Zur Genese und Funktionsweise des mehrere Hundert Personen umfassenden Netzwerkes in Rjasan siehe Yoram Gorlizki: Scandal in Riazan. Networks of Trust and the Social Dynamics of Deception, in: Kritika 14 (2013), H. 2, S. 243–278.

41 Rede des Abteilungsleiters für Parteiorgane des ZK der KPdSU, M. T. Efremov, auf dem Plenum des Kirover Gebietsparteikomitees am 12. 2. 1961, in: Regional'naja politika (Anm. 8), S. 311–319; Bericht des Instrukteurs der Abteilung für Parteiorgane des ZK für die Unionsrepubliken, F. Arzumanjan, an das ZK der KPdSU [nicht früher als der 8. 3. 1961], in: ebd., S. 319–325; Bericht des Ersten Parteisekretärs des Rostover Gebietsparteikomitees, A. V. Basov, an das ZK der KPdSU vom 15. 3. 1961, in: ebd., S. 326–329; Bericht des Ersten Sekretärs des Vladimirer Gebietsparteikomitees, M. M. Majorov, an das ZK der KPdSU vom 29. 3. 1961, in: ebd., S. 329–332; Bericht des verantwortlichen Kontrolleurs des Komitees für Parteikontrolle beim ZK der KPdSU, S. A. Vologžanin, [nicht früher als der 31. 3. 1961], in: ebd., S. 332–339; Bericht des Instrukteurs der Abteilung für Parteiorgane der ZK der Unionsrepubliken und des Instrukteurs der landwirtschaftlichen Abteilung der ZK der Unionsrepubliken an das ZK der KPdSU vom 3. 4. 1961, in: ebd., S. 339–344; Bericht des Leiters der Zentralen Statistikverwaltung der UdSSR, V. N. Starovskij, an den Ministerrat der UdSSR vom 3. 4. 1961, in: ebd., S. 344–353; Rede des Inspekteurs des ZK der KPdSU, I. G. Koval', auf dem ZK-Plenum der KP Tadschikistans am 11. 4. 1961, in: ebd., S. 353–365; Bericht des Generalstaatsanwalts der UdSSR, R. A. Rudenko, an das ZK der KPdSU vom 24. 6. 1961, in: ebd., S. 365–368.

42 Siehe Anordnung des Büros des ZK der KPdSU vom 1. 11. 1969, in: Regional'naja politika (Anm. 8), S. 251–254; anonymer Brief an N. S. Chruščëv vom 26. 11. 1960, in: ebd., S. 254–261.

43 Siehe Alena V. Ledeneva: Russia's Economy of Favours. Blat, Networking and Informal Exchange, Cambridge 1998, S. 25–27.

Karriere zu handeln. Eine Folge der Dezentralisierung war somit nicht nur die erwünschte Flexibilisierung der Staatswirtschaft, sondern auch ein zunehmender »Lokalpatriotismus«, da die regionalen Leitungs- und Kontrollorgane in einer Mangelwirtschaft vor allem ihre regionalen Interessen sahen und danach handelten.[44]

Die Dezentralisierung von Entscheidungen bot nicht nur Anreize für eine interessengeleitete regionale Wirtschaftspolitik auf Basis groß angelegter Bilanzfälschungen, sondern auch für Nepotismus und Vetternwirtschaft. 1959 zeichnete ein ZK-Mitglied ein besorgniserregendes Bild von den Verhältnissen in der usbekischen Parteiorganisation. Der Erste Sekretär der usbekischen Partei würde nicht nur sämtliche Posten mit engen Freunden besetzen, sondern er dulde auch die Wiederbelebung nationalistischer Einstellungen. Kommunistische Parteifunktionäre würden öffentlich in nationaler Tracht auftreten, wobei derartige Trachten in sowjetischen Textilfabriken gar nicht mehr hergestellt würden. Es sei davon auszugehen, dass es Betriebe gebe, die nach Schichtende heimlich diese traditionellen Kleidungsstücke fertigten. Auch der antireligiöse Kampf würde nicht mit dem nötigen Engagement geführt. Die Imame könnten unbehelligt ihre Propaganda verbreiten, sodass sich die Zahl der religiösen Gemeinschaften von 94 im Jahre 1956 auf 194 im Jahr 1958 mehr als verdoppelt habe.[45]

Vergleichbare Vorkommnisse wurden aus allen Gegenden des Imperiums gemeldet. In Lettland würden Russen konsequent benachteiligt, da auf allen Ebenen eine nationalistische Kaderpolitik betrieben würde. Die lettische Parteiorganisation hatte die Kenntnis des Lettischen zur Voraussetzung für die Übernahme eines Parteiamtes gemacht. Hochrangige Funktionäre würden auf Parteiversammlungen nationalistische Standpunkte vertreten, die sich zuweilen auch durch eine scharfe antirussische Note auszeichneten.[46] So habe sich die lettische Parteiführung etwa gegen einen weiteren Ausbau der regionalen Schwerindustrie ausgesprochen, da man den Zuzug von noch

44 Hierzu sind zahlreiche Beispiele überliefert, siehe u. a.: Bericht des Sekretärs des Penzaer Gebietsparteikomitees, S. M. Butuzov, und des Vorsitzenden des Penzaer Volkswirtschaftsrats, L. L. Terent'ev, an den ZK-Sekretär A. B. Aristov vom 21. 5. 1959, in: Regional'naja politika (Anm. 8), S. 369–370; Bericht des Vorsitzenden des Ministerrats der RSFSR, D. S. Poljanskij, an N. S. Chruščëv vom 31. 7. 1959, in: ebd., S. 370–375; Bericht des Leiters der Zentralen Statistikverwaltung, V. N. Starovskij, an den Ministerrat der UdSSR vom 6. 10. 1959, in: ebd., S. 375–404; Bericht des Leiters der Zentralen Statistikverwaltung, V. N. Starovskij, an den Ministerrat der UdSSR vom 28. 11. 1959, in: ebd., S. 404–410; Bericht des Vorsitzenden des Rostover Volkswirtschaftsrates, P. Abroskin, an den stellvertretenden Vorsitzenden des Ministerrats der UdSSR, A. N. Kosygin, vom 29. 12. 1959, in: ebd., S. 410–414; Bericht des Vorsitzenden des Ministerrats der RSFSR, D. S. Poljanskij, und des Vorsitzenden der Kontrollkommission des Ministerrates der UdSSR, G. V. Enjutin, vom 22. 3. 1961, in: ebd., S. 415–417; Bericht der Abteilung für Parteiorgane des ZK der Unionsrepubliken an das Sekretariat des ZK der KPdSU vom 26. 6. 1961, in: ebd., S. 418–424; Bericht des Staatsanwaltes der RSFSR, B. V. Kravcov, an das Büro des ZK der KP der RSFSR vom 15. 9. 1962, in: ebd., S. 424–427. Siehe zu diesem Phänomen auch Thompson: Industrial Management (Anm. 15), S. 142.
45 Rede des ZK-Sekretärs der KP Usbekistans, M. A. Abdurazakov, auf dem ZK-Plenum der KP Usbekistans am 14. 3. 1959, in: Regional'naja politika (Anm. 8), S. 211–222.
46 Siehe Bericht der ZK-Kommission und des Komitees für Parteikontrolle an das ZK-Sekretariat der KPdSU vom 8.6.1959, in: Regional'naja politika (Anm. 8), S. 223–232.

mehr russischen Arbeitern verhindern wollte.[47] In Aserbaidschan wiederum hatte die Parteiführung den Beschluss gefasst, Aserbaidschanisch zur Staatssprache zu machen. In Moskau registrierte man derartige Berichte mit Entsetzen.[48]

Chruščëv wollte mit der Dezentralisierung der Entscheidungsprozesse die regionalen Parteifunktionäre in die Verantwortung nehmen. Die notwendige Kontrolle sollte dabei durch die Möglichkeit der Parteibasis, offen Kritik zu üben, gewährleistet sein. Doch die regionale Interessenpolitik verselbständigte sich und führte an der Peripherie des Imperiums zu politischen Eigenständigkeitsbestrebungen.

Als Chruščëv klar wurde, dass eine Kontrolle der Partei von unten nicht funktionierte, wählte er einen anderen Weg. 1961 führte er ein Rotationssystem ein, das die Tätigkeit von Staats- und Parteifunktionären auf drei Amtszeiten beschränkte. Er rechtfertigte diesen äußerst unpopulären Schritt damit, dass eine zu starke Machtkonzentration bei einzelnen Funktionären zu unterbinden sei. Auf diese Weise hatte er einen permanenten Elitentausch ohne »Parteisäuberung« institutionalisiert.[49] Ein Jahr später spaltete er die Partei in einen industriellen und einen landwirtschaftlichen Flügel mit jeweils eigenen Strukturen auf. Auch dies sollte der Herausbildung weitverzweigter Netzwerke entgegenwirken.[50] Als Chruščëv auch noch ankündigte, im Parteipräsidium einen großen Personalwechsel vorzunehmen, hatte er den Bogen überspannt. Am 14. Oktober 1964 stürzte das ZK seinen Ersten Sekretär und ersetzte ihn durch Leonid Brežnev.[51]

III. Schlussbemerkung

Nikita Chruščëv wollte Stalins persönliche Diktatur beenden und zur Lenin'schen Parteidiktatur zurückkehren. Die zeitweilige Dezentralisierung während des Zweiten Weltkriegs hatte gezeigt, dass man sich auf die Parteikader durchaus verlassen konnte. Chruščëv räumte deshalb den regionalen Entscheidungsträgern mehr Spielräume ein: Er glaubte an die Partei und die Fähigkeiten ihrer Kader. Doch seine Vorstellung von einer Partei selbstloser Revolutionäre war eine Illusion. Die Partei bestand inzwischen aus Personen, die im Zuge der Stalin'schen Repressalien Karriere gemacht hatten. Sie hatten sich im Krieg bewährt und waren im Spätstalinismus in der Hierarchie weiter aufgestie-

---

47 Siehe Bericht des ZK der KP Lettlands an das ZK der KPdSU vom 15.12.1960, in: Regional'naja politika (Anm. 8), S. 233–235.

48 Siehe Rede des Vorsitzenden des Ministerrats der Aserbaidschanischen SSR, V. Ju. Achundov, auf dem ZK-Plenum der KP Aserbaidschans am 7. 7. 1959, in: Regional'naja politika (Anm. 8), S. 236–551.

49 Siehe Alexander Titov: The 1961 Party Programme and the Fate of Khrushchev's Reforms, in: Melanie Ilic/Jeremy Smith (Hg.): Soviet State and Society under Nikita Khrushchev, London/New York 2009, S. 8–25; William A. Clark: Khrushchev's ›Second‹ First Secretaries. Career Trajectories after the Unification of Oblast Party Organisations, in: Kritika 14 (2013), H. 2, S. 279–312.

50 Siehe Alexander Titov: The Central Committee apparatus under Khrushchev, in: Jeremy Smith/Melanie Ilic (Hg.): Khrushchev in the Kremlin. Policy and Government in the Soviet Union, 1953–1964, London/New York 2011, S. 41–60, hier S. 54–56.

51 Siehe Merl: Entstalinisierung, Reformen und Wettlauf der Systeme (Anm. 1), S. 250 f.

gen. Von Beginn an waren diese Kader darin geübt, sich zu vernetzen und zugleich nicht in zu starke Abhängigkeiten zu geraten. Als Chruščëv die Macht nach unten verlagerte, wurde aus diesen regionalen Netzwerken eine multipolare Oligarchie. Genau diese multipolare Oligarchie stürzte Chruščëv in dem Moment, als dieser ihre Macht wieder beschneiden wollte. Zum ersten Mal hatte das ZK gegen seinen Ersten Sekretär gestimmt. Stalins Erben hatten den Enkel Lenins gestürzt und sich damit auch ein Stück weit selbst von Stalin befreit.

Der Nachfolger Chruščëvs war ein typischer Repräsentant dieser Parteioligarchie. Leonid Brežnev war Kopf eines mächtigen Clans aus dem Osten der Ukraine. Er war mit der Devise »Vertrauen in die Kader« angetreten und übernahm fortan die Rolle eines Moderators, der seine Entscheidungen erst nach einem langwierigen Prozess des Interessenausgleichs zwischen den Eliten des Landes traf.[52] Der Klientelismus wurde unter seiner Ägide zum regionalen Herrschaftsprinzip, das einerseits zur Stabilität beitrug, andererseits Korruption und Nepotismus weiter aufblühen ließ.[53] Erst Michail Gorbačëv forderte die Kader wieder heraus. Er hatte aus dem Scheitern Chruščëvs gelernt. Das Anwachsen regionaler Netzwerke zu einer mächtigen Oligarchie war nur unter den Bedingungen einer fehlenden Öffentlichkeit möglich, und genau deshalb waren für Gorbačëv Perestroika und Glasnost untrennbar miteinander verbunden.[54]

Die Entstalinisierung war also keine bloße Taktik und diente nicht nur der Herrschaftslegitimation. Wäre es Chruščëv allein um die Macht gegangen, hätte er wohl kaum die Partei nach deren (vermeintlicher) Revitalisierung gegen sich aufgebracht, vermutlich hätte er sie noch nicht einmal revitalisiert. Die Entstalinisierung war aber auch keine Liberalisierung oder gar Demokratisierung der Sowjetunion, so wie der westliche Blick im Kalten Krieg dies gerne zu erkennen glaubte. Chruščëv stand fest auf dem Boden der stalinistischen Politik der Jahre 1928 bis 1936, also der Zeit vor dem Großen Terror. Er hielt die Kollektivierung der Landwirtschaft und eine Industrialisierung im Eiltempo für das Fundament des Sozialismus. Die Neulandkampagne und andere Großprojekte führte er in stalinistischer Manier durch.[55] Und er warf den innerparteilichen Gegnern Stalins noch in der Geheimrede vor, sie seien in der Tat Feinde des Leninismus gewesen und Stalin habe sie zu Recht bekämpft. Die vielfältigen Widersprüche der Entstalinisierung sind somit nicht auf den angeblich sprunghaften Charakter Chruščëvs zurückzuführen, sie waren vielmehr politischer Natur und in der Logik des sowjetischen Systems mit der dominierenden Rolle der Kommunistischen Partei angelegt.

52 Zum Führungsstil Brežnevs siehe Susanne Schattenberg: Leonid Breschnew. Staatsmann und Schauspieler im Schatten Stalins, Köln/Weimar/Wien 2017, S. 295–326.
53 Siehe John P. Willerton: Patronage and Politics in the USSR, Cambridge 1992; Yoram Gorlizki: Too much Trust. Regional Party Leaders and Local Political Networks under Brezhnev, in: Slavic Review 69 (2010), H. 3, S. 676–700; Susanne Schattenberg: Trust, Care, and Familiarity in the Politbюро. Brezhnev's Scenario of Power, in: Kritika 16 (2015), H. 4, S. 835–858.
54 Siehe Archie Brown: Der Gorbatschow-Faktor. Wandel einer Weltmacht, Frankfurt a. M., Leipzig 2000, S. 212–215; Helmut Altrichter: Russland 1989. Der Untergang des sowjetischen Imperiums, München 2009, S. 23–29; William Taubman: Gorbatschow. Der Mann und seine Zeit. Eine Biographie, München 2018, S. 291–303.
55 Siehe Merl: Entstalinisierung, Reformen und Wettlauf der Systeme (Anm. 1), S. 215–225.

Martin Wagner

Über die Trennung sprechen. Das Erbe der Entstalinisierung und das Ende der sino-sowjetischen Freundschaft 1963

> »Niemand hat euch gezwungen, sich zu diesen Fragen zu äußern.«[1]
> *Michail Suslov*

> »Aber die Geschichte kann man nicht mit einigen leeren Phrasen falsifizieren.«[2]
> *Deng Xiaoping*

Verehrung hatte sich in Verachtung verkehrt. Die Kommunistischen Parteien der Sowjetunion und Chinas, die einander nach dem Zweiten Weltkrieg endlich zugewandt begegnet waren, hatten sich entlang zahlreicher Interessengegensätze entzweit. Von ihrer Freundschaft, der sie im Jahr 1950 einen Bündnisvertrag gewidmet hatten, war 13 Jahre später nichts mehr übrig. Nun musste die Feindschaft ihre Form finden. Bevor sich der Dissens über die »Generallinie der internationalen kommunistischen Bewegung« im Sommer und Herbst 1963 in »offenen Briefen« der beiden Zentralkomitees sowie einer Serie chinesischer Polemiken gegen »Chruščëvs Revisionismus« entlud, begegneten die Vertreter beider Seiten einander noch einmal.[3] Im Juli ging der öffentlichen Anfeindung ein mehrwöchiges Arbeitstreffen hochrangiger Vertreter beider Parteien in Moskau voraus, auf dem der Bruch besiegelt wurde. Es sollte bis Mitte der 1980er-Jahre das letzte seiner Art bleiben.[4]

Vom 5. bis 20. Juli 1963 verhandelten die sowjetischen ZK-Sekretäre Michail Suslov, Boris Ponomarëv und Jurij Andropov mit ihren chinesischen Pendants Deng Xiaoping, Peng Zhen und Kang Sheng. Leidenschaftlich stritten sie über die sowjetische Abkehr vom stalinistischen Modernisierungsmodell in all ihren Facetten. Was die sowjetischen Parteivertreter an Wirtschafts-, Agrar- und Außenpolitik der poststalinistischen Refor-

---

1 Reč' glavy delegacii KPSS t. Suslova M. A. [Rede des Delegationsleiters der KPdSU, M. A. Suslov], 10. Juli 1963, Stenogramma vstreči delegacij Kommunističeskoj partii Sovetskogo Sojuza i Kommunističeskoj partii Kitaja, 5–20 ijulja 1963 g., g. Moskva, Čast' I [Stenogramm des Treffens der Delegationen der Kommunistischen Partei der Sowjetunion und der Kommunistischen Partei Chinas, 5.–20. Juli 1963, Moskau, Teil I], Bundesarchiv (im Folgenden: BArch), DY 30/11925, Bl. 115.
2 Reč' glavy delegacii KPK t. Dėn Sjao-pina [Rede des Delegationsleiters der KPCh, Deng Xiaoping], 12. Juli 1963, BArch, DY 30/11925, Bl. 153.
3 Die Texte sind versammelt in der zeitgenössischen Edition der KPCh: Die Polemik über die Generallinie der internationalen kommunistischen Bewegung, Peking 1965.
4 Diplomatische Zusammentreffen der Außenminister und ihrer Vertreter fanden weiterhin statt, so reiste etwa der chinesische Außenminister Zhou Enlai im November 1964 nach Moskau.

men zu verteidigen suchten, verwarfen ihre chinesischen Kollegen nicht minder vehement. Allen voran jedoch schied der XX. Parteitag der KPdSU 1956 und Nikita Chruščëvs Kritik an Stalin die einstigen Genossen – und das nicht nur wegen ihrer unterschiedlichen Lesarten des sowjetischen Diktators, verschiedener Auffassungen über die Fehlbarkeit politischer Führer oder gegensätzlicher Erwartungen an Form und Methode öffentlicher Kritik. Dahinter stand der Gegensatz zweier kommunistischer Ordnungen in der Bewertung des instrumentellen Terrors; während sich die Sowjetunion von ihm emanzipierte, blieb er für China legitim.

Das Moskauer Treffen im Juli 1963 war ein Vexierspiegel, dessen die sowjetischen wie chinesischen Parteiführer gleichermaßen bedurften. Es lässt sich als Trennungsritual verstehen, bei dem sich die eigene Zukunft in der Vergangenheit des Anderen spiegelte und die innenpolitischen Bedrohungen Moskaus und Beijings ineinander verschränkten.

In der diplomatiehistorischen Forschung wurde dieser zentralen Wegmarke sino-sowjetischer Beziehungen bislang nur wenig Aufmerksamkeit zuteil.[5] Selbst Lorenz Lüthi und Sergey Radchenko, die die diplomatischen Ereignisse des Sommers 1963 – die Vorbereitung des Treffens, die parallelen Nuclear-Test-Ban-Treaty-Verhandlungen und den Austausch »offener Briefe« – detailliert rekonstruieren, erheben das Arbeitstreffen nicht zum Gegenstand gesonderter Betrachtung.[6] Denn beide Historiker begreifen das Juli-Treffen als »bizarren Austausch«, der ob seiner Inszenierung nichts Neues hervorgebracht habe.[7] Dem liegt die Annahme zugrunde, das Arbeitstreffen sei auf »Austausch« angelegt gewesen, der, da eine offene Debatte unterblieb, groteske Züge entwickelt habe. Doch gaben sich die ZK-Vertreter der dialogischen Illusion hin und suchten sie überhaupt das Gespräch? Beide Streitparteien, darauf haben Lüthi und Radchenko zu Recht hingewiesen, hatten bereits vor Beginn des Moskauer Aufeinandertreffens für gewiss gehalten, dass eine Einigung unmöglich und der Bruch unumgänglich waren. Betrachtet man das Arbeitstreffen indes als Selbstvergewisserung am Anderen, die des Austausches nicht bedurfte, lassen sich seine umfangreichen Stenogramme auf drei Ebenen als Quelle für das sino-sowjetische Zerwürfnis lesen: nach außen als Deutungskampf um die Trennungsgründe, nach innen als Streit um das Erbe der Entstalinisierung und vom Ende her als Demonstration der Konzeptionsdefizite des einstigen Bündnisses.[8]

---

5   Selbst Spezialstudien zum sino-sowjetischen Zerwürfnis der frühen 1960er-Jahre, der wohl am besten erforschten Periode sowjetisch-chinesischer Beziehungen, streifen das Arbeitstreffen im Juli 1963 lediglich passim: Li Mingjiang: Mao's China and the Sino-Soviet Split. Ideological Dilemma, London 2014, S. 105 f.; Austin Jersild: The Sino-Soviet Alliance. An International History, Chapel Hill 2014, S. 161; Li Danhui/Xia Yafeng: Mao and the Sino-Soviet Split, 1959–1973. A New History, Lanham u. a. 2018, S. 76; zudem Alexander Pantsov/Steven Levine: Deng Xiaoping. A Revolutionary Life, Oxford 2015, S. 228–230.

6   Lüthi stellt das Arbeitstreffen knapp dar, Radchenko verweist darauf lediglich punktuell, siehe Lorenz M. Lüthi: Sino-Soviet Split. Cold War in the Communist World, Princeton/Oxford 2008, S. 261–267; Sergey Radchenko: Two Suns in the Heavens. The Sino-Soviet Struggle for Supremacy, 1962–1967, Washington D.C./Stanford 2009, S. 61.

7   Beide nennen es unabhängig voneinander »bizarre exchange«, siehe Lüthi: Sino-Soviet Split (Anm. 6), S. 262; Radchenko: Two Suns in the Heavens (Anm. 6), S. 61.

8   Zur Selbstwahrnehmung im Anderen siehe Jörg Baberowski: Dem Anderen begegnen. Repräsentationen im Kontext, in: ders./David Feest/Maike Lehmann (Hg.): Dem Anderen begegnen. Eigene und fremde Repräsentationen in sozialen Gemeinschaften, Frankfurt a. M. 2009, S. 9–16, hier S. 10.

Für das Ende der sino-sowjetischen Freundschaft wurden in der Literatur unterschiedliche Gründe als konstitutiv angesehen: der ideologische Richtungsstreit, das nationale Machtstreben, die geopolitischen Interessengegensätze, die Zwänge des Zweierbündnisses, die Dreiecksbeziehungen mit dem sozialistischen Block, die nationalen Strukturunterschiede, die unterschiedlichen sozialistischen Entwicklungsstadien.[9] Kontrovers wird zudem diskutiert, ob der XX. Parteitag der KPdSU im Februar 1956 der Anfang vom Ende gewesen sei.[10] Auf dem Arbeitstreffen 1963 war diese Frage bereits zentral: Nachdem der chinesische Delegationsleiter, Deng Xiaoping, Chruščëvs Kritik an Stalins Gewaltherrschaft zum Stein des Anstoßes stilisiert hatte, mündete das Treffen in nichts weniger als der chinesischen Abrechnung mit der Entstalinisierung sowie der sowjetischen Apologie ebendieser. Die ZK-Sekretäre stritten darüber im Sommer 1963, als in China bereits die Kulturrevolution vorbereitet wurde, im Jahr bevor mit Chruščëvs Absetzung die KPdSU Stalin wieder wertzuschätzen lernte.

I. In Freundschaft getrennt – in Feindschaft vereint

Die Sowjetunion und China verband eine lange Geschichte wechselvoller Erfahrungen, als sie einander in den 1950er-Jahren Freundschaft gelobten. Seit dem 17. Jahrhundert, als sie die gemeinsame Grenze setzten, forschten und spionierten Russlands Zaren- und Chinas Kaiserreich einander aus.[11] Am Ende des 19. Jahrhunderts entdeckte das Zarenreich seine kolonialen Ambitionen in Nordostchina und Stalin nach dem Ersten Weltkrieg seine Wertschätzung für die Guomindang, die Widersacherin der chinesischen Kommunisten. Den Freundschaftsvertrag, den die beiden kommunistischen Staaten im Februar 1950 unterzeichneten, belasteten historische Hypotheken, die selbst geheime Zusatzprotokolle nur bedingt auflösen konnten.[12] Zwar bediente das Bündnis die strate-

---

9   Ideologie – Lüthi: Sino-Soviet Split (Anm. 6), S. 1; Li: Mao's China and the Sino-Soviet Split (Anm. 5), S. 2. Machtstreben – Radchenko: Two Suns in the Heavens (Anm. 6), S. 18. Geopolitik – Constantine Pleshakov: Nikita Khrushchev and Sino-Soviet Relations, in: Odd Arne Westad (Hg.): Brothers in Arms. The Rise and Fall of the Sino-Soviet Alliance, 1945–1963, Stanford 2000, S. 226–245, hier S. 228. Bündniszwänge – Li/Xia: Mao and the Sino-Soviet Split (Anm. 5), S. 276. Sozialistischer Block – Jersild: The Sino-Soviet Alliance (Anm. 5), S. 20. Nationale Unterschiede – Gilbert Rozman: Concluding Assessment. The Soviet Impact on Chinese Society, in: Thomas P. Bernstein/Li Hua-Yu (Hg.): China Learns From the Soviet Union, 1949-Present, Lanham 2010, S. 517–525, hier S. 522. Entwicklungsstadien – Shen Zhihua/Xia Yafeng: Mao and the Sino-Soviet Partnership, 1945–1959. A New History, Lanham 2015, S. 350.

10 Lüthi betrachtet Chruščëvs Kritik am Personenkult als Anfang vom Ende, für Shen/Xia hingegen hatte diese »keinen negativen Einfluss« auf die sino-sowjetischen Beziehungen. Siehe Lüthi: Sino-Soviet Split (Anm. 6), S. 46; Shen/Xia: Mao and the Sino-Soviet Partnership (Anm. 9), S. 6.

11 Siehe Sören Urbansky: Beyond the Steppe Frontier. A History of the Sino-Russian Border, Princeton 2020; Gregory Afinogenov: Spies and Scholars. Chinese Secrets and Imperial Russia's Quest for World Power, Cambridge, Massachusetts 2020.

12 Die Zusatzprotokolle, die die Rückgabe zarischer Privilegien in Nordostchina regelten, analysiert: Dieter Heinzig: Die Sowjetunion und das kommunistische China 1945–1950. Der beschwerliche Weg zum Bündnis, Baden-Baden 1998, S. 573–595.

gischen Ziele Chinas, staatliche Souveränität und ökonomische Aufbauhilfe, und der Sowjetunion, etwa die Unabhängigkeit der Mongolei. Doch war ihm von Beginn an eine Asymmetrie eingeschrieben, die der Koreakrieg nur verstärkte.[13] Die politische Übermacht Moskaus wie die wirtschaftliche Abhängigkeit Beijings drückten sich symbolisch in den stark überhöhten Preisen aus, die die Sowjetunion trotz massiver Rohstoffextraktion aus China für ihren Technologietransfer in Rechnung stellte.[14]

Im Februar 1956 entsandte Mao Zedong eine Delegation nach Moskau, um am XX. Parteitag der KPdSU teilzunehmen. Bereits während des Parteitages informierte ihn Deng Xiaoping, dass Anastas Mikojan, der Erste Stellvertreter des sowjetischen Ministerratsvorsitzenden, erste kritische Worte gegenüber der ideologischen Arbeit unter Stalin geäußert hatte.[15] Doch weder Mao noch Deng, der den chinesischen Vertretern angehörte, wussten, was Nikita Chruščëv auf einer geschlossenen Sitzung am 25. Februar verkünden sollte – einer Sitzung, der die Abordnungen kommunistischer Parteien aus dem Ausland nicht beiwohnen durften: Stalin, so sprach der Erste Sekretär der KPdSU zu den sowjetischen Delegierten, habe einen »Personenkult« gepflegt, der ihn mit »unbegrenzter Macht« ausgestattet habe. All jene, so führte Chruščëv aus, die Stalin zu widersprechen gewagt hätten, seien »moralisch wie physisch vernichtet« worden. Allein in den Jahren 1937 und 1938 habe Stalin, der den »Massenterror gegen die Partei« gerichtet habe, 98 von 139 Mitgliedern und Kandidaten des 1934 gewählten ZK erschießen lassen und weitere 383 Todeslisten gebilligt, die ihm der Geheimdienstchef Nikolaj Ežov vorgelegt habe.[16] Stalin habe zudem mit seinen Entscheidungen zu Beginn des Zweiten Weltkriegs, den »Massendeportationen« ethnischer Minderheiten, zahlreichen erdachten Verschwörungen sowie der Konfrontation mit Jugoslawien geirrt.[17] Stalins China-Politik indes kritisierte Chruščëv nicht.

---

13   Shen/Xia: Mao and the Sino-Soviet Partnership (Anm. 9), S. 57 u. 63.

14   Austin Jersild: The Soviet State as Imperial Scavenger: »Catch Up and Surpass« in the Transnational Socialist Bloc, 1950–1960, in: American Historical Review 116 (2011), H. 1, S. 109–132, hier S. 123 f.; Jersild: The Sino-Soviet Alliance (Anm. 5), S. 35 f.

15   Zhonggong zhongyang wenxian yanjiushi (中共中央文献研究室) [Zentrales Dokumenten-Forschungszentrum der Kommunistischen Partei Chinas] (Hg.): Zhu De nianpu 1886–1976 (朱德年谱 1886–1976) [Zhu De-Chronik 1886–1976], Beijing 2006, S. 1535 f. Für eine detaillierte Darstellung der chinesischen Reaktion auf den XX. Parteitag der KPdSU siehe Shen Zhihua/Xia Yafeng: A Political Duet. The Twentieth Congress of the CPSU, the Eighth Congress of the CCP, and Sino-Soviet Relations, in: Modern China Studies 22 (2015), H. 1, S. 127–167; Martin Wagner: Excoriating Stalin, Criticizing Mao. Entangled Reevaluations of the Past in the 1950s Soviet Union and 1970s/80s China, in: American Historical Review (im Druck).

16   O kul'te ličnosti i ego posledstvijach. Doklad Pervogo sekretarja CK KPSS tov. Chruščëva N. S. XX s'ezdu Kommunističeskoj partii Sovetskogo Sojuza [Über den Personenkult und seine Folgen. Rede des Ersten Sekretärs der KPdSU, Gen. N. S. Chruščëv, auf dem XX. Parteitag der Kommunistischen Partei der Sowjetunion], 25. Februar 1956, in: Karl Ajmermacher u. a. (Hg.): Doklad N. S. Chruščëva o kul'te ličnosti Stalina na XX s'ezde KPSS. Dokumenty [Rede N. S. Chruščëvs über den Personenkult Stalins auf dem XX. Parteitag der KPdSU. Dokumente], Moskva 2002, S. 51–119, hier S. 51, 57, 68 u. 81.

17   Ebd., S. 84, 87–89 u. 94–98.

Nachdem der ZK-Apparat der KPdSU den Delegationen ihrer internationalen Schwesterparteien am 27. Februar schließlich den Text der »Geheimrede« überlassen hatte, ließ Deng umgehend eine Übersetzung anfertigen.[18] Noch am gleichen Tag bat Zhu De, der Leiter der chinesischen Abordnung, Chruščëv um ein Treffen, doch sein Gesuch sollte ohne Antwort bleiben.[19] Ohne sowjetische Instruktionen erhalten zu haben, reiste Deng mit der übersetzten »Geheimrede« nach Beijing, wo das Politbüro der KPCh am 3. März über die Moskauer Ereignisse beriet.[20] Mao begriff, dass Chruščëv mit Stalin letztlich auch die KPdSU und die Sowjetunion in Zweifel gezogen hatte, und schlussfolgerte, dies werde seinen Widerhall auch in China finden.[21]

Umgekehrt war es das sowjetische Eingeständnis der Fehlbarkeit, das Mao neue Handlungs-, aber auch Bedrohungshorizonte eröffnete. Zeitlebens hatte Mao sich an Stalins China-Politik gestoßen und war nun nicht mehr bereit, die sowjetischen Fehler zu wiederholen. Ende April 1956 fasste er die Lehren, die China aus der sowjetischen Erfahrung ziehen müsse, in seiner Rede »Über die zehn großen Beziehungen« zusammen. Die Abkehr vom stalinistischen Entwicklungsmodell verband er mit einem Treueschwur auf Stalin: »Fehler und Leistungen Stalins stehen im Verhältnis von 30 zu 70, alles in allem war er ein großer Marxist.«[22] Chinesische Parteikader schätzten solch ein vermeintlich klares Urteil, das Chruščëv hatte vermissen lassen, während andere befürchteten, es könnte sich negativ auf die Beziehungen zur Sowjetunion auswirken, deren Stalin-Lesart es doch widersprach.[23] Gleichzeitig begannen in China Kader und Bürger außerhalb der Partei zu zweifeln, wie über Mao nunmehr zu sprechen war, übertrugen manche die Kritik am Personenkult doch auf den chinesischen Parteivorsitzenden.[24] Der VIII. Parteitag der KPCh im September 1956 schließlich klärte diese Frage, indem er die

---

18 Siehe Spisok rukovoditelej zarubežnych kommunističeskich partij, oznakomlennych s postanovleniem XX s"ezda KPSS i dokladom t. Chruščeva o kul'te ličnosti i ego posledstvijach [Liste der Leiter ausländischer kommunistischer Parteien, die mit der Resolution des XX. Parteitags der KPdSU und der Rede des Gen. Chruščëv über den Personenkult und seine Folgen vertraut gemacht wurden], 27. Februar 1956, in: Ajmermacher: Doklad N. S. Chruščëva (Anm. 15), S. 252 f.

19 Siehe Notiz Boris Ponomarëvs an Nikita Chruščëv vom 27. Februar 1956, Rossijskij Gosudarstvennyj Archiv Novejšej Istorii/Russisches Staatsarchiv für Neueste Geschichte (im Folgenden: RGANI) f. 5, op. 28, d. 382, l. 17. Ein sowjetisches Antwortschreiben ist weder archivalisch überliefert noch in der Literatur beschrieben worden.

20 Mao bestätigte dem sowjetischen Botschafter in China, Pavel Judin, dass Deng eine Übersetzung der »Geheimrede« nach Beijing gebracht hatte. Siehe Iz dnevnika P. Judina: Zapis' besedy c tovariščem Mao Tszė-dunom [Aus den Notizen P. Judins: Aufzeichnungen des Gesprächs mit Genossen Mao Zedong], 31. März 1956, Archiv Vnešnej Politiki Rossijskoj Federacii/Archiv der Außenpolitik der Russischen Föderation (im Folgenden: AVPRF) f. 0100, op. 49, pa. 410, d. 9, l. 87.

21 Siehe Zhonggong zhongyang wenxian yanjiushi (中共中央文献研究室) [Zentrales Dokumenten-Forschungszentrum der Kommunistischen Partei Chinas (Hg.): Mao Zedong zhuan 1949–1976 (毛泽东传 1949–1976) [Mao Zedong-Biografie 1949–1976], Beijing 2003, S. 496.

22 Mao Tsetung: Über die zehn großen Beziehungen (25. April 1956), Peking 1977, S. 32.

23 Siehe Neibu Cankao (内部参考) [Internes Referenzmaterial] Nr. 1894 (31. Mai 1956), S. 569; Nr. 1891 (28. Mai 1956), S. 479.

24 Siehe Neibu Cankao Nr. 58 (10. März 1956), S. 370.

»Mao-Zedong-Ideen« aus dem Parteistatut tilgte, dabei jedoch unterstrich, dass es nicht verwerflich sei, politische Führer zu »lieben«.[25]

Der XX. Parteitag der KPdSU und dessen Wahrnehmung in China und der Sowjetunion waren also bereits im Frühjahr 1956 Gegenstand sino-sowjetischer Selbstbespiegelung. Nicht nur wirkte Chruščëvs Stalin-Verdikt auf Chinas Innenpolitik, sondern die chinesische Wahrnehmung der sowjetischen Entstalinisierung wirkte auch auf das Machtzentrum in Moskau zurück. In allen Teilen der Sowjetunion diskutierten Parteiaktive die »Geheimrede« und verwiesen dabei häufig auf ihr Echo in China.[26] Als im Lauf des Jahres 1956 beide kommunistischen Parteien Resolutionen erließen, die dem Sprechen über die Vergangenheit Form geben sollten, holte das sowjetische ZK-Präsidium Stimmen darüber ein, wie diese Resolutionen unter chinesischen Parteikadern aufgenommen wurden.[27] Spätestens als die Stabilität der kommunistischen Ordnung nach den Aufständen in Posen und Budapest in Gefahr schien, gewann der Austausch über die Folgen des XX. Parteitags eine neue Qualität – denn nicht alle Blockstaaten favorisierten den sowjetischen Weg, manche sympathisierten indes mit dem chinesischen.[28]

Weitere Parteitage ließen die Dissonanzen der Moskauer und Beijinger Parteiführung immer deutlicher zutage treten. Den sowjetischen Forderungen nach »friedlicher Koexistenz« mit dem kapitalistischen Westen sowie »friedlichem Übergang zum Sozialismus« entgegnete Mao nach dem XXI. Parteitag der KPdSU 1959, dass der Krieg gegen den »Imperialismus« unausweichlich sei und sich Sozialismus nur durch Waffengewalt herstellen ließe. Im Folgejahr berieten Michail Suslov und Deng Xiaoping über das kontroverse Ansinnen der KPdSU, die chinesische Küste in ein gemeinsames Verteidigungssystem einzubeziehen.[29] Und auf dem XXII. Parteitag der KPdSU 1961, den Chruščëv

25 Deng Xiaoping: Guanyu xiugai dang de zhangcheng de baogao (关于修改党的章程的报告) [Über die Änderung des Parteistatuts], in: Zhongguo gongchandang di ba ci quanguo daibiao da hui wenjian (中国共产党第八次全国代表大会文件) [Dokumente des VIII. Parteitages der Komunistischen Partei Chinas], Beijing 1956, S. 121–164.

26 Beispielhaft: Informacija Vladimirskogo Obkoma KPSS v CK KPSS o partijnych sobranii po itogam XX s"ezde KPSS [Information des Vladimirer Gebietskomitees der KPdSU an das ZK der KPdSU über die Parteiversammlungen zu den Ergebnissen des XX. Parteitags der KPdSU], 11. April 1956, Rossijskij Gosudarstvennyj Archiv Social'no-Političeskoj Istorii/Russisches Staatsarchiv für Soziale und Politische Geschichte (im Folgenden: RGASPI) f. 556, op. 14, d. 43, l. 64.

27 Beispielhaft: Otkliki rukovodjaščich rabotnikov provincij Kitaja na postanovlenie CK KPSS ›O preodolenii kul'ta ličnosti i ego posledstvij‹ [Reaktionen führender Parteiarbeiter der Provinzen Chinas auf die Resolution des ZK der KPdSU ›Über die Überwindung des Personenkults und seiner Folgen‹], 12. bis 25. Juli 1956, in: Ajmermacher: Doklad N. S. Chrušcëva (Anm. 15), S. 740 f. Zu den Resolutionen siehe Guanyu wuchan jieji zhuanzheng de lishi jingyan (关于无产阶级专政的历史经验) [Über die historische Erfahrung der Diktatur des Proletariats], in: Renmin Ribao vom 5. April 1956, S. 1 f. ›O preodolenii kul'ta ličnosti i ego posledstvij‹ [Über den Personenkult und seine Folgen], in: Prawda vom 2. Juli 1956, S. 1 f.

28 Die sino-sowjetische Entscheidungsfindung zur militärischen Intervention untersucht: Mark Kramer: New Evidence on Soviet Decision-Making and the 1956 Polish and Hungarian Crises, in: Cold War International History Project Bulletin 8–9 (1996–97), S. 358–384. Zu Spekulationen über mögliche Allianzen der Blockstaaten mit Moskau oder Beijing siehe Jersild: The Sino-Soviet Alliance (Anm. 5), S. 118.

29 Siehe Li/Xia: Mao and the Sino-Soviet Split (Anm. 5), S. 1 u. 26 f.

als zweite, nunmehr öffentliche Bühne der Entstalinisierung inszenierte, kritisierten sich
sowjetische und chinesische Parteiführer zwar nicht direkt, jedoch über die Folie albani-
scher Fehler. Zwei Tage nach seinem unverfänglichen Grußwort – aber noch vor der
Verbannung Stalins aus dem Mausoleum auf dem Roten Platz – bekundete der chinesische Außenminister Zhou Enlai symbolisch, was er von der Kritik an Stalin hielt: Er
legte einen Kranz an dessen Grab nieder.[30]

Der propagandistische Anspruch der 1950er-Jahre, »die Sowjetunion von heute« sei
»das China von morgen«, hatte sich in die Notwendigkeit selektiven Lernens und, spätestens ab den 1960er-Jahren, in die Maxime verkehrt, die Sowjetunion als Negativbeispiel
zu betrachten.[31] Ungeachtet der politischen Vorzeichen blieben die beiden kommunistischen Regime füreinander stets ein Gegenüber, dem sie sich nicht entziehen konnten.[32]
Denn ihre Staats- und Parteibeziehungen, darin lag die Besonderheit ihrer Verbindung,
überlappten sich unauflöslich. Deng Xiaoping erklärte dem sowjetischen Botschafter in
China, Stepan Červonenko, Ende der 1950er-Jahre gar, dass es zwischen der Sowjetunion und China keine »Diplomatie«, sondern schlicht »Parteiarbeit« geben könne.[33] Aus
diesem überspannten Anspruch lässt sich jedoch nicht ableiten, dass sino-sowjetische
Außenpolitik ausschließlich als Medium innenpolitischer Richtungskämpfe betrieben
worden sei und lediglich ideologische Interessengegensätze von Relevanz gewesen
wären.[34] Sowjetische und chinesische Parteiführer verhandelten Fragen internationaler
Ordnung wie jeweiliger Innenpolitik in ideologischer Abstraktheit und interessengebun-
dener Konkretheit. Doch mit der chinesischen Radikalisierung und der sowjetischen
»Selbstdisziplinierung« erhöhte sich auf beiden Seiten die Notwendigkeit, die stets
präsente Alternative zu diskreditieren, die das außenpolitische Gegenüber präsentierte –
eine sowjetische ›Restalinisierung‹ wie eine chinesische ›Entmaoisierung‹.[35]

---

30 Siehe Privetstvennoe slovo XXII s"ezdu KPSS zamestitelja predsedatelja CK Kommunističeskoj par-
    tii Kitaja Čžou Ėn'laja [Grußwort des Stellvertretenden Vorsitzenden des ZK der KPCh, Zhou Enlai,
    an den XXII. Parteitag der KPdSU], 19. Oktober 1961, in: Natal'ja G. Tomilina u. a. (Hg.): Boj s
    »ten'ju« Stalina. Prodolženie. Dokumenty i materialy ob istorii XXII s"ezda KPSS i vtorogo etapa
    destalinizacii [Der Kampf mit dem »Schatten« Stalins. Fortsetzung. Dokumente und Materialien
    über die Geschichte des XXII. Parteitags der KPdSU und die zweite Etappe der Entstalinisierung],
    Moskva/Sankt-Peterburg 2015, S. 92–99; Li/Xia: Mao and the Sino-Soviet Split (Anm. 5), S. 47–49.
31 Thomas P. Bernstein: Introduction. The Complexities of Learning from the Soviet Union, in: ders./
    Li Hua-Yu: China Learns From the Soviet Union (Anm. 9), S. 1–23, hier S. 1 f. u. 6.
32 Gilbert Rozman: The Chinese Debate about Soviet Socialism, 1978–1985, Princeton 1987, S. 3.
33 Zit. nach Jersild: The Sino-Soviet Alliance (Anm. 5), S. 10.
34 So argumentiert etwa Li: Mao's China and the Sino-Soviet Split (Anm. 5), S. 2.
35 Zur innenpolitischen Radikalisierung Chinas und der Selbstdisziplinierung der Sowjetunion siehe
    Roderick MacFarquhar/Michael Schoenhals: Mao's Last Revolution, Cambridge, Mass. 2006; Jörg
    Baberowski: Nikita Khrushchev and De-Stalinization in the Soviet Union 1953–1964, in: Norman
    Naimark u. a. (Hg.): The Cambridge History of Communism. The Socialist Camp and World
    Power 1941–1960s, Cambridge 2017, S. 113–138. Zum Begriff der »Selbstdisziplinierung« siehe
    Immo Rebitschek: Die disziplinierte Diktatur. Stalinismus und Justiz in der sowjetischen Provinz,
    1938 bis 1956, Köln 2018, S. 20.

II. Über die Trennung sprechen

Gegen Ende des Jahres 1962 schien die Trennung unausweichlich. Chruščëv und Mao bekannten den jeweiligen Botschaftern des einstigen Bruderstaates gegenüber, dass sich die Frage eines Bruchs aufdränge.[36] Doch keine der Streitparteien wollte den ersten Schritt tun. Die beiden Parteivorsitzenden luden sich zunächst erfolglos nach Beijing und Moskau ein, aber weder Mao noch Chruščëv wollten bei der finalen Abrechnung anwesend sein. Stattdessen wurde ein Delegationstreffen von ZK-Sekretären vereinbart. Denn der Bruch musste vollzogen werden, bevor er sich ausstellen ließ – seine Argumente mussten sich an der Reaktion des Gegenübers bewähren, bevor sie öffentliche Anfeindungen legitimieren konnten. Darin liegt die Bedeutung des Arbeitstreffens im Juli 1963, das die propagandistischen Polemiken der folgenden Monate hervorbrachte. Doch das Aufeinandertreffen hinter Moskauer Türen bleibt in der Literatur von den Invektiven des Herbstes und damit der chinesischen Perspektive überlagert, einer Deutung, der zufolge die Selbstvergewisserung am Anderen ohne das Gegenüber hätte gelingen können.

Die Vorbereitungen des Arbeitstreffens wurden von einer Artikelserie in der chinesischen Parteipresse flankiert, die zwischen Dezember 1962 und März 1963 die Leitlinien sowjetischer Politik kritisierte, ohne die Sowjetunion beim Namen zu nennen.[37] Die Parteiführung in Moskau reagierte mit namenloser Kritik in der *Prawda* und Ende März mit einem Brief an das ZK der KPCh, hatte die chinesische Botschaft doch begonnen, Übersetzungen der Renmin-Ribao-Artikel in der sowjetischen Hauptstadt zu verteilen. Der Brief des sowjetischen Zentralkomitees enthob den Streit seiner Bilateralität, indem er die »Generallinie für die kommunistische Weltbewegung« auf die Agenda des bevorstehenden Treffens setzte, das etwa über »friedliche Koexistenz«, »nationale Befreiungsbewegungen« und die Einheit der kommunistischen Weltbewegung zu beraten hätte.[38]

Die inhaltliche Vorbereitung des Juli-Treffens hatte in China bereits Anfang März begonnen. Die Argumentationslinie wurde, wie sich Wu Lengxi, der Vorsitzende der chinesischen Nachrichtenagentur Xinhua, erinnert, durch den sowjetischen Brief lediglich angepasst. Das Ziel, die Trennung einzuleiten, ohne sich ihres Vollzugs schuldhaft zu machen, habe bereits festgestanden.[39] Im Mai 1963 gab Mao der Parteiführung die Parole »fanxiu fangxiu« aus – »gegen Revisionismus [von außen] kämpfen, sich gegen Revisionismus [von innen] wehren« – und begann auch im eigenen Land nach »Chruščëvs« zu suchen. Es sollte Deng Xiaoping sein, der Maos Standpunkt in Moskau vertrat, um nur wenige Jahre später selbst im Verdacht zu stehen, Chinas »Chruščëv« zu sein.[40]

---

36 Siehe Radchenko: Two Suns in the Heavens (Anm. 6), S. 46 u. 50 f.
37 Siehe Li: Mao's China and the Sino-Soviet Split (Anm. 5), S. 99 f.; Li/Xia: Mao and the Sino-Soviet Split (Anm. 5), S. 71.
38 Brief des ZK der KPdSU an das ZK der KP Chinas (30. März 1963), in: Die Polemik (Anm. 3), S. 553–587, hier S. 558 u. 581–583.
39 Wu Lengxi: Shinian lunzhan, 1956–1966. Zhong Su guanxi huiyilu. (十年论战 1956–1966. 中苏关系回忆录) [Ein Jahrzehnt der Polemiken 1956–1966: Memoiren der sino-sowjetischen Beziehungen], Beijing 1999, S. 556–558. Siehe Lüthi: Sino-Soviet Split (Anm. 6), S. 240.
40 Siehe Li/Xia: Mao and the Sino-Soviet Split (Anm. 5), S. 100–103.

Das Abarbeiten am Anderen hatte auch in der Sowjetunion innenpolitische Implikationen: Der »chinesische Faktor«, wie sich Georgij Arbatov, sowjetischer Berater beim Juli-Arbeitstreffen, erinnerte, habe »die Position der Stalinisten« unterminiert und ihren Widersachern erlaubt, die Leistungen der Entstalinisierung umso nachdrücklicher zu verteidigen.[41] Denn die KPCh hatte die sowjetische Maßregelung Mitte Juni mit einem eigenen »Vorschlag zur Generallinie« erwidert, der die Notwendigkeit gewaltsamer Revolution sowie Chruščëvs marxistisch-leninistisches Unvermögen unterstrich und die Kritik am Personenkult mit einem Zitat Lenins als »lächerlichen Unsinn und dummes Zeug« bezeichnete.[42] Aber schon zuvor war internationalen Beobachtern klar: »The breach is there.«[43]

Ende Juni finalisierten beide Streitparteien ihre Strategie für das Arbeitstreffen, das am 5. Juli beginnen sollte. Ein sowjetisches ZK-Plenum, das ursprünglich anderen Themen gewidmet war, wurde in Anbetracht des neuerlichen Affronts zur Auseinandersetzung mit dem Schreiben der KPCh. Der Parteiideologe Michail Suslov und die beiden Leiter der Internationalen Abteilung des ZK, Boris Ponomarëv und Jurij Andropov, überzeugten das ZK, auf dem bevorstehenden Arbeitstreffen nicht zurückhaltend zu agieren, wie es das Außenministerium empfohlen hatte. Vielmehr müsse die sowjetische Seite entschlossen auftreten.[44] Gleiches forderte Mao von seinen ZK-Sekretären Deng Xiaoping und Peng Zhen. Bevor sie abreisten, traf er sie zusammen mit Staatsoberhaupt Liu Shaoqi und Außenminister Zhou Enlai zu einer mehrtägigen Strategiesitzung und gab ihnen mit auf den Weg, den Bruch nicht zu fürchten.[45] Die Eskalationsdynamik, die daraus erwachsen sollte, zementierte die Positionen beider Seiten.[46]

Am Abend des 5. Juli traf die chinesische Delegation in Moskau ein und wurde im Laufe ihres Aufenthalts, wie schon im Februar 1956, durch Ereignisse überrascht, von denen sie nichts ahnte. Parallel zu ihrem Arbeitstreffen mit ZK-Sekretären der KPCh

41 Georgi Arbatow: Das System. Ein Leben im Zentrum der Sowjetpolitik, Frankfurt a. M. 1993, S. 112 f.
42 Ein Vorschlag zur Generallinie der internationalen kommunistischen Bewegung. Antwort des Zentralkomitees der Kommunistischen Partei Chinas auf den Brief des Zentralkomitees der Kommunistischen Partei der Sowjetunion vom 30. März 1963 (14. Juni 1963), in: Die Polemik (Anm. 3), S. 1–61, hier S. 21, 26 f. u. 44 (Zitat).
43 So betonte der langjährige Moskau-Korrespondent des »Observers«, Edward Crankshaw, im Vorwort seines Buches, das er am 11. Juni 1963 fertigstellte. Edward Crankshaw: The new Cold War. Moscow v. Pekin, Harmondsworth 1963, S. 7.
44 Keine ihrer Reden wurde in der sowjetischen Presse publik gemacht, siehe Radchenko: Two Suns in the Heavens (Anm. 6), S. 59 f.; Lüthi: Sino-Soviet Split (Anm. 6), S. 243. Der ZK-Apparat teilte nach dem ungarischen Volksaufstand (1956) die »Abteilung des ZK der KPdSU für die Verbindung mit internationalen Kommunistischen Parteien« (1953–1957), die Suslov und später u. a. Ponomarëv geleitet hatten, im Februar 1957 in zwei eigenständige Abteilungen auf – nach regierenden und nicht regierenden kommunistischen Parteien. Der »Abteilung des ZK der KPdSU für die Verbindungen mit Kommunistischen und Arbeiter-Parteien sozialistischer Länder« stand zwischen 1957 und 1967 Jurij Andropov, der »Internationalen Abteilung des ZK der KPdSU für die Verbindungen mit Kommunistischen Parteien kapitalistischer Länder« zwischen 1957 und 1986 Boris Ponomarëv vor.
45 Siehe Li/Xia: Mao and the Sino-Soviet Split (Anm. 5), S. 76.
46 Unterstützend: Hermann Weber: Konflikte im Weltkommunismus. Eine Dokumentation zur Krise Moskau – Peking, München 1964, S. 16.

verhandelte die sowjetische Führung mit US-amerikanischen und britischen Diplomaten über ein Verbot von Kernwaffentests.[47] Von den Vorbereitungen für einen Nuclear Test Ban Treaty, der am 25. Juli in Moskau unterzeichnet wurde, erfuhren die chinesischen Delegierten erst am 12. Juli und thematisierten dies während des Arbeitstreffens nicht mehr. Ungeachtet dessen betrachtete China, das 1964 seine erste Atombombe testen sollte, die US-amerikanisch-sowjetische Annäherung als Versuch, das eigene Atomprogramm zu diskreditieren. Dass sich die Gewichte innerhalb des strategischen Dreiecks aus USA, Sowjetunion und China verschoben hatten, drückte sich symbolisch auch darin aus, dass Chruščëv mit den westlichen Partnern persönlich verhandelte, während er den gleichzeitigen Beratungen mit Chinas Delegierten fernblieb.[48]

Das sino-sowjetische Arbeitstreffen eröffnete Michail Suslov, dessen Rede an das sowjetische Schreiben vom März desselben Jahres an das chinesische ZK anschloss. Der sowjetische Parteitheoretiker, der zu »ruhigem kameradschaftlichen Ton« aufrief, sprach etwa über das sozialistische System, die »friedliche Koexistenz« und die »friedliche Revolution«.[49] Die technischen Möglichkeiten nuklearer Kriegsführung zwängen die Kommunisten, dem Volk »die ganze Wahrheit« zu offenbaren. Denn man dürfe den Menschen nicht mehr wie einst unter Stalin einreden, Kriege ließen sich mit geringem Blutzoll schlagen. Der sowjetische Delegationsleiter fuhr mit der jüngsten Kritik Chinas an der sowjetischen Entstalinisierung fort und fragte: »Warum haben denn die chinesischen Genossen […] sieben Jahre […] geschwiegen […]?« Die KPCh, so resümierte der ZK-Sekretär, habe öffentlich stets auf den Kampf gegen den Personenkult eingeschworen, sei nunmehr jedoch angetreten, »die Fehler, Perversionen und sogar Verbrechen Stalins zu rechtfertigen«. In Richtung der chinesischen Delegierten formulierte Suslov abschließend den Wunsch, man möge den Eindruck, den der Juni-Vorschlag erwecke, aus der Welt schaffen, wonach China »keine Geschlossenheit, sondern Spaltung« benötige – andernfalls werde das Arbeitstreffen bloß zu einem »Dialog der Taubstummen«.[50]

Dass Suslov mit seiner Prophezeiung Recht behalten sollte, lag indes nicht allein an den chinesischen Gästen. Es war der Modus der Verhandlungsführung, der das Aufeinandertreffen zur Selbstverständigung mit Publikum machte, die ohne Debatte, Erwiderung oder Zwischenruf auskommen musste. Georgij Arbatov und Wu Lengxi, die als Berater der jeweiligen Delegation teilnahmen, berichteten, dass beide Streitparteien Erklärungen verlasen, die ihrerseits zwar »sorgfältig aufeinander abgestimmt« gewesen seien, auf die Argumente der Gegenseite damit jedoch weder eingehen konnten noch wollten. Die Berater hätten die ausgearbeiteten Redemanuskripte nach den Sitzungen des Tages für den Folgetag angepasst, ihre Korrekturen seien zumeist jedoch geringfügig

47 Einführend siehe Helge Jonas Pösche/Martin Wagner: Bomben für den Frieden – Frieden ohne Bomben. Die Atombombe als Triebkraft der Ent- und Verflechtung internationaler Staatenbeziehungen, 1945–1968, in: zeitgeschichte-online, 1. April 2017, https://zeitgeschichte-online.de/themen/bomben-fuer-den-frieden-frieden-ohne-bomben (ges. am 26. März 2021).
48 Siehe Lüthi: Sino-Soviet Split (Anm. 6), S. 260–268.
49 Reč' glavy delegacii KPSS t. Suslova M. A., [Rede des Delegationsleiters der KPdSU, M. A. Suslov], 6. Juli 1963, BArch, DY 30/11925, Bl. 5.
50 Ebd., Bl. 22 u. 56–58.

gewesen.[51] Die archivalische Überlieferung stützt diesen Befund: In den wenigen Fällen, in denen die gegenseitigen Vorlesungen durch Fragen oder Protest unterbrochen wurden, pochten etwa die Übersetzer auf das ungeschriebene Reglement, ein offenes Streitgespräch abseits der abgestimmten Manuskripte nicht zuzulassen – wohl wissend, dass die starre Form beide Seiten vor der ultimativen Eskalation bewahrte.[52]

Die Widerrede, die Deng Xiaoping auf seinen Vorredner Suslov hielt, offenbarte bereits zu Beginn des zweiten Verhandlungstages, welchen Lauf das Arbeitstreffen und die weiteren sino-sowjetischen Beziehungen nehmen würden. Der chinesische Delegationsleiter konterte Suslovs Mahnung zu besonnenem Ton, indem er 37 Anschuldigungen auflistete, die die Rede des sowjetischen ZK-Sekretärs in unbotmäßiger Weise gegen die chinesischen Gäste vorgebracht hätte. In einem impliziten Vorgriff auf die folgende Serie an Polemiken unterstrich Deng, »heute« wolle er »lediglich allererste Kommentare« auf ausgewählte Fragen geben, deren umfassende Beantwortung anderer Gelegenheit bedürfe.[53] Denn der Zwist »in der internationalen kommunistischen Bewegung«, darunter fasste Deng den Bruch zwischen Moskau und Beijing, habe seinen »Ausgang mit dem XX. Parteitag der KPdSU genommen«. Öffentlich habe die KPCh die sowjetische Kritik an Stalin, die inhaltlich teils berechtigt, in ihren »Prinzipien« und »Methoden« jedoch falsch gewesen sei, zwar nicht in Zweifel gezogen, nicht zuletzt um die »Lage« der sowjetischen Parteifreunde nicht zu verschlechtern. Doch »im engen Kreis« habe die KPCh bereits seit April 1956 etwa gegenüber Anastas Mikojan, dem sowjetischen Botschafter in China, Pavel Judin, oder dem während des Arbeitstreffens anwesenden Ponomarëv das chinesische Missfallen an der sowjetischen Entstalinisierung bekundet.[54]

Deng wies Suslovs Behauptung, die KPCh habe sieben Jahre »geschwiegen«, zurück, ohne indes auf einen Beleg ultimativer Qualität zu verweisen, der sich seiner Erinnerung wie der archivalischen Dokumentation des chinesischen ZK-Apparates wohl entzog: das ungehörte Gesprächsgesuch der chinesischen Delegation an Chruščëv unmittelbar nach dessen »Geheimrede« im Februar 1956.[55] In ähnlich suggestiver Manier wie zuvor Suslov stellte Deng stattdessen infrage, »welches Ziel« die Sowjetunion damit verfolge, »erneut« zu einer umfassenden »Kampagne gegen Stalin« anzuheben, sei Stalin doch bereits 1953 gestorben und 1956 kritisiert worden: »Kann es sein, dass der Geist Stalins als eines großen Marxisten-Leninisten euch verfolgt?«[56] Dengs Rede, die weitere Gründe für das Zerwürfnis wie etwa den mangelnden Nukleartechnologietransfer, den Abzug sowjetischer Experten oder die sowjetische Parteinahme für Indien im sino-indischen Grenz-

51····Arbatow: Das System (Anm. 41), S. 115 (Zitat); Wu Lengxi: Shinian lunzhan (Anm. 39), S. 604–608.
52····Dies wurde bereits am zweiten Verhandlungstag deutlich, als ein Übersetzer die Rolle des Moderators usurpierte, was ein sowjetischer Teilnehmer mit den Worten kommentierte: »Der Übersetzer regelt die gesamte Beratung.« BArch, DY 30/11925, Bl. 106.
53····Reč' glavy delegacii KPK t. Dėn Sjao-pina [Rede des Delegationsleiters der KPCh, Deng Xiaoping], 8. Juli 1963, BArch, DY 30/11925, Bl. 72 f.
54····Ebd., Bl. 74 f., 77–79.
55····Siehe Notiz Boris Ponomarëvs an Nikita Chruščëv vom 27. Februar 1956 (Anm. 19).
56····Reč' glavy delegacii KPK t. Dėn Sjao-pina (Anm. 53), Bl. 90.

konflikt benannte, diente wenig später als »Grundlage« für die erste chinesische Polemik des Spätsommers 1963, wie sich Wu Lengxi erinnert.[57]

Eine weitere Verhandlungsrunde erschöpfte sich in der Vorhaltung von Unzulänglichkeiten. Denn noch bevor die übrigen ZK-Sekretäre das Wort erhielten, reagierten die Delegationsleiter erneut aufeinander. Das Provokationspotenzial, das Suslovs zweite Rede indes bot, verhallte unwidersprochen. Suslov entgegnete auf Dengs Argument, wonach Vertreter der KPCh bereits im Laufe des Jahres 1956 auf die Unwucht der »Geheimrede« hingewiesen hätten, genau dies auf dem XX. Parteitag selbst unterlassen zu haben – »weder vom Genossen Zhu De, der [...] mit dem Vortrag des ZK der KPdSU über den Personenkult Stalins vertraut gemacht wurde, noch von anderen führenden chinesischen Genossen nach Ende des Parteitags« habe man ein einziges Wort der »Widerrede« gehört.[58] Suslov, der seit 1955 Mitglied des ZK-Präsidiums war, wusste, dass es Deng Xiaoping war, der am XX. Parteitag der KPdSU teilgenommen hatte. Und Ponomarëv hätte wissen können, dass die chinesische Delegation lediglich zwei Tage nach Chruščëvs »Geheimrede« tatsächlich das Gespräch gesucht hatte, jedoch kein Gehör fand. Denn es war Ponomarëv, der zwischen 1955 und 1957 der »Abteilung des ZK der KPdSU für die Verbindung mit internationalen Kommunistischen Parteien« vorstand, der Chruščëv über Zhu Des Gesuch unterrichtet und seine Notiz an das ZK-Archiv weitergeleitet hatte.[59] Deng indes ging auf die provokative Einlassung nicht ein, deren destruktiver Doppelbödigkeit sich wohl weder er noch die übrigen ZK-Sekretäre beider Seiten bewusst waren.[60]

Ponomarëv, der als zweiter sowjetischer Redner folgte, bereitete der weiteren Eskalation den Boden. Einen Tag bevor das ZK der KPdSU in einem »offenen Brief« an »alle Kommunisten der Sowjetunion« über das sino-sowjetische Zerwürfnis informierte, nahm Ponomarëv dessen Argumentation vorweg. Wie man sich zum »Personenkult« verhalte, offenbare »nicht mehr oder weniger«, als »auf welchen Wegen sich die neue gesellschaftliche Ordnung entwickeln« werde. Der ZK-Sekretär war angetreten, das Verdienst der Entstalinisierung in seiner politischen Breite wie moralischen Tiefe zu verteidigen. Suggestiv fragte er, ob »Repressionen«, »Willkür« oder »Alleinherrschaft« zulässig seien, und beschied den chinesischen Gästen, die Entstalinisierung fälschlich »als ideelles Chaos, Desorganisation, als ›Krise des Kommunismus‹« auszuweisen. »Tatsächlich aber«, so führte Ponomarëv aus, »war sie ein tiefer Reinigungsprozess«, der die Kommunisten »von einem beklemmenden Ballast, der sich in den Jahren des Stalin-Kults aufgetürmt hat, befreit hat.«[61] Erst während des Arbeitstreffens und in weniger als 30 Stunden, wie

57 Ebd., Bl. 82–85; Wu Lengxi: Shinian lunzhan (Anm. 39), S. 604. Siehe Ursprung und Entwicklung der Differenzen zwischen der Führung der KPdSU und uns. Kommentar zum Offenen Brief des ZK der KPdSU (6. September 1963), in: Die Polemik (Anm. 3), S. 63–129.
58 Reč' glavy delegacii KPSS t. Suslova M. A., 10. Juli 1963 (Anm. 1.), Bl. 113.
59 Notiz Boris Ponomarëvs an Nikita Chruščëv vom 27. Februar 1956 (Anm. 19).
60 Siehe Reč' glavy delegacii KPK t. Dėn Sjao-pina, 12. Juli 1963 (Anm. 2.), Bl. 151–189.
61 Reč' predstavitelja delegacii KPSS t. Ponomarëv B. N. [Rede des Vertreters der Delegation der KPdSU, V. N. Ponomarëv], 13. Juli 1963, Stenogramma vstreči delegacij Kommunističeskoj partii Sovetskogo Sojuza i Kommunističeskoj partii Kitaja, 5–20 ijulja 1963 g., g. Moskva, Čast' II [Stenogramm des Treffens der Delegationen der Kommunistischen Partei der Sowjetunion und der Kommunistischen Partei Chinas, 5.–20. Juli 1963, Moskau, Teil II], BArch, DY 30/11926, Bl. 13 u. 27.

sich Georgij Arbatov erinnert, arbeiteten die sowjetischen Berater jenen »offenen Brief« aus, dem die sowjetische Bevölkerung am 14. Juli 1963 erstmals die einzelnen sino-sowjetischen Streitpunkte entnehmen konnte.[62] Die chinesischen Gäste hingegen, die man nicht vorwarnte, erfuhren davon erst durch die Veröffentlichung in Presse und Rundfunk.[63]

Das sowjetische Schreiben war nicht weniger als die Apologie der Entstalinisierung. Die sowjetischen Parteiideologen referierten in fünf Abschnitten die sino-sowjetischen Beziehungen seit 1949, ihre Meinungsverschiedenheiten in Fragen von »Krieg und Frieden«, den Übergang zum Sozialismus sowie die Abweichung chinesischer Rhetorik und Taten. Sie nutzten die Bühne, die ihnen die Abrechnung mit China bot, um die Entstalinisierung mit dem Verweis auf ihre historische »Leistung« gegen all ihre Kritiker zu verteidigen – egal ob in Beijing oder Moskau: »Fragt die Menschen, deren Väter und Mütter in der Periode des Personenkults Opfer von Repressalien geworden sind, was es für sie bedeutet, die Anerkennung zu erhalten, dass ihre Väter, Mütter und Brüder ehrliche Menschen waren und dass sie selbst nicht Abtrünnige in unserer Gesellschaft, sondern würdige, vollberechtigte Söhne und Töchter des sowjetischen Heimatlandes sind.«[64]

Die Menschen in der Sowjetunion hätten wieder Vertrauen zueinander geschöpft, bescheidenen Wohlstand erfahren und »besser zu leben« begonnen – dies »lässt sich einfach nicht leugnen«.[65] Georgij Arbatov, der den »offenen Brief« mitverfasst hatte, unterstrich das propagandistische Motiv, den Weg des XX. Parteitags gegen Widersacher im In- und Ausland zu verteidigen, und fügte hinzu: »Was noch wichtiger war, all das stimmte sogar.«[66]

Peng Zhen, der als erster chinesischer Vertreter nach der Veröffentlichung des sowjetischen Briefes sprach, griff das Manöver der KPdSU nur punktuell auf. Am 15. Juli drückte der Erste Vorsitzende des Beijinger Stadtkomitees der KPCh zwar gleich zu Beginn seiner Rede das chinesische Missfallen aus, ohne indes auf den Inhalt des sowjetischen Schreibens einzugehen. Die chinesische Antwort bedürfe Zeit und anderer Gelegenheit. Stattdessen widmete er sich detailliert den ideologischen Streitfragen »Revolution« und »Atomwaffen«, bevor er der KPdSU beschied, sich unter den kommunistischen Parteien als »Gott« zu gebärden.[67] Der spätere Generalsekretär der KPdSU, Jurij Andropov, der seit 1957 den sowjetischen Kontakt zu regierenden kommunistischen Parteien im Ausland koordinierte, setzte zur Erwiderung an. Erneut ging er auf die großen Fragen der ideologischen Auseinandersetzung ein, bevor er auf die wirtschaftlichen Erfolgszahlen in der Sowjetunion nach Stalin verwies, die »sogar von den Imperialisten

62 Siehe Arbatow: Das System (Anm. 41), S. 116.

63 Siehe Lüthi: Sino-Soviet Split (Anm. 6), S. 264.

64 Offener Brief des Zentralkomitees der Kommunistischen Partei der Sowjetunion an alle Parteiorganisationen, an alle Kommunisten der Sowjetunion (14. Juli 1963), in: Die Polemik (Anm. 3), S. 588–658, hier S. 626.

65 Ebd.

66 Arbatow: Das System (Anm. 41), S. 116 u. 118 (Zitat).

67 Reč' predstavitelja delegacii KPK t. Pyn Čžėnja [Rede des Vertreters der Delegation der KPCh, Peng Zhen], 15. Juli 1963, BArch, DY 30/11926, Bl. 33, 68 u. 66 (Zitat).

nicht geleugnet werden« – ein Seitenhieb auf China, das mit den »bitteren Jahren« von 1958 bis 1961 gerade die größte Hungerkatastrophe seiner Geschichte durchlebt hatte.[68]

Das Arbeitstreffen beschloss Kang Sheng, ZK-Sekretär und graue Geheimdiensteminenz, der eine in ihrer Qualität erneut gesteigerte Kritik an der sowjetischen Entstalinisierung vorbrachte. Stalin sei nicht nur der Führer der KPdSU, sondern auch der Kommunisten dieser Welt gewesen, daher sei die Kritik an ihm nicht schlicht eine Angelegenheit der KPdSU, sondern der Kommunisten in aller Welt. Zwar habe Stalin »Fehler« begangen, etwa als er eine »Übertreibung« des in der Sache gerechtfertigten Großen Terrors »zugelassen« habe. Im Verhältnis zu seinen »Verdiensten«, so bekräftigte Kang Sheng Maos Einschätzung aus dem Jahr 1956, seien seine Fehler jedoch lediglich »zweitrangig«. Deshalb sei Chinas Auftrag: »Wenn ihr Stalin vollständig und pauschal negiert, wenn ihr euch zu Stalin wie zu einem Feind verhaltet, dann ist es vollkommen natürlich, dass wir in Verteidigung Stalins auftreten müssen.«[69] Um die sowjetische Entstalinisierung sodann ihrer moralischen Doppelbödigkeit zu überführen, zitierte Kang Sheng aus Chruščëvs Reden der Jahre 1937 und 1938, die in den sowjetischen Terror eingestimmt hatten: »»Wir werden die Feinde restlos vernichten – alle bis zum letzten – und ihre Asche vom Wind verwehen.««[70]

Als Michail Suslov Protest gegen den Angriff auf den Ersten Sekretär der KPdSU einlegte, konnte es nur noch darum gehen, das Arbeitstreffen abzumoderieren. Deng Xiaoping schlug vor, die Beratungen »zeitweise zu unterbrechen« und zu einem späteren Zeitpunkt wieder aufzunehmen. Aus dem gemeinsamen Kommuniqué, das Suslov zu veröffentlichen vorschlug, strich die chinesische Delegation die Selbstverpflichtung, die öffentliche Polemik zu beenden, und reiste nach einem Abendessen, an dem erstmals auch Nikita Chruščëv teilgenommen hatte, nach Beijing ab.[71]

Damit hatte sich Maos Strategie, die Trennung herbeizuführen, ohne für sie verantwortlich gemacht werden zu können, nur bedingt verwirklichen lassen. Sein Ziel, den Bruch zu vollziehen, hatte er jedoch erreicht. In den folgenden Wochen versicherte die chinesische Botschaft in der Sowjetunion dem Außenministerium Chinas, dass selbst die Menschen in Moskau Mao als den neuen Führer des Weltkommunismus betrachten würden.[72] Ungleich bedeutsamer waren die innenpolitischen Implikationen: Mao benötigte die Trennung als Anlass für die Polemik und die Polemik als Begründung für die innere Radikalisierung, die in der Kulturrevolution der Jahre 1966 bis 1976 gipfelte.[73]

68 Siehe Reč' predstavitelja delegacii KPSS t. Andropova Ju. V. [Rede des Vertreters der Delegation der KPdSU, Jurij V. Andropov], 17. Juli 1963, BArch, DY 30/11926, Bl. 86. Zu den Folgen des »Großen Sprungs nach vorn« siehe Frank Dikötter: Mao's Great Famine. The History of China's Most Devastating Catastrophe, 1958–1962, New York 2010; Felix Wemheuer: Famine Politics in Maoist China and the Soviet Union, New Haven 2014.

69 Reč' predstavitelja delegacii KPK t. Kan Šěna [Rede des Vertreters der Delegation der KPCh, Kang Sheng], 19. Juli 1963, BArch, DY 30/11926, Bl. 106 u. 108.

70 Ebd., Bl. 113. Es handelte sich um Chruščëvs Rede auf der V. Parteikonferenz des Moskauer Gebiets vom 6. Juni 1937.

71 BArch, DY 30/11926, Bl. 134 f. u. 144 f.

72 Siehe Jersild: The Sino-Soviet Alliance (Anm. 5), S. 168 f.

73 Unterstützend: Lüthi: Sino-Soviet Split (Anm. 6), S. 274; Li/Xia: Mao and the Sino-Soviet Split (Anm. 5), S. 103.

Aber auch für die sowjetischen ZK-Sekretäre war das Ende der Beziehungen zu China, wie sich Georgij Arbatov erinnerte, von Nutzen, habe es doch eine »ideologische ›Palastrevolte‹« in der Sowjetunion zu verhindern und den »Weg der Entstalinisierung« zu affirmieren erlaubt.[74] Doch anders als in China, wo der Kampf gegen den sowjetischen »Revisionismus« die Politik des nächsten Jahrzehnts dominieren sollte, war einer erneut forcierten Entstalinisierung mit der Absetzung Nikita Chruščëvs im Oktober 1964 ein jähes Ende beschieden.

Die Trennung war vollzogen und ließ sich desto effektvoller ausstellen. Zwischen Juli und Oktober 1963 veröffentlichte die sowjetische Presse zahlreiche Streitschriften gegen China, nachdem kritische Beiträge in den Wochen vor dem Arbeitstreffen ausgesetzt worden waren. Mao antwortete zwischen September 1963 und Juli 1964 mit »neun Polemiken«, die das erneute Suchen äußerer wie innerer Feinde zeitigten.[75] Er selbst nahm entscheidenden Einfluss auf ihren Wortlaut, wie sich Wu Lengxi, der an ihrer Abfassung beteiligt war, erinnert: Dutzende Parteiideologen erarbeiteten Entwürfe, die zunächst von Deng Xiaoping und später von Mao, Zhou Enlai und Liu Shaoqi überarbeitet wurden.[76] Die neun Lehrtexte, die in der Parteizeitung *Renmin Ribao*, dem theoretischen Organ *Hongqi* und der englischsprachigen Auslandspresse *Peking Review* erschienen, erschlossen etwa die Gründe für den Bruch, die »Stalinfrage«, Jugoslawiens Status, die Frage von »Krieg und Frieden« und nicht zuletzt den »Pseudokommunismus Chruščëvs«. In Inhalt und Argumentation gingen sie vielfach auf die Redemanuskripte des Juli-Arbeitstreffens zurück, ihre Rhetorik jedoch war suggestiver, ihr Tonfall schärfer.

Die erste polemische Schrift, die die KPCh zu den Gründen des Zerwürfnisses veröffentlichte, wiederholte im Wesentlichen, was Deng Xiaoping auf dem Arbeitstreffen im Juli formuliert hatte: Die »Meinungsverschiedenheiten« würden auf den XX. Parteitag der KPdSU zurückgehen, dessen Abrechnung mit Stalin in »Prinzip« und »Methode« falsch gewesen sei. China habe darauf stets genauso hingewiesen wie auf die »revisionistischen« Ideen der »friedlichen Koexistenz« und des »friedlichen Übergangs«.[77] Kang Shengs Ausführungen vom Juli einschließlich der Chruščëv-Zitate gingen in der folgenden Polemik »Zur Stalinfrage« auf. In einem dialektischen Dreischritt erläuterte sie Stalins Verdienste, Fehler und Gesamtbewertung, um sich abschließend die sowjetische Vorhaltung zu eigen zu machen: »Jawohl, wir wollen Stalin verteidigen.«[78] Die siebte Streitschrift verkündete die sino-sowjetische Trennung, ohne die die internationale kommunistische Bewegung ihrem Untergang anheimgefallen wäre.[79] Und die letzte Polemik

---

74 Arbatow: Das System (Anm. 41), S. 115.

75 Li/Xia: Mao and the Sino-Soviet Split (Anm. 5), S. 77.

76 Siehe Wu Lengxi: Shinian lunzhan (Anm. 39), S. 637 f.; Li: Mao's China and the Sino-Soviet Split (Anm. 5), S. 110.

77 Ursprung und Entwicklung der Differenzen zwischen der Führung der KPdSU und uns. Kommentar zum Offenen Brief des ZK der KPdSU (6. September 1963), in: Die Polemik (Anm. 3), S. 63–129, hier S. 67 u. 103 f.

78 Zur Stalinfrage. Zweiter Kommentar zum Offenen Brief des ZK der KPdSU (13. September 1963), in: Die Polemik (Anm. 3), S. 131–156, hier S. 139 (Zitat).

79 Siehe Die Führung der KPdSU ist der grösste Spalter der Gegenwart. Siebenter Kommentar zum Offenen Brief des ZK der KPdSU (4. Februar 1964), in: Die Polemik (Anm. 3), S. 337–399; Lüthi: Sino-Soviet Split (Anm. 6), S. 279.

wandte sich im Juli 1964, am ersten Jahrestag des »offenen Briefes« der KPdSU, dem Chruščёv'schen »Pseudokommunismus« zu, der dereinst selbst die KPCh in eine »faschistische Partei« verwandeln könne. Welchen Weg die junge Generation in China verfolge, darin drückte sich ein erster Aufruf zum kulturrevolutionären Kampf aus, sei »eine Schicksalsfrage unserer Partei und unseres Landes, eine Frage auf Leben oder Tod«.[80]

III. Das Erbe der letzten Zusammenkunft

Das Ritual der Trennung offenbarte den Charakter ihrer Beziehung. Die Sowjetunion und China hatten sich über persönliche Animositäten wie nationales Dominanzstreben, über Spielarten sozialistischer Moderne wie den Anspruch allumfassender Deutungshoheit entzweit – all das sprach aus dem Arbeitstreffen der beiden Parteidelegationen im Juli 1963. Mehr noch: Die sozialistischen Schwesterparteien scheiterten aneinander, weil sie für die Beilegung dieser Konflikte keinen Modus kannten. Das Bündnis hatte weder über Mechanismen konstruktiven Interessenausgleichs noch über Verfahren der Streitbefriedung verfügt.[81] Ihr Trennungsritual stellte den Konstruktionsmakel der sino-sowjetischen Allianz eindrücklich aus: Da sie nach außen auf einer Einheitsfiktion, nach innen auf Dominanzgebaren beruhte, zeitigte sie stets neue Dissonanzen, die ihr zur unauflöslichen Hypothek werden mussten. Die Sowjetunion und China, darin lagen die Zwänge ihrer Allianz, mussten das Gleiche wollen, aber sie wollten dies nicht müssen.

Unter der Vielzahl an Gründen, denen die Streitparteien im Juli 1963 Bedeutung beimaßen, war keiner allein konstitutiv für das Scheitern ihres Bündnisses. Auf dem Arbeitstreffen erklärten die chinesischen ZK-Sekretäre die sowjetische Entstalinisierung zu Beginn und Ursache einer linearen Verschlechterung ihrer Beziehungen, mithin als über allen Interessengegensätzen stehenden Grundkonflikt. Umgekehrt trachtete die sowjetische Delegation nicht weniger wortreich danach, dieses Narrativ zu dekonstruieren und den XX. Parteitag als einen unter vielen Streitfällen auszuweisen – gerade um dessen Leistungen rechtfertigen zu können.

In den Kommunistischen Parteien der Sowjetunion und Chinas entfaltete das Moskauer Arbeitstreffen sein ganz eigenes Erbe. Als Nikita Chruščёv im Oktober 1964 abgesetzt wurde, stellte die neue Parteiführung auch dessen Programm der Entstalinisierung ein. Bereits im Folgejahr, als sich das Kriegsende zum 20. Mal jährte, ließ Leonid Brežnev einen Kult um den »Großen Vaterländischen Krieg« inszenieren, der Stalin als Schlachtenlenker teilweise rehabilitierte.[82] Michail Suslov und Jurij Andropov, die die Entstali-

80 Über den Pseudokommunismus Chruschtschows und die historischen Lehren für die Welt. Neunter Kommentar zum Offenen Brief des ZK der KPdSU (14. Juli 1964), in: Die Polemik (Anm. 3), S. 463–536, hier S. 533. Zur Bedeutung der neunten Polemik als Fanal der Kulturrevolution siehe Lüthi: Sino-Soviet Split (Anm. 6), S. 283; MacFarquhar/Schoenhals: Mao's Last Revolution (Anm. 35), S. 7 u. 12.
81 Unterstützend: Li/Xia: Mao and the Sino-Soviet Split (Anm. 5), S. 276.
82 Siehe Robert Kindler: Kratzer auf dem »Autobus des Sieges«. Erinnerung an den Stalinismus in der Sowjetunion und in Russland, in: Jörg Baberowski/Robert Kindler (Hg.): Macht ohne Grenzen. Herrschaft und Terror im Stalinismus, Frankfurt a. M. 2014, S. 193–213, hier S. 198.

nisierung im Juli 1963 entschieden bekräftigt hatten, unterstützten den Coup gegen Chruščëv.[83] In den Folgejahren berieten sie Brežnev in China-Fragen und verteidigten ihre Lehren aus dem Arbeitstreffen gegen jene, die für eine weniger entschiedene Politik gegenüber der KPCh eintraten. Es sollte schließlich Andropov sein, der, als er 1982 Brežnev als Generalsekretär nachfolgte, auf eine pragmatische Annäherung an China hinarbeitete.[84]

In China hingegen nahmen sich persönliche und inhaltliche Kontinuitäten umgekehrt aus. Deng Xiaoping und Peng Zhen, mit dessen öffentlicher Bloßstellung die Kulturrevolution (1966–1976) ihren Ausgang genommen hatte, wurden 1966 abgesetzt und für Jahre auf dem Land isoliert. Kang Sheng jedoch, der den kulturrevolutionären Kampf über ein Jahrzehnt maßgeblich mitprägte, stieg in der KPCh auf, nicht zuletzt da er mehrfach Kampagnen gegen Deng inszeniert hatte. Das Erbe des Juli-Arbeitstreffens fand in China in der Suche nach »revisionistischen« Feinden und chinesischen »Chruščëvs« seinen anhaltenden wie wirkmächtigen Widerhall. Nach Maos Tod im September 1976 erfuhr die sowjetische Entstalinisierung neuerlich Bedeutung – als Negativfolie für die Aufarbeitung maoistischer Verbrechen, die maßgeblich von Deng Xiaoping und Peng Zhen betrieben wurde.[85]

Die Trennung brachte keineswegs das Ende der Beziehung. Ganz gleich, ob die sowjetischen und chinesischen Kommunisten einander in Freundschaft oder Feindschaft begegneten, blieben sie einander ausgesetzt und konnten sich dem Anderen nicht entziehen. So trafen sich Vertreter beider Außenministerien weiterhin, um über den umkämpften Grenzverlauf zu beraten, während zwischen den Parteiführungen jeglicher Austausch eingestellt wurde. Doch mit der Trennung stieg das Bedürfnis, über den Anderen in Erfahrung zu bringen, was man von diesem nicht mehr erfuhr. Beide Seiten intensivierten die akademische wie politische Beobachtung des Gegenübers.[86] Die KPdSU versammelte ab 1969 gar die China-Experten der Warschauer-Pakt-Staaten, Wissenschaftler und ZK-Sekretäre, zu einer Art Kommunistischen Internationale der China-Beobachtung (»Interkit«), die die gemeinsame China-Politik koordinierte.[87] Das Sprechen miteinander hatte sich in das Sprechen übereinander verkehrt.

***

Das sino-sowjetische Arbeitstreffen vom Juli 1963 war nicht jene abseitige Episode, als die es gemeinhin gilt. Als weiterer Schritt fügte sie sich in die kumulative Eskalation der

83 Siehe William Taubman: Khrushchev. The Man and his Era, London 2005, S. 3–17.
84 Elizabeth Wishnick: Mending Fences. The Evolution of Moscow's China Policy from Breshnev to Yeltsin, Seattle/London 2001, S. 9 u. 76.
85 Siehe Wagner: Excoriating Stalin, Criticizing Mao (Anm. 15); unterstützend Daniel Leese: Maos langer Schatten. Chinas Umgang mit der Vergangenheit, München 2020, S. 25.
86 Siehe Rozman: A Mirror for Socialism (Anm. 83); ders.: The Chinese Debate about Soviet Socialism, 1978–1985, Princeton 1987.
87 Siehe David Wolff: Interkit. Soviet Sinology and the Sino-Soviet Rift, in: Russian History 30 (2003), H. 4, S. 433–456.

Beziehungen ein. Denn beide Streitparteien bedurften ihrer: Erst am Anderen konnte sich die Selbstvergewisserung vollziehen, konnten eigene Narrative erprobt und an der Reaktion des Gegenübers geschärft werden. Die Reden, die etwa Deng Xiaoping, Kang Sheng oder Boris Ponomarëv hielten, gingen wenig später in der öffentlichen Polemik oder »offenen Briefen« auf. Umgekehrt bekannte Michail Suslov noch während der Beratungen, wie gewinnbringend es sei, sich an den Positionen des Anderen abarbeiten zu können.[88] Dramaturgisch fügte sich das Arbeitstreffen nicht minder passend in die kumulative Eskalation ein. Musste die öffentliche Kritik am Anderen vor der vollzogenen Trennung noch ohne namentlichen Ausweis erfolgen, gingen beide Kommunistischen Parteien mit dem Arbeitstreffen dazu über, ihr Gegenüber direkt zu adressieren.

Das Treffen erfüllte mithin die Funktion eines Vexierspiegels, der die eigene Position im Zerrbild der jeweils anderen Reaktion besser erkennen ließ, erinnerte die Gegenwart des Gegenübers doch an die eigene, überwunden geglaubte Geschichte.[89] Und dieser Spiegel führte vor Augen, wie fehlerhaft diese Vergangenheit gewesen war.[90] Ideologie war damit kein Selbstzweck – erst recht nicht für die ZK-Sekretäre. Sie war die einzige Sprache, in der die ZK-Sekretäre ihre Anschauungen ausdrücken konnten, und die einzige Reputationswährung, in der sie symbolische Siege einfahren konnten. Hinter ihren ideologischen Formeln standen konkrete Interessen, ihre Botschaften adressierten konkrete Empfänger. Dem außenpolitischen Gegenüber, den innenpolitischen Kritikern und nicht minder sich selbst bezeugten die ZK-Sekretäre, dass ihr Kurs der einzig richtige war.

---

88 Reč' glavy delegacii KPSS t. Suslova M. A., 10. Juli 1963 (Anm. 1), Bl. 122.
89 Eine alternative Spiegel-Metapher für das Verständnis sino-sowjetischer Beziehungen bemühte Gilbert Rozman für die Studien sowjetischer China-Experten der 1980er-Jahre, die er als »Spiegel« für politische Debatten in der Sowjetunion betrachtete, mithin als »forum for discussing how socialism can fail and, in turn, how it can be improved«. Gilbert Rozman: A Mirror for Socialism. Soviet Criticisms of China, Princeton 1985, S. ix.
90 Siehe Arbatow: Das System (Anm. 41), S. 189.

Douglas Selvage

Hegemonie und Eigeninteressen. Die Etablierung von Geheimdienstbeziehungen zwischen dem Ostblock und Kuba, 1959–1970

Agierten osteuropäische Geheimdienste im Globalen Süden als Stellvertreter des KGB oder verfolgten sie eine eigene Agenda? In den letzten Jahren erschienen mehrere Publikationen, die sich mit dieser Frage befassten und zeigen konnten, dass osteuropäische Geheimdienste keineswegs nur als verlängerter Arm des KGB oder Moskaus fungierten.[1] Vielmehr verfolgten sie eigene politische, wirtschaftliche oder gar ideologische Interessen. Das galt auch für das Ministerium für Staatssicherheit (MfS) der DDR. Seine Vertreter versuchten im Globalen Süden die Hallstein-Doktrin zu durchbrechen, das ostdeutsche Modell des Sozialismus auf die Demokratische Volksrepublik Jemen zu übertragen oder ökonomische Probleme – etwa bei Lieferengpässen für Kaffee – zu überwinden.[2] Dabei berücksichtigten die Geheimdienste des Ostblocks jedoch stets die Zielsetzungen des KGB, Moskaus oder allgemein des sozialistischen Lagers.[3] Die Unterscheidung zwischen osteuropäischen Geheimdiensten, die ausschließlich eigene Interessen verfolgten, oder ihrer Funktion als »Diener Moskaus« übersieht die komplexen Wechselwirkungen und Interdependenzen zwischen beiden Ebenen.

Deshalb soll an dieser Stelle analysiert werden, in welchem Ausmaß und in welchen konkreten Bereichen die Staatssicherheitsdienste versuchten, die Interessen ihrer jeweiligen Länder ebenso wie Moskaus durchzusetzen.

Hinzu kommt, dass die Forschung bislang die Rolle der Geheimdienste des Globalen Südens bzw. deren Regierungen als selbstständige Akteure in diesem Beziehungsgeflecht

1   Zu diesem neuen Forschungsfeld sowie für einen Überblick der maßgeblichen Literatur siehe Daniela Richterova/Natalia Telepneva: An Introduction: The Secret Struggle for the Global South – Espionage, Military Assistance and State Security in the Cold War, in: The International History Review 43 (2021), H. 1, S. 1–11, sowie Philip E. Muehlenbeck/Natalia Telepneva: Introduction, in: Philip E. Muehlenbeck/Natalia Telepneva (Hg.): Warsaw Pact Intervention in the Third World: Aid and Influence, London 2018, S. 1–5.
2   Ebd., S. 7; Miriam A. Müller: A Spectre is Haunting Arabia. How the Germans Brought Their Communism to Yemen, Bielefeld 2013; Bernd Schaefer: Socialist Modernization in Vietnam: The East German Approach, 1976–1989, in: Quinn Slobodian (Hg.): Comrades of Color: East Germany in the Cold War World, New York 2015, S. 107–109; Martin Grossheim: The East German »Stasi« and Vietnam: A Contribution to an Entangled History of the Cold War, in: The International History Review 43 (2021), H. 1, S. 136–152.
3   Siehe z. B. Jan Koura/Robert Anthony Waters: »Africanos« versus »Africanitos«: The Soviet-Czechoslovak Competition to Protect the Cuban Revolution, in: The International History Review, 43 (2021), H. 1, S. 72–89, hier S. 82–84.

vernachlässigt hat.[4] Sie erschienen oft als bloße Objekte, die es zugunsten der eigenen Ziele zu beeinflussen galt, oder als Schauplatz für die Rivalitäten osteuropäischer Geheimdienste.

Dieser Artikel trägt zur Erweiterung dieses Blicks bei, indem er die Gründung und frühe Entwicklung der Beziehungen des KGB, der tschechoslowakischen Staatssicherheit (*Státní bezpečnost*, StB) und des MfS mit der kubanischen Staatssicherheit in den Jahren zwischen 1959 und 1970 aus einer vergleichenden und transfergeschichtlichen Perspektive analysiert. KGB, StB und MfS gehörten zu den Geheimdiensten des Ostblocks, die in diesem Zeitraum am engsten mit Kuba zusammenarbeiteten.[5]

Folgende Fragen stehen im Zentrum des Textes: Wenn es überhaupt Eigeninteressen gab, welche verfolgten dann der tschechoslowakische bzw. der ostdeutsche Staatssicherheitsdienst auf der einen und die kubanische Staatssicherheit auf der anderen Seite bei der – im Falle des MfS zögerlichen – Aufnahme und Entwicklung der Geheimdienstbeziehungen? Inwieweit spielte der KGB dabei eine Rolle? Welche Interessen verfolgten Moskau und Havanna mit ihren Geheimdienstbeziehungen, und inwieweit konnten sie diese durchsetzen?

Bei den Geheimdienstbeziehungen mit Kuba ging es nicht nur um das wechselseitige Verhältnis, sondern Prag, Havanna und Ost-Berlin bemühten sich auf diesem Wege auch, die Sicherheit und Souveränität ihrer jeweiligen (staats-)sozialistischen Regime mit bzw. gegen Moskau durchzusetzen. Der Führung in Moskau ging es in diesem Beziehungsgeflecht hingegen darum, ihren Status als globale (Super-)Macht zu erhöhen und ihren hegemonialen Anspruch in der weltkommunistischen Bewegung und im sozialistischen Block durchzusetzen.

I. Der Beginn der Geheimdienstzusammenarbeit

Die Vorzeichen, Beziehungen zu ihrem kubanischen Pendant aufzunehmen, standen für KGB und tschechoslowakische Staatssicherheit besser als für das MfS.[6] Der KGB besaß

---

4 Siehe Natalia Telepneva: »Code Name SEKRETÁŘ«: Amílcar Cabral, Czechoslovakia and the Role of Human Intelligence during the Cold War, in: The International History Review 42 (2020), H. 6, S. 1257–1273, hier S. 1259.

5 Siehe Domingo Amuchastegui: Cuban intelligence and the October crisis, in: Intelligence and National Security 13 (1998), H. 3, S. 88–119, hier S. 91, 94, 96.

6 Zur konfliktreichen Genese der kubanischen Geheimdienste vor und nach der Machtübernahme durch Fidel Castro im Jahr 1959 siehe James Lockhart: Cuba and the Secret World, in: International History Review 43 (2021), H. 1, S. 170–184, hier S. 171 f.; Juan Antonio Rodríguez Menier: Cuba por dentro: el MININT [Kuba intern: das MININT], Miami 1994, S. 34–39; Mervyn J. Bain: Revolution to Revolution: Moscow and Havana from 1917 to 1959, in: Diplomacy & Statecraft 23 (2012), H. 1, S. 1–22, hier S. 5–9; Aleksandr Fursenko/Timothy Naftali: »One Hell of a Gamble«: Khrushchev, Castro, and Kennedy, 1958–1964, New York/London 1998, S. 35; Pavel Žáček: Our Comrade in Havana – The establishment of Czechoslovak residency and co-operation with the Cuban Security Service, in: Behind the Iron Curtain 3 (2015), S. 72–87, hier S. 74, 79 f.; Amuchastegui: Cuban intelligence (Anm. 5), S. 90.

bereits vor 1959 Verbindungen zur kubanischen Aufklärung und die StB betrieb dank der früheren Aufnahme diplomatischer Beziehungen zwischen der ČSSR und Kuba schon 1960 eine Residentur in der tschechoslowakischen Botschaft in Havanna.

Für den KGB entpuppte es sich außerdem als ein besonderer Glücksfall, dass der junge KGB-Offizier Nikolai Leonov sich im Jahr 1953 auf einem kommunistischen Jugendkongress in Prag mit Raúl Castro angefreundet und anschließend mit ihm auf einem Frachter den Atlantik überquert hatte.[7] Im Juli 1959 entsandte Fidel Castro den Leiter seiner Staatssicherheit zu Gesprächen mit dem sowjetischen Botschafter und der dortigen Residentur des KGB nach Mexiko-Stadt. Drei Monate später erfolgte die Eröffnung der KGB-Residentur in Havanna unter der Leitung von Aleksandr Alekseev.[8] Die Freundschaft Raúl Castros mit Leonov gewann an Bedeutung, als Raúl im Jahr 1960 Prag besuchte, um über tschechoslowakische Waffenlieferungen zu verhandeln. In Prag traf sich Leonov heimlich mit Raúl und nahm ihn zu einer Visite beim sowjetischen Generalsekretär Nikita Chruščёv mit nach Moskau. Nach dem erfolgreichen Abschluss der Verhandlungen in Prag und Raúls Heimkehr nach Havanna entwickelte sich die KGB-Residentur unter Alekseev rasch zum bevorzugten Verhandlungspartner der politischen Führung in Havanna.[9]

Im Gegensatz zur DDR verfügte die ČSSR bereits im Mai 1960 über ihre eigene Botschaft in Havanna, und richtete dort im folgenden Jahr eine Residentur ein.[10] Die Regierung in Prag förderte die Beziehungen zu Kuba als Teil ihrer Lateinamerikapolitik, indem sie den Handel mit der Region intensivierte. Die Kubaner hatten ihrerseits entschieden, engere Beziehungen zu einem sozialistischen Land aufzunehmen, dessen Größe mit der Kubas vergleichbar war.[11] Raúl Castro setzte zunächst vergebens darauf, die kubanische Staatssicherheit könne aus der Zusammenarbeit mit der StB lernen, sich als gleichberechtigter Partner gegenüber dem KGB zu profilieren und durchzusetzen. Die Brüder Castro hofften zudem, durch gute Beziehungen zu Prag direkte, offene Kontakte mit Moskau vermeiden zu können, um keine Invasion durch die USA zu provozieren.[12] Im tschechoslowakischen Innenminister Rudolf Barák fanden Fidel und Raúl Castro einen Partner, der begann, eigenständig die Geheimdienstbeziehungen zu Kuba aufzubauen, ohne sich über alle Einzelheiten mit dem KGB zu beraten. Als dieser jedoch davon erfuhr, stellte er unmissverständlich klar, dass allein Moskau Entwicklung, Umfang und Natur der Beziehungen zur kubanischen Staatssicherheit bestimmen würde. Barák zog sich daraufhin wieder zurück.[13]

7   Siehe Christopher Andrew/Wassili Mitrochin: Das Schwarzbuch des KGB. Teil 2: Moskaus Geheimoperationen im Kalten Krieg (im Folgenden: Das Schwarzbuch des KGB 2), Berlin 2006, S. 71.
8   Ebd., S. 73.
9   Ebd., S. 76.
10 Siehe Žáček: Our Comrade in Havana (Anm. 6), S. 73 f.; Hana Bortlová: Československo a Kuba v letech 1959–1962 [Die Tschechoslowakei und Kuba 1959–1962], Dissertation, Prag 2010, S. 176 f.
11 Siehe Koura/Waters: »Africanos« versus »Africanitos« (Anm. 3), S. 81.
12 Ebd., S. 78.
13 Ebd., S. 80; Žáček: Our Comrade in Havana (Anm. 6), S. 78 f.

Ende 1960 organisierte der KGB die erste nachweisbare Kontaktaufnahme zwischen der kubanischen Aufklärung und dem MfS. Manuel Piñeiro und einige andere führende Offiziere der kubanischen Aufklärung, die sich in Prag aufhielten, reisten Anfang Dezember zu Gesprächen nach Ost-Berlin. Dabei ging es in erster Linie um Fragen der Grenzsicherheit.[14] Dieses erste Treffen führte jedoch nicht zu offiziellen Beziehungen zwischen dem MfS und den kubanischen Vertretern.[15] Vielmehr blieb die StB – mit dem Segen und unter der Aufsicht Moskaus – der bevorzugte osteuropäische Partner des kubanischen Geheimdienstes.[16]

Die Kontaktaufnahme zwischen dem MfS und seinem kubanischen Pendant verlief vergleichsweise zögerlich. Im August 1960 vereinbarte die DDR mit Kuba zunächst den Austausch von Handelsmissionen sowie Abkommen über Kulturbeziehungen und eine wissenschaftlich-technische Zusammenarbeit;[17] im Dezember des gleichen Jahres wurde dann in Ost-Berlin ein Handelsabkommen unterzeichnet.[18] Der Handel zwischen der DDR und Kuba wuchs rasch, von 4,3 Millionen Kubanischen Pesos im Jahr 1960 auf 52,4 Millionen Pesos 1962.[19] Anfang 1963 nahm Kuba diplomatische Beziehungen zur DDR auf, und die Bundesrepublik brach – infolge der Hallstein-Doktrin – ihre Beziehungen zu Kuba ab.[20] Damit stand der Aufnahme einer formellen Kooperation zwischen der kubanischen und der ostdeutschen Staatssicherheit theoretisch nichts mehr im Weg, doch es dauerte noch bis 1965, ehe formale Beziehungen zwischen den Geheimdiensten aufgenommen wurden.

Im Gegensatz zum tschechoslowakischen Innenminister Barák zeigte Erich Mielke kein besonderes Interesse an der Aufnahme von Geheimdienstbeziehungen zu Kuba. Die DDR hatte ihre wesentlichen Ziele (Aufnahme diplomatischer Beziehungen und die Verbesserung der Wirtschaftsbeziehungen) auch ohne formelle Zusammenarbeit im Geheimdienstbereich erreicht. Hinzu kam, dass Mielke nur einige Jahre zuvor, 1957, den Sturz seines Vorgängers Ernst Wollweber damit begründet hatte, dieser habe auf Kosten der eigenen inneren Sicherheit zu viele Ressourcen zugunsten der Beziehungen mit dem Ausland verwandt.[21] Darüber hinaus betrachtete das MfS vor allem die Bundesrepublik als sein Hauptziel und »Operationsgebiet«. Diese Tendenz verstärkte sich noch während der Berlin-Krise zwischen 1958 und 1961. Ohne die Aufforderung eines seiner beiden

14 Ebd., S. 81.
15 Siehe HV A, Stand der Zusammenarbeit zwischen dem Ministerium für Staatssicherheit und dem Innenministerium der Republik Kuba, 6. Januar 1970, Bundesarchiv (im Folgenden: BArch), MfS, Sekretariat des Ministers (SdM), Nr. 1435, Bl. 405.
16 Siehe Koura/Waters: »Africanos« versus »Africanitos« (Anm. 3), S. 84.
17 Siehe Heinz Langer: Die Zärtlichkeit der Völker: die DDR und Kuba, Berlin 2010, S. 17.
18 Siehe Handelsabkommen DDR – Kuba, in: Neues Deutschland vom 18. Dezember 1960, S. 1.
19 Siehe Langer: Die Zärtlichkeit der Völker (Anm. 17), S. 22.
20 Siehe William Glenn Gray: Germany's Cold War: the global campaign to isolate East Germany, 1949–1969, Chapel Hill 2003, S. 138 f.
21 Siehe Roger Engelmann/Silke Schumann: Der Ausbau des Überwachungsstaates: der Konflikt Ulbricht – Wollweber und die Neuausrichtung des Staatssicherheitsdienstes der DDR 1957, in: Vierteljahreshefte für Zeitgeschichte 43 (1995), H. 2, S. 341–378, hier S. 349–350.

»Herren« – d. h. der SED oder des KGB – hatte Mielke daher keinen Grund, die geheimdienstliche Zusammenarbeit mit Kuba aufzunehmen oder zu empfehlen.[22]

II. Castro, der PSP und die östlichen Geheimdienste

Obwohl KGB und StB sich in den Jahren zwischen 1960 und 1964 als bevorzugte Partner und Unterstützer für die kubanische Staatssicherheit etablierten, erwiesen sich diese Beziehungen aufgrund von Fraktionskämpfen innerhalb der kubanischen Regierung immer wieder als instabil. Die Sozialistische Volkspartei (*Partido Socialista Popular*, PSP) bemühte sich unablässig, die Regierung Castros in Richtung der vollständigen Übernahme des Staatssozialismus nach sowjetischem Vorbild zu bewegen. Zu diesem Zweck versuchten besonders eifrige Altkommunisten, ihre Position in der Regierung sowie in der Staatssicherheit weiter auszubauen.[23]

Fidel Castro ließ solche Aktivitäten zeitweilig und in Abhängigkeit von seinem aktuellen politischen Kurs zu – oder wenn er zusätzliche Wirtschafts-, Militär- oder andere Hilfe von Moskau und seinen Verbündeten benötigte. Wann immer der PSP aber seine Machtbasis zu bedrohen schien, begrenzten er und seine Kampfgefährten von der »Bewegung des 26. Juli« aus der Sierra Maestra die Macht der Altkommunisten.[24] Wegen der engen Verbindungen des PSP zu Moskau und Prag konnte Castro die Möglichkeit nicht ausschließen, dass beide Länder ebenso wie ihre Staatssicherheitsdienste mit dem PSP zu seinen Ungunsten paktierten.[25] Weil Moskau, trotz der grundsätzlichen Unterstützung des PSP, unbedingt die Beziehungen zur Castro-Regierung aufrechterhalten, erweitern und vertiefen wollte, entwickelten sich die Geheimdienstbeziehungen der UdSSR und der ČSSR zu ihrem kubanischen Partner trotz gelegentlicher Rückschläge und Verdächtigungen Castros weiter.

Wie kompliziert dieses Beziehungsgeflecht war, verdeutlichte ein Konflikt innerhalb des kubanischen Staatssicherheitsdienstes um die Stellung und Machtbasis von Osvaldo

---

22 Zum Selbstverständnis des MfS als »Diener zweier Herren«: Roger Engelmann: Diener zweier Herren: das Verhältnis der Staatssicherheit zur SED und den sowjetischen Beratern 1950–1959, in: Siegfried Suckut/Walter Süß (Hg.): Staatspartei und Staatssicherheit: zum Verhältnis von SED und MfS, Berlin 1997, S. 51–72; Walter Süß: »Schild und Schwert« – Das Ministerium für Staatssicherheit und die SED, in: Klaus-Dieter Henke/Roger Engelmann (Hg.): Aktenlage. Die Bedeutung der Unterlagen des Staatssicherheitsdienstes für die Zeitgeschichtsforschung, Berlin 1995, S. 83–97. Zum MfS als »Kampfabteilung der ruhmreichen sowjetischen Tscheka« siehe Schlusswort Mielkes auf der Kreisdelegiertenkonferenz im MfS zur Vorbereitung des X. Parteitags vom 20. bis 21.2.1981, BArch, MfS, Zentrale Auswertungs- und Informationsgruppe (ZAIG), Nr. 3967, Bl. 13.
23 Siehe Fursenko/Naftali: »One Hell of a Gamble« (Anm. 6), S. 68 f., 71–73.
24 Ebd., S. 107 f., 171–173, 176–178.
25 Siehe Amuchastegui: Cuban intelligence (Anm. 5), S. 92, John Barron: KGB. Arbeit und Organisation des sowjetischen Geheimdienstes in Ost und West, 3. Aufl., München/Zürich 1974, S. 190 f.; Rede Raúl Castros vom 24. Januar 1968, in: Informe al Comité Central del Partido Comunista de Cuba (Sobre las actividades de la »microfracción«) [Bericht an das Zentralkomitee der Kommunistischen Partei Kubas (Über die Aktivitäten der »Mikrofraktion«)], Beilage zur Ausgabe Nr. 48 von Punto Final (Santiago, Chile) vom 13. Februar 1968, S. 4 f., 9–14.

Sánchez Cabrera. Nach der Machtübernahme Castros repräsentierte Sánchez den PSP sowohl bei der Staatssicherheit als Adjutant von Ramiro Valdés als auch bei den Revolutionären Streitkräften als Mitglied des Generalstabs, der von Raúl Castro geführt wurde. Gleichzeitig war er für die politische Bildung der Sicherheitsorgane und der Armee zuständig.[26] Darüber hinaus koordinierte Sánchez die Beziehungen zwischen der kubanischen Staatssicherheit und dem StB.

Auf Geheiß Moskaus musste der Resident der StB in Havanna Zdeněk Kvita alle Informationen, die die StB mit den Kubanern teilen wollte, nicht nur an die kubanische Staatssicherheit, sondern über Sánchez auch an das Zentralkomitee des PSP weiterleiten.[27] Offenbar tat der KGB dasselbe. Auf diese Weise wurde die alte »Bruderpartei« so gut von den östlichen Geheimdiensten informiert, wie Castro selbst.

Sánchez versuchte im Oktober 1960, Kvita in die Fraktionskämpfe innerhalb der kubanischen Staatssicherheit hineinzuziehen. Er beschwerte sich bei ihm über den damaligen Chef der kubanischen Aufklärung Wilkins del Rio, der aus der »Bewegung des 26. Juli« stammte. Del Rio benehme sich, so Sánchez, wie ein »undiszipliniertes bürgerliches Element« und sei für die Arbeit im Staatssicherheitsdienst nicht geeignet. Nachdem er, Sánchez, einige personelle Änderungen in den Sicherheitsorganen zugunsten des PSP vorgenommen habe, habe del Rio dies »ausgenutzt«, um ihn bei Valdés anzuschwärzen. Im Allgemeinen schüre del Rio, so Sánchez, die Vorbehalte von Valdés gegenüber dem PSP. Er nehme bei solchen Angriffen immer wieder Bezug auf die guten Beziehungen seiner Aufklärung zum tschechoslowakischen Partner. Innenminister Barák, der von dem Gespräch seines Residenten mit Sánchez erfuhr, warnte Kvita vor einer – von Sánchez offenbar gewollten – Parteinahme in diesem »komplizierten« inneren Konflikt Kubas.[28]

Im November 1960 kam Sánchez bei einem Treffen mit Kvita auf die Angelegenheit zurück. Während eines Empfangs im Haus von Raúl Castro teilte er dem Tschechen in Anwesenheit von Valdés mit, dass er beauftragt worden sei, ihn über einige interne Angelegenheiten zu informieren. Raúl Castro habe den Konflikt zwischen Kadern des PSP in der Staatssicherheit und Valdés »sehr gut« gelöst, indem er Valdés davon überzeugt habe, del Rio als Aufklärungschef zu entlassen. Diese Entscheidung sowie die Ernennung Piñeiros zum neuen Chef der Aufklärung habe die Lage zwischen Valdés und ihm, Sánchez, entspannt.[29]

Schon kurz darauf, im Dezember 1960, besuchte Piñeiro den tschechoslowakischen Residenten und informierte ihn darüber, dass nun er, Piñeiro, die Verbindungsrolle von Sánchez zur StB übernehme. Sánchez widme sich inzwischen anderen Aufgaben im PSP und der Staatssicherheit. Sánchez konnte sich nicht mehr persönlich von dem Tschechen verabschieden: Er kam im Januar 1961 ums Leben, als die kubanische Luftabwehr versehentlich sein Flugzeug abschoss.[30]

---

26 Siehe Žáček: Our Comrade in Havana (Anm. 6), S. 74, 79 f.; Amuchastegui: Cuban intelligence (Anm. 5), S. 90.
27 Siehe Žáček: Our Comrade in Havana (Anm. 6), S. 78.
28 Ebd., S. 79.
29 Ebd., S. 80.
30 Ebd., S. 82.

Der Austausch von Sánchez durch Piñeiro erklärt, warum der KGB monatelang die Bitten von Valdés ignorierte, einige Offiziere nach Havanna zur Übernahme führender Positionen in mehreren Bereichen der kubanischen Aufklärung zu entsenden. Moskau vertraute Castro und seiner Gefolgschaft nicht, im Gegensatz zum PSP. Nachdem der tschechoslowakische Resident ähnliche Anfragen von Valdés nach tschechoslowakischen oder sowjetischen Offizieren nach Prag weiterleitete, bekam die StB die Unzufriedenheit Moskaus zu spüren. Der KGB stellte klar, dass in erster Linie er für die geheimdienstliche Zusammenarbeit mit Kuba verantwortlich war.[31]

Erst nach der versuchten Invasion in der Schweinebucht im April 1961, die von den USA ausgegangen war, reagierte Moskau positiv auf die Bitten Havannas. Weil keines der Aufklärungsorgane – kubanisch, tschechoslowakisch oder sowjetisch – vor der Invasion gewarnt hatte, schien eine weitere Professionalisierung der kubanischen Aufklärung dringend notwendig. Der KGB-Vorsitzende Aleksandr Šelepin entsandte acht seiner Offiziere als Berater nach Havanna, und Resident Alekseev verhandelte mit den Kubanern darüber, wie und wo sie unter Piñeiro in der Aufklärung eingesetzt werden sollten. Als offenkundiges Zeichen der Versöhnung innerhalb der Regierung Castros und der kubanischen Staatssicherheit verhandelte Aníbal Escalante Dellunde vom PSP für die kubanische Seite. Escalante hatte die alte Rolle von Sánchez als Verbindungsperson zwischen der PSP und der kubanischen Staatssicherheit sowie die zeitweilig an Piñeiro abgegebene Rolle als Verbindungsperson der kubanischen Staatssicherheit zum KGB offenbar übernommen. Sieben der acht sowjetischen Berater übernahmen die Leitung von Abteilungen des von Piñeiro geführten staatlichen Auslandsgeheimdienstes DGI (*Dirección General de Inteligencia*) unter dem Dach des 1961 neu gegründeten Innenministeriums (*Ministerio del Interior*, MININT).[32]

Nach dem Zwischenfall in der Schweinebucht erlebte die kubanische Regierung unter Castro einen Linksruck, der dem PSP und Escalante zugutekam. Im Juli 1961 gründete Castro die Integrierten Revolutionären Organisationen (*Organizaciones Revolucionarias Integradas*, ORI) – ein Zusammenschluss der Bewegung des 26. Juli, des Revolutionären Direktorats des 13. März und der PSP. Später sollte daraus die sozialistische Staatspartei hervorgehen. Escalante, Sekretär der ORI, organisierte die tagtägliche Arbeit und protegierte Altkommunisten innerhalb der Organisation. Der KGB-Resident in Havanna, Alekseev, fürchtete, dass die Altkommunisten zu schnell zu weit gehen würden, und widersprach etwa ihren Plänen, verschiedene Konterrevolutionäre zu ermorden.[33]

Bis März 1962 sah Castro seine Macht immer wieder durch Altkommunisten und insbesondere Escalantes Förderung von PSP-Kadern in der Regierung bedroht. Hinzu kam, dass die Bevölkerung sich über die hohe Inflationsrate beklagte, für die sie insbesondere den PSP verantwortlich machte. Castro nutzte die Gunst der Stunde: Er beschuldigte Escalante des Sektierertums und entließ ihn aus der nationalen Leitung der ORI. Kurz danach verließ Escalante Kuba und gelangte über Moskau in die Tschechoslowakei,

---

31   Siehe Koura/Waters: »Africanos« versus »Africanitos« (Anm. 3), S. 80.
32   Siehe Fursenko/Naftali: »One Hell of a Gamble« (Anm. 6), S. 107.
33   Ebd.

wo er bis 1964 blieb.[34] Außerdem forderte Castro Moskau auf, Sergej Kudrjavcev als Botschafter abzuberufen, den er des Paktierens mit Escalante verdächtigte.[35] Zudem mögen auch Versuche der tschechoslowakischen Aufklärung, in kubanischen Führungskreisen Quellen zu rekrutieren, zu Castros Argwohn beigetragen haben.[36]

Im Juli 1961 wurde aus den ORI die Vereinigte Partei der Kubanischen Sozialistischen Revolution (*Partido Unido de la Revolución Socialista de Cuba*, PURSC). Ihre Mitglieder wurden von Castro und seinen Kampfgefährten hinsichtlich ihrer revolutionären Zuverlässigkeit streng kontrolliert.[37]

Während seines Aufenthalts in Moskau warnte Escalante die sowjetischen Genossen, dass Castro und insbesondere Che Guevara einen ähnlichen Weg wie die chinesischen Kommunisten in Bezug auf die Unterstützung bewaffneter Revolutionen verfolgten. Kurz vor der Entlassung Escalantes hatte auch Valdés Moskau besucht und dem KGB vorgeschlagen, in Kuba ein eigenes Zentrum für das Training von Guerillakämpfern aus ganz Lateinamerika zu gründen. Der KGB hatte den Vorschlag jedoch unter dem Vorwand abgelehnt, ausschließlich für Aufklärungsaufgaben zuständig zu sein. Offenbar enttäuscht über dieses Ergebnis, informierte Castro die sowjetische Führung, dass Valdés in seinem Namen sprach, und Kuba unter diesen Umständen ein eigenes Trainingsprogramm für Guerillakämpfer implementieren werde. Tatsächlich hatte die DGI unter Piñeiro bereits ein solches Programm ins Leben gerufen, zu dem sowjetische Berater keinen Zugang hatten.[38] Valdés übernahm zudem die frühere Koordinierungsrolle Escalantes gegenüber dem KGB.[39] Damit sandte Castro ein klares Zeichen an Moskau, dass alle Kontakte mit dem MININT und der kubanischen Regierung im Allgemeinen über Vertrauenspersonen Castros laufen sollten.

Um einen offenen Konflikt mit Castro zu vermeiden, verurteilte die sowjetische Führung das Sektierertum Escalantes offiziell. Zudem wurden die bis dahin zögerlich verlaufenden Waffenlieferungen an Kuba beschleunigt. Dabei spielten offenbar Befürchtungen Chruščëvs eine zentrale Rolle, Kuba könne im eskalierenden Konflikt zwischen den chinesischen und sowjetischen Kommunisten Partei für Peking ergreifen.[40] Er ent-

---

34 Siehe Memorandum of Conversation between Senior Cuban Communist Carlos Rafael Rodriguez and Czechoslovak Communist Party (CPCz) official Vladimir Koucky, Prague, 25. Mai 1965, in: Wilson Center Digital Archive, http://digitalarchive.wilsoncenter.org/document/116741 (ges. am 27. April 2021).

35 Siehe Amuchastegui: Cuban intelligence (Anm. 5), S. 92.

36 Siehe Fursenko/Naftali: »One Hell of a Gamble« (Anm. 6), S. 399 f., Fn. 42.

37 Siehe Even Sandvik Underlid: Cuba Was Different: Views of the Cuban Communist Party on the Collapse of Soviet and Eastern European Socialism, Leiden/Boston 2021, S. 186.

38 Siehe Fursenko/Naftali: »One Hell of a Gamble« (Anm. 6), S. 176–180.

39 CIA, Political Attitudes and Affiliations in the Direccion General de Inteligencia (DGI), 01.06.1965, National Archives and Records Administration, JFK (John F. Kennedy) Assassination Records, 2018 Releases, CIA, Document Number 104-10185-10177, »JFK64-20: F16: 1998.04.29.18:49:42:250102«, https://www.archives.gov/files/research/jfk/releases/2018/104-10185-10177.pdf (ges. am 17. Februar 2022).

40 Siehe Fursenko/Naftali: »One Hell of a Gamble« (Anm. 6), S. 178. Die »Prawda« verurteilte am 11. April 1962 Escalantes Sektierertum. Für eine Übersetzung siehe Linksradikalismus – eine Kinderkrankheit des Fidelismus?, in: Ost-Probleme 14 (1962), H. 9, S. 261–269, hier S. 264 f. Zum Konflikt zwischen der Sowjetunion und China siehe auch den Beitrag von Martin Wagner in diesem Band.

schied persönlich, dass Alekseev Kudrjavcev als Botschafter ablösen sollte. Damit wollte er nicht zuletzt auch die Doppelherrschaft zwischen der sowjetischen Botschaft und der KGB-Residentur in Havanna beenden. Die Kubaner hatten stets lieber mit dem Residenten als mit dem Botschafter gesprochen.[41]

Die schicksalhafte Entscheidung Chruščëvs im selben Jahr, sowjetische Atomwaffen auf Kuba zu stationieren, führte zu einem neuen Tiefpunkt in den sowjetisch-kubanischen Beziehungen, als er diese auf dem Höhepunkt der Kubakrise im Oktober 1962 wieder abzog. Der Rückzug, nicht nur der Atomraketen, sondern auch weiterer »offensiver« Waffen – wie etwa Bomber, die Kuba zu seiner Verteidigung hätte nutzen können – kränkte Fidel Castro.[42] Der kubanische Staatsführer war der Meinung, dass sich Kuba und die Revolution nur verteidigen ließen, wenn Havanna die Revolution nach ganz Lateinamerika exportierte. Wenn mehrere Staaten in der westlichen Hemisphäre dem kubanischen Beispiel folgten, so das Kalkül, stünden die Vereinigten Staaten einem Flächenbrand auf dem südamerikanischen Kontinent gegenüber, sollten sie eine erneute Invasion Kubas wagen. Castros Unterstützung bewaffneter Aufstände in Lateinamerika und im ganzen Globalen Süden stand in komplettem Gegensatz zur gemäßigten Linie Moskaus in Bezug auf nationale Befreiungsbewegungen.[43] Moskau kritisierte insbesondere die Vorstellungen Guevaras, der im September 1963 zu Revolutionen überall auf der Welt – ohne Rücksicht auf die vorhandenen Bedingungen – aufgerufen hatte.[44]

III. Die Aufnahme offizieller Beziehungen des MfS zum MININT, 1965–1968

Der Sturz Chruščëvs im Oktober 1964 bot aus Sicht Moskaus eine Möglichkeit zur Verbesserung der sowjetisch-kubanischen Beziehungen. Die neue Führung unter Leonid Brežnev und Aleksej Kosygin nannte neben anderen Gründen, die zur Ablösung Chruščëvs geführt hatten, auch seine unbedachte Entscheidung, sowjetische Atomraketen auf Kuba zu stationieren, sowie den durch deren Abzug entstandenen Schaden für die kubanisch-sowjetischen Beziehungen.[45] Im Zusammenhang mit den Bemühungen Moskaus, die Beziehungen zu Kuba wieder zu verbessern, bat der KGB-Vorsitzende Vladimir Semičastnyj MfS-Chef Erich Mielke, »einen offiziellen Kontakt zu den kubanischen Organen herzustellen«.[46]

Während eines Besuchs Mielkes in Moskau im November 1964 fasste Semičastnyj die bisherige Zusammenarbeit seines Organs mit der kubanischen Staatssicherheit zusammen. Er sprach von der fehlenden Erfahrung der kubanischen »Genossen« und

41   Siehe Fursenko/Naftali: »One Hell of a Gamble« (Anm. 6), S. 182 f.
42   Andrew/Mitrochin: Das Schwarzbuch des KGB 2 (Anm. 7), S. 87–89.
43   Siehe Odd Arne Westad: The Global Cold War, Cambridge 2007, S. 190–192.
44   Siehe Andrew/Mitrochin: Das Schwarzbuch des KGB 2 (Anm. 7), S. 89 f.
45   Siehe The Polyansky Report on Khrushchev's Mistakes in Foreign Policy, Oktober 1964, in: Wilson Center Digital Archive, https://digitalarchive.wilsoncenter.org/document/115108 (ges. am 27. April 2021).
46   Bericht über die Besprechungen im Komitee für Staatssicherheit der UdSSR am 30. November/ 1. Dezember 1964, o. D., BArch, MfS, SdM, Nr. 576, Bl. 25.

ihrer Konzentration darauf, die Revolution nach ganz Lateinamerika zu exportieren:
»Die Sicherheitsorgane [Kubas] bestehen seit 1959 und gehören zum Ministerium des
Innern. Die Leiter der Aufklärung, Abwehr und PS [Personenschutz] sind praktisch
selbstständig und unterstehen direkt der Spitze. Es handelt sich meist um junge, gute
und energische Menschen, ehemalige Angehörige der Bewegung des 26. Juli oder kubanische Kommunisten. Sie haben wenig Erfahrungen. In den Organen besteht keine Parteiorganisation. Stark zu verzeichnen ist ein bestimmtes Partisanentum und der Wille
zum Anheizen von Revolutionen in anderen lateinamerikanischen Ländern ohne Berücksichtigung der konkreten Bedingungen. Die seit 1961 bestehende Aufklärung wird stark
mit diesen Fragen beschäftigt.

Die Beziehungen zum KfS (Komitee für Staatssicherheit, KGB) sind seit 1960 eng. Es
besteht eine sachliche Zusammenarbeit, ständige Hilfe mit Spezialisten, Ausbildung in
der Sowjetunion, operativer Technik und Informationsaustausch. [...] Die sowjetischen
Genossen helfen mit Informationen über Regimefragen, Dokumentation, Objektangaben
in den USA im Kampf gegen die Aufklärer kapitalistischer Staaten in Kuba.«[47]

Semičastnyjs paternalistische Einschätzung der kubanischen Kollegen passte zur allgemeinen Einstellung Moskaus gegenüber der jungen Revolutionsregierung in Havanna.[48]
»Die kubanischen Genossen«, sagte er, »sind aufmerksam und werten die Hinweise [des
KGB] aus«, aber ihre »hohen Anforderungen [...] besonders auf dem Gebiet der Technik
sind nicht immer begründet«.[49] Trotz der Bemühungen der sowjetischen Berater für die
Aufklärung in Kuba hätten die kubanischen Genossen, so Semičastnyj, »Schwierigkeiten
im Verbindungswesen zu den Agenturen und wissen z. T. nicht, was mit diesen ist«.[50]

Während des Treffens mit Mielke beschwerte sich der Leiter der für die Aufklärung
zuständigen I. Hauptverwaltung des KGB, Aleksandr Michajlovič Sacharovski, über die
entstandenen Probleme beim Aufbau einer Parteiorganisation innerhalb des MININT.
Diese war aus Sicht des KGB und des MfS Voraussetzung für die Kontrolle der Geheimpolizei durch die Partei und die Durchsetzung ihrer Politik.

Es gebe dabei noch immer Spannungen zwischen Mitgliedern der drei maßgeblichen
Organisationen, die am Sturz des Batista-Regimes beteiligt waren, also zwischen Castros
Bewegung des 26. Juli, dem Revolutionären Direktorat des 13. März und dem PSP.[51]
Trotz der Zusammenführung aller drei Organisationen in der Nationalen Leitung der
ORI und der Verschmelzung zur Vereinigten Partei der Kubanischen Sozialistischen
Revolution 1963 blieben solche Konkurrenzkämpfe in der kubanischen Politik und
Gesellschaft weiterhin virulent. Auch die Umbenennung des PURSC in Kommunisti-
sche Partei Kubas (*Partido Comunista de Cuba*, PCC) im Oktober 1965 konnte daran

47   Ebd., Bl. 23 f.
48   Siehe hierzu James G. Blight/Phillip Brenner: Sad and Luminous Days. Cuba's Struggle with the
     Superpowers after the Missile Crisis, Lanham 2007, S. 112 f.
49   Bericht über die Besprechungen im Komitee für Staatssicherheit der UdSSR am 30. November/
     1. Dezember 1964, o. D., BArch, MfS, SdM, Nr. 576, Bl. 24.
50   Ebd.
51   Ebd., Bl. 24 f.

nichts ändern.[52] Sacharovski machte für diese und alle anderen politischen Probleme in Kuba sowie alle Unzulänglichkeiten in den sowjetisch-kubanischen Beziehungen Castro höchstpersönlich verantwortlich. Er erklärte: »In Kuba entscheidet alles Fidel. In diesem Zusammenhang gibt es Unzufriedenheit. Es werden falsche Beschlüsse gefasst, und dann werden nachgeordnete Leiter wegen der auftretenden Mängel und Schwierigkeiten beschuldigt.«[53]

Besonders alarmierte Moskau Castros Umgang mit altgedienten Genossen des PSP. Dabei ging es nicht nur um den Fall Escalante, sondern auch um den Prozess gegen ein weiteres führendes Mitglied des PSP, Marcos Rodríguez Alfonso. Angeblich hatte dieser Mitglieder des Revolutionären Direktorats des 13. März an das Batista-Regime verraten. Er wurde vor Gericht gestellt und anschließend hingerichtet.[54] Im Zusammenhang mit dem Prozess gegen Rodríguez wurde mit Joaquin Ordoqui ein weiterer führender Kommunist verhaftet. Ihm wurde vorgeworfen, von dem Verrat Rodríguez' gewusst zu haben.[55] Bei seinem Treffen mit dem MfS-Kollegen fragte Sacharovski diesen, ob es sich bei den Schritten Castros »bewusst oder unbewusst um eine antikommunistische Tendenz Fidels handle«.[56] Trotz – oder gerade wegen – dieser Spannungen meinte Sacharovski, dass es »entsprechend unseren Interessen unbedingt erforderlich […] sei, seitens des MfS einen offiziellen Kontakt zu den kubanischen Organen herzustellen«. Die gemeinsame Zielsetzung sei, so Sacharovski, anti-US-amerikanische Tendenzen in Lateinamerika zu fördern.[57] Semičastnyj gab den ostdeutschen Kollegen einen abschließenden Rat: »Bei der Arbeit mit ihnen [den Kubanern] ist große Sorgfalt, Hilfe und Einsicht in ihre Probleme erforderlich.«[58]

Um die Wünsche des sowjetischen »Bruderorgans« zu erfüllen, flog der Leiter der für Aufklärung zuständigen Hauptverwaltung A (HV A) des MfS, Markus Wolf, im Januar 1965 nach Havanna.[59] In seinen Erinnerungen bestätigte er weitgehend die Darstellun-

52 Siehe Langer: Die Zärtlichkeit der Völker (Anm. 17), S. 32 f.; SED CC Department of International Relations, Information on the Third Plenum of the Central Committee of the Cuban Communist Party and on the Attacks of the Cuban Communist Party against the Socialist Unity Party of Germany, 31. Januar 1968, in: Wilson Center Digital Archive, http://digitalarchive.wilsoncenter.org/document/115812 (ges. am 27. April 2021).

53 Bericht über die Besprechungen im Komitee für Staatssicherheit der UdSSR am 30. November/1. Dezember 1964, o. D., BArch, MfS, SdM, Nr. 576, Bl. 24 f.

54 Siehe Cuban Is Reported Executed. Castro Role at Trial Studied, in: New York Times vom 5. April 1964, S. 31.

55 Siehe Cuba Seizes a Top Communist, New York Times vom 24. März 1964, S. 7; Memorandum of Conversation between Rodriguez and Koucky; Conversation between Raúl Castro Ruz and a member of the Polish Politbüro, Zenon Kliszko, 22.3.1965, in: Wilson Center Digital Archive, https://digitalarchive.wilsoncenter.org/document/116562 (ges. am 30. August 2022).

56 Bericht über die Besprechungen im Komitee für Staatssicherheit der UdSSR am 30. November/1. Dezember 1964, , o. D., BArch, MfS, SdM, Nr. 576, Bl. 25.

57 Ebd.

58 Ebd., Bl. 24.

59 Weil ein Bericht über seine Reise im Archiv nicht vorhanden ist, sind die Passagen in seinen Erinnerungen die wichtigste verfügbare Quelle zum Thema. Ungefähr 90 Prozent der Akten der ehemaligen HV A wurden entweder zerstört oder in die Sowjetunion verbracht und liegen deshalb nicht im

gen Semičastnyjs und Sacharovskis zur Lage im MININT und teilte offenbar ihre paternalistische Einstellung gegenüber den Kubanern. Wolf schrieb: »In späteren Zeiten galt der kubanische Geheimdienst zu Recht als hochgradig professionell, doch Mitte der 60er-Jahre waren die Kubaner so blutige Anfänger wie mein eigener Dienst zehn Jahre zuvor.«[60] Seine Gesprächspartner seien die »Bärtigen, die den Marsch in die Sierra Maestra und die Kämpfe in den Bergen überlebt hatten« gewesen, d. h., die Kampfgefährten Fidel Castros, nicht die Altkommunisten des PSP.[61] Die Technikgier der Kubaner, von der Semičastnyj und Sacharovski berichtet hatten, wurde von Wolf bestätigt. Über seinen Besuch im Büro des kubanischen Innenministers Ramiro Valdés sagt er: »Er interessierte sich für unsere Erfahrungen, vor allem aber für unsere Möglichkeiten, seinen Dienst technisch zu unterstützen. Seinen Schreibtisch übersäten Kataloge und Fachzeitschriften, die über den neuesten Stand der Abhörtechnik berichteten, über Fernsteuerungen und leistungsstarke Mikrofone, Miniatursender und dergleichen mehr. Sein Glaube an die Technik und an die unerschöpflichen Geldquellen der DDR war grenzenlos […], und groß war seine Enttäuschung, als ich ihm behutsam klarmachen musste, dass die Sowjetunion der Ansprechpartner für seine extravaganten Wünsche war. Unsere Gespräche drehten sich bald im Kreis.«[62]

Zu Wolfs Überraschung äußerte sich Valdés nicht zur Anwesenheit von KGB-Beratern in Kuba, die Wolf besuchen wollte. Ob das Treffen zustande kam, bleibt unklar. In seinen Memoiren heißt es: »Wollte ich mich mit einem der sowjetischen Vertreter treffen, die man mir in Moskau genannt hatte, dann musste ich zuerst meine kubanischen Betreuer nach allen Regeln der Konspiration abschütteln. Erst in späteren Jahren änderte sich das.«[63] Das Misstrauen Castros und seiner »Bärtigen« gegenüber Moskau und dem KGB hatte offenbar seit der Escalante-Affäre nicht nachgelassen.

Besser als mit Valdés verstand sich Wolf mit Piñeiro, seinem Pendant als Leiter der kubanischen Aufklärung. Der Humor von *Barba Roja*, wie er genannt wurde, und seine »erfrischend respektlose Art, über den zur Legende stilisierten Befreiungskampf und über Fidel Castro zu sprechen«, hätten ihm gefallen, so Wolf.[64]

Am meisten aber zeigte sich Wolf von Raúl Castro beeindruckt, der »überlegener, gebildeter und staatsmännischer« als seine Kollegen auf ihn wirkte. Sein Bruder Fidel habe ihn aufgrund seiner »auffälligen« Pünktlichkeit als »den Preußen unter den Kubanern« bezeichnet. Politisch relevanter war auch die Einstellung Raúls zur marxistischen Ideologie und zur Sowjetunion. Mit Ersterer habe er sich von allen kubanischen Genos

Bestand des Stasi-Unterlagen-Archivs. Siehe Hubertus Knabe: West-Arbeit des MfS: das Zusammenspiel von »Aufklärung« und »Abwehr«, Berlin 1999, S. 133; Sławomir Cenckiewicz: »W kontenerach do Moskwy … « [In Containern nach Moskau], in: Sławomir Cenckiewicz (Hg.): Śladami Bezpieki i Partii: Studia – Źródła – Publicystyka [Spuren der Staatssicherheit und Partei: Studien – Quellen – Publizistik], Łomianki 2009, S. 589–600.
60 Markus Wolf: Spionagechef im geheimen Krieg, 2. Aufl. München 1999, S. 387.
61 Ebd.
62 Ebd., S. 394.
63 Ebd., S. 394 f.
64 Ebd., S. 395.

sen »am gründlichsten« befasst, und »anders als seine emotionaleren Kollegen«, so Wolf, »ließ er sich keine betonte Distanz zur Sowjetunion oder Enttäuschung über sie anmerken«.[65]

IV. Der KGB und die Verschlechterung der bilateralen Beziehungen zu Kuba, 1967/1968

Erneute Spannungen zwischen Havanna und Moskau und später auch zwischen Havanna und Ost-Berlin beeinträchtigten die Zusammenarbeit zwischen MfS und MININT. Auf einem letzten Treffen zwischen Mielke und Semičastnyj in Moskau Anfang April 1967, an dem auch Wolf und andere leitende Offiziere beider Geheimdienste teilnahmen, kündigte Wolf die Absicht des MfS an, die Beziehungen zum MININT im Bereich der Aufklärung zu reduzieren. Die KGB-Führung hatte dafür Verständnis, konnte sie doch keinerlei Verbesserung in den Beziehungen zwischen KGB und MININT erkennen.[66] Ursache für die anhaltend schlechten Beziehungen war die fortgesetzte Unterstützung Kubas für bewaffnete Aufstände in Lateinamerika und anderen Teilen der Welt, womit sich eine nur teils verdeckte Kritik an der Sowjetunion verband. In seinen Reden attackierte Castro immer wieder offen die mit der Sowjetunion verbündeten kommunistischen Parteien Lateinamerikas. Sie würden auf günstige Bedingungen für eine Revolution warten oder gar darauf hoffen, auf friedlichen Wegen an die Macht zu kommen.[67]

Havannas Bestrebungen nach gewaltsamen Volkserhebungen standen solchen Positionen diametral gegenüber und wirkten sich auf die Beziehungen zwischen der sowjetischen und der kubanischen Aufklärung aus. Der im kubanisch-sowjetischen Abkommen von 1965 vorgesehene Informationsaustausch sei, so die KGB-Führung in ihren Gesprächen mit dem MfS, einseitig von Moskau durchgeführt worden.[68] Die sowjetischen Genossen erklärten weiter: »Zu den vereinbarten gemeinsamen operativen Maßnahmen gegen [die] USA ist es nicht gekommen, offenbar weil der nach außen arbeitende Apparat des MININT voll mit der Vorbereitung von Umstürzen in lateinamerikanischen Ländern beschäftigt ist.«[69] Wenn sowjetische Berater in Kuba in den Bereichen Abwehr und operative Technik Hinweise gäben, würden ihre Ratschläge »kaum befolgt«. Trotzdem wollte der KGB, ebenso wie die Führung der KPdSU, einen Abbruch der Beziehungen mit Kuba vermeiden. Wolf fasste das Gehörte so zusammen: »Die sowjetischen Genossen wollen noch abwarten und die weitere Entwicklung beobachten. Sie führen keine Pole-

---

65 Ebd., S. 396.

66 Siehe Generalleutnant Markus Wolf, Stellvertreter des Ministers für Staatssicherheit, Besprechungen mit dem Komitee für Staatssicherheit der UdSSR vom 3.–6. April 1967 in Moskau, 10.4.1967, BArch, MfS, SdM, Nr. 1432, Bl. 9.

67 Blight/Brenner: Sad and Luminous Days (Anm. 48), S. 104 f.

68 Siehe Generalleutnant Markus Wolf, Stellvertreter des Ministers für Staatssicherheit, Besprechungen mit dem Komitee für Staatssicherheit der UdSSR vom 3.–6. April 1967 in Moskau, 10.4.1967, BArch, MfS, SdM, Nr. 1432, Bl. 7.

69 Ebd.

mik und erheben auch keine Vorwürfe gegen die kubanische Seite wegen Nichterfüllung der Abmachungen.«[70]

Die sowjetisch-kubanischen Beziehungen verschlechterten sich 1967/1968 zunehmend; ein Umstand, der nicht ohne Auswirkungen auf die Beziehungen zwischen KGB und MININT sowie MfS und MININT bleiben konnte. Kurz nach dem Treffen Mielkes mit Semičastnyj wurde die berühmte Botschaft Guevaras an die Organisation für Solidarität mit den Völkern Asiens, Afrikas und Lateinamerikas (»zwei, drei, viele Vietnam«) veröffentlicht, in der er – entgegen der Linie Moskaus – die Notwendigkeit des bewaffneten Kampfes als den einzig möglichen Weg zur nationalen Befreiung unterstrich.[71] Der KGB wusste, dass Guevara sich zu diesem Zeitpunkt bereits in Bolivien befand, wo er gegen den Willen Moskaus und der KPdSU versuchte, einen bewaffneten Aufstand zu organisieren.[72] Moskau hatte die Gründung der »Trikontinentale« – der Organisation für Solidarität mit den Völkern Asiens, Afrikas und Lateinamerikas – im Jahr 1966 als einen Versuch Kubas gewertet, Moskau die Führungsrolle im revolutionären Prozess in der »Dritten Welt« streitig zu machen.[73]

Im Juni 1967 überbrachte der sowjetische Ministerpräsident Aleksej Kosygin persönlich die Nachricht von einem Ultimatum nach Havanna. Die Kubaner sollten ihre vergeblichen Versuche beenden, die bewaffnete Revolution nach Lateinamerika zu exportieren, andernfalls drohten ernste Konsequenzen für die kubanisch-sowjetischen Beziehungen.[74] Moskau hatte Havanna bereits zuvor gewarnt, dass Kuba im Falle einer US-Invasion auf sich allein gestellt sein würde. Kosygin wurde von Fidel Castro eisig empfangen, der den Sowjets vorwarf, um der Entspannung willen zu viele Zugeständnisse an die »Imperialisten« zu machen.[75]

Öffentlich schlug Castro mit einer Rede auf der Konferenz der Organisation für Lateinamerikanische Solidarität im August 1967 zurück. Er warf dem Altkommunisten Escalante, der 1964 aus dem Exil in der Tschechoslowakei zurückgekehrt war, zusammen mit einigen anderen die Bildung einer »Mikrofraktion« innerhalb des PCC vor. Er denunzierte sie als »Verräter« und »Konterrevolutionäre«, weil sie die Entscheidung Moskaus zum Rückzug der Atomraketen während der Kubakrise unterstützt hatten.[76]

Der neue KGB-Vorsitzende Jurij Andropov beschwerte sich bei Mielke im Dezember 1967: »Die kubanischen Genossen verhalten sich nicht gut. Sie haben Escalante und eine

---

70 Ebd.
71 Peter Schenkel: Kuba und die Kommunistische Welt, in: Osteuropa 19 (1969), H. 4, S. 267–285, hier S. 285; Che Guevara: Schaffen wir zwei, drei, viele Vietnam: Brief an das Exekutivsekretariat von OSPAAL, Berlin 1967.
72 Siehe Blight/Brenner: Sad and Luminous Days (Anm. 48), S. xxi f., 121 f.
73 Ebd., S. 110.
74 Ebd., S. 126–128. Zum Besuch Kosygins siehe auch A Report from the Mexican Embassy in Havana, 4. Juli 1967, in: Wilson Center Digital Archive, http://digitalarchive.wilsoncenter.org/document/115799 (ges. am 27. April 2021).
75 Blight/Brenner: Sad and Luminous Days (Anm. 48), S. 126–128.
76 Ebd., S. 130–132.

Reihe guter Kommunisten verhaftet, die mit Moskau sympathisieren.«[77] Die MfS-Führung war ebenfalls unzufrieden mit der Verfolgung der Altkommunisten.[78]

Die Haltung Moskaus zur Hinrichtung der Revolutionsikone Che Guevara durch das bolivianische Militär im Oktober 1967 hatte den Streit zwischen Havanna und Moskau weiter angeheizt. In der *Prawda* wurde ein Artikel von argentinischen und chilenischen Kommunisten veröffentlicht, in dem die Politik Guevaras und Kubas in Bezug auf Lateinamerika kritisiert wurde.[79] Obwohl Andropov verstand, dass Guevaras Tod die Kubaner »sehr betroffen« gemacht habe, erneuerte er die Moskauer Kritik an Guevara und Havanna im Gespräch mit Mielke: »Die politische Linie [der Kubaner] ist nicht richtig. Es geht nicht, die Revolution zu exportieren.«[80] Die Castro-Regierung brachte ihre Unzufriedenheit über Moskaus Reaktion auf Guevaras Ziele zum Ausdruck, indem sie darauf verzichtete, eine hochrangige Delegation zu den Feierlichkeiten des 50. Jahrestags der Oktoberrevolution zu entsenden.[81] Dennoch unterstrich Andropov gegenüber Mielke, dass die sowjetische Linie gegenüber Kuba weiterhin darin bestehe, »Geduld zu üben und keine Zuspitzung zuzulassen«. Zwischen der sowjetischen und kubanischen Aufklärung gebe es zu diesem Zeitpunkt, so Andropov, einen Informationsaustausch, aber keine Koordination gemeinsamer Maßnahmen mehr.[82] Das MfS folgte dem sowjetischen Beispiel. Die Beziehungen zum MININT wurden nicht abgebrochen, sondern reduziert. Im Januar 1968 empfing die für strafrechtliche Ermittlungen zuständige Hauptabteilung IX des MfS etwa eine Delegation ihres kubanischen Pendants zu einem Erfahrungsaustausch. Das Treffen beschränkte sich weitgehend darauf, sich gegenseitig Struktur und Arbeitsweise vorzustellen.[83]

Einen Tiefpunkt erreichten die Beziehungen Kubas zur Sowjetunion und den Staaten des Warschauer Paktes in der ersten Jahreshälfte 1968. Auf der Tagung des ZK des PCC im Januar 1968 rechneten die Castro-Brüder mit der »Mikrofraktion« ab. Raúl Castro warf Escalante und 36 anderen Altkommunisten »verräterische und konterrevolutionäre Aktivitäten« vor. Sie hätten u. a. auf die Unterwerfung der Castro-Regierung unter die

77 Notiz über eine Besprechung im Komitee für Staatssicherheit beim Ministerrat der UdSSR am 21.12.1967, 6. Januar 1968, BArch, MfS, Abt. X, Nr. 1897, Bl. 12.

78 Siehe Schreiben von Hans Frück, 1. Stellvertreter des Leiters der HV A an Minister Mielke, AFP-Meldung zur Amtsenthebung des Commandante Armando Acosta, 17. August 1967, BArch, MfS, SdM, Nr. 1435, Bl. 236.

79 Siehe Memorandum of Conversation between Czechoslovak Communist Party official Vladimir Koucky and Cuban Communist Party official Carlos Rafael Rodriguez, Prague, 24. November 1967, in: Wilson Center Digital Archive, http://digitalarchive.wilsoncenter.org/document/115808 (ges. am 27. April 2021).

80 Notiz über eine Besprechung im Komitee für Staatssicherheit beim Ministerrat der UdSSR am 21.12.1967, 6. Januar 1968, BArch, MfS, Abt. X, Nr. 1897, Bl. 12 f.

81 Siehe Schenkel: Kuba und die Kommunistische Welt (Anm. 71), S. 279.

82 Notiz über eine Besprechung im Komitee für Staatssicherheit beim Ministerrat der UdSSR am 21.12.1967, 6. Januar 1968, BArch, MfS, Abt. X, Nr. 1897, Bl. 13.

83 Schreiben der Hauptabteilung IX über den Besuch des Leiters der Untersuchungsabteilung des MININT, Gen. Mayans am 5. Januar 1968, 6. Januar 1968, BArch, MfS, HA IX, Nr. 3443, Bl. 68–71. Siehe auch [HV] A/III/A, Mitteilung des VO [Verbindungsoffiziers] des MfS in Havanna, Gen. Hptm. Rörster, 21. Dezember 1967, BArch, MfS, SdM, Nr. 1435, Bl. 520.

führende Rolle Moskaus hingearbeitet und beabsichtigt, die Stellung der Altkommunisten des PSP aufzuwerten. Zur Erreichung dieses Ziels habe die »Mikrofraktion« ihre Verbindungen zu Vertretern der UdSSR, ČSSR und DDR genutzt. Letztere seien bereit gewesen, so Raúl Castro, die Pläne der »Mikrofraktion« zu unterstützen.[84]

Im Gegensatz zur DDR[85] und ČSSR sei es im sowjetischen Fall auch um Kontakte der »Mikrofraktion« zum KGB gegangen. Leitende Offiziere der DGI – wenn nicht die Brüder Castro selbst – gingen davon aus, dass der KGB hinter den Umtrieben der »Mikrofraktion« stand.[86] Ein KGB-Berater namens »Pedro« habe angeboten, einen Flug für Escalante und seine Frau nach Moskau zu organisieren, damit sie dort ihre Pläne vortragen könnten.[87] In einem weiteren Fall habe Piñeiro persönlich mitbekommen, wie Escalante versuchte, sich im Wagen eines KGB-Mitarbeiters zu verstecken. Raúl Castro habe den Chefberater des KGB und den sowjetischen Botschafter mit dem Vorfall konfrontiert. Sie hätten sich ihrerseits beschwert, dass Piñeiro nicht selbst früher auf sie zugekommen sei. Castro habe daraufhin klargestellt: »Er [Piñeiro] arbeitet für uns, nicht für Sie.«[88] Der KGB-Offizier Michail Roj, der sich als Korrespondent getarnt in Kuba aufhielt, habe ähnliche Treffen mit zwei Altkommunisten in seinem Wagen durchgeführt.[89] Castro nannte zudem den 2. Sekretär der sowjetischen Botschaft Rudol'f P. Šljapnikov als Kontaktperson der »Mikrofraktion«. Šljapnikov, der mutmaßlich als Berater des KGB agiert hatte, habe gegenüber den Altkommunisten die Lage in Kuba mit jener in Ungarn vor der »Konterrevolution« 1956 verglichen und ihnen versichert, dass ein dreiwöchiger Stopp sowjetischer Erdöllieferungen an Havanna die Castro-Regierung in die Knie zwingen würde. Castro erwähnte in seiner Rede nicht, dass Šljapnikov bereits 1967 nach Moskau zurückberufen worden war.[90] Nach diesem Zwischenfall habe Piñeiro, so ein DGI-Überläufer, die restlichen KGB-Berater im Frühjahr 1968 nach Hause geschickt. Er habe auch das Training von DGI-Offizieren in der Sowjetunion eingestellt, weil der KGB versucht habe, Agenten unter ihnen zu rekrutieren.[91]

---

84   Siehe die Rede Raúl Castros (Anm. 25), S. 4 f., 9–14.

85   Ebd., S. 9 f.

86   Siehe Communist Threat to the United States Through the Caribbean (Testimony of Orlando Castro Hidalgo): Hearings Before the Subcommittee to Investigate the Administration of the Internal Security Act and Other Internal Security Laws of the Committee on the Judiciary, United States Senate, Ninety-First Congress, First Session, Part 20, 16. Oktober 1969, Washington 1970 (im Folgenden: Testimony of Orlando Castro Hidalgo), S. 1428.

87   Rede Raúl Castros (Anm. 25), S. 11 f.

88   Ebd., S. 12.

89   Ebd., S. 13. Raúl Castro identifizierte Roj in seiner Rede aber nicht als KGB-Offizier. Zur Zugehörigkeit Rojs zum KGB siehe Mitrokhin Collection, Churchill Archives Centre, Churchill College, Cambridge University: Manuscript Extracts from KGB First Chief Directorate Files, MITN 3/2, Bl. 29.

90   Rede Raúl Castros (Anm. 25), S. 13. Zur KGB-Zugehörigkeit Šljapnikovs und seiner Zurückberufung nach Moskau siehe Andrew/Mitrochin: Das Schwarzbuch des KGB 2 (Anm. 7), S. 95; Christopher Andrew/Oleg Gordievsky: KGB: The Inside Story of its Foreign Operations from Lenin to Gorbachev, New York 1990, S. 510.

91   Siehe Testimony of Orlando Castro Hidalgo (Anm. 86), S. 1427.

Nach der ZK-Tagung, auf der diese Vorwürfe laut wurden, wurden Escalante und andere Mitglieder der »Mikrofraktion« zu Gefängnisstrafen verurteilt. Castro wollte auf diese Weise klarstellen, dass er nicht nur innerhalb des PCC über unumschränkte Macht verfügte, sondern auch beweisen, dass Kuba kein Satellitenstaat der Sowjetunion war. Östliche Einmischung in die inneren oder Parteiangelegenheiten Kubas – auch durch die Geheimdienste – wurde nicht toleriert.[92]

Die Sowjetunion holte zum Gegenschlag aus, indem sie ihre Wirtschaftshilfe und Erdöllieferungen fortan begrenzte.[93] Zudem entließ sie Alekseev, der in Moskau als zu Castro-freundlich galt, von seinem Posten als Botschafter und ersetzte ihn durch den weniger kompromissbereiten Berufsdiplomaten Aleksandr Soldatov.[94]

Aufgrund der prekären wirtschaftlichen Lage Kubas mäßigte die Castro-Regierung ab Mai 1968 ihre öffentliche Kritik an Moskau, und der PCC lud sogar eine hochrangige SED-Delegation nach Havanna ein. Der kritische Wendepunkt war im August 1968, als Castro öffentlich sein Verständnis für den sowjetischen Einmarsch in die Tschechoslowakei – trotz des Verstoßes gegen die Souveränität der ČSSR – ausdrückte. Dies sei notwendig gewesen, so Castro, um den Sozialismus in der ČSSR zu retten.[95]

V. Die Stabilisierung der Geheimdienstbeziehungen des Ostens zu Kuba, 1968–1970

Bis Ende 1968 wurde eine Art Modus Vivendi erreicht: Moskau sah davon ab, Kuba wie einen seiner Satellitenstaaten zu behandeln und sich in die inneren und Parteiangelegenheiten einzumischen. Castro hingegen unterstützte die allgemeine außenpolitische Linie Moskaus und beendete seine Aufrufe zur Revolution in ganz Lateinamerika. Gleichwohl ließ Kuba den dortigen revolutionären Bewegungen weiterhin verdeckt Hilfe und Unterstützung zukommen.[96] In der zweiten Jahreshälfte 1968 erhöhte die Sowjetunion ihre Wirtschaftshilfe und Erdöllieferungen, damit die kubanische Wirtschaft nicht zusammenbrach.[97]

Die sowjetisch-kubanische Entspannung wirkte sich auch auf die stagnierenden Beziehungen zwischen den Geheimdiensten aus. Im Winter 1968/1969 rief der Chef der kubanischen Aufklärung Piñeiro auf Anordnung Castros alle Leiter der kubanischen Residenturen im Ausland nach Havanna zurück. Im Geist der verbesserten Beziehungen instruierte er sie, sich künftig stärker auf die Sammlung von wissenschaftlich-techni-

92   Siehe Blight/Brenner: Sad and Luminous Days (Anm. 48), S. 138–140.
93   Siehe Piero Gleijeses: Conflicting Missions: Havana, Washington, and Africa, 1959–1976, Chapel Hill 2011, S. 218–220.
94   Siehe Andrew/Gordievsky: KGB (Anm. 90), S. 510.
95   Gleijeses: Conflicting Missions (Anm. 93), S. 218–220.
96   Ebd., S. 219–221; Testimony of Orlando Castro Hidalgo (Anm. 86), S. 1425–1426; Mervyn J. Bain: Cuba-Soviet Relations in the Gorbachev Era, in: Journal of Latin American Studies 37 (2005), H. 4, S. 769–791, hier S. 772 f.
97   Siehe Andrew/Mitrochin: Das Schwarzbuch des KGB 2 (Anm. 7), S. 99 f.

schen Informationen zum Nutzen der Sowjetunion zu fokussieren.[98] Der KGB entsandte ab 1969 neue Verbindungsoffiziere nach Havanna und die Kubaner schickten ihrerseits wieder Offiziere zum Training nach Moskau.[99] Zudem wurde Piñeiro als Leiter der kubanischen Aufklärung abgesetzt. Der KGB wollte nicht mehr mit ihm zusammen-arbeiten, nachdem er die sowjetischen Kontakte zur »Mikrofraktion« enthüllt hatte. Jose Mendez Cominches, der als prosowjetisch galt, wurde zu seinem Nachfolger bestimmt.[100] Nach einem Besuch Raúl Castros in Moskau im April 1970 verloren jene DGI-Offiziere ihre Posten, die der Zusammenarbeit mit Moskau angeblich zögerlich gegenüberstanden. Der neue sowjetische Chefberater bekam ein Büro direkt neben dem von Cominches.[101] Darüber hinaus stellte der KGB zusätzliche Finanzmittel zur Verfügung, die die Einstel-lung von rund 100 neuen Offizieren ermöglichten. Zugleich wurde die DGI auf Emp-fehlung Moskaus reorganisiert. Ab 1970 gab es vier Abteilungen: je eine für die wirt-schaftliche und militärische Aufklärung gegen die USA, eine für die allgemeine politische Aufklärung und eine für die Gegenspionage.[102] Im Gegenzug sollte die DGI ihren Haus-halt, ihre operativen Pläne sowie die Klarnamen all ihrer Agenten in den USA an den KGB übermitteln. Außerdem versuchte der KGB, den kubanischen Geheimdienstlern Vorschriften für ihre operative Arbeit zu machen.[103] Ab 1971 mussten alle DGI-Offiziere Parteimitglieder sein.[104] Damit wurde eine seit Längerem bestehende Forderung des KGB umgesetzt, der darin einen Schritt zur Professionalisierung des kubanischen Diens-tes sah.

Auch in der Staatssicherheit (*Seguridad de Estado*, DSE) besetzten KGB-Verbindungs-offiziere jetzt Schlüsselpositionen. Die Konstruktion ähnelte jener in den Staaten des Warschauer Pakts, wobei der Einfluss des KGB innerhalb der DSE im Vergleich zur DGI eher begrenzt war. Dennoch sprachen Überläufer der DGI von einer totalen Unter-werfung des kubanischen Geheimdienstes.[105] Aber war dies tatsächlich der Fall?

Die persönlichen Netzwerke von Raúl und Fidel Castro blieben in der kubanischen Staatssicherheit stets wichtiger als formelle Partei- und Regierungsstrukturen oder eine

---

98 Ebd., S. 102 f.; Testimony of Orlando Castro Hidalgo (Anm. 86), S. 1428.

99 Ebd., S. 1427. Der neue Chefberater war Nikolaj Voronin, der bis 1976 auf diesem Posten blieb. Siehe https://shieldandsword.mozohin.ru/personnel/voronin_n_i.htm (ges. am 23. März 2022).

100 Siehe Andrew/Mitrochin: Das Schwarzbuch des KGB 2 (Anm. 7), S. 102 f. Obwohl die Autoren Andrew und Mitrochin behaupten, Piñeiro sei im Frühjahr 1969 abgesetzt worden, vertrat er die DGI neben Cominches noch während eines Besuchs einer Delegation des MfS nach Kuba im April 1970. Siehe Abteilung X, Bericht über den Besuch einer Delegation des Ministeriums für Staats-sicherheit in der Republik Kuba vom 31. März bis 1. April 1970, 20. April 1970, BArch, MfS, Abt. X, Nr. 2012, Bl. 1–62.

101 Siehe Andrew/Mitrochin: Das Schwarzbuch des KGB 2 (Anm. 7), S. 103.

102 Siehe die Aussage des ehemaligen DGI-Offiziers Gerardo Jesus Peraza vor dem US-Kongress, in: The Role of Cuba in International Terrorism and Subversion: Hearings Before the Subcommittee on Security and Terrorism of the Committee on the Judiciary, United States Senate, Ninety-Seventh Congress, Second Session, February 26, March 4, 11, and 12, 1982, Bd. 4, S. 7.

103 Ebd., S. 12.

104 Ebd., S. 6.

105 Ebd., S. 12; Testimony of Orlando Castro Hidalgo (Anm. 86), S. 1428.

Nähe zu Moskau bzw. dem KGB. Selbst der als prosowjetisch geltende Cominches hatte als ehemaliger Adjutant Raúl Castros beste Beziehungen zu ihm wie zu Piñeiro. Der Leiter der für Abwehr zuständigen DSE und Vizeminister des Innern José Abrantes Fernández kannte Fidel Castro persönlich, ebenso Cominches. Beide konnten den Innenminister Sergio del Valle Jiménez damit einfach umgehen und direkt an Fidel berichten.[106] Del Valle, der das MININT professionalisieren wollte und einen besseren Umgang mit den östlichen Geheimdiensten pflegte als sein Vorgänger Váldes, hatte bis zu seiner Ernennung zum Innenminister 1968 als Stabschef der Armee unter Raúl Castro gedient.[107] Auch Piñeiro erhielt eine neue Aufgabe. Er übernahm die Leitung des Direktorats für Nationale Befreiung (*Dirección de Liberación Nacional*, DLN), das unabhängig vom MININT agierte und die verdeckten Verbindungen Havannas zu revolutionären Bewegungen in Lateinamerika aufrechterhielt.[108] In seinem Direktorat gab es keine Verbindungsoffiziere des KGB. Insbesondere in Bereichen, die die außenpolitischen Interessen Moskaus nicht berührten, arbeiteten die kubanische Aufklärung und das DLN eng zusammen – z. B. bei der Unterstützung von nationalen Befreiungskämpfen in Afrika.[109] Ein Überläufer der DGI behauptete zudem, dass auch die Aktivitäten osteuropäischer Diplomaten und Geheimdienstler überwacht und gelegentlich Maßnahmen gegen sie ergriffen wurden.[110]

Im Falle des MfS machte die sowjetisch-kubanische Entspannung im Herbst 1968 den Weg frei für eine Normalisierung der bisher stagnierenden Beziehung zum MININT. Eine Delegation des MININT unter der Leitung des neuen Innenministers del Valle traf sich im Oktober 1969 mit Mielke zu Verhandlungen in der DDR.[111] Im April 1970 kam der 1. Stellvertreter Mielkes, Bruno Beater, zu einem Gegenbesuch nach Havanna.[112] Alle Schritte des MfS gegenüber den Kubanern wurden von Mielke persönlich kontrolliert und – wie zuvor – eng mit Moskau abgestimmt.

Ab Anfang der 1970er-Jahre verlief die Zusammenarbeit zwischen MfS und MININT in den Bereichen Aufklärung und operative Technik zufriedenstellend. HV A und MININT tauschten miteinander Informationen zur Politik der USA und Latein-

106 Siehe Abteilung X, Bericht über den Besuch einer Delegation des Ministeriums für Staatssicherheit in der Republik Kuba vom 31. März bis 1. April 1970, 20. April 1970, BArch, MfS, Abt. X, Nr. 2012, Bl. 20, 60 f.
107 Siehe »Sergio del Valle, a Castro Stalwart, Dies«, in New York Times vom 17. November 2007.
108 Nach einigen Jahren wurde das DLN zur Amerika-Abteilung der DGI umbenannt. Andrew/Mitrochin: Das Schwarzbuch des KGB 2 (Anm. 7), S. 102 f.
109 Ebd., S. 103; Testimony of Orlando Castro Hidalgo (Anm. 86), S. 1429.
110 Siehe Juan Antonio Rodríguez Menier/William Ratliff: Protecting and Promoting Fidel: Inside Cuba's Interior Ministry, o. D. [1994], Manuskript, Hoover Institution Library, Stanford, California, S. 179.
111 Siehe Major Rörster, [HV] A III/A, Protokoll über das Gespräch des Genossen Minister Mielke mit Genossen Minister del Valle am 11.10.1969 im Gebäude des MfS, 15. Oktober 1969, BArch, MfS, Abt. X, Nr. 1901, Bl. 1–10.
112 Siehe Abteilung X, Bericht über den Besuch einer Delegation des Ministeriums für Staatssicherheit in der Republik Kuba vom 31. März bis 1. April 1970, 20. April 1970, BArch, MfS, Abt. X, Nr. 2012, Bl. 1–62.

amerikas aus. Das MfS gab seine Erfahrungen bei der Bekämpfung »imperialistischer« Geheimdienste sowie zu Fragen der Arbeitsorganisation und Qualifizierung von Mitarbeitern weiter. Die Kubaner übergaben ihrerseits »Feindtechnik« der USA an das MfS, darunter US-Funkgeräte, eine Abhöranlage und zugehörige Dokumentationen. Weil sich das MININT im Abwehrbereich hauptsächlich mit US-Geheimdiensten auseinanderzusetzen hatte, entwickelte es sich für den gesamten Ostblock zu einer der Hauptquellen für US-Spionagetechnik – das wichtigste Feld der Zusammenarbeit zwischen MININT, MfS und KGB. Dabei bezogen die Kubaner auf »kommerzieller Basis«, d. h. gegen Bezahlung, operative Technik aus der DDR. Zudem kooperierten MfS und MININT auch »bei der Bearbeitung feindlicher Objekte in Kuba« sowie der »Absicherung der DDR-Objekte und DDR-Bürger« in Kuba.[113]

Trotz dieser grundsätzlichen Wende in den Beziehungen Kubas zum sowjetischen Block war die Castro-Regierung aus Moskauer Sicht nie vollständig steuerbar. Die Kubaner unterwarfen sich niemals völlig der Sowjetunion und trafen nicht selten maßgebliche außenpolitische Entscheidungen, ohne Moskau im Vorfeld zu konsultieren, so z. B. bei der Entsendung kubanischer Streitkräfte nach Angola in den 1970er-Jahren. Erst 1974 schien das Vertrauen von KGB und MfS in die Kubaner ihr Misstrauen zu überwiegen. In diesem Jahr wurde das MININT erstmals als teilnehmendes Mitglied zu den regelmäßigen multilateralen Beratungen der östlichen Geheimdienste hinzugezogen: als Gastgeber für das erste multilaterale Treffen zu Fragen der politisch-ideologischen Diversion in Havanna im März 1974.[114] Im selben Jahr unterschrieben Mielke und del Valle außerdem erstmals eine formelle Kooperationsvereinbarung zwischen MfS und MININT.[115]

VI. Fazit

Die Geschichte der Geheimdienstbeziehungen zwischen dem Ostblock und Kuba zwischen 1959 und 1970 demonstriert, in welchem Ausmaß die »befreundeten« osteuropäischen Geheimdienste Moskaus ihre je eigenen Interessen verfolgten. So wollte etwa die tschechoslowakische Staatssicherheit aufgrund bestehender Wirtschaftsinteressen der ČSSR in Lateinamerika schon sehr früh Geheimdienstbeziehungen zu Kuba aufnehmen. Dem Prager Innenminister Rudolf Barák ging es dabei auch darum, sich und seinen

---

113 HV A, Stand der Zusammenarbeit zwischen dem Ministerium für Staatssicherheit und dem Innenministerium der Republik Kuba, 6. Januar 1970, BArch, MfS, Sekretariat des Ministers (SdM), Nr. 1435, 6. Januar 1970, Bl. 405.

114 Zu diesen Geheimdiensttreffen siehe Walter Süß: Wandlungen der MfS-Repressionstaktik seit Mitte der siebziger Jahre im Kontext der Beratungen der Ostblock-Geheimdienste zur Bekämpfung der »ideologischen Diversion«, in: Leonore Ansorg/Bernd Gehrke/Thomas Klein/Danuta Kneipp (Hg.): »Das Land ist still – noch!« Herrschaftswandel und politische Gegnerschaft in der DDR (1971–1989), Köln/Weimar/Wien 2009, S. 111–134.

115 Siehe Vereinbarung über die Zusammenarbeit zwischen dem Ministerium für Staatssicherheit der Deutschen Demokratischen Republik und dem Ministerium des Innern der Republik Kuba, o. D., BArch, MfS, Abt. X, Nr. 1785, Bl. 1–10.

Geheimdienst zu profilieren, indem er die StB als Modell und Vorbild für die kubanische Staatssicherheit inszenierte.

Das MfS versuchte hingegen, die Aufnahme von Kooperationsbeziehungen mit der kubanischen Staatssicherheit hinauszuzögern, wenn nicht zu vermeiden. Es war hauptsächlich auf sein »Operationsgebiet«, also die Bundesrepublik fokussiert. Dies galt insbesondere während der Berlin-Krise (1958–1961). Ihr wichtigstes Ziel erreichte die DDR in ihren Beziehungen zu Kuba sogar, ohne das MfS zu involvieren: 1963 nahmen beide Staaten diplomatische Beziehungen auf – eine Niederlage für die bundesdeutsche Hallstein-Doktrin. Nach der formellen Etablierung von Geheimdienstbeziehungen zu Kuba im Jahr 1965 bemühte sich das MfS, alle zusätzlichen Kosten durch geheimdienstliche »Entwicklungshilfe« an Kuba zu vermeiden; die HV A nutzte die sich verschlechternden Beziehungen zwischen Moskau und Havanna 1967, um ihre Zusammenarbeit mit Kuba praktisch einzustellen.

An den Geheimdienstbeziehungen zwischen dem Ostblock und Kuba lassen sich auch die Grenzen der Eigenständigkeit der osteuropäischen »Bruderorgane« in ihren Beziehungen zum Globalen Süden ablesen. Der KGB intervenierte, sobald er die Interessen Moskaus beeinträchtigt sah. Zu diesen Interessen gehörte etwa der absolute Vorrang des KGB in den internationalen Geheimdienstbeziehungen. So zwang der KGB Barák, die Idee von selbstständigen Beziehungen zur kubanischen Staatssicherheit aufzugeben, und begann, die Aktivitäten der tschechoslowakischen Aufklärung in Havanna streng zu kontrollieren. Das MfS sah sich im November 1964 stattdessen mit der KGB-Forderung konfrontiert, Geheimdienstbeziehungen mit Kuba aufzunehmen. Das MfS agierte fortan praktisch als Stellvertreter Moskaus in seinen Beziehungen zur kubanischen Staatssicherheit, während das Eigeninteresse der DDR eher begrenzt war.

Die Geheimdienstbeziehungen zwischen dem Ostblock und Kuba machen schließlich auch deutlich, wie Regierungen im Globalen Süden ihre eigenen geheimdienstlichen Interessen gegenüber dem KGB und seinen »Bruderorganen« durchsetzen konnten. Obwohl die Regierung Castro 1968 praktisch der Übernahme der eigenen Aufklärung durch Berater des KGB zustimmte, behielten die persönlichen Netzwerke der Brüder Castro weiterhin die Oberhand im gesamten kubanischen Geheimdienst. Den Grundstein dafür hatten die Säuberungen im Geheimdienst und in der gesamten Regierung von Altkommunisten des PSP gelegt, deren Loyalität Moskau galt. Die Castro-Regierung verfolgte weiterhin eine eigenständige Politik der Unterstützung revolutionärer Gruppen in Lateinamerika – trotz aller Vorbehalte Moskaus. Hier wogen Eigeninteressen stärker als die Unterordnung unter den hegemonialen Anspruch des nur scheinbar »allmächtigen« sowjetischen Geheimdienstes.

Pavel Kolář

Die Todesstrafe und die Transformation der kommunistischen Staatsgewalt nach Stalin

I. Die Todesstrafe und die Legitimität moderner Herrschaft

In der historischen Kommunismusforschung herrschte bisher wenig Interesse an der systematischen Untersuchung der Geschichte der Todesstrafe nach dem Ende des Stalinismus. Die Gründe für diese Forschungslücke liegen auf der Hand: Bis zur Phase der Entstalinisierung zwischen 1953 und 1956 wurde die Todesstrafe aus politischen Gründen maßlos eingesetzt, um sowohl tatsächliche als auch vermeintliche Gegner zu vernichten. In der poststalinistischen Ära schwand die politische Motivation für den Einsatz der Todesstrafe weitgehend, es wurden weniger Todesurteile verhängt und vollstreckt, die Todesstrafe wurde in den nichtpolitischen Bereich »verdrängt«, womit nachträglich auch das geschichtswissenschaftliche Interesse am Thema abnahm.

In diesem Beitrag gehe ich davon aus, dass der Todesstrafe stets sehr wohl eine grundlegende Bedeutung für die Ausübung staatlicher Gewalt und ihre Legitimität zukommt.[1] Ich gehe der Frage nach, wie die höchste Strafe das Verhältnis zwischen dem Staat und seiner Bevölkerung im poststalinistischen Sozialismus gestaltete. Die Wendung »nach Stalin« verstehe ich dabei breiter als nur im Sinne der Einstellung des Massenterrors und der innenpolitischen Entspannung. Vielmehr wird hier damit ein umfassender Wandel der sozialistischen Staatsmacht erfasst, der in den Jahren zwischen 1953 und 1956 eingesetzt hat und bis 1989 dauerte.[2]

Die Bezeichnung »nach Stalin« lässt sich auch gesamteuropäisch begreifen: Gemeint ist dann der Zeitraum ab circa Mitte der 1950er-Jahre, als europaweit das allgemeine Nachkriegschaos endgültig endete und der Kontinent in eine Phase der politischen, wirtschaftlichen und gesellschaftlichen Stabilisierung eintrat.[3] Der Aufbau der sozialstaatlichen Fürsorge – sowohl in den Liberaldemokratien in Westeuropa als auch im Staatssozialismus in Osteuropa – war dabei von großer Bedeutung.[4] In Bezug auf staatliche Gewalt schuf der Wohlfahrtsstaat dabei ein Paradox: Einerseits baute er ein institutionelles Netzwerk auf, welches das Wohl und die Sicherheit der Bevölkerung erheblich erhöhte.

---

1   Siehe Austin Sarat (Hg.): The Killing State. Capital Punishment in Law, Politics, and Culture, Oxford 1999.
2   Siehe Pavel Kolář: Der Poststalinismus. Ideologie und Utopie einer Epoche (= Zeithistorische Studien, Bd. 57), Wien 2016.
3   Im Sinne der epochemachenden Bedeutung Mitte der 1950er-Jahre argumentiert z. B. Mark Mazower: Der dunkle Kontinent. Europa im 20. Jahrhundert, Berlin 2000, S. 422–425.
4   Siehe Hartmut Kaelble: Kalter Krieg und Wohlfahrtsstaat. Europa 1945–1989, München 2011.

Andererseits schuf er gerade mit diesen Institutionen neue Räume für potenzielle Gewalt, die überwiegend »hinter Mauern« stattfand, in modernen Gefängnissen, Kinder- und Altersheimen, Krankenhäusern sowie psychiatrischen Anstalten. Das beträchtliche Ausmaß der Gewalt, die der »therapeutische Staat« in diesen Institutionen ausübte, im Osten wie im Westen, kam erst mit jahrzehntelanger Verspätung ans Licht.[5] Die Fokussierung auf Bereiche mit überwiegend staatlicher Gewaltausübung eröffnet neue Sichtweisen auf die europäische Nachkriegsgeschichte. So lassen sich die Diktaturen und Demokratien nicht nur hinsichtlich ihrer Unterschiede, sondern auch ihrer Gemeinsamkeiten analysieren.

Im Mittelpunkt des Beitrages stehen die poststalinistischen Diktaturen als spezifische Versionen des modernen Wohlfahrtsstaates. Das Ziel ist es, herausfinden, ob und wie die schrittweisen Prozesse der Reduzierung, Reglementierung und Modernisierung des legalen Tötens einen tiefergehenden Wandel der Diktaturherrschaft widerspiegelten. Im Hintergrund der Untersuchung steht die Frage, wie sich mithilfe der Erforschung der Todesstrafe der poststalinistische Staatssozialismus in die Geschichte der europäischen Wohlfahrtsstaatlichkeit einfügen lässt.

Nach der Macht des Staates zu fragen, scheint nach mehr als zwei Jahrzehnten transnationaler Geschichtsschreibung, die sich auf grenzüberschreitende Verflechtungen konzentrierte, wieder aktuell zu sein. Denn es braucht zwar eine Geschichtsschreibung *jenseits* des Nationalstaates, aber keine *ohne* den Nationalstaat.[6] Das gegenwärtige erneute Sichtbarwerden des Staates in Form von befestigten Grenzen und Zäunen, wachsender polizeilicher Macht und wiederkehrenden, unterschiedlich begründeten Ausnahmezuständen wirft die alte Frage von Max Weber nach der Legitimität der staatlichen Gewalt auf:[7] Was findet in der Gesellschaft Unterstützung, was nicht? Welche Angriffe des Staates auf den Körper der Bürger (im Sinne Foucaults) werden als legitim wahrgenommen? Diese Fragen müssen sich alle Herrschaftsregime stellen, denn sowohl Diktaturen als auch Demokratien brauchen eine Polizei, ein Strafsystem und Gefängnisse.[8] Und sowohl Diktaturen als auch Demokratien setzten die Todesstrafe ein – in Europa war dies bis ins späte 20. Jahrhundert hinein der Fall. Gerade in diesem Kontext erhält die Geschichte der Todesstrafe in kommunistischen Diktaturen eine epochenübergrei-

---

5   Als Beispiel lässt sich die Aufarbeitung von Misshandlungen in den westdeutschen Kinderheimen und der Zwangseinweisung junger Frauen in venerologische Stationen in der DDR nennen. Siehe Wilfried Rudloff: Eindämmung und Persistenz. Gewalt in der westdeutschen Heimerziehung und familiäre Gewalt gegen Kinder, in: Zeithistorische Forschungen/Studies in Contemporary History 15 (2018), H. 2, S. 250–276; Florian Steger/Maximilian Schochow: Traumatisierung durch politisierte Medizin. Geschlossene Venerologische Stationen in der DDR, Berlin 2015.

6   Siehe Pavel Kolář: Nationalstaat, physische Gewalt und transnationale Geschichte Europas, in: Timm Beichelt u. a. (Hg.): Ambivalenzen der Europäisierung. Beiträge zur Neukonzeptionalisierung der Geschichte und Gegenwart Europas, Stuttgart 2021, S. 223–237.

7   Siehe Max Weber: Wirtschaft und Gesellschaft. Grundriß der verstehenden Soziologie, Studienausg., 5. Aufl. Tübingen 1980, S. 822; Alf Lüdtke/Thomas Lindenberger (Hg.): Physische Gewalt. Studien zur Geschichte der Neuzeit, Frankfurt a. M. 1995.

8   Siehe Richard Bessel/Clive Emsley (Hg.): Patterns of Provocation. Police and Public Disorder, New York 2000, S. 3.

fende Relevanz, auch wenn weder die Todesstrafe noch die Diktaturen heute noch bestehen.

Am Beginn meiner Beschäftigung mit dem Thema Todesstrafe im Staatssozialismus stand ein Experiment, das, ohne es zu wollen, auch beleuchtete, wie die Todesstrafe im heutigen Ostmitteleuropa erinnert wird. Auf die Frage nach der letzten Hinrichtung in ihrem jeweiligen Land verorteten einige Kolleginnen und Kollegen dieses Ereignis instinktiv in den 1950er-Jahren, weil sie Hinrichtungen mit dem stalinistischen Terror assoziierten. Erst später dachten sie an die nichtpolitischen, »gewöhnlichen« Verbrechen, wie Raub- und Sexualmorde. Die meisten waren erstaunt, dass die letzten Hinrichtungen in Ungarn erst im Februar 1988, in Polen im Mai 1988 und in der Tschechoslowakei im Juni 1989 stattgefunden hatten. In der Tschechoslowakei wurde am 8. Juni 1989, fünf Monate vor der Samtenen Revolution, Štefan Svitek in Bratislava gehängt. Er hatte seine schwangere Frau und seine beiden Töchter mit der Axt getötet und anschließend sexuell missbraucht.

In Litauen dagegen wird die letzte Hinrichtung im Juli 1995 bis heute von vielen Litauerinnen und Litauern erinnert. Der Mafia-Boss Boris Dekanidze wurde damals durch einen Genickschuss, vergleichbar den Methoden des NKWD, getötet. Gleiches gilt für Rumänien, wo das Diktatorenehepaar Ceaușescu Weihnachten 1989 hingerichtet wurde.[9]

Die Aussagen meiner Kolleginnen und Kollegen zeigen, dass noch immer zwischen den Zielsetzungen und Legitimationsstrategien der kommunistischen Diktaturen einerseits, die sich in politisch motivierter Repression, ideologischer Homogenisierung und bürokratisch gelenkter Planwirtschaft niederschlugen, und dem alltäglichen »normalen Leben« der staatssozialistischen Gesellschaften andererseits unterschieden wird.[10] Damit wird jedoch die politische Dimension der scheinbar nichtpolitischen Gesellschaftsbereiche übersehen, einschließlich der nichtpolitischen Gewalt, und irrtümlich ein klar definierter Bereich der politischen Herrschaft konstruiert, der streng vom gewöhnlichen Leben getrennt zu sein scheint – und vom »gewöhnlichen Töten«. Doch auch wenn die Gesellschaftsgeschichte des Staatssozialismus gerade die Wechselwirkungen und Durchdringungen zwischen Herrschaft und Gesellschaft hervorhebt,[11] ist auch nach der herrschaftspolitischen Bedeutung des vordergründig unpolitisch motivierten legalen Tötens im Staatssozialismus zu fragen.

---

9   Auch in Westeuropa liegen die letzten legalen Hinrichtungen nicht wesentlich länger zurück: 1964 in Großbritannien (Hängen), 1975 in Spanien (Erschießen) und 1977 in Frankreich (Guillotine).

10 Siehe Martin Sabrow: Sozialismus als Sinnwelt. Diktatorische Herrschaft in kulturhistorischer Perspektive, in: Potsdamer Bulletin für Zeithistorische Studien (2007), H. 40/41, S. 9–23; Celia Donert/Ana Kladnik/Martin Sabrow (Hg.): Making Sense of Dictatorship. Domination and Everyday Life in East Central Europe after 1945, Budapest 2022.

11 Siehe Thomas Lindenberger (Hg.): Herrschaft und Eigen-Sinn in der Diktatur. Studien zur Gesellschaftsgeschichte der DDR, Köln/Weimar 1999.

II. Legales Töten im Poststalinismus

In der Gewaltforschung wurde das Töten durch den kommunistischen Staat – hauptsächlich in den exzessiven Phasen des Stalinismus oder Maoismus – vielfach als ein Phänomen betrachtet, das der vermeintlich barbarischen Natur dieser Diktaturen entsprang. Der Kommunismus wurde häufig als ein »totalitäres« Herrschaftsregime charakterisiert, das sich fundamental von der westlichen Demokratie unterschied. Das Interesse einer solchen Gewaltforschung gilt vor allem der »westlichen« Welt und ihrer kolonialen Ausbreitung, während die staatssozialistische Ausprägung der europäischen Moderne nur am Rande berücksichtigt wird. So begründet z. B. das *Internationale Handbuch der Gewaltforschung* die Ausblendung der staatlichen Gewalt im kommunistischen Machtbereich damit, dass sie »aufgrund ihres Ausmaßes und der Spezifik der Herrschaftssysteme und Machtapparate breiteren Raums zu einer adäquaten Darlegung« bedürfe.[12] Während sich das Handbuch ausgiebig Formen kolonialer Gewalt etwa in Ruanda und im Kongo widmet – die offensichtlich »aufgrund ihres Ausmaßes und der Spezifik der Herrschaftssysteme« keines »breiteren Raums zu einer adäquaten Darlegung« bedürfen –, bleibt die im kommunistischen Machtbereich begangene Gewalt unberücksichtigt.

Wesentlich für die Konvergenzperspektive ist die oben erwähnte zeitliche Parallelität der poststalinistischen Phase der kommunistischen Diktaturen und des Aufbaus des westlichen Wohlfahrtsstaates. Dabei sind vor allem die Eigenheiten der poststalinistischen Legitimierung der Gewaltanwendung von Bedeutung. Während die exzessive Gewaltanwendung ein wesentlicher Bestandteil des stalinistischen Utopieprojektes war, lässt in der Folgezeit die Ausübung und Kontrolle von Gewalt durch den Parteistaat zunehmende Legitimationsschwierigkeiten erkennen. Diese führten zur schrittweisen Rücknahme und gewandelten Definitionen von Gewalt und begünstigten schließlich den finalen Zusammenbruch der Regime. Gerade die Untersuchung von Gewalt und ihrer Kontrolle durch den Parteistaat bietet sich als Indikator dieser Delegitimierungsprozesse an. Hypothetisch kann man sagen, dass die poststalinistische Ordnung langfristig gerade daran scheiterte, dass sie ihr Gewaltmonopol jenseits der bloßen Sicherung der politischen Vorherrschaft legitimieren musste.[13]

Im Stalinismus wurde das legale Töten als Teil der »revolutionären Gewalt« des Klassenkampfes gerechtfertigt. Mit der Entstalinisierung nach 1953 erhielt die Todesstrafe eine grundsätzlich andere Bedeutung. Die kommunistischen Regime beendeten den großflächigen Terror und boten den Bürgern ein »normales«, d. h. berechenbares Leben an. Die Parteiherrschaft sollte von nun an auf der Berechenbarkeit der staatlichen Gewaltausübung und einem ordnungsgemäßen Rechtsverfahren fußen.[14] Zugleich

---

12 Wilhelm Heitmeyer/John Hagan: Gewalt. Zu den Schwierigkeiten einer systematischen internationalen Bestandsaufnahme, in: dies. (Hg.): Internationales Handbuch der Gewaltforschung, Wiesbaden 2002, S. 15–25, hier S. 24.

13 Siehe Martin Sabrow (Hg.): 1989 und die Rolle der Gewalt, Göttingen 2012.

14 Siehe Jörg Baberowski: Nikita Khrushchev and De-Stalinization in the Soviet Union 1953–1964, in: Norman Naimark/Silvio Pons/Sophie Quinn-Judge (Hg.): The Cambridge History of Communism, Bd. 2: The Socialist Camp and World Power, Cambridge 2017, S. 87–112; Stefan Plaggenborg:

erzeugten jedoch die Distanzierung vom stalinistischen Terror, die schrittweise Entpolitisierung der Gewaltanwendung und des Strafrechts sowie der Aufstieg des westeuropäischen Wohlfahrtsstaates als universales Modell einen neuen Legitimitätsdruck. Denn
aufgrund des Versprechens der Berechenbarkeit und Regulierung der staatlichen Gewalt
fiel es den kommunistischen Herrschaftsapparaten immer schwerer, eventuelle Gewalt-
exzesse zu rechtfertigen, auch infolge der wachsenden Möglichkeit, dass öffentlich Kritik
an der Gewalt geäußert werden konnte. Demnach stellten die poststalinistische Entpolitisierung und Einschränkung der staatlichen Gewalt einen ambivalenten Prozess dar.
Einerseits wirkte das Versprechen von mehr Stabilität und Sicherheit legitimitätsstiftend.
Andererseits schuf die Entpolitisierung der Gewalt eine neue Spannung zwischen diesem
Versprechen und möglichen Übergriffen. Genau in diesem zwiespältigen Legitimitäts-
raum ist die poststalinistische Anwendung der Todesstrafe anzusiedeln.

Nach dem Ende der stalinistischen Gewalt betrachteten die kommunistischen Herrscher die Todesstrafe zunehmend (wenn auch nicht gänzlich) als Bestandteil der nichtpolitischen Sphäre der Justiz. Auf ihre exzessive Anwendung wurde in allen Ländern
verzichtet. Im Laufe der Strafrechtsreformen in den 1960er-Jahren wurde in den meisten
Ostblockländern die Anzahl der Kapitalverbrechen reduziert, die mit der Todesstrafe
geahndet wurden. Dies galt vor allem für politische und ökonomische Straftaten. Lediglich in der Sowjetunion und Rumänien war die Todesstrafe für Wirtschaftsverbrechen
weiterhin festgeschrieben und wurde im Rahmen der Rechtsprechung auch verhängt.
Noch 1983 wurden in Rumänien fünf Personen für organisierten Fleischdiebstahl hingerichtet. Dagegen erschien die Strafe in der sogenannten Fleischaffäre in Polen 1964, im
Zuge derer eine Person zum Tode verurteilt wurde, als ungewöhnlich hart und unterschied sich deutlich vom sonstigen Einsatz der Todesstrafe. Das Urteil musste durch ein
Sonderdekret aus dem Jahr 1945 begründet werden, denn für Wirtschaftskriminalität
lag die Höchststrafe in Polen damals eigentlich bei fünf Jahren Haft.[15]

Trotz dieser Unterschiede bleibt für eine vergleichende Betrachtung die Tatsache entscheidend, dass alle poststalinistischen Staaten die Todesstrafe nach 1956 in der Regel
nur bei Mord und »Staatsverbrechen« wie Verrat und Spionage anwandten. Gleichzeitig
führten neue Probleme, die mit dem Gesellschaftswandel im Zuge der Modernisierung
verbunden waren, zu neuen Formen der Kriminalität. Hier standen die poststalinistischen Staaten den modernen westlichen Industriegesellschaften schon bald in nichts
mehr nach. Diese Normalisierung fand in einem reformierten Strafrechtssystem ihren
Ausdruck, das berechenbar und einer strengeren Kontrolle unterworfen sein sollte.

An dieser Stelle lohnt ein erneuter Blick auf die grundlegende herrschaftsgeschicht-
liche Frage nach der Bedeutung der Todesstrafe für den modernen Staat. Der Politik-

Soviet History after 1953. Stalinism under Repair, in: Thomas M. Bohn/Rayk Einax/Michel Abeßer
(Hg.): De-Stalinisation Reconsidered. Persistence and Change in the Soviet Union, Frankfurt a. M./
New York 2014, S. 43–64.
15 Siehe Radu Stancu: The Political Use of Capital Punishment in Communist Romania between 1969
and 1989, in: Peter Hodgkinson (Hg): Capital Punishment. New Perspectives, Surrey/Burlington
2013, S. 337–357; Dariusz Jarosz/Maria Pasztor: Afera mięsna: fakty i konteksty [Die Fleischaffäre:
Fakten und Zusammenhänge], Toruń 2004.

wissenschaftler Timothy Kaufman-Osborn diagnostizierte ein dauerhaftes Paradox, das die Todesstrafe für den spätmodernen Staat bedeutet: Einerseits werde der Staat gezwungen, die Todesstrafe »moderner« zu gestalten, um sich von den barbarischen Exekutionen der Vergangenheit zu distanzieren. Sobald aber die Hinrichtungen ihren Schrecken verlören, von Schmerz und Leiden völlig »gesäubert«, ja »ereignislos« würden und kein öffentliches Spektakel mehr darstellten, verliere der Staat eine weitere Möglichkeit, seine souveräne Macht zu behaupten und die moralische Bedeutung der öffentlichen Hinrichtungen zu beanspruchen, wie es in der frühen Neuzeit der Fall gewesen sei.[16] Mit dem legalen Töten *(legal killing)* ist im modernen Staat also auch ein gewisses Maß an Machtverlust verbunden, der Bestandteil einer allgemeinen Transformation der modernen Macht ist: Die souveräne Macht, die sich durch die direkt exekutierende Autorität auszeichnet, wird durch indirekte bio-politische Maßnahmen neugestaltet, die auf das Leben und die Reproduktion der Bevölkerung gerichtet sind. Der Schwerpunkt der modernen Herrschaft, so die Foucault'sche Forschungstradition, verlagerte sich von der *hard power* zur *soft power* und förderte fortan das Leben, anstatt die Todesstrafe als Instrument souveräner Macht einzusetzen.[17]

Hier stellt sich die Frage, wie sich diese Transformation der Herrschaft im Poststalinismus gestaltete, der nach den stalinistischen Gewaltexzessen der souveränen Macht den Bürgern ein »normales Leben« versprochen hatte. In diesem Sinne ist der allmähliche Rückgang der Todesstrafe im Staatssozialismus nicht als eine geradlinige »Erosion der totalitären Macht« zu verstehen, sondern als eine Umgestaltung der souveränen Macht mithilfe neuer Herrschaftstechniken.

Dieser Wandel wird auch in den strafrechtlichen Definitionen deutlich. Die Todesstrafe wird in den meisten poststalinistischen Strafgesetzbüchern als »außerordentliche Maßnahme« bezeichnet, in einigen Staaten wie der Sowjetunion oder Bulgarien auch als vorläufige Maßnahme. Somit kehrt die Frage der Souveränität als Recht, über den Ausnahmezustand zu entscheiden, in einen Mikroraum der »Ausnahmestrafe« zurück. Mit anderen Worten, die Ausübung der Todesstrafe bildet einen verbleibenden Ausnahmezustand in einem politischen Kontext, der überwiegend von einer wachsenden Bedeutung von Bio-Macht und Gouvernementalität geprägt ist.

Insbesondere neuere amerikanische Forschungen haben auf das ambivalente Verhältnis hingewiesen: Einerseits wurde der spätliberale Staat zunehmend durch die Tatsache herausgefordert, dass er sich zwar seit dem 19. Jahrhundert der »Humanisierung« der Strafjustiz verschrieben hatte. Andererseits war er aber gleichzeitig gezwungen, seine alte Souveränität aufrechtzuerhalten, indem er die Todesstrafe gegen straffällige Bürger verhängte. Insofern geht von der Todesstrafe ein Spannungsfeld aus, in dem moderne Bio-Macht und mythische Souveränität weiterhin aufeinanderprallen, was insgesamt die Autorität des Staates schwächt. Da der spätmoderne Staat aufgrund seiner nachlassenden

---

16 Timothy V. Kaufman-Osborn: From Noose to Needle. Capital Punishment and the Late Liberal State, Ann Arbor 2002, S. 214.
17 Siehe Mitchell Dean: Governmentality. Power and Rule in Modern Society, 2. Aufl. London/ Thousand Oaks 2010, S. 164.

Leistungsfähigkeit angesichts sozialer und wirtschaftlicher Herausforderungen unter einem chronischen Legitimationsdefizit leidet, versucht er, seine angeschlagene Autorität wiederherzustellen, indem er seine souveräne Macht, über Leben und Tod zu entscheiden, »ausnahmsweise« zur Schau stellt. Für dieses Verhalten hat Kaufman-Osborn den Begriff der »analogen Verifikation« geprägt.[18]

Die Problematik lässt sich bis in die Zeit der Aufklärung und die Debatte über die Humanisierung des staatlichen Tötens zurückverfolgen. Jürgen Martschukat argumentiert in seiner Studie zur Geschichte der Todesstrafe in Deutschland, dass die Humanisierung der Todesstrafe im 19. Jahrhundert, vor allem das Beenden der sichtbaren Zerstörung des Körpers sowie die Entfernung der Hinrichtung aus dem öffentlichen Raum, nicht als zivilisatorischer Fortschritt hin zu einer weniger gewalttätigen Gesellschaft betrachtet werden kann. Vielmehr sollte sie als ein performativer Akt begriffen werden, der zur Etablierung des Konzeptes der »Zivilgesellschaft« und der Ideologie des liberalen Staates beigetragen hat.[19] Der Aufstieg der modernen Gouvernmentalität, die das Gewicht auf Leben, Produktion, Reflexion und Freiheit legte, war eine Art Umgestaltung der souveränen und disziplinarischen Macht. Foucault betonte, dass die Beziehung der drei Machtformen nicht als eine chronologische Abfolge, sondern als ein Geflecht von souveräner, disziplinärer und gouvernementaler Macht gesehen werden sollte. Demnach werden Souveränität und Disziplin nicht durch die moderne gouvernementale Macht ersetzt, sondern Letztere bezieht sie in ihre Sorge um die Bevölkerung und ihr Streben nach Optimierung ein.[20]

Diese Auffassung wirft weiterführende Fragen für den Übergang der kommunistischen Herrschaft von der stalinistischen zur poststalinistischen Phase auf. Insbesondere Theorie und Praxis des legalen Tötens geben wichtige Hinweise zur sich wandelnden Natur der kommunistischen Staatsgewalt. Möglicherweise war für den Niedergang des kommunistischen Staates auch ausschlaggebend, dass er zunehmend auf die Ausübung seiner souveränen Macht verzichtete.

Um diesen Prozess zu verstehen, werden im Folgenden vier Zugriffe auf die Untersuchung der Todesstrafe im Poststalinismus skizziert: der rechtstheoretische, der praktisch-exekutive, der geschlechtergeschichtliche und der handlungspolitische.

III. Rechtstheoretische Debatten

Mit der Entstalinisierung entbrannte im Ostblock eine lebhafte Diskussion über die »sozialistische Gesetzlichkeit« mit dem Ziel, die Strafprozesse von früheren »Verzerrungen« zu befreien. Gleichzeitig sank der Glaube daran, dass mit dem Aufbau des Sozialis-

---

18 Kaufman-Osborn: From Noose to Needle (Anm. 16).
19 Jürgen Martschukat: Inszeniertes Töten. Eine Geschichte der Todesstrafe vom 17. bis zum 19. Jahrhundert, Köln/Weimar/Wien 2000; ders.: Nineteenth-Century Executions as Performances of Law, Death, and Civilization, in: Austin Sarat/Christian Boulanger (Hg.): The Cultural Lives of Capital Punishment. Comparative Perspectives, Stanford 2005, S. 49–68.
20 Siehe Dean: Governmentality (Anm. 17), S. 20.

mus die Kriminalität verschwinden werde. Im Gegenteil, im Zuge des raschen Gesellschaftswandels (Modernisierung, Industrialisierung, Urbanisierung) entstanden neue Formen der Kriminalität, die die Erscheinungen der Rezidive verstärkten.[21] Die herrschenden Parteien begannen, sich mit den gesellschaftlichen Problemen systematischer und vor allem wissenschaftlich auseinanderzusetzen. Eine semantische Änderung fand statt: Es war nun weniger von »staatsfeindlichen«, sondern öfter von »gesellschaftsfeindlichen« Straftaten die Rede. Ein konkretes Beispiel für die teilweise Entpolitisierung ist die Abschaffung des Gesetzes über Vaterlandsverrat in der Sowjetunion im Jahre 1960. Zugleich spiegelt sich in der Sowjetunion aber der widersprüchliche Charakter der Chruščëv-Ära wider, denn die fortschreitende Verrechtlichung der politischen Herrschaft kontrastierte mit der gleichzeitigen Verschärfung von spezifischen Aspekten des Strafrechts. Im Vergleich zu anderen Ostblockstaaten entwickelte sich die Sowjetunion in mancher Hinsicht in eine andere Richtung. Das Strafgesetzbuch von 1960 erweiterte die Liste der Kapitalverbrechen, indem es vor allem Wirtschaftsverbrechen einschloss. Es enthielt mehr als 30 Kapitalverbrechen, obwohl sein allgemeiner Teil die Todesstrafe immer noch als außergewöhnliche Strafe charakterisierte.[22]

Damit unterstrich die poststalinistische Gesetzgebung den Ausnahmecharakter der Todesstrafe: Der Weg zur Verurteilung wurde komplizierter und die Freiheitsstrafe als Alternative zur Todesstrafe eingeführt. Die Breite der Tatbestände wurde in den meisten Ländern eingeschränkt. Die Ausnahme entwickelte sich also zum Normalzustand. Das galt auch für die westlichen Länder, die die Todesstrafe beibehielten. Das reformierte Strafrecht verlagerte in den 1960er-Jahren weltweit mehr und mehr den Fokus weg von der Repression auf Prävention und Umerziehung.[23]

Im Kontext der Strafrechtsreformen entwickelten sich in den 1960er- und 1970er-Jahren zahlreiche Debatten unter Experten über die Todesstrafe, am intensivsten im damals liberalen Polen und Rumänien, aber auch in anderen sozialistischen Ländern.[24] Dabei wird oft übersehen, dass sich diese Diskussionen in der Tschechoslowakei auch nach der Niederschlagung des Prager Frühlings im Jahr 1968 fortsetzten und von regimetreuen, aber dennoch reformorientierten Juristen vorangetrieben wurden. Da eine offene politische Reform nach 1968 unmöglich schien, glaubten manche Rechtswissenschaftler, dass eine schrittweise Reform durch Änderungen des Rechtssystems durchführbar sei. Hier stellt sich die Frage, ob das durch Experten gestaltete Recht die Politik

21 Siehe Volker Zimmermann/Michal Pullmann (Hg.): Ordnung und Sicherheit, Devianz und Kriminalität im Staatssozialismus. Tschechoslowakei und DDR 1948/49–1989 (= Bad Wiesseer Tagungen des Collegium Carolinum, Bd. 34), München 2014.
22 Siehe Olga B. Semukhina/John F. Galliher: Death penalty politics and symbolic law in Russia, in: International Journal of Law, Crime and Justice 37 (2009), H. 4, S. 131–153, hier S. 137.
23 Siehe David Garland: Peculiar Institution. America's Death Penalty in an Age of Abolition, Cambridge 2010.
24 Eine Ausnahme war offensichtlich die DDR, wo nach Koch »keine literarische Stellungnahme« zu finden war, die »über formelhafte Rechtfertigungsversuche hinausgelangt wäre«. Arnd Koch: Das Ende der Todesstrafe in Deutschland, in: JuristenZeitung 62 (2007), H. 14, S. 719–722, hier S. 721; ders.: Die Todesstrafe in der DDR, in: Zeitschrift für die gesamte Strafrechtswissenschaft 110 (1998), H. 1, S. 89–113.

als Gesellschaftsgestalter ersetzte. Sie korrespondiert mit der These über das »Herrschen durch Recht«, die der tschechische Historiker Michal Kopeček für die realsozialistischen Diktaturen Ostmitteleuropas aufstellte. Das Ziel der Rechtsreform war, so Kopeček, »die Prärogativmacht der Partei vor politischen, von außerhalb der Partei (vor allem von den Sicherheitsorganen) kommenden Säuberungsversuchen durch die Rechtsordnung zu schützen und sie zugleich in das wichtigste Herrschaftsinstrument zu verwandeln«.[25]

Diese Reformen gingen auf namhafte Strafrechtsexpertinnen und -experten zurück, deren Karrieren nicht zuletzt für die Kontinuität der politischen und rechtswissenschaftlichen Elite in Osteuropa stehen. So bemühte sich der slowakische Juraprofessor Milan Čič (1932–2012) seit den späten 1960er-Jahren sowohl als Rechtswissenschaftler als auch als Politiker um die Reform des tschechoslowakischen Strafrechtssystems. Seit den frühen 1960er-Jahren bekleidete er verschiedene Ämter, wie z. B. das des Justizministers. Nach 1989 war er Vizepremier in der letzten tschechoslowakischen Bundesregierung. Čič sprach sich bereits in den 1970er-Jahren gegen die Todesstrafe aus: Der immer seltenere Gebrauch zeige, dass sie nicht mehr zeitgemäß sei. »Die ablehnende Haltung gegenüber der Annahme, dass ein Mensch sich bessern kann«, so Čič, »hat keinen Platz in der sozialistischen Rechtsordnung.«[26]

Eine andere Position nahm der spätere langjährige slowakische Ministerpräsident Robert Fico ein, der als junger Rechtswissenschaftler in den 1980er-Jahren die Mängel der damals geplanten Rechtsreform hervorhob und zugleich für die Beibehaltung der Todesstrafe plädierte. Er betonte die Präzision der tschechoslowakischen Rechtsprechung, die Fehler oder Missbrauch ausschließe und den Ausnahmecharakter der Todesstrafe mehrfach sichere. Die Todesstrafe sei eine »Ausnahme der Ausnahme«.[27] Nach 1989 setzte Fico seine Forschungen zur Todesstrafe fort und wurde 1992 mit seiner Arbeit »Die Todesstrafe« im tschechoslowakischen Strafrecht promoviert. Ficos Position steht stellvertretend für die ambivalente Haltung der meisten spätsozialistischen Strafrechtsexperten zur Todesstrafe.

Die polnische Rechtswissenschaftlerin Alicja Grześkowiak (geb. 1941) veröffentlichte 1978 eine Monografie über die Probleme der Todesstrafe,[28] die wahrscheinlich erste wissenschaftliche Darstellung zum Thema Todesstrafe im Ostblock. Grześkowiak argumentierte aus einer stark rationalistisch-rechtspositivistischen Perspektive, die in eine typisch poststalinistisch ambivalente Kompromissposition mündete. Mithilfe statistischer

25 Michal Kopeček: Vládnout právem. Česká právní věda od »represivní legality« k právnímu státu, 1969–1994 [Herrschaft durch Recht. Die tschechische Rechtswissenschaft von der »repressiven Legalität« zur Rechtsstaatlichkeit, 1969–1994], in: ders. (Hg.): Architekti dlouhé změny. Expertní kořeny postsocialismu v Československu [Die Architekten des langen Wandels. Experten und die Ursprünge des Postsozialismus in der Tschechoslowakei], Praha 2019, S. 41–102, hier S. 47.

26 Milan Čič: Teoretické otázky československého socialistického práva [Theoretische Fragen des tschechoslowakischen sozialistischen Rechts], Bratislava 1992, S. 165.

27 Robert Fico: Trest smrti v československom trestnom práve a medzinárodné právo [Die Todesstrafe im tschechoslowakischen Strafrecht und das Völkerrecht], in: Socialistické súdnictvo 40 (1988), H. 6, S. 20–39, hier S. 29.

28 Alicja Grześkowiak: Kara śmierci w polskim prawie karnym [Die Todesstrafe im polnischen Strafrecht], Toruń 1978.

Auswertungen widersprach sie der Auffassung, dass die Todesstrafe eine Präventions-funktion besitze. Laut Grześkowiak waren es vor allem die empirische Unsicherheit und der hypothetische Charakter rechtswissenschaftlicher Darlegungen, die gegen die Todes-strafe sprachen. Darüber hinaus sei das Ziel der Strafe die Besserung des Täters. Weder menschenrechtliche noch marxistische Werte spielten in ihrer Darstellung, anders als in der Tschechoslowakei, eine Rolle. Bemerkenswerterweise hat sich Grześkowiak nach 1989 als nationalkonservative Politikerin und Abtreibungsgegnerin einen Namen gemacht.

Im spätsozialistischen Jugoslawien beschäftigte sich der spätere Präsident Kroatiens Ivo Josipović in Zusammenhang mit dem Phänomen der Blutrache *(krvna osveta)*, das vor allem in Montenegro und im Kosovo praktiziert wurde, indirekt mit der Todesstra-fe.[29] Wurde die Blutrache im sozialistischen Jugoslawien zunächst hartnäckig bekämpft (einschließlich der Verhängung der Todesstrafe), wurde sie im Spätsozialismus zuneh-mend vom Bundesstaat toleriert und mit milderen Strafen belegt, was sich auch als Indiz für das »Absterben des Staates« bezeichnen ließe, wie es Dejan Jović formuliert hat.[30] Aber auch im spätsozialistischen Jugoslawien verwandelten sich die Debatten in eine offen ablehnende Kritik, und inoffizielle Menschenrechtsgruppen begehrten in den 1980er-Jahren gegen die Todesstrafe auf.[31]

Diese Debatten belegen, dass die Beibehaltung der Todesstrafe zunehmend zum Pro-blem für die Weiterentwicklung der »sozialistischen Gesetzlichkeit« wurde. Der poststa-linistische Kommunismus gab zwar den utopischen Glauben an eine Gesellschaft ohne Kriminalität auf. Das Strafrecht wurde zunehmend entpolitisiert. Aber gerade diese Ent-politisierung trieb die Regime in eine Legitimitätsfalle: Denn infolge der ideologisch begründeten, vermeintlich objektiven Ziele musste jede geforderte gesellschaftliche Ent-wicklung zwangsweise als Verwirklichung der Parteipolitik ausgegeben werden und war entsprechend politisch aufgeladen. Daraus folgte, dass auch die Todesstrafe als ein Ver-sagen der Parteipolitik gesehen werden und delegitimierende Effekte generieren konnte. Der sozialistische Staat versuchte seine Legitimität zu wahren, indem er weiterhin mit der Todesstrafe drohte. Dieses Vorgehen war für den Staat nicht ungefährlich, weil die – zunehmend kritischen – Diskussionen der Experten jederzeit auch die Frage danach, wann die Maßnahme angewandt werden sollte und wann nicht, aufgreifen konnten.

IV. Die Praktiken der Todesstrafe

Auf das wachsende Unbehagen des poststalinistischen Staates im Umgang mit der Todesstrafe weisen nicht nur die strafrechtstheoretischen Debatten, sondern auch ihr

29 Ivo Josipović: Krvna osveta i njen krivično pravni tretman [Blutrache und ihre strafrechtliche Behandlung], in: Pitanja 14 (1982), H. 10–12, S. 20–24.
30 Dejan Jović: Yugoslavia. A State that Withered Away, West Lafayette 2009; Isabel Ströhle: »It's a shame, not honour!« Interpretations of and policies towards blood feuding in Socialist Kosovo, in: Jan C. Behrends/Pavel Kolář/Thomas Lindenberger (Hg.): Violence after Stalin. Power, Society and Legitimacy in Eastern Europe and the Soviet Union after 1956, im Erscheinen.
31 Siehe Ivan Janković: Na belom hlebu. Smrtna kazna u Srbiji 1804–2002 [Bei weißem Brot. Todes-strafe in Serbien 1804–2002], Beograd 2012, S. 505–515.

tatsächlicher Gebrauch hin. Insbesondere zwei Aspekte sind in diesem Zusammenhang von Interesse: 1. Die Häufigkeit der Anwendung. 2. Die Formen ihrer Durchführung.

Die Kritikerinnen und Kritiker der Todesstrafe haben gerade ihre kontinuierlich abnehmende Anwendung in den sozialistischen Ländern als Argument für ihre Abschaffung angeführt. Die statistischen Angaben vermitteln allerdings ein etwas differenzierteres Bild. In der Tschechoslowakei nahm der Einsatz der Todesstrafe während des Poststalinismus nur langsam und nicht stetig ab.[32] Unter dem letzten stalinistischen Präsidenten Antonín Zápotocký (von 1953 bis 1957 im Amt) wurden 94 Hinrichtungen durchgeführt (darunter noch politisch motivierte), während sein Nachfolger Antonín Novotný (1957–1968) immerhin auch noch 87 Todesurteile unterzeichnete. Bis dahin am seltensten zum Einsatz kam die Todesstrafe unter dem während des Prager Frühlings amtierenden Staatspräsidenten Ludvík Svoboda (1968–1975), in dessen Amtsperiode »nur« elf Personen hingerichtet wurden. In der Amtszeit des »Normalisierers« Gustáv Husák (1975–1989) stieg die Zahl der Exekutionen erneut. Im Verlauf der Jahrzehnte zeigt sich zwar ein abnehmender Trend, vergleicht man die 1960er-Jahre (53 Hinrichtungen) mit den 1970er- und 1980er-Jahren (insgesamt 44 Hinrichtungen). Zugleich lässt sich dieser Rückgang aber auch als Stagnation deuten, wurden doch in den 1970er- und 1980er-Jahren jeweils 22 Menschen exekutiert. Über einen Zusammenhang zwischen der politischen Situation (Ende des Reformkommunismus, autoritäre Phase der »Normalisierung«, Entspannung während der Perestroika) und dem Gebrauch der Todesstrafe lässt sich ohne genauere Beurteilung von konkreten Fällen allerdings nur spekulieren.

In Volkspolen wurden zwischen 1969 und 1995 344 Menschen zum Tode verurteilt und 183 hingerichtet, im Verhältnis deutlich höhere Zahlen als in der Tschechoslowakei. Dabei handelte es sich – übrigens im Unterschied zu allen anderen sozialistischen Ländern – ausschließlich um Männer.[33] In Rumänien wurden während der Ära Ceaușescu (1965–1989) 104 Menschen von Erschießungskommandos hingerichtet. Zwischen 1980 und 1989 gab es 59 Todesurteile, von denen mindestens 50 vollstreckt wurden, was auf eine Verschärfung des Gebrauchs der Todesstrafe in der Spätphase der kommunistischen Herrschaft in Rumänien hindeutet.[34] In Jugoslawien wurden zwischen 1960 und 1990 insgesamt 75 Menschen hingerichtet, wobei sich ein deutlicher Rückgang der Hinrichtungen erst in den 1980er-Jahren abzeichnete.[35]

---

32   Siehe Otakar Liška u. a.: Vykonané tresty smrti. Československo 1918–1989 [Vollstreckte Todesurteile. Tschechoslowakei 1918–1989], Praha 2000.

33   Siehe Lista osób skazanych na karę śmierci w Polsce po roku 1945 [Liste der nach 1945 in Polen zum Tode verurteilten Personen], in: https://pl.wikipedia.org/wiki/Lista_osób_skazanych_na_karę_śmierci_w_Polsce_po_roku_1945 (ges. am 4. Dezember 2021).

34   Siehe Stancu: The Political Use of Capital Punishment in Communist Romania (Anm. 15).

35   Siehe die hilfreiche Webseite http://www.smrtnakazna.rs (ges. am 4. Dezember 2021). 1960er-Jahre: 36 Hinrichtungen; 1970er-Jahre: 30 Hinrichtungen; 1981–1990: 9 Hinrichtungen. Siehe auch Janković: Na belom hlebu (Anm. 31); Ivan Vukovic: La peine de mort en Yougoslavie socialiste et le conflit des sources normatives [Die Todesstrafe im sozialistischen Jugoslawien und der Konflikt der normativen Grundlagen], in: META: Research in Hermeneutics, Phenomenology, and Practical Philosophy 2 (2010), H. 2, S. 370–385.

Ungenau sind die statistischen Zahlen zur Erfassung der Todesurteile und deren Vollstreckung in der Sowjetunion. Die einschlägige Forschungsliteratur geht nur von groben Zahlen aus. Offiziell gaben die sowjetischen Behörden durchschnittlich 300 Hinrichtungen pro Jahr an, inoffizielle Angaben (u. a. von Anwälten, die in den Westen flohen) gehen von deutlich höheren Zahlen aus. Nach Schätzungen wurden 1961 2000 Personen hingerichtet, 1983 ungefähr 740 Personen. Unter Gorbačëv ging die Zahl der Hinrichtungen auf ca. 200 bis 300 pro Jahr zurück, die zugrunde liegenden Anklagen lauteten ausschließlich auf Mord.[36]

Betrachtet man die poststalinistischen Staaten im globalen Nachkriegskontext, werden bezüglich des Gebrauchs der Todesstrafe sowohl Ähnlichkeiten in Bezug auf deren weltweite Anwendung als auch Besonderheiten deutlich. Einerseits wurde die Todesstrafe »modernisiert« – hinsichtlich der Strafgesetzgebung, der Prozessführung sowie der eigentlichen Vollstreckung. Andererseits bleibt unklar, warum der poststalinistische Staat die Todesstrafe beibehielt, obwohl ihre symbolische Aussagekraft und damit auch Abschreckungswirkung beschränkt waren, da die Exekutionen unter Ausschluss der Öffentlichkeit stattfanden und die Berichterstattung meistens begrenzt war. Es kann davon ausgegangen werden, dass trotz der wachsenden Bedeutung wohlfahrtsstaatlicher Regulierungen weiterhin eine stete Entschlossenheit innerhalb der poststalinistischen Herrschaftsapparate vorhanden war, die klassische Souveränität in Form der Todesstrafe weiter zu behaupten, die länger wehrte als im Westen. Diese Entschlossenheit nahm erst infolge innerer Widersprüche in Bezug auf die Rechtfertigung der Todesstrafe und deren Durchführung, weniger unter dem Druck der öffentlichen Kritik ab.

Zu den Praktiken der Todesstrafe zählen alle Maßnahmen und Schritte, die zwischen der Verhängung des Todesurteils durch den Richter und der Vollstreckung und sogar darüber hinaus erfolgen. Wie Kaufman-Osborn argumentierte, ist das Verhältnis zwischen »Wort« und »Tat« für alle Regime von entscheidender Bedeutung, in denen die Todesstrafe Anwendung fand. Das gilt auch für die kommunistischen Staaten, in denen die Strukturen der gerichtlichen und exekutiven Macht intransparent waren. Symptomatisch für den Staatssozialismus war der Kontrast zwischen der anhaltenden Geheimhaltung der Hinrichtungen einerseits und der zunehmenden bürokratischen und medizinischen Kontrolle bzw. Fürsorge andererseits. Obwohl die Hinrichtungen im Verborgenen stattfanden, blieben sie ein ritualisiertes Spektakel mit einem streng definierten Publikum, wie es in der berühmten Schlussszene im *Kurzen Film über das Töten* von Krzysztof Kieślowski dargestellt wird.[37]

Die poststalinistische Rationalisierung der Todesstrafe fügt sich in den langfristigen Prozess der »Zivilisierung« in der Moderne: Ähnlich wie die Aufklärer im 18. und 19. Jahrhundert, die in der Abschaffung der vormodernen, sichtbar gewalttätigen und körperlich zerstörerischen Hinrichtungsart ein Zeichen des zivilisatorischen Fortschritts

---

36 Siehe Ulrike Schittenhelm: Strafe und Sanktionensystem im sowjetischen Recht, Freiburg i. Br. 1994, S. 400 f.; Ger P. van den Berg: The Soviet Union and the Death Penalty, in: Soviet Studies 35 (1983), H. 2, S. 154–174, hier S. 160–163.

37 Krzysztof Kieślowski: Krótki film o zabijaniu (dt. Titel: Ein kurzer Film über das Töten), Warschau 1988.

sahen, distanzierten sich die poststalinistischen Reformkommunisten von der stalinistischen »Barbarei«. Da es jedoch unmöglich schien, die Todesstrafe vollständig abzuschaffen, entwickelten sie rationelle, »humanere« Methoden der Hinrichtung, um den vermeintlich fortschrittlichen Charakter des neuen Strafsystems zu unterstreichen. Diese Rationalisierung äußerte sich im Bemühen, das Hinrichtungsverfahren zu perfektionieren. Die im 19. Jahrhundert entwickelten Methoden wurden »optimiert«: Um das Hängen »humaner« zu machen, wurde z. B. das Verhältnis zwischen Körpergewicht und Länge des Seiles berechnet.[38] Die Effektivität der Maßnahme, aber auch die Abneigung, physische wie psychische Schmerzen zu verursachen, scheint auch im Staatssozialismus von Bedeutung gewesen zu sein. Das zeigen auch diese Beispiele:

In der DDR wurde die Enthauptung durch die »Fallschwertmaschine« 1968 durch den »unerwarteten Nahschuss in den Hinterkopf« ersetzt. Als »Humanisierung« wurde dabei die Abschaffung der Todesangst gewertet.[39] In der Tschechoslowakei wurde bis 1954 die seit der österreichisch-ungarischen Monarchie gebrauchte und als besonders grausam wahrgenommene Methode der »Strangulation am Richtpfahl« angewandt.[40] Erst dann wurde eine modernere Galgenanlage eingeführt. Ähnliche Modernisierungsmaßnahmen gab es auch in Westeuropa. 1957 schlug eine Gruppe von konservativen Abgeordneten im britischen Parlament vor, das Hängen durch den Tod durch Giftgas zu ersetzen.[41] Allen Reformen war gemeinsam, dass sie ein effektiveres, zugleich aber auch komplexeres Verfahren einführten.

Das Interesse an der Tötungsmethode ist mehr als die Neugier auf das Unheimliche: Was steckte hinter dem Ziel, die Tötung zu perfektionieren, zu rationalisieren oder gar auf den Henker zu verzichten, mit anderen Worten: den Tod zu einem Nicht-Ereignis zu machen? Warum betrieben Staaten dafür einen erheblichen Aufwand? Schafften diese Veränderungen nicht (zumindest in Westeuropa und den USA) Raum für Zweifel und Kritik? In der amerikanischen Diskussion über die letale Injektion, die zum Inbegriff des »humanen« Tötens geworden ist, zeigt sich ein bedeutendes Paradox: Einerseits bleibt mit der tödlichen Injektion die Hinrichtung als Form souveräner Macht erhalten. Sie sorgt (angeblich) für die Sicherheit der Gemeinschaft. Andererseits wandelte sich die Tötung im Zuge der Rationalisierung und Verwissenschaftlichung zu einem komplexen Prozess, an dem eine wachsende Zahl unterschiedlicher Instanzen beteiligt und der immer

---

38 Siehe Kaufman-Osborn: From Noose to Needle (Anm. 16); Brian P. Block/John Hostettler: Hanging in the Balance. A History of the Abolition of Capital Punishment in Britain, Winchester 1997.
39 Siehe Koch: Die Todesstrafe in der DDR (Anm. 24).
40 Liška u. a.: Vykonané tresty smrti (Anm. 32), S. 19 f. Ein Video der Hinrichtung von Karl Hermann Frank am 22. Mai 1946 im Prager Pankrác-Gefängnis ist derzeit im Internet verfügbar: 1946: Karl Hermann Frank, http://www.executedtoday.com/2009/05/22/1946-karl-hermann-frank (ges. am 4. Dezember 2021). Die in Wien um 1900 durch den Henker Josef Lang eingeführte »Strangulation am Richtpfahl« wurde im Vergleich zur angelsächsischen Tradition des Hängens durch den Fall mit langem Seil *(long drop)* als eine humanere Hinrichtungsmethode wahrgenommen. Siehe Harald Seyrl (Hg.): Die Erinnerungen des österreichischen Scharfrichters. Erweiterte, kommentierte und illustrierte Neuauflage der im Jahre 1920 erschienenen Lebenserinnerungen des k.k. Scharfrichters Josef Lang, Wien 1996.
41 Siehe Block/Hostettler: Hanging in the Balance (Anm. 38), S. 195.

schwerer zu kontrollieren war. Auch im Staatssozialismus wurde den Hinrichtungs-
methoden eine erhebliche Bedeutung beigemessen – wäre es anders gewesen, hätten sie
gar nicht geändert werden müssen.

V. Sozialistische Frauen an den Galgen

Wie oben angedeutet, wurden Hinrichtungen durch die zunehmende rechtliche und
prozedurale Komplexität zu einer potenziellen Wundstelle des spätmodernen Staates.
Dieser Gefahr setzt er sich vor allem dann aus, wenn ein »falscher« Körper vernichtet
wird, d. h. einer, der die »analogische Verifikation« nicht sicherstellen kann. Dies wirft
die Frage auf, wer eigentlich hingerichtet wurde und welche politische Bedeutung diese
Auswahl hatte. Damit einhergehend rückt der dritte Aspekt, nämlich das Geschlecht, in
den Blick.

Bei dieser Sichtweise geht es weniger darum, dem Gender Bias im legalen Töten
nachzugehen, also der Frage, warum verhältnismäßig mehr Männer als Frauen hingerichtet wurden und werden. Interessanter scheinen vielmehr diese Fragen: Warum musste
der poststalinistische Staat Frauen töten? Was »gewann« er durch die Zerstörung des
weiblichen Körpers? Wie passte der Machtanspruch über den weiblichen Körper mit der
Emanzipationsideologie des Sozialismus zusammen?

Die feministische Kriminologie fragte bisher hauptsächlich danach, wie Gender-
stereotypen die Entscheidungen von Richtern beeinflussen. Sie untersuchte die Abneigung gegen die Tötung von Frauen sowie die Frage, warum generell viel weniger Frauen
zum Tode verurteilt und hingerichtet werden als Männer. Der offensichtliche Grund
dafür ist, dass Frauen wesentlich weniger Straftaten begehen als Männer.[42]

Dennoch wurden sowohl in kapitalistischen als auch in sozialistischen Staaten Frauen
hingerichtet. Daher würde anstatt »Warum so wenige?« die richtige Frage lauten: »Warum
diese?«[43] Aufgrund des Gender Bias im System des Strafrechts war der juristische Apparat
verpflichtet, eine formale Gleichheit zwischen den Geschlechtern herzustellen, indem er
die weiblichen Eigenschaften der Straftäterinnen eliminierte. Auch der sozialistische
Staat musste demnach »weibliche Monster« konstruieren, die so gefährlich erschienen,
dass sie vernichtet werden mussten.[44] Diese »Auswahlkriterien« sagen viel über das sich
wandelnde Selbstverständnis der spätsozialistischen Staatsmacht aus.

---

42 Beispielsweise verüben Frauen in den USA nur zwölf Prozent aller Morde. Dazu: Kaufman-Osborn:
From Noose to Needle (Anm. 15), S. 168; Mary Welek Atwell: Wretched Sisters. Examining Gender
and Capital Punishment, New York 2007. Zudem sind sie seltener vorbestraft. Dem klassischen
geschlechtsspezifischen Muster zufolge finden weibliche Kapitalverbrechen im häuslichen Bereich
statt, aus Leidenschaft und Wut. Männer dagegen morden für den Profit; sei er materiell oder
sexuell. Auch belastende Faktoren und mildernde Umstände sind in Bezug auf das Geschlecht unterschiedlich definiert. Deshalb wurden auch disproportional eher wenig Frauen zur Todesstrafe verurteilt. In den USA sind seit 1976 nur zwei Prozent der zum Tode Verurteilten und 1,1 Prozent der
Hingerichteten Frauen gewesen. Ebd., S. XI.

43 Ebd., S. 6.

44 Kathryn Ann Farr: Defeminizing and Dehumanizing Female Murderers. Depictions of Lesbians on
Death Row, in: Women & Criminal Justice 11 (2000), H. 1, S. 49–66.

Wer waren die im Poststalinismus hingerichteten Frauen? Ein erster – zugegeben flüchtiger und unvollständiger – Blick auf ihre Taten zeigt eine Mischung aus Morden im familiären Umfeld, Morden aus Hass, Massenmorden in Form von Amokläufen, aber auch sexuell motivierten Morden.

Im Folgenden werden einige ausgewählte Beispiele präsentiert, deren Auswahl zum einen durch einen hohen öffentlichen Bekanntheitsgrad (sowohl zeitgenössisch als auch im kollektiven Gedächtnis) und zum anderen durch veröffentlichtes Material (Presse, Publizistik, Populärliteratur) begründet ist. Zwar bilden diese Fälle eine heterogene Gruppe, jeder Fall besitzt aber typisierbare Züge, die es erlauben, weiterführende allgemeingültige Thesen zu formulieren.

Zum Prinzip der »Eliminierung der Weiblichkeit« passt der Fall der tschechischen Massenmörderin Marie Fikáčková, hingerichtet im April 1961 in Prag. Die Krankenschwester, die in der Geburtsklinik von Sušice, einer Kleinstadt in Westböhmen, arbeitete, tötete mehr als zehn Babys. Das Motiv für diese Morde wurde nie aufgeklärt. Fikáčkovás Tat stellt einen komplexen Fall von Kindstötung dar, weil er nicht in die Kategorie der Morde im familiären Umfeld bzw. der Kindstötung durch die leibliche Mutter fällt. Die Tötung von Kindern war aus Sicht des modernen Staates eines der schwersten Verbrechen. Fälle aus anderen Kontexten, insbesondere aus den USA, zeigen, dass Frauen durch die Tötung von Kindern ihre imaginäre Weiblichkeit einbüßen und es dem Staat somit ermöglichen, sie wie Männer zu bestrafen: mit der Todesstrafe. Der Staat befand sich im Fall Fikáčková kaum in einem Dilemma, da eine Massenmörderin von Kindern leicht als Inkarnation des Bösen dargestellt werden konnte, zu gefährlich sogar, um ihr Leben im Gefängnis zu verbringen.[45] Auch 50 Jahre nach dem Verbrechen geistert die »Bestie von Sušice« weiter durch die tschechischen Medien. Noch 2011 urteilte eine Prager Tageszeitung, Alkoholismus, Gewaltneigung und deutsche Nationalität seien die Ursache gewesen: »Sie stammte aus einer armen Familie, die nach dem Krieg die deutsche Nationalität annahm. Ihre Kindheit war nicht glücklich. Ihr Vater war ein gewalttätiger Alkoholiker, der seinen Hass gegenüber den Tschechen offen auslebte.«[46]

Der Fall von Irena Čubírková, hingerichtet in Prag im September 1966, erinnert wiederum an die Figur der »schwarzen Witwe«, die auch im US-amerikanischen Kontext häufig gebraucht wird.[47] Die ostböhmische Bäuerin hatte zwei ihrer Ehemänner im Schlaf getötet, ihre Überreste teilweise im Ofen verbrannt, teilweise zerstreut und den

---

45   Siehe Welek Atwell: Wretched Sisters (Anm. 42), S. 9.

46   Rozsévala v porodnici smrt. Sušická bestie dostala před 50 lety provaz [Sie verbreitete den Tod in der Entbindungsklinik: Vor fünfzig Jahren wurde die Bestie von Sušice zum Tod durch den Strang verurteilt], Mladá fronta Dnes vom 13. April 2011, https://www.idnes.cz/zpravy/cerna-kronika/rozsevala-v-porodnici-smrt-susicka-bestie-dostal-pred-50-lety-provaz.A110413_150827_plzen-zpravy_alt (ges. am 17. August 2022).

47   Welek Atwell: Wretched Sisters (Anm. 42), S. 118 f.; Robert Menzies/Dorothy E. Chunn: The Making of the Black Widow. The Criminal and Psychiatric Control of Women, in: Gillian Balfour/ Elizabeth Comack (Hg.): Criminalizing Women. Gender and (In)Justice in Neoliberal Times, Halifax 2006, S. 174–194.

Kopf des zweiten Ehemannes in der Zugtoilette liegengelassen. Der Fall sorgte für großes Aufsehen in der tschechoslowakischen Öffentlichkeit. Bemerkenswert ist, wie zum einen durch die Äußerungen des Gerichts und zum anderen durch die Presseberichte in der staatssozialistisch gelenkten, aber seit der Liberalisierung der 1960er-Jahre zunehmend westlicher werdenden Gesellschaft, ein »weibliches Monstrum« konstruiert wurde, das die Todesstrafe verdient zu haben schien.[48]

Ähnlich lässt sich der Fall von Šefka Hodžić, der Ende der 1960er-Jahre das sozialistische Jugoslawien erschütterte, als ein Beispiel für die Konstruktion des »weiblichen Monstrums« beschreiben. Hodžić, verzweifelt, weil sie die letzte kinderlose junge Frau im Dorf war, hatte im Oktober 1969 in der Nähe von Zvornik, Bosnien, zusammen mit einem Komplizen eine hochschwangere Freundin getötet und ihr den Fötus aus dem Bauch entfernt, um das Baby als ihres auszugeben. Die relativ freien jugoslawischen Medien starteten eine Kampagne, in der Hodžić als »Monster-Frau« und »Verbrecherkönigin« bezeichnet wurde. Im psychologischen Gutachten wurden mildernde soziale und psychologische Umstände (gewalttätiger Vater, alkoholabhängiger Ehemann, sozialer Druck im Dorf) geltend gemacht. Ein Angriff auf eine schwangere Frau, der eine Fehlgeburt verursacht, wurde jedoch seit dem Mittelalter als Mord betrachtet.[49] Der sozialistische Staat sah sich somit folgendem Problem gegenüber: Einerseits zwang der aufsehenerregende Angriff auf eine schwangere Frau den Staat, seine Machtposition zu beweisen. Andererseits brachte gerade die Zwangsjacke des geschlechtsspezifischen Paternalismus den Obersten Gerichtshof dazu, am Ende von der Verhängung der Todesstrafe abzusehen – das ursprüngliche Urteil wurde in 20 Jahre Haft umgewandelt.[50]

Diese Fälle machen die Strategien ideologischer Staatsapparate deutlich, mittels genderspezifischer kriminologischer, medizinischer und moralischer Diskurspraktiken einen »weiblichen Körper« zu konstruieren, für den allein die Todesstrafe angemessen schien. Zwei andere bekannte Fälle von Frauen, die in unterschiedlichen politischen Kontexten hingerichtet wurden, sind dafür ebenfalls beispielhaft: Zum einen Milada Horáková, die als eines der berühmtesten Opfer des Stalinismus im Juni 1950 durch Strangulation in Prag hingerichtet wurde[51]; zum anderen Ruth Ellis, die im Juli 1955 als letzte Frau in Großbritannien durch den *long drop* hingerichtet wurde.[52] Ähnlichkeiten und Unterschiede dieser Fälle sind sowohl epochenübergreifend (zwischen Stalinismus und Poststalinismus) als auch systemübergreifend (zwischen Staatssozialismus und Kapitalismus) zu untersuchen.

---

48 Siehe http://kriminalistika.eu/muzeumzla/cubirkova/cubirkova.html (ges. am 4. Dezember 2021).
49 Siehe Sara M. Butler: Abortion by Assault. Violence against Pregnant Women in Thirteenth- and Fourteenth Century England, in: Journal of Women's History 17 (2005), H. 4, S. 9–31.
50 Zu Hodžić siehe Mladen Gvero: Ljubav i zločin. Hronika o Šefki [Liebe und Verbrechen. Die Chronik von Šefka], Beograd 2012. Aktenmaterial zum Fall befindet sich im Arhiv Jugoslavije/ Jugoslawisches Archiv in Belgrad, Savezni sud, 212-114-139, Kž-45/70, und 212-115-140, 26/72.
51 Petr Koura/Pavlína Formánková: Žádáme trest smrti! Propagandistická kampaň provázející proces s Miladou Horákovou a spol. [Wir fordern die Todesstrafe! Propagandakampagne zum Prozess gegen Milada Horáková und Co.], Praha 2008.
52 Block/Hostettler: Hanging in the Balance (Anm. 38), S. 163–165.

VI. Politisches Handeln der Verurteilten

Abschließend soll untersucht werden, ob auch im Staatssozialismus zum Tode Verurteilte *politisch* handeln konnten. Dazu noch einmal zurück zur Ausgangsthese: Die post-stalinistischen Staaten entwickelten »humanere« Formen der Todesstrafe (mit Blick auf Gesetzgebung, Prozessstruktur, Hinrichtungsmethode), um den fortschrittlichen Charakter des neuen Strafsystems zu unterstreichen. Mit der Beibehaltung der Todes-strafe wollten sie sicherstellen, weiterhin direkt über Leben und Tod entscheiden und die Deutung des Todes kontrollieren zu können. Doch die bloße Existenz der Todesstrafe schafft immer auch Raum für Kritik und häufig eben auch für die politische Deutung, ein »Opfer« zu sein.[53]

Olga Hepnarová wurde als letzte Frau in der Tschechoslowakei hingerichtet. Mit 22 Jahren fuhr sie im Juli 1973 in Prag mit einem Lkw in eine Straßenbahnhaltestelle, tötete dabei acht Personen und verletzte weitere zwölf. Da sie sich von Familie und Schule schikaniert gefühlt hatte, betrachtete sie ihre Tat als »Rache an der Gesellschaft«. Nach einem langen Untersuchungsverfahren wurde sie für schuldfähig erklärt und am 12. März 1975 in Prag hingerichtet. An Hepnarovás Fall sind besonders ihr Verhalten im Gefängnis sowie die Strategien des Staates interessant, ihre Tat und deren märtyrerisches Potenzial herunterzuspielen. Vorliegende Gerichtsakten mit Protokollen, Briefen, Berich-ten, Gutachten und anderen Unterlagen ermöglichen die Rekonstruktion.[54]

Im Gefängnis, wo sie insgesamt zwanzig Monate verbrachte, bemühte sich Hepna-rová, systematisch ein neues Bild von sich zu schaffen, das auf ihrer Selbststilisierung als Opfer und ihrem Ausgeschlossensein aus der Gesellschaft beruhte. Ihre Strategie bestand vor allem darin, jeden politischen Hintergrund für ihre Tat von sich zu weisen. Sie behauptete, sich niemals für Politik interessiert zu haben und auch dem Prager Frühling gleichgültig gegenüberzustehen.[55] Daher war es für die kommunistische Staatsmacht schwierig, Hepnarová nach stalinistischem Muster als politisch, d. h. als Klassenfeindin zu betrachten. Hepnarová entwickelte einen eigenen politischen Standpunkt, indem sie die geltende Aufteilung zwischen Sozialismus und Kapitalismus negierte und eine alter-native Trennlinie zwischen der herrschenden Mehrheit und den Unterdrückten zog.

Dieses politische Verständnis beruhte auf der Vorstellung, dass die Auswahl der Opfer rein willkürlich war. Hepnarová hatte die »Ausgeschlossenen« mit dem deutschen Wort »Prügelknaben« bezeichnet, die sie mit den jüdischen Opfern des NS-Regimes verglich. Vor Gericht sagte sie aus, es gäbe keine rationalen Kriterien, die jemanden zum »Prügel-knaben« machten: »Ich möchte betonen, dass ich eine Ausnahme bin, obwohl ich körper-

---

53 Zum Verhältnis zwischen legalem Töten und Opferungen siehe Mateo Taussig-Rubbo: Sacrifice and Sovereignty, in: Austin Sarat/Jennifer L. Cuthbert (Hg.): States of Violence. War, Capital Punish-ment, and Letting Die, Cambridge u. a. 2009, S. 83–126; ders.: The Unsacrificeable Subject?, in: Austin Sarat/Karl Shoemaker (Hg.): Who Deserves to Die? Constructing the Executable Subject, Amherst 2011, S. 131–150.

54 Hepnarovás Gerichtsakten befinden sich im Archiv hlavního města Prahy/Archiv der Hauptstadt Prag, Fond Městský soud Praha/Bestand Stadtgericht Prag, 1419, 1 T 8/.

55 Ebd., Bl. 579.

lich normal bin, weiße Haut habe und mich nicht von anderen Menschen unterscheide. Ich habe nicht verstanden, warum man mich zum Prügelknaben gemacht hat.«[56] Durch das Töten Unschuldiger wollte sie vorführen, dass die »Prügelknaben« rein zufällig gewählt würden.

Hepnarovás aktives Verhalten nach der Verhaftung zeigt, dass es verurteilten Personen möglich war, alternative Denk- und Handlungsweisen zu entfalten und somit politisch zu handeln.[57] Sie widersetzte sich dem Gefängnisregime, indem sie etwa protestierte bzw. Gewalt gegen Aufseher und Mitinsassen anwandte. Sie definierte ihre Identität neu, indem sie über ihr Verbrechen, ihr Verhalten im Gefängnis sowie über die Handlungsweise des Staatsapparates reflektierte.[58] Sie las viel und machte sich Notizen, besonders zu Kafka, Rilke, Camus, Sartre und Freud. In den Briefen an ihren Freund Mirek pochte sie auf ihr Recht, ihre Liebesbeziehung auch im Gefängnis fortzuführen. In Gesprächen mit Psychiatern legte sie ihre Bisexualität offen. Vor Gericht sagte sie, dass sie der Haftstrafe mit Freude entgegensehe, biete sie doch die Möglichkeit, Freundinnen kennenzulernen.

Dieses Verhalten stellte eine Herausforderung für den Staatsapparat dar. Obwohl Hepnarová kein politisches Subjekt und schon gar keine Dissidentin war, beeinflusste sie durch ihre Handlungsweise die institutionellen Regeln für Gefangene. Ihr Handeln kann als eine Form oppositionellen Verhaltens gedeutet werden, mit dem Hepnarová die Gesellschaft zwar nicht umstürzen, aber doch beeinflussen wollte. Sie war sich wohl bewusst, dass eine Hinrichtung mehr als die Ausübung reiner Gewalt ist: Sie umfasst die Erfassung, Untersuchung und Bewertung der Taten und Reaktionen der Verurteilten, ebenso ein medizinisches Wissen über ihren Körper. Auch nach Eintritt des Todes ist der Prozess nicht abgeschlossen. Er schließt die Beerdigung ein, das Verhalten der Familie, Medien, Gefängnisaufseher, Polizeibeamte und Henker.[59]

Der lange Gerichtsprozess war ein bürokratischer Akt, der unter Ausschluss der Öffentlichkeit stattfand. Er enthüllt aber eine erstaunliche Komplexität, die für das Vorgehen des spätsozialistischen Staates typisch war und die These vom »Herrschen durch Recht« bestätigt. Die Akte enthält über 200 Einträge auf 1200 Seiten, darunter ein 50-seitiges psychiatrisches Gutachten, ein 30-seitiges sexualwissenschaftliches Gutachten und viele andere Analysen. Die Ausführlichkeit der Untersuchungen ist beeindruckend und zeugt von einem Fachwissen, das die Richter wohl kaum imstande waren zu bewerten. Hier wird die tiefgreifende Transformation der Macht im Spätsozialismus deutlich: Anstatt einfach den »Feind des Volkes« nach stalinistischer Manier zu »liquidieren«, aktivierte der poststalinistische Wohlfahrtsstaat seine Ressourcen, um ein »exekutierbares Subjekt« zu konstruieren, das als Gefahr für das Leben der Gesellschaft begriffen wurde und daher hingerichtet werden musste.

---

56 Ebd., Bl. 96.
57 Für den frühneuzeitlichen Kontext siehe Frances E. Dolan: »Gentlemen, I Have One Thing More to Say«: Women on Scaffolds in England, 1563–1680, in: Modern Philology 92 (1994), H. 2, S. 157–178.
58 Dean definiert politisches Handeln als: »The ability to think and act otherwise«, Dean: Governmentality (Anm. 17), S. 15.
59 Ebd., S. 22.

Durch die Eliminierung von exekutierbaren Subjekten suchte der spätsozialistische Staat seine Autorität zu konsolidieren. Doch dies war ein heikles Unterfangen, denn Fälle wie Hepnarovás offenbarten das Unbehagen des Staates bei der Anwendung der Todesstrafe. Wie in der Liberaldemokratie unterminierte auch im Staatssozialismus das Bemühen um Optimierung und Humanisierung den legitimierenden Effekt der Todesstrafe. Die wachsende Rolle der Experten und Sachverständigen – Techniker, Ärzte, Psychologen, Sexologen – machte Hepnarovás Prozess so langwierig und kompliziert, dass die Macht des Staates, frei über Leben und Tod zu entscheiden, in einem Maße beschnitten wurde, dass die Todesstrafe an ihrer legitimierenden Funktion einbüßte. Das Zögern bezüglich der Exekution dokumentiert den Rückgang der souveränen Macht des Staates. Diese Verunsicherung zeigt sich in der Komplexität des Prozesses, der alle gerichtlichen Instanzen durchlief (vom Kreis- und Bezirksgericht zum Bundesgericht), in der Modifizierung der Anklage ursprünglich wegen Mordes zu »Gefährdung der Öffentlichkeit«, in den vielfachen Verhandlungen der Experten und den divergierenden Einschätzungen der Richter.

VII. Schlussbemerkung

Der poststalinistische, sich »normalisierende« Staat war nicht mit revolutionären Veränderungen befasst, sondern wollte für »Ruhe und Ordnung« unter »anständigen Bürgern« sorgen. Sein Ziel war es, physische Gewalt nur auf die allernötigsten Bereiche zu begrenzen und vor der Öffentlichkeit zu verbergen. Personen, die den sozialen Frieden störten, kamen in polizeilichen, medizinischen oder pädagogischen Gewahrsam. Der Ausnahmezustand des Stalinismus sollte vergessen werden; die Ausnahmestrafe führte ihn jedoch auf Mikroebene immer wieder ein. Eine Extremsituation wie die Hinrichtung einer jungen Frau war unbequem für den sozialistischen Staat, denn weder konnte sie seine souveräne Macht stärken, noch wurde sie dem poststalinistischen Anspruch gerecht, physische Gewalt zu minimieren. Es scheint, dass sich innerhalb des Staates selbst ein tiefgreifender Wandel vollzog, durch den seine souveräne Macht erodierte. Die Art des Auftretens der Verurteilten, wie z. B. von Hepnarová, sowie das Unbehagen des Staates, seine Bürger hinzurichten, machten diesen Verunsicherungsprozess sichtbar.

Hier kann das Augenmerk auf die Ähnlichkeit von sozialistischem und westlichem Wohlfahrtsstaat gelenkt werden: Beide Systeme waren zunehmend darum bemüht, Politisierungsdynamiken im Strafrecht zu unterbinden. Die Todesstrafe, als »sozialstaatliche Fürsorgemaßnahme« betrachtet, weist dabei zwei Dimensionen auf: Zum einen übernimmt der Staat die Verantwortung für die Wohlfahrt der Gesellschaft durch die Gewährung der äußeren wie inneren Sicherheit. Zum anderen rationalisiert, optimiert und bürokratisiert der Staat die Todesstrafe, was zu tiefgreifenden Widersprüchen führt, wie sie sich im Oxymoron der »humaneren Hinrichtung« ausdrücken. Obwohl in den westlichen Wohlfahrtsstaaten die Todesstrafe nach 1945 mit Ausnahme der USA schrittweise abgebaut wurde, sollte ihre Geschichte nicht nur vom Ende her gelesen werden. Auch in den westlichen Demokratien dauerte der Abschaffungsprozess nach dem Zweiten

Weltkrieg mehrere Jahrzehnte und wurde von Modernisierungsversuchen und erbitterten Diskussionen begleitet. Einige westliche Staaten haben erst Ende des 20. Jahrhunderts vollständig auf die Todesstrafe verzichtet, wie z. B. Belgien (1996) oder Großbritannien (1998). Im Einklang mit dem in den späten 1960er-Jahren eingetretenen Paradigmenwechsel von Wohlfahrt zu Sicherheit waren in den westlichen Gesellschaften Präferenzen für höhere Bestrafungen beobachtbar; auch die Einstellung der Öffentlichkeit zur Todesstrafe schwankte. Die Wirkung der kritischen Öffentlichkeit im Westen und ihre Abwesenheit im Osten scheint daher ein zu vernachlässigender Unterschied zu sein, der eine vergleichende Betrachtung nicht verhindern sollte. Andere Dimensionen, wie die rechtswissenschaftlichen Debatten unter Experten, die Dynamiken innerhalb der Herrschaftsapparate wie auch das politische Handeln der Verurteilten erscheinen durchaus vergleichbar. Eine europäische Vergleichs- und Verflechtungsgeschichte der Gewalt nach 1945 sollte deshalb die vergangenen Herrschaftspraktiken nicht als Funktionen der streng voneinander getrennten Systeme »Kapitalismus« oder »Sozialismus« betrachten, sondern als Zeichen eines fortdauernden Umgestaltens der modernen Staatsmacht.[60]

---

60 So argumentieren Sharad Chari/Katherine Verdery: Thinking between the Posts. Postcolonialism, Postsocialism, and Ethnography after the Cold War, in: Comparative Studies in Society and History 51 (2009), H. 1, S. 6–34, hier S. 30.

Jens Boysen

Schutz und Strenge. Die Polnische Armee als autoritäre Schirmerin der Nation (1970–1990)

Die gemeinhin als weniger ideologisch-radikal und stärker pragmatisch oder sogar punk-
tuell »liberal« beurteilte Phase des Spätsozialismus brachte im Falle Polens spezifische
Entwicklungen mit sich, die zwar auf der Ereignisebene weiter gingen als in anderen
Ländern, insbesondere mit Blick auf die Entstehung der unabhängigen Gewerkschaft
Solidarność, aber weniger an den tatsächlichen Grundlagen des Staates änderten, als es
den Anschein haben mochte. Denn zum einen war die maßgebliche Zäsur bezüglich des
Herrschaftsstils bereits mit dem »Tauwetter« im Jahre 1956 erfolgt, und zum anderen war
spätestens seitdem der zentrale Drehpunkt der gesellschaftlichen Ordnung nicht mehr
der oberflächlich applizierte Marxismus, sondern ein halboffener »nationaler« Konsens
zwischen Regierung und Volk über die Deutung von Geschichte und Gegenwart. Beide
Seiten beriefen sich auf ihn, und zugleich wirkte er auf beiden Seiten als Hemmschwelle
für allzu radikale Schritte. Die mythisch umrankte Armee war in diesem Kontext zentraler Träger nicht nur des physischen, sondern auch des ideologischen *nation-building*,
die unbestrittene Schule der Nation. Nur sie konnte die Loyalität gegenüber der unge-
liebten Sowjetunion durchsetzen, und nur sie überstand wiederholt »stabilisierende«
Gewaltakte gegen die Bevölkerung ohne nennenswerten Ansehensverlust. Im Folgenden
werden einige wichtige Etappen dieser weniger marxistischen als vielmehr traditionellen
Variante zivil-militärischer Beziehungen bis 1990 nachgezeichnet.

I. Die Lage Volkspolens im Spätsozialismus – innere und äußere Konflikt-
potenziale

Die im Rückblick als Spätphase des »realen« Sozialismus bezeichneten 20 Jahre zwischen
1970 und 1990 lassen sich sowohl mittels allgemeiner Epochenmerkmale von der vorher-
gehenden Phase abgrenzen – wie z. B. Generationswechsel, technischer Fortschritt, Konsumorientierung, Entspannung im Ost-West-Konflikt – als auch anhand von spezifischen Entwicklungen in den Ländern der beiden Blöcke. Für die nach 1945 geborene
Generation waren die in der Nachkriegszeit prägenden Faktoren, wie die persönliche
Erinnerung an den Krieg, das physische Überleben bzw. der Wiederaufbau oder die teils
weitreichende politische Neuorientierung tendenziell weniger wichtig, was allerdings
aufgrund von starken familiengeschichtlichen und nationalen Traditionen sowie abweichenden politischen Prägungen variieren konnte. Im polnischen Fall waren diese teils im
öffentlichen und teils im privaten Bereich verankerten Faktoren besonders stark und

blieben auch nach 1970 wirksam, vor allem in Gestalt sowohl des systemstabilisierenden und daher durch das Regime faktisch unbehinderten antideutschen als auch des potenziell systemgefährdenden und daher unerwünschten antisowjetischen Nationalismus.

Gegenüber der Bundesrepublik blieb der herrschende Antigermanismus noch für geraume Zeit präsent – ungeachtet des Warschauer Vertrages vom Dezember 1970 und der sich im Anschluss entwickelnden wirtschaftlichen und kulturellen Beziehungen sowie des KSZE-Prozesses. Dieser Antigermanismus konnte gleichermaßen zur Ablenkung von inneren Schwierigkeiten, aber auch zur sicherheitspolitischen Legitimierung der prosowjetischen Orientierung dienen.[1] Genauso wurde die DDR von polnischer Seite als (national)deutscher Staat angesehen und mit den entsprechenden negativen Projektionen bedacht, trotz der offiziell verordneten »Freundschaft«.[2] Die orthodox-marxistische und oft belehrende Haltung der SED gegenüber der »lauen« Polnischen Vereinigten Arbeiterpartei (*Polska Zjednoczona Partia Robotnicza*, PZPR) verstärkte diese Bewertung noch. Das Verhältnis zwischen Polen und der Sowjetunion war weiterhin ambivalent. Die »weißen Flecken« in der Beziehungsgeschichte beider Länder, wie die sowjetische Beteiligung am Angriff vom September 1939 und das Massaker von Katyn 1940,[3] schwelten im kollektiven Gedächtnis weiter und konnten nur durch den steten Verweis auf die (partielle) Befreiung von 1945 und die angebliche (west)deutsche Revisionsgefahr in Schach gehalten werden. Erst der Solidarność gelang es in den 1980er-Jahren, den negativen Blick auf Deutschland abzumildern und der offiziellen Geschichtssicht eine sowjetkritische Gegenerzählung gegenüberzustellen. In diesem Erinnerungskrieg spielte die Politische Hauptverwaltung der Polnischen Armee, also die Repräsentanz der Partei, eine zentrale Rolle.[4]

Beide genannten Sichtweisen waren nationalistisch geprägt. Dies beruhte auf der Funktion einer vor allem nationalen Perspektive auf Geschichte und Gegenwart als primärer gesellschaftlicher Bindekraft, der die offiziellen marxistischen Positionen bestenfalls assistierten, sofern sie nicht einfach ignoriert wurden. In der politischen Praxis wie auch in der tatsächlichen ideologischen Sicht der zivilen und militärischen Eliten war der »polnische Sozialismus« nach 1956 in erster Linie ein innen- und außenpolitisches Arrangement zur Sicherung der nationalstaatlichen Existenz, aber nur für wenige ein verinnerlichtes Dogma marxistisch-leninistischer Natur. Die historische Ironie bestand darin, dass gerade die Polnische Armee als wichtigster Wahrer und Verbreiter jener im Kern nationalen Staatsidee das kollektive Selbstbewusstsein der Polen zu schaffen half, das Akte des Ungehorsams bzw. Widerstands gegenüber der Staatsmacht erst ermöglichte. Anders als etwa in der DDR und der UdSSR konnte das polnische Regime angesichts

---

1   Zur Funktion der Deutschenfurcht im Ostblock siehe Pierre-Frédéric Weber: Timor Teutonorum. Angst vor Deutschland seit 1945. Eine europäische Emotion im Wandel, Paderborn 2015.

2   Siehe Jan C. Behrends: Die erfundene Freundschaft. Propaganda für die Sowjetunion in Polen und in der DDR, Köln 2006; zum Verhältnis DDR – Polen siehe Sheldon Anderson: A Cold War in the Soviet Bloc. Polish-East German Relations, 1945–1962, Boulder/Co. 2001.

3   Siehe Claudia Weber: Krieg der Täter. Die Massenerschießungen von Katyn, Hamburg 2015.

4   Siehe Zaur Gasimov: Militär schreibt Geschichte. Instrumentalisierung der Geschichte durch das Militär in der Volksrepublik Polen und in der Sowjetunion 1981–1991, Berlin/Münster 2009.

dieses offiziösen Nationalismus von der Bevölkerung nicht ohne Weiteres Opfer zugunsten des Sozialismus fordern, sondern musste seine Schritte im Sinne dieses nationalen Narrativs begründen, während die Warschauer-Pakt-Verbündeten zugleich der ungefährlichen Wirkung »unorthodoxer« Maßnahmen versichert werden mussten. In beiden Fällen war die Armee das Gesicht des Regimes: nach außen, weil das primäre sowjetische Interesse in der strategischen Sicherheit ihres Herrschaftsraums lag, und nach innen, weil die Armee aufgrund der in Polen gepflegten positiven (und distanzlosen) Haltung zur eigenen Militärgeschichte und eines damit verbundenen Primats der Außen- und Sicherheitspolitik von allen staatlichen Institutionen – d. h. außer der katholischen Kirche – das höchste öffentliche Vertrauen genoss.

Zwar war in Polen der Herrschaftsanspruch der Kommunisten nach 1944 gewaltsam durchgesetzt worden und bestand auch nach 1956 fort. Aber die beschriebene gesellschaftliche Gemengelage machte eine mit Zwang durchgesetzte Systemsicherung zu einer ambivalenten Angelegenheit – weniger hinsichtlich eines möglichen physischen Widerstands (der insgesamt ein seltenes Phänomen blieb) als vielmehr hinsichtlich der möglichen Auswirkungen auf das Ansehen der Armee in der breiten, eher loyalen Bevölkerung. Vor diesem Hintergrund lässt sich feststellen, dass die spätsozialistische Phase in Polen letztlich von vergleichsweise wenigen Repressionen im Sinne physischer Gewaltanwendung gegen oppositionelle Kräfte geprägt war. Dass sich diese seltenen Fälle gewaltsamen staatlichen Zwangs trotzdem besonders intensiv in das kollektive (nationale) Gedächtnis eingeprägt haben,[5] rührt daher, dass sie in starkem Kontrast zu den langen Phasen relativer Ruhe standen.

Gleichwohl war es vor allem die erzwungene Mitgliedschaft des Landes im sowjetischen Lager, die für das polnische Regime eine ständige legitimatorische Herausforderung darstellte, und zwar nach Maßgabe zweier zentraler Parameter: (symbolische) nationale Eigenständigkeit und wirtschaftliche Stabilität. Solange diesen wenigstens in minimalem Umfang entsprochen wurde, hatte das Regime im Innern weitgehend Ruhe. Entgegen der Fama eines »intrinsischen« Freiheitsdrangs der Polen war der Auslöser für Proteste und eine Infragestellung der führenden Rolle der Partei fast immer ökonomischer Natur. Wäre es der PZPR wie der SED (dieser freilich mit massiver westdeutscher Hilfe) gelungen, den Lebensstandard der Bevölkerung auf einem leidlichen Niveau zu halten, wäre es vielleicht nicht zur wiederholten Mobilisierung der Arbeiterschaft gekommen. Wie unter Erich Honecker in der DDR lenkte in den frühen 1970er-Jahren die neue Wirtschafts- und Sozialpolitik unter Edward Gierek den Fokus der Bevölkerung auf das Privatleben und den Konsum, womit freilich anders als in der DDR einherging, dass die Bekenntnisse zur sozialistischen Ordnung zu bloßen Pflichtübungen verkamen. Brachen infolge wirtschaftlicher Probleme doch Konflikte aus, kam wegen der Bindungsschwäche der Ideologie oft der zweite Faktor, das Nationale, zum Tragen, indem die Rebellierenden die Bringschuld der Regierenden gegenüber der Nation thematisierten. Wie zu sehen sein wird, konnte die Armeeführung solche Situationen zwar

---

5   Etwa, mit heroisierender Tendenz, als »polnische Monate«; siehe Jerzy Eisler: »Polskie miesiące«, czyli kryzys(y) w PRL [»Polnische Monate«, oder Krise(n) in der VRP], Warszawa 2008.

teilweise entschärfen, geriet dadurch mitunter aber auch in erhebliche politische Schwierigkeiten.

Ein wichtiger »erinnerungsordnender« Faktor war und ist eine dichotomische Bewertung des Handelns der Armee einerseits (positiv) und der Bürgermiliz (*Milicja Obywatelska*, d. h. der Polizei) andererseits (negativ). Zwar war die Miliz in Polen, wie in vielen anderen Ländern unabhängig von der Gesellschaftsordnung, im öffentlichen Raum regelmäßig präsent und daher auch bei Zusammenstößen als erste und meist einzige Staatsgewalt im Einsatz. Jedoch arbeiteten Armee und Miliz in ihrer systempolitischen Sicherungsfunktion fast durchgängig zusammen, gewiss mit verteilten Rollen. Diese ließen sich weitgehend funktional erklären, wurden aber auch bewusst zum Schutz des guten Rufs der Armee eingesetzt. Hierbei ließ sich das im polnischen Selbstbild habituell verankerte »Wir-sie-Schema« *(my-oni)*[6] dazu instrumentalisieren, die Armee – also eine, wenn nicht die tragende Säule des PZPR-Regimes – zu einer gleichsam nur aus Not die sozialistische Ordnung (mit-)aufrechterhaltenden Institution zu stilisieren, die aber in ihrem Innern autonom und patriotisch blieb und auf der Seite des Volkes stand. In dieser Perspektive waren sowohl das Volk als auch die Armee erstens – im Unterschied zur Partei – die eigentlichen Träger der Nationsidee und zweitens historisch-politisch unschuldige Größen, die das Schicksal in die Gewalt der durch Moskau aufoktroyierten (und daher letztlich »fremden«[7]) Kommunisten gebracht hatte und die nach dem Ende des Regimes vermeintlich unbelastet in die »historische Normalität« zurückkehren würden. Diese Vorstellung krankte vor allem an zwei Punkten: Zum einen besaß die Armeeführung zwar tatsächlich ein gewisses, für kommunistische Staaten ungewöhnliches Maß innerer Autonomie, war aber geradezu lupenrein bolschewistischen Ursprungs und normativ und strukturell untrennbar mit der Parteiführung verflochten. Zum anderen war jene »historische Normalität« eine durchaus ambivalente, indem sie auf das polnische Militärregime der 1930er-Jahre rekurrierte, das infolge des deutsch-sowjetischen Angriffs von 1939 zwar eine Art kritikvermeidende Heiligung erfuhr, aber nicht einmal ansatzweise den Standards einer liberal-demokratischen Regierung entsprochen hatte. Auch der Untergrundstaat der Kriegszeit war als Delegatur der Londoner (Militär-)Exilregierung zwar national, aber kaum demokratisch geprägt gewesen.[8] Vielmehr lebte in all diesen Phasen ein seit dem 19. Jahrhundert tradiertes un- bzw. vorpolitisches Ideal primär militärischer Selbsterhaltung fort, dem die innere politische Entwicklung sozusagen

---

6   Es gründete vor allem auf der Erfahrung politischer Fremdherrschaft im 19. Jahrhundert. Auf dieser Denkfigur bauten auch die unter dem Titel »Oni« zuerst 1985 im britischen Exil und später im »zweiten Umlauf«, also in der polnischen Untergrundpresse, veröffentlichten Interviews der Journalistin Teresa Torańska mit Vertretern der polnischen Partei- und Staatsführung auf.

7   Hier spielte außerdem der latente Antisemitismus eine Rolle, der die kommunistische Herrschaft primär jüdischen Akteuren anlastete, siehe Agnieszka Pufelska: Die »Judäo-Kommune« – Ein Feindbild in Polen. Das polnische Selbstverständnis im Schatten des Antisemitismus 1939–1948, Paderborn 2007.

8   Siehe Evan McGilvray: A Military Government-in-Exile. The Polish Government in Exile 1939–1945. A Study of Discontent, Helion 2013.

sekundär angehängt war. Dies hatte Folgen sowohl für das allgemeine politische Normengerüst als auch für die Gestaltung der zivil-militärischen Beziehungen.

II. Die Polnische Armee als Schützerin und Erzieherin der polnischen Nation

Die Frühphase der kommunistischen Herrschaft ab 1944 war in Polen von einer extremen innen- wie außenpolitischen Feindbekämpfung gekennzeichnet. Nach außen hin war dies der Kampf gegen NS-Deutschland im Bündnis mit der Sowjetunion. Nur diese existenzielle Situation ließ die mehrheitlich antikommunistisch eingestellte Bevölkerung die prosowjetische Option als kleineres Übel akzeptieren; dabei wirkte auch die ähnliche strategische Ausrichtung der ideologisch rechts stehenden Nationaldemokraten in der Zweiten Republik fort, die eine radikal deutschfeindliche Haltung mit einem pragmatischen Ausgleich mit der Sowjetunion zu verbinden gesucht hatten.[9] In diesem Sinne setzten die polnischen Kommunisten wie ihre Genossen in den anderen Ländern der sowjetischen Einflusszone – außer in der DDR – auf ein Amalgam aus klassischem Nationalismus und einer nur formalen bzw. selektiven (marxistisch-)leninistischen Weltsicht.[10]

Dieser schwierige Kompromiss zwischen kommunistischer Führung und national-konservativer Bevölkerung wurde zusätzlich dadurch belastet, dass vor allem in den Jahren 1944 bis 1948 polnische und sowjetische Sondertruppen (aber auch reguläre polnische Einheiten) die noch im Untergrund aktiven antikommunistischen Widerstandsgruppen bekämpften und großenteils liquidierten. Hier kam vermutlich bereits die psychohygienische Unterscheidung zwischen »sauberer Armee« und »russisch-bolschewistischen Mordkommandos« zur Anwendung, obwohl die Armee in den ersten Jahren überwiegend von sowjetischen Offizieren und Geheimpolizisten geleitet wurde. Von nicht zu unterschätzender Bedeutung für die politische Legitimation des neuen Regimes war es in jedem Fall, dass die neue Polnische (Volks-)Armee – analog zum Staat an sich – von der im westlichen Exil befindlichen alten Armee nicht nur den Namen übernahm, sondern auch deren Renommee zu kopieren trachtete.[11] Das gelang recht gut, auch schon vor dem Umbruch von 1956, und das ist umso bemerkenswerter, als in Polen, anders als in anderen sowjetischen Satellitenstaaten, viele politische Schauprozesse und Justizmorde während der stalinistischen Phase (1948–1956) gerade die Armee betrafen.[12]

---

9   Siehe Markus Krzoska: Für ein Polen an Oder und Ostsee. Zygmunt Wojciechowski (1900–1955) als Historiker und Publizist, Osnabrück 2003.

10 Siehe Maciej Górny: »Die Wahrheit ist auf unserer Seite«. Nation, Marxismus und Geschichte im Ostblock, Köln 2011.

11 Zwischen 1944 und 1952 war der offizielle Staatsname »Polnische Republik«, wie schon zwischen 1918/19 und 1939. Die kommunistischen Streitkräfte hießen seit 1945 offiziell »Polnische Armee«, wurden aber umgangssprachlich und auch intern als »Volksarmee« bezeichnet.

12 Siehe Jerzy Poksiński: »TUN«. Tatar-Utnik-Nowicki. Represje wobec oficerów Wojska Polskiego w latach 1949–1956 [»TUN«. Tatar-Utnik-Nowicki. Repressalien gegen Offiziere der Polnischen Armee in den Jahren 1949–1956], Warszawa 1992.

Nach 1956, also kurz nach der Gründung des Warschauer Pakts, erfolgte auf praktischer wie auf symbolischer Ebene (z. B. die Uniformen betreffend) eine Repolonisierung.
Schon zuvor waren die sowjetischen Offiziere großenteils aus der Polnischen Armee verdrängt worden, was im Oktober 1956 in der Absetzung des Verteidigungsministers Mar-
schall Konstanty Rokossowski gipfelte. Innerhalb der Armee bedeutete die Vermittlung
dieser Neuorientierung – die freilich an den zentralen ideologischen und machtpoliti-
schen Grundlagen nichts ändern sollte – eine große Herausforderung für die politischen
Offiziere. Mit sowjetischer Duldung wurden die nationalen Sinnstiftungselemente stark
ausgebaut. Unter anderem wurde die unter den Polen weitverbreitete antideutsche Einstellung instrumentalisiert. Da die DDR zur gleichen Zeit als politischer und militärischer Partner aufgewertet wurde, wurde offiziell zwar nur die Bundesrepublik ins Visier
genommen, die Ressentiments trafen in der Praxis aber vor allem Bürger und Soldaten
der DDR, da damals nur mit diesen nennenswerte Kontakte bestanden. Wichtig war
dabei vor allem der erzieherische Einfluss, den die Armee auf die Bevölkerung ausübte.
Unmittelbar betraf dies die Wehrpflichtigen, die in den 1950er- und 1960er-Jahren
oft – besonders wenn sie vom Lande kamen – nur eine geringe Bildung besaßen. Auf sie
wirkte die Armee teils wie in den 1930er-Jahren als eine allgemeinbildende Institution in
Ergänzung zur Schule. Auf diese Weise half die Armee bei der Etablierung des komplexen national-kommunistischen Weltbildes. Nach dieser Positionsbestimmung waren die
1960er-Jahre für die Armee, zumindest nach dem Ende der Kubakrise 1962, eine vergleichsweise ruhige Zeit. Ihre Hauptaufgabe bestand im Ausbau der militärischen Fähigkeiten vor dem Hintergrund einer zunehmenden Integration der Warschauer-Pakt-
Armeen. Im Innern beteiligte sie sich unter anderem am Ringen zwischen Staat und
Kirche um die Deutungshoheit über das Geschichtsbild, etwa anlässlich der 1000-Jahr-
Feier der »Taufe Polens« im Jahre 1966.

III. Am Tiefpunkt: Zivil-militärische Beziehungen und politische Konflikte am Ende der Gomułka-Ära und in der Entspannungsphase des Ost-West-Konflikts (1968–1970)

Ende der 1960er-Jahre befand sich Polen in einer innen- und außenpolitischen Umbruch-
phase, die sowohl für die polnische Gesellschaft als auch für die Armee starke Verwerfungen mit sich brachte. 1968 wurde Wojciech Jaruzelski Verteidigungsminister und
blieb es für die nächsten 15 Jahre. Im selben Jahr forderte eine Reihe von Ereignissen die
Armee als Ordnungsorgan und ideologischer Akteur auf der Bündnisebene wie im
Innern massiv heraus. Im März 1968 protestierten vor allem Studenten gegen die Absetzung von Adam Mickiewiczs Drama »Totenfeier« *(Dziady)* in Warschau, das von der
Staatsführung als antisowjetisch wahrgenommen worden war. Hintergrund dafür war
der nach dem israelischen Sieg im Sechstagekrieg von 1967 erfolgte Abbruch der diplomatischen Beziehungen seitens der kommunistischen Regierungen und die von ihnen
betriebene »antizionistische« Kampagne, die primär im strategischen Kontext des Ost-
West-Konflikts zu sehen war, sich aber auch innenpolitisch niederschlug. Die Studenten

lehnten diese Kampagne als reaktionär ab und forderten die Verwirklichung der in der polnischen Verfassung formal enthaltenen Grundrechte. Außerdem begrüßten sie die Reformvorhaben des Prager Frühlings in der ČSSR. Damit stellten sie in den Augen der Regierenden sowohl die sozialistische Ordnung im Innern als auch die Integrität des Warschauer Pakts infrage. Diese Vorgänge bildeten, soziologisch betrachtet, eine Ausnahme, weil die Demonstranten mehrheitlich keine Arbeiter, sondern zumeist Angehörige der (privilegierten) Parteijugend waren und ihre Motivation eine genuin politische war statt der – jedenfalls im Prinzip – leichter verhandelbaren wirtschaftlichen Forderungen der Arbeiter. Dieser tatsächliche Klassengegensatz, die »revisionistische« Haltung der Demonstranten und der Verdacht westlicher Unterstützung erzeugte bei einer Mehrheit in der Partei und auch in der älteren Bevölkerung ein Bedrohungsgefühl und Ressentiments gegenüber einer vermeintlich verwöhnten und unpatriotischen Jeunesse dorée.

Die schon länger durch interne Kämpfe zwischen »Revisionisten« und »Dogmatikern« belastete Parteiführung nutzte diese Krise zur Entmachtung beider Gruppen, wobei die »Dogmatiker« bzw. die nationalistischen »Partisanen« meistens auf unbedeutenden Positionen neutralisiert, hingegen die »Revisionisten« politisch ausgeschaltet wurden. Auf der Straße zeigte sich dies in der Niederschlagung der Proteste durch die Miliz, der Relegierung und Verhaftung mehrerer Studentenführer, z. B. Adam Michniks, und anderen Repressalien. Vor allem aber entflammte eine landesweite antisemitische Kampagne, die nicht nur in der Partei, sondern in allen Bereichen des öffentlichen Lebens zu weitreichenden »Säuberungen« führte, indem zahlreiche Personen jüdischer Abstammung als illoyal denunziert wurden und ihre Stellungen verloren. Da zugleich ihre Auswanderung in den Westen, besonders nach Israel, erleichtert wurde, kam es zu einem Exodus der nach dem Holocaust noch im Lande lebenden Juden.[13]

An den genannten Polizeiaktionen war die Armee in gewissem Umfang unterstützend beteiligt. Politisch folgenschwerer war jedoch, dass sie nicht nur die »antizionistische« Propaganda mittrug, sondern dass auch – mit Billigung des damaligen Stabschefs Jaruzelski – zahlreiche Offiziere entlassen oder degradiert wurden, die das besagte Verhalten der Armeeführung nicht mittragen wollten und daher »liberaler« Anschauungen und der Illoyalität verdächtigt wurden. Unter diesen befanden sich viele Personen jüdischer Abstammung, die sich oft der Emigrationswelle in den Westen anschlossen. Einerseits wird Jaruzelskis Handeln tendenziell – wie im Falle Gomułkas – weniger als antisemitisch motiviert betrachtet denn als opportunistisch bzw., wie man heute sagen würde, populistisch, mit dem primären Ziel des eigenen Machterhalts. Beide hatten aber erkennbar keine Hemmungen, sich über 20 Jahre nach dem Krieg des in der Bevölkerung latent vorhandenen Antisemitismus zu bedienen. Dieser musste in der Folge, wenn auch in der Variante des »Antizionismus«, bei Freund und Feind als faktisches Element des von Armee und Partei vertretenen Weltbildes gelten. Andererseits nahm Jaruzelski angesichts der entstandenen gesellschaftlichen Unruhe danach eine taktische und abwartende Haltung ein, um die Armee im Falle ähnlicher Vorfälle politisch zu schützen.

---

13 Siehe Hans-Christian Dahlmann: Antisemitismus in Polen 1968. Interaktionen zwischen Partei und Gesellschaft, Osnabrück 2012.

Die nächste Prüfung für die politische Haltung der Polnischen Armee und ihr Ansehen in der Bevölkerung war die Invasion mehrerer Armeen des Warschauer Pakts in der ČSSR zur Niederschlagung des Prager Frühlings im August 1968. Sie erzeugte nicht nur eine erneute – wenn auch kurzfristige – Spannungssituation zwischen den Blöcken, sondern auch eine Verschärfung des »ideologischen Kampfes« nicht nur gegen den westlichen »Imperialismus«, sondern ebenso und zunehmend gegen den »Revisionismus« im eigenen Lager. Charakteristisch für diese Verknüpfung der inneren mit der äußeren Front war der Umstand, dass die polnische Propaganda – hiermit an die schon laufende antiisraelische Kampagne anschließend – neben den USA vor allem die Bundesrepublik beschuldigte, mittels der Prager Reformpolitik die ČSSR aus dem »sozialistischen Lager« herausbrechen zu wollen.[14] So brachte die Armeeführung vor dem Einmarsch (der »Operation Donau«) folgendes Kommuniqué heraus: »Das polnische Volk, besorgt über die ungünstige Entwicklung der Ereignisse in der Tschechoslowakei und die Zunahme der antipolnischen Kampagne in der BRD, zählt sehr auf seine Soldaten.«[15]

Tatsächlich war die Strategie der Bundesregierung unter Willy Brandt erstens gewaltfrei konzipiert und zweitens auf alle sozialistischen Länder gerichtet, ihr politisch subversives Potenzial erkannten aber die herrschenden kommunistischen Parteien durchaus richtig. Wohl unabhängig vom Einfluss westlicher Akteure gab es viele kritische Äußerungen polnischer Bürger – auch jenseits studentischer Kreise – gegen die Beteiligung ihres Landes an der Invasion. Diese hatten zwar keine direkten Folgen, wurden aber nicht zuletzt von der Armeeführung aufmerksam registriert. Für sie besaß die Bündnisloyalität höchste Priorität, aber auch die Stimmung zu Hause war ihr nicht gleichgültig, sowohl hinsichtlich der älteren Generation, die den alles legitimierenden Weltkrieg verkörperte, als auch hinsichtlich der aktuellen Wehrpflichtigen, von deren loyaler Dienstauffassung im Ernstfall die Kampffähigkeit der Armee abhing. Jedenfalls erhielt, da eine äußere Konfrontation (bei rationaler Betrachtung) unmöglich war und zudem alle sozialistischen Staaten wirtschaftlich mit dem Westen kooperieren wollten, die innere ideologische Auseinandersetzung erhöhte Bedeutung. Gerade im polnischen Fall sollte dies beträchtliche argumentative Schwierigkeiten mit sich bringen.

In diesem Zusammenhang kam die sich aus der neuen Lage ergebende, deutlich »klassenmäßigere« Variante des Antigermanismus der DDR zugute, zumal Gomułka und Ulbricht in ihrer letzten großen Aktion als Staatschefs eine einheitliche (marxistisch-)konservative Position vertraten. Während ihre Rivalität um den Status als Nr. 2 des sozialistischen Lagers anhielt, ordneten sich die DDR und Polen uneingeschränkt der sowjetischen Kriegsfallplanung unter, die einerseits die beiden Staaten und ihre

14 Siehe Paweł Piotrowski: Polen und die Intervention, in: Stefan Karner/Natalja Tomilina/Alexander Tschubarjan (Hg.): Prager Frühling. Das internationale Krisenjahr 1968, Köln/Weimar/Wien 2008, S. 447–460.

15 »Naród polski, zaniepokojony niekorzystnym rozwojem wydarzeń w Czechosłowacji i nasileniem antypolskiej nagonki ze strony NRF, liczy bardzo na swoich żołnierzy.« Zit. nach Ausgabe Nr. 1 der Feldzeitung »Żołnierz Ludu« [Soldat des Volkes], hrsg. vom Oberkommando der 2. Polnischen Armee (o. D., [Ende Juli/Anfang August 1968]), KARTA Archiv Warschau, AO IV/182.3: Polska i Czechosłowacja 1968 r., Nr. 4.

Armeen in den Augen der Sowjetunion aufwertete, den Bürgern aber andererseits massive finanzielle Lasten aufbürdete.[16]

Dem Regime war indes keine lange Ruhepause beschieden. Nachdem Gomułkas Renommee bereits in den vorangegangenen Jahren stark gelitten hatte, führten im Dezember 1970 starke Preiserhöhungen zu Streiks und Demonstrationen von Industrie- und Werftarbeitern vor allem in den Küstenstädten Stettin, Gdingen und Danzig. Die überforderte Miliz rief einmal mehr nach der Armee, die ihr nach einigem Zögern auch zu Hilfe kam. Damit gab Jaruzelski zwar dem Druck der politischen Führung nach, trat aber bewusst nicht persönlich in Erscheinung, um seine Reputation nicht über Gebühr zu belasten.[17] Gleichwohl verschaffte ihre Beteiligung an den blutigen Repressalien, bei denen mindestens 44 Menschen starben und ca. 1000 verletzt wurden, der Armee einen erheblichen politischen Makel. Jaruzelski scheint dabei besonders der Umstand belastet zu haben, dass die Gegner der Staatsmacht Arbeiter waren, mithin der Kern des »Volkes« nicht nur im soziologischen Sinne *(lud)*, sondern entsprechend der romantischen Tradition des 19. Jahrhunderts auch im nationalen *(naród)*. Es kann als charakteristisch (und im Hinblick auf spätere Jahre als visionär) bezeichnet werden, dass Jaruzelski im Zuge der Aufarbeitung der Krise im Januar 1971 im Gespräch mit Werftarbeitern die Frage stellte, ob diese »eine Armee wollten, die Regierungen ein- oder absetzen könnte […] wie in Lateinamerika oder Afrika, eine Regierung von Obristen und Generälen«.[18] Falls nicht, sollten sie selbst berechtigte Kritik an Partei und Regierung zurückhaltend äußern und es nie wieder zu einer systemischen Herausforderung kommen lassen. Aus dieser Aussage des obersten polnischen Soldaten ließen sich sowohl paternalistische Sorge als auch latente Drohung ablesen.

Eine Konfrontation der Armee, deren Auftrag primär im Erhalt der polnischen Nation liegen sollte, mit dem Kern jener Nation war jedenfalls für die Zukunft tunlichst zu vermeiden. Zwar kam es der Armeeführung entgegen, dass selbst jetzt nach einiger Zeit wieder die schon erwähnte kollektive Verdrängung einsetzte, um das Bild der sauberen Armee zu bewahren; dennoch war Jaruzelski in der Folge noch mehr als zuvor darauf bedacht, seine Soldaten aus innenpolitischen Konflikten herauszuhalten. Das war eine klare Nachricht in Richtung Parteiführung, dass ihr die Armee im Innern nur noch bedingt zur Verfügung stehen würde – anders als auf der außen- und bündnispolitischen Ebene, wo Jaruzelski der sowjetischen Führung unbedingte Loyalität nicht nur zusagte, sondern auch bewies. Diese Beziehungen machten ihn wiederum innerhalb der eigenen Partei- und Staatsführung kaum angreifbar.

---

16 Siehe Rüdiger Wenzke: Die NVA und die Polnische Armee als Koalitionsstreitkräfte auf dem europäischen Kriegsschauplatz in den 1980er Jahren, in: ders. (Hg.): Die Streitkräfte der DDR und Polens in der Operationsplanung des Warschauer Paktes, Potsdam 2010, S. 97–125.

17 Siehe Jerzy Wiatr: The Soldier and the Nation. The Role of the Military in Polish Politics, 1918–1985, Boulder/Co. 1988, S. 119 f.

18 Aus einer Untergrundsammlung von Dokumenten über die jüngere polnische Geschichte von 1985, zit. nach Andrew A. Michta: Red Eagle. The Army in Polish Politics, 1944–1988, Stanford 1990, S. 69.

IV. Professionalität und Linientreue: Armee und Zivilbevölkerung in den 1970er-Jahren

Die Folgejahre stellten sich im Allgemeinen ähnlich ruhig dar wie die 1960er-Jahre, wiesen aber gleichwohl bedeutende Unterschiede auf. Der schon erwähnte Akzent der Gierek-Ära auf Konsum und »kleinen Freiheiten« konnte auch in einer so national einge-stellten Gesellschaft wie der polnischen die tradierten Ideale von Patriotismus, Wehrbar-keit und Opferbereitschaft aufweichen. Die 1969 eingeleitete und zum KSZE-Prozess führende Entspannung entlastete zwar in gewissem Maß die »harten« Politikfelder der Verteidigungs- und Außenpolitik, drohte aber die Wachsamkeit gegenüber dem Westen zu schwächen. Zugleich erleichterten es diese relativ stabilen Jahre der Polnischen Armee, sich mit einer technokratischen Herangehensweise auf ihre Professionalisierung und Modernisierung zu konzentrieren. Daneben wurde die ideologische Schulung zwar fort-gesetzt, und es erhöhte sich der Anteil der Parteimitglieder im Offizierskorps,[19] jedoch waren dies eher formale Vorgänge, die keine Vertiefung marxistischer Überzeugungen mit sich brachten. Vor allem aber führte der Fokus auf dem *nationalen* Geschichtsbild dazu, dass die Soldaten nur geringe ideelle »Abwehrkräfte« gegen eventuelle neue Herausforderungen seitens des Volkes entwickeln konnten.

Als 1976 das Platzen der Auslandskredite – und damit der polnischen »Wachstums-blase« – zu Produktionsstockungen und Preissteigerungen führte, protestierten erneut Arbeiter, besonders in den Fabriken in Radom und Ursus, einem Stadtteil von Warschau. Obwohl die Miliz abermals gewaltsam gegen die Proteste vorging, bekam das Regime die Krise recht schnell und mit deutlich geringeren Schäden als 1970 auf dem Verhand-lungsweg in den Griff. Die Armee konnte sich aus diesem Konflikt heraushalten, zumal Jaruzelski seine reservierte Haltung der Parteiführung gegenüber sofort klargemacht hatte.[20] Diese Einschränkung ihrer Sanktionsmittel dürfte die Verhandlungsbereitschaft der Regierung wiederum erheblich erhöht haben.

Die bedeutendste politische Folge der Krise von 1976 war die Gründung des Komi-tees zur Verteidigung der Arbeiter (*Komitet Obrony Robotników*, KOR), später Komitee für gesellschaftliche Selbstverteidigung (*Komitet Samoobrony Społecznej*, KSS), das den Protestierern und ihren Familien juristische und materielle Hilfe leistete. Damit verban-den sich auf strategischer Ebene erstmals Intellektuelle mit der Arbeiterschaft, um die bisherige Trennung der sozialen Gruppen zu überwinden und den Kern einer einheit-lichen Opposition aufzubauen. Diese Intellektuellen entwickelten ihre Konzepte auf der Basis revisionistischer Strömungen des polnischen Marxismus (besonders Leszek Kołakowski), aus dem liberal-katholischen Milieu (z. B. Tadeusz Mazowiecki) und teil-weise aus den nach 1970 zunehmenden westlichen Einflüssen. Ebenso wichtig war aber nicht nur die von der Armee und ihren Vorfeldorganisationen, sondern auch der katho-lischen Kirche und der regierenden Partei – unter anderem in ihren jeweiligen Pfadfin-dergruppen *(harcerze)* – verbreitete nationale Gesinnung. So sammelte einer der späteren

---

19 Ebd., S. 74.
20 Ebd., S. 72 f.

führenden Oppositionellen, Jacek Kuroń, seine ersten politisch relevanten Eindrücke in den 1950er-Jahren als Angehöriger des »General-Walter-Fähnleins« des kommunistischen Polnischen Pfadfinderbundes.

Der Aufbau dieser oppositionellen Strukturen ging nach 1976 kontinuierlich weiter, auch weil sich die wirtschaftliche Lage nicht stabilisierte und der moralische Kredit der Partei bereits sehr gering war. Inwieweit dabei die (freilich nicht dauerhaft absehbare) Zurückhaltung der Armee als ermutigender Faktor anzusehen ist, lässt sich schwer einschätzen. Immerhin hatten die meisten Aktivisten der Opposition ihren Grundwehrdienst abgeleistet, und ihre akademischen Vertreter, sofern sie nicht von der Universität relegiert worden waren, besaßen Reserveoffiziersränge. Daher kannten sie sowohl die innere Struktur der Armee als auch die oft schwache Bindung des Offizierskorps an die offizielle marxistische Ideologie; zudem besaßen sie – was nicht unwesentlich war – militärische Kenntnisse.

1980 trat eine Situation ein, in der sich die Ereignisse von 1970 zu wiederholen drohten. Wieder protestierten und streikten Arbeiter besonders in den Küstenstädten gegen die Folgen der mittlerweile chronischen Wirtschaftskrise, und wieder konnte ihnen die Regierung wenig Positives in Aussicht stellen. Mehrere Faktoren erlaubten es jedoch, eine erneute Eskalation zu verhindern: Mit der Unterstützung der Intellektuellen von KOR/KSS verknüpften die Streikenden sofort viele Betriebe miteinander und bauten eine leistungsfähige Organisations- und Kommunikationsstruktur auf. Außerdem erweiterten sie ihre ökonomischen Forderungen bald um politische und sorgten, gerade auch durch im Ausland lebende Sympathisanten, für eine intensive internationale Berichterstattung. Zugleich ging die Streikbewegung, die erst ab September 1980 als Unabhängige Selbstverwaltete Gewerkschaft Solidarität (*NSZZ Solidarność*) firmierte, auf das patriotische Narrativ des Regimes ein und sicherte zu, weder die nominell sozialistische Ordnung des Staates noch dessen Mitgliedschaft im Warschauer Pakt infrage zu stellen. Es waren diese letzteren Faktoren, die Jaruzelski dazu brachten, das Aushandeln des danach als August-Abkommen *(Porozumienia Sierpniowe)* bezeichneten Kompromisses zu befürworten, indem er erneut klarmachte, dass die Armee für eine gewaltsame Lösung nicht zur Verfügung stünde.

Ohne die theoretische Option eines gewaltsamen Einschreitens aufzugeben, setzte die Armeeführung also zunächst auf eine pragmatische Haltung der neuen Opposition im Geist des nationalen Zusammenhalts. Analog dazu begann das Regime eine »Erneuerung« *(odnowa)* bzw. »nationale Übereinkunft« *(porozumienie narodowe)* zwischen beiden Seiten zu propagieren, durch die ohne systemische Änderung ein gewisser innenpolitischer Pluralismus möglich erschien. Dass die zumindest formal ebenbürtige Behandlung der nicht- bzw. antimarxistischen Solidarność einen fundamentalen Verstoß gegen den monistischen Herrschaftsanspruch der Kommunisten darstellte, nahm die polnische Führung hin. Möglich war diese Handlungsweise vor allem aufgrund der Zusicherungen, die die Armeeführung ihren sowjetischen Partnern machte. Ähnlich verhielt es sich bei der Ersetzung Giereks als Erstem Sekretär der PZPR durch Stanisław Kania im September 1980. Dieser galt wegen seiner vorherigen Tätigkeit als Sekretär des ZK als militärnaher Sicherheitsexperte und Pragmatiker.[21]

---

21 Siehe Wiatr: Soldier (Anm. 17), S. 147 f.

Die folgende Phase der »legalen 16 Monate«, in denen die Solidarność bis zum Dezember 1981 ihre Ziele verfolgen konnte, war für die Regierung äußerst stressgeplagt. Die wirtschaftliche Lage verbesserte sich nicht. Zugleich nutzte die im November 1980 vom Warschauer Woiwodschaftsgericht registrierte Opposition ihre Bewegungsfreiheit dazu, den öffentlichen Raum in weiten Teilen zu besetzen. So erwarb sie sich etwa immer mehr die Aufmerksamkeit der Massenmedien. Damit prägte sie in Ost wie West das Bild eines zumindest teilweise freien Polens. Die Armee konnte davon sogar in gewissem Maße profitieren, da die Bevölkerung ihre »konstruktive Zurückhaltung« honorierte und sie damit als einzige staatliche Institution relativ hohes Vertrauen genoss.[22] Hier wirkte sich analog zum wahrgenommenen Kontrast zwischen Armee und Miliz derjenige zwischen Armee und Partei aus: Letzterer wurden alle Missstände im Lande angelastet, aber ihr Hauptwaffenträger stand mit scheinbar weißer Weste da. In dieses Bild passte es, dass die Parteiführung ihren letzten moralischen Trumpf in der Art einzusetzen suchte, dass sie im Februar 1981 Verteidigungsminister Jaruzelski auch zum Ministerpräsidenten berief. Das war präzedenzlos, nicht so sehr wegen der ungewöhnlichen, aber legalen Ämterhäufung, sondern angesichts der schon seit Lenins Zeiten in der KPdSU bestehenden Furcht vor einem bonapartistischen Umsturz, also der Übernahme der Macht durch einen populären Militär. In diesem Fall war man sich allerdings der Loyalität jenes Militärs gegenüber der Sowjetunion – und auf diese kam es an – absolut gewiss. Dass Jaruzelskis Ernennung im »national-militaristischen« Polen große Zustimmung fand, machte die Entscheidung für die Kommunisten umso plausibler.

Mit großer Wahrscheinlichkeit war jenes Angebot einer »nationalen Übereinkunft« seitens des Regimes an alle »verantwortungsbewussten« und »patriotischen« gesellschaftlichen Kräfte mehr als nur ein Vorwand, um der Solidarność die Verantwortung für ein eventuelles Scheitern zuschieben zu können. Das generelle nationale Denken der Staats- und Parteiführung war echt, ebenso wie das des polnischen Episkopats[23] und der (meisten) Gewerkschaftsführer sowie des umworbenen Volkes. Letztlich ging es um die genaue Definition und praktische Nutzbarmachung dieser allgemeinen Idee. Ohne wirtschaftliche Erfolge blieb der Kompromiss vom August 1980 brüchig. Die Erfahrungen der PZPR mit den partiell selbstständigen Blockparteien Vereinigte Volkspartei (*Zjednoczone Stronnictwo Ludowe*, ZSL) und Demokratische Partei (*Stronnictwo Demokratyczne*, SD) hätten womöglich dennoch für das Nebeneinander von Solidarność und dem offiziellen Gesamtpolnischen Gewerkschaftsverband OPZZ *(Ogólnopolskie Porozumienie Związków Zawodowych)* genutzt werden können. Mit Blick ins Ausland stand aber, zunächst noch sehr abstrakt, die Interventionsdrohung durch den Warschauer Pakt im Raum. Mit entscheidend war, ob die Opposition ebenfalls »konstruktive Zurückhaltung« üben oder,

---

22 Nur Solidarność und die katholische Kirche hatten vergleichbare Zustimmungswerte. Dies bestätigten Umfragen sowohl des offiziösen Meinungsforschungsinstituts Centrum Badania Opinii Społecznej (CBOS) (Wiatr: Soldier [Anm. 17], S. 151–153) als auch von oppositionellen Soziologen im Mai/Juni 1981, KARTA Archiv Warschau, AO IV/68.3: Ankiety do niezależnych badań socjologicznych, Nr. 1: »Problem zaufania«. [Umfragen zu unabhängigen soziologischen Studien, Nr. 1: »Das Problem des Vertrauens«].
23 Siehe Wiatr: Soldier (Anm. 17), S. 160.

ermutigt durch ihre bisherigen Erfolge, letztlich eben doch die Systemfrage stellen würde. Radikale Teile der Bewegung wie die *Solidarność Walcząca* (Kämpfende Solidarität), aber auch die Partei, die Miliz und andere – zunehmend desperate – Akteure erschwerten der Jaruzelski-Regierung das politische Jonglieren.

Die Spannungen entluden sich bald nach Jaruzelskis Ernennung zum Premier in der sogenannten Krise von Bydgoszcz *(Kryzys Bydgoski)* vom 19. März 1981. Dabei wurden Angehörige der Land-Solidarność, die sich um ihre Registrierung bemühte, während eines Treffens mit Vertretern des Woiewodschaftskomitees der PZPR in Bydgoszcz (Bromberg) von Milizionären aus dem Sitzungsraum gedrängt und teilweise verletzt.[24] Dieser Vorgang schlug hohe Wellen und war Wasser auf die Mühlen der radikalen Oppositionellen. Bis heute steht der Verdacht im Raum, dass sie während der damals gerade in Polen stattfindenden Manöver des Warschauer Pakts zu einer gewaltsamen Reaktion provoziert werden sollten. Dies konnte, wenn es tatsächlich beabsichtigt gewesen sein sollte, die Solidarność-Führung vermeiden, indem sie Streiks und andere Protestmaßnahmen lancierte. Obwohl die Armee nicht involviert war, trug Jaruzelski als Regierungschef die politische Verantwortung, auch wenn er sich vom Vorgehen der Miliz distanzierte. Ungefähr zu dieser Zeit, und womöglich zusätzlich durch den Zwischenfall motiviert, begannen allerdings im polnischen Generalstab konkrete Planungen für eine eventuelle Einführung des Kriegsrechts. Ein eher noch größeres Problem als ihre trotz allem seltenen Konflikte mit den Sicherheitskräften war aber die antisowjetische Rhetorik der Solidarność in Bezug auf die geschichtlichen »weißen Flecken« und auch auf die Gegenwart.

Ab dem 19. Oktober 1981 bündelte Jaruzelski durch seine Ernennung zum Ersten Sekretär der PZPR neben der Regierungsmacht auch die politische und militärische Macht in seinen Händen. Offiziere übernahmen mehrere Ministerien und andere staatliche Spitzenfunktionen. Damit blieb zwar das Parteiregime intakt, es begann aber immer offener eine militärische Form anzunehmen. Diese Maßnahme, die in der Öffentlichkeit auf breite Zustimmung stieß, stellte den letzten noch mit der Verfassung Volkspolens vereinbaren Schritt zur Stabilisierung der bestehenden Staatsmacht dar sowie eine ultimative Warnung an die Solidarność, ihre schleichende Übernahme des öffentlichen Lebens zu beenden. Im Rahmen der erwähnten Vorbereitungen für eine militärische Lösung der Krise waren an die Sowjetunion und die anderen Verbündeten Anfragen auf militärische Unterstützung eines solchen Schritts gerichtet worden, die in Moskau allerdings wiederholt abgelehnt wurden. Lediglich als Drohkulisse wurden Ende des Jahres 1981 Einheiten der Sowjetarmee, der Tschechoslowakischen Volksarmee und der Nationalen Volksarmee der DDR in Alarmbereitschaft versetzt. Jaruzelski musste also die Entscheidung allein treffen und das politische Risiko auf sich nehmen.

Wie sehr die Armee weiterhin bestrebt war, in der Bevölkerung ihr Image als »Volksfreund« zu erhalten und eine Art Burgfrieden zu sichern, zeigt auch ein Rundschreiben der Politischen Hauptverwaltung an alle Kommandeure vom Oktober 1981. Darin werden Aktivisten der Solidarność scharf für die angebliche Verteilung von Flugblättern

---

24   Siehe Michta: Red Eagle (Anm. 18), S. 102 f.

insbesondere in westlichen Garnisonsorten (d. h. in Pommern und Schlesien) kritisiert. In diesen sei die »empörende Vermutung« geäußert worden, die Armee plane die Anwendung von Waffengewalt gegen »Arbeiter und Bauern«. Die Kommandeure werden aufgefordert, diesem Angriff auf die »Ehre der Armee« entgegenzutreten, da dieser andernfalls »den politisch-moralischen Zusammenhalt, die Disziplin und die Kampfbereitschaft« der Truppe gefährden könne.[25]

V. Die Armee am Ruder: Schein-Bonapartismus und der Kampf um die geschichtliche Deutungshoheit nach 1981

Als Jaruzelski in der Nacht zum 13. Dezember 1981 das Kriegsrecht ausrufen ließ und die unmittelbare Kontrolle über das Land übernahm, brach er zwar die Verfassung,[26] erzielte jedoch zeitweise einen stupenden politischen Erfolg: Die trotz ihrer teils aggressiven Rhetorik völlig überraschte Opposition wurde vorübergehend – bis zum Aufbau neuer Untergrundstrukturen – ausgeschaltet und ihre Führungskader interniert. Die Kirche bezog eine kritisch-beschwichtigende, aber moderate Position, und die Verbündeten waren erleichtert, nicht selbst eingreifen zu müssen. Sie ließen dem polnischen Regime jede politische und wirtschaftliche Hilfe zukommen. Vor allem aber war das Echo in nicht geringen Teilen der Bevölkerung deutlich positiv. Der 16-monatige »Kampf um die Seele der Polen« hatte sie ermüdet, und die Mehrheit war keineswegs mehr vom Ansatz der Opposition überzeugt. Vor allem viele Ältere sahen in Jaruzelski einen neuen Piłsudski, der mittels seiner »unpolitischen« Armee wieder Ruhe und Ordnung herstellte.

In seiner legendären Fernsehansprache am Morgen des 13. Dezember 1981 wandte sich Jaruzelski, in Generaluniform vor einer Armeefahne sitzend, »als Soldat« an die Polen und nannte Sozialismus, Patriotismus und militärische Professionalität als Grundlagen seiner Einstellung und seines Handelns. Der Sozialismus sei die einzige politische Konstellation, in der die Existenz Polens zu sichern sei. Jedoch liege durch die Wirtschaftskrise »das Werk von Generationen […] in Trümmern«. Polen stehe vor einem Abgrund, durchs Land ergieße sich »eine Welle dreister Verbrechen«, viele Familien seien gespalten durch Konflikte und »Missverständnisse«, es herrsche ständige Streikbereitschaft »sogar bei der Schuljugend«, und die Regierenden seien »Terror« und »Drohungen« ausgesetzt. Er appellierte an »gesellschaftliche Verantwortung« sowie »die Tradition der Toleranz« und verwies auf die »nationale Übereinkunft« vom August 1980, welche die Solidarność durch ihr Verhalten in jüngster Zeit verraten habe. Zugleich beklagte er eine allgemeine »Demoralisierung« und »Chaos« und nannte es sein Ziel, die Polen vor einem psychischen Zusammenbruch und einer »nationalen Katastrophe« zu retten. In diesem

---

25 Kryptogramm Nr. 705 vom 27.10.1981, KARTA Archiv Warschau, AO IV/62: (Główny) Zarząd Polityczny Wojska Polskiego 1981–1982 [Politische (Haupt-)Verwaltung der Polnischen Armee 1981–1982], Nr. 7.

26 Das Kriegsrecht konnte nur vom Sejm bzw. in dessen Sitzungspausen vom Staatsrat beschlossen werden.

Sinne sei »der polnische Soldat« wie so oft schon zum »treuen Dienst am Vaterland« angetreten, selbstlos und mit »sauberen Händen«; er kenne keine Privatinteressen, sondern nur »das Wohlergehen des Volkes«. Der Einsatz der Armee sei jedoch definitiv vorübergehender Natur, er solle »nicht die normalen Mechanismen der sozialistischen Demokratie ersetzen«, sondern lediglich die Voraussetzungen für einen politischen und wirtschaftlichen Wiederaufstieg Polens schaffen. Explizit rief Jaruzelski die Kirche und die »gesunde, vor allem proletarische Strömung innerhalb der Solidarność« dazu auf, sich dieser patriotischen Unternehmung anzuschließen.[27]

Nicht zuletzt wirkte in der Bevölkerung auch Jaruzelskis heute als Legende nachweisbare Behauptung, seine Entscheidung habe eine Invasion wie 1968 verhindert.[28] Die Vorstellung sowjetischer, vor allem aber ostdeutscher Soldaten auf polnischem Boden war das perfekte Schreckbild. Daher wurde die »polnische Lösung« – gemäß dem sowjetischen Kalkül – als geringeres Übel akzeptiert. Aber auch die Solidarność achtete in wohl nicht nur taktischer Absicht darauf, dieses nationale Empfinden nicht zu missachten, und unterschied klar zwischen der in der Folge immer massiver attackierten Militärführung, die als Militärrat der Nationalen Rettung (*Wojskowa Rada Ocalenia Narodowego*, WRON) firmierte, und den Soldaten, zumeist Wehrpflichtigen, die im harten Winter von 1981/82 Straßen und Plätze bewachten. »Unseren Jungs« brachte die Zivilbevölkerung unabhängig von ihrer Bewertung des Kriegsrechts warmes Essen und Getränke. Die Militarisierung des öffentlichen Raums wurde nicht zuletzt daran sichtbar, dass vor allem männliche staatliche Funktionsträger, wie z. B. Fernsehansager, in Uniform erschienen. Als Reservisten waren sie einfach einberufen worden und übten ihren Dienst zwar faktisch wie bisher, aber formal unter Militärrecht aus, was Gehorsamspflicht, Streikverbot und andere Auflagen mit sich brachte.

In einer Betrachtung über »Schutz und Strenge« ist nicht zu ignorieren, dass das als Maßnahme zum Schutz der Bürger gerechtfertigte Kriegsrecht – was dieser Begriff letztlich impliziert – auch Gewaltanwendung mit sich gebracht und Opfer gefordert hat. Dies betrifft nach heutigem Wissensstand vor allem 40 Todesopfer, darunter neun Bergleute, die am 16. Dezember 1981 in der Kattowitzer Grube »Wujek« von Angehörigen der motorisierten Brigaden der Bürgermiliz (*Zmotoryzowane Odwody Milicji Obywatelskiej*, ZOMO) erschossen wurden. Die meisten anderen Todesfälle ereigneten sich bei Zusammenstößen nach illegalen Demonstrationen und anderen Aktionen während des bis zum 22. Juli 1983 dauernden Kriegszustands.[29] Die Täter waren immer Angehörige der ZOMO oder anderer Milizeinheiten, während die Armee sich wie oben beschrieben im Hintergrund hielt. Allerdings war sie an manchen dieser Ereignisse indirekt beteiligt – in

27 Zitate übersetzt aus dem polnischen Originaltext: Przemówienie generała Jaruzelskiego o wprowadzeniu stanu wojennego [Ansprache von General Jaruzelski zur Einführung des Kriegsrechts], https://sciaga.pl/tekst/80624-81-przemowienie_generala_jaruzelskiego_o_wprowadzeniu_stanu_wojennego (ges. am 21. März 2021).

28 Siehe Antoni Dudek: »Bez pomocy nie damy rady« [»Ohne Hilfe schaffen wir es nicht«], in: Biuletyn IPN (2009), H. 12, S. 92–100; Mark Kramer: The Soviet Union, the Warsaw Pact, and the Polish Crisis of 1980–1981, in: Lee Trepanier/Spasimir Domaradzki/Jaclyn Stanke (Hg.): The Solidarity Movement and Perspectives on the Last Decade of the Cold War, Kraków 2010, S. 27–66.

29 Siehe Instytut Pamięci Narodowej: Ofiary stanu wojennego [Opfer des Kriegsrechts], Warszawa 2007.

jedem Fall fiel die Verantwortung dem militarisierten Parteiregime unter Jaruzelski zu. Ohne zu relativieren oder den Opfern den Respekt zu versagen, muss festgehalten werden, dass sich die Zahl der Opfer angesichts der Dimension der damals erfolgten Umwälzung und den theoretisch denkbaren Zusammenstößen auf niedrigem Niveau bewegte. Das Regime war zwar zu Repressalien bereit, wollte aber hohe Opferzahlen vermeiden. Auch die Opposition rief nicht zum gewaltsamen Widerstand auf.[30]

Insgesamt herrschte in der Bevölkerung eine abwartende Stimmung. Man gab dem Regime noch eine Chance, die es allerdings nur nutzen konnte, wenn ihm eine ökonomische Wende zum Besseren gelang. Dazu übernahmen militärische Kommissare die Kontrolle über wichtige Betriebe, teils schon vor Ausruf des Kriegsrechts, und versuchten, durch militärische Ordnung und Disziplin bessere Arbeitsleistungen und einen Rückgang betriebsschädlicher Praktiken wie z. B. Materialklau zu bewirken. Die Erfolgsaussichten waren jedoch gering, denn diese Offiziere besaßen keinerlei ökonomische Kenntnisse. Zudem waren und sind Armeen als Systeme nicht an ökonomischer Effizienz, sondern machttechnischer Effektivität ausgerichtet. Außerdem hatten solche letztlich rein moralischen Appelle vor dem Hintergrund des allgemeinen Konsumgütermangels keine Chance gegenüber dem wirtschaftlichen Selbsterhaltungstrieb der Beschäftigten. Was jede Erholung vollends unmöglich machte, war die faktische Blockade der polnischen Volkswirtschaft durch die westlichen Länder.

Dass die nationale Karte in gewissem Umfang dennoch erneut stach, entlastete die Armeeführung auch an der »inneren Front«: Es hatte sich gezeigt, dass das Offizierskorps, auf das es im Kampf mit der Solidarność vor allem ankam, ideologisch nur wenig gefestigt war. Dies war eine Folge der nach 1970 nur noch formal erfolgten marxistischen Schulung und des Fokus auf fachtechnische Professionalität. Nicht nur die eigene Politische Hauptverwaltung, sondern auch Beobachter etwa der »befreundeten« NVA stellten indigniert fest, dass die polnischen Offiziere und Unteroffiziere kaum über die Fähigkeit verfügten, die Lage ihres Landes und des ganzen sozialistischen Lagers »klassenmäßig« richtig zu erfassen sowie den Klassenfeind in Gestalt der Opposition korrekt zu identifizieren und entsprechende Schlüsse für das eigene Handeln zu ziehen. Schuld daran sei eine seit Langem in der politischen Erziehung gepflegte nationale Sichtweise und die einseitige Konzentration »auf [die] siegreichen Traditionen und [die] Erfolge bei der Gestaltung des Sozialismus«.[31] Besonders besorgt war die Armeeführung hinsichtlich des Umgangs mit den zur Einberufung anstehenden Wehrpflichtigen, von denen anzunehmen war, dass sie in großem Umfang mit dem »Solidarność-Bazillus« infiziert waren.[32]

30 Siehe Grzegorz Ekiert: The State against Society. Political Crises and Their Aftermath in East Central Europe, Princeton 1996, S. 268.

31 Bundesarchiv-Militärarchiv (im Folgenden: BA-MA), DVW 1-32674c, Bl. 3–271: Nationale Volksarmee, Hauptstab/Verwaltung Aufklärung, Information über die Lageentwicklung in der VR Polen, hier Nr. 17/80 vom 22.11.1980, Bl. 79 f.

32 Siehe die Übersicht des Archivs Bürgerbewegung Leipzig e. V. »Bazillus« Solidarność: Solidarität mit Polen über die damaligen Reaktionen in der DDR, https://www.archiv-buergerbewegung.de/96-power-to-the-people/themenbloecke-polen/353-bazillus-solidarnosc-solidaritaet (ges. am 29. April 2022).

Eine Maßnahme, mit der man die weltanschauliche »Immunität« der militärischen Vorgesetzten erhöhen wollte, war die 1981/82 durchgeführte Säuberung der Parteikader in der Armee um bis zu 90 Prozent.[33]

Der Befund über die mangelnde ideologische Festigkeit traf durchaus zu und wurde von der polnischen Führung bei Treffen mit Vertretern anderer Bündnisarmeen auch eingeräumt. So wiederholten im März 1982 Jaruzelski, Generalstabschef Florian Siwicki und der Chef der Politischen Hauptverwaltung, Józef Baryła, gegenüber einer Delegation der NVA die in Jaruzelskis Fernsehansprache genannten Motive für ihr Handeln – vor allem die »Entlastung der Partei« – und hoben die bereits klare Verbesserung von Disziplin und Ordnung in den militarisierten Betrieben hervor. Sie betonten, die neuen, militärisch geprägten Exekutivorgane wie WRON seien auf Zeit für notwendige operative Korrekturen geschaffen worden, weil nur die Armee Autorität beim Volk genieße, während die Partei diese verloren habe, nicht zuletzt durch mangelnden Kontakt mit den einfachen Bürgern.[34]

Die Jahre zwischen 1982 und 1986 waren von wechselnden politischen Konjunkturen und unterschiedlichen Graden der Konfrontation geprägt. Tendenziell lief es aber auf einen Zustand faktischer gegenseitiger Anerkennung der beiden Seiten hinaus, da keine allein zu einer systemischen Rettungspolitik bzw. einer systemischen Wende imstande war. Zudem fand man ab 1985 eine gemeinsame positive Linie gegenüber der Reformpolitik Michail Gorbačëvs. Die Regierung, die auch in den letzten Jahren bis 1990 faktisch von der Armee geleitet wurde, suchte erkennbar einen Weg aus dem bisherigen Regime und erhielt dafür die informelle Unterstützung der Opposition, gipfelnd in den Gesprächen am Runden Tisch im Frühling 1989. Gerade deshalb ist als wichtiger Punkt zu erwähnen, dass sich zur selben Zeit der sogenannte Geschichtskrieg zwischen der Solidarność und der Partei entspann – quasi als unblutiger Ersatz für den vermiedenen Bürgerkrieg. Die Partei wurde dabei von einigen regimetreuen Hochschulinstituten und der Politischen Hauptverwaltung der Armee vertreten. Die Opposition griff in ihren Untergrundpublikationen die genannten »weißen Flecken« der polnisch-sowjetischen Geschichte auf und damit die Regierenden an, da das Beschweigen dieser Konflikte bzw. Verbrechen – neben der Deutschfeindlichkeit – eine Grundvoraussetzung für die Legitimierung des Bündnisses mit Moskau darstellte. Letztlich lief diese Argumentation also auf die Infragestellung des Warschauer Pakts und des Ost-West-Konflikts hinaus. Hier bestand auch ein Bezug zur gleichzeitig stattfindenden, klar antisowjetisch motivierten Mitteleuropadebatte.[35] Aus militärischer Sicht war zum einen interessant, dass die Poli-

---

33 Włodzimierz Borodziej/Jerzy Kochanowski/Bernd Schäfer: Grenzen der Freundschaft. Zur Kooperation der Sicherheitsorgane der DDR und der Volksrepublik Polen zwischen 1956 und 1989, Dresden 2000, S. 30.

34 BA-MA, DVW 1 – Ministerium für Nationale Verteidigung, Nr. 114494: Sekretariat des Ministers f. NV – Schriftverkehr mit dem Generalsekretär des ZK der SED 1982, Plan für Zusammenarbeit NVA-PA 1982, Bericht über Visite des MfNV in Polen, 05.03.1982, Bl. 24–38.

35 Siehe Zaur Gasimov: Militär schreibt Geschichte, Berlin/Münster 2009, besonders S. 92–102, und Florian Peters: Revolution der Erinnerung. Der Zweite Weltkrieg in der Geschichtskultur des spätsozialistischen Polen, Berlin 2016, besonders S. 92–161. Zur Debatte siehe Jacques LeRider: Mitteleuropa. Auf den Spuren eines Begriffes, Wien 1994.

tische Hauptverwaltung (PHV) als »Gehirn« der Armee der wichtigste Gegner der Solidarność-Historiker war. Ihre Offiziere waren nicht nur intelligent genug, um diese Debatte zu führen, sondern die sowjetische Führung sah in ihnen ihre wichtigsten ideologischen Gewährsleute in Polen. Zum anderen wurde Józef Piłsudski, der aus kommunistischer Sicht jahrzehntelang die zentrale Unperson gewesen war und umso intensiver von der Opposition zum Helden ihres historischen Narrativs erhoben wurde, nach und nach von der Armee und besonders von Jaruzelski persönlich rezipiert – freilich nicht mit antisowjetischer Tendenz, sondern im Rahmen einer sich immer mehr nach innen wendenden inklusionistischen historischen Standortsuche, ganz im Sinne des überparteilichen und unpolitischen Nationsideals unter dem symbolischen Schirm eines scheinbar makellosen militärischen Führers. Nach dem Systemwechsel von 1989/90 bestand die Polnische Armee fort und wurde bis heute keiner nennenswerten Revision hinsichtlich ihrer Rolle im 20. Jahrhundert unterzogen.

Die oft hervorgehobene besondere Rolle Polens in der Spätphase des Staatssozialismus bzw. bei seiner Überwindung, bevorzugt festgemacht am Wirken der Solidarność, lag also unter anderem im tradierten, sehr eigentümlichen Verhältnis von Zivil und Militär, von Nation und Armee begründet. Gemeinsam trugen sie ein ethno-korporatives Nationsverständnis, das die Partei als (formal) marxistische Institution zumal nach 1956 immer nur in die Realitäten des Systemkonflikts einzubetten versuchen konnte. Die schützende und erziehende Armee verfocht das Bündnis mit Moskau als Lebensversicherung gegen eine – zunehmend irreale – deutsche Revanchegefahr und konnte sich dabei im Innern mehrere Bluttaten leisten, ohne die Zuneigung des Volkes je ganz einzubüßen; denn dieses konnte auf das tröstende Traumbild des »sauberen« Waffenträgers nicht verzichten. In stupender Eintracht kam es dann nach 1989 zum Systemwechsel, ohne dass der Armee mehr als ein paar Härchen gekrümmt worden wären. Denn wie sich zeigen sollte, wollten die neuen Regierenden den nationalen Staat erhalten, nur in den richtigen, weil eigenen Farben. Hier hat die Armee wie eh und je ihren zentralen Platz. Selbstkritik wurde von ihr niemals gefordert.

Muriel Blaive

Der Fall der Familie Ouřada. Kommunistische Bürokratie und Geheimpolizei in der Tschechoslowakei der 1970er-Jahre

Die Familie Ouřada emigrierte 1969 aus der Tschechoslowakei nach Australien. Zu ihr gehörten Vater, Mutter, ein Sohn, zwei Töchter und der Verlobte der ältesten Tochter – sechs von geschätzt 70 000 tschechoslowakischen Staatsbürgern, die nach dem Einmarsch der Truppen des Warschauer Pakts am 20. August 1968 aus dem Land flohen.[1] Ihr Fall führt zu einer umfangreichen Datensammlung in den Polizeiarchiven: 71 Seiten akribisch dokumentierter polizeilicher Ermittlungen, Befragungen und Gerichtsentscheidungen, die im Laufe von über 20 Jahren gesammelt wurden. Währenddessen wurde die Akte mehrfach geschlossen und wieder geöffnet.[2] Vorausgesetzt, dass jede Flucht in ähnlicher Weise dokumentiert wurde, wird klar, warum solche Akten heute 20 Kilometer Archivregale füllen.[3] Lohnte sich ein solcher bürokratischer Aufwand aus Sicht der Regierung, wenn man die große Zahl derer betrachtet, die sich für eine Emigration entschieden? Oder anders formuliert: Ist eine solche Bürokratie das Merkmal eines effizienten oder eines versagenden Staates?

Die Antwort hängt davon ab, wie Bürokratie definiert wird. Gemeinhin wird mit Bürokratie entweder »zu viel« oder »zu wenig« verbunden: zu viele Formulare, zu viele Vorschriften; zu wenig menschlicher Kontakt, zu wenig Eigeninitiative. Bürokratie steht für ein entpersonalisiertes System, in dem sich niemand wirklich um den einzelnen Bürger kümmert. Franz Kafka, geboren in Prag, beschrieb Bürokratie wortgewandt als unerbittlich und entmenschlichend.[4] Im Gegensatz dazu hat Max Weber Bürokratie in seinen grundlegenden Arbeiten als eine effiziente und rationale Form der Organisation menschlichen Wirkens skizziert, die den Aufbau des modernen Staates und der Demokratie

1   Siehe Jan Rychlík: »Překračování hranic a emigrace v Československu a východní Evropě ve 20. století«, in: Securitas Imperii 29 (2016), H. 2, S. 10–72, https://www.ustrcr.cz/wp-content/uploads/2017/08/SI_29_s10-72.pdf (ges. am 28. Dezember 2021).

2   Archiv bezpečnostních složek/Archiv der Sicherheitsdienste (im Folgenden: ABS), VIMV, V-25723 MV, 1 sv. Sofern nicht anders vermerkt, beziehen sich alle im Weiteren zitierten Dokumente auf diese Akte.

3   Siehe Eintrag »Security Services Archive« im Horizon 2020 COURAGE project (Cultural Opposition: Understanding the Cultural Heritage of Dissent in the former Socialist Countries): http://cultural-opposition.eu/registry/?uri=http://courage.btk.mta.hu/courage/individual/n35345 (ges. am 17. November 2022).

4   Siehe dazu insbesondere Kafkas Roman »Der Prozess« (1925), https://www.projekt-gutenberg.org/kafka/prozess/prozes13.html (ges. am 16. November 2022). Siehe auch Richard Heinemann: Kafka's Oath of Service: »›Der Bau‹ and the Dialectic of Bureaucratic Mind«, in: PMLA 111 (1996), H. 2, S. 256–270.

begleite und die er als »unverzichtbar« bezeichnete.[5] Systematische Verfahren und organisierte Hierarchien sind in der Tat notwendig, um Disziplin aufrechtzuerhalten, Leistungsfähigkeit zu maximieren und Günstlingswirtschaft auszuschließen oder zumindest zu minimieren.[6]

Im Weiteren wird zunächst kurz allgemein die Geschichte der Emigration aus der Tschechoslowakei skizziert, bevor am Beispiel der Familie Ouřada soziale Praktiken von Polizei, Verwaltung und Justiz in der Tschechoslowakei der 1970er- und 1980er-Jahre in diesen größeren Rahmen eingeordnet werden. Auf dieser Grundlage werden abschließend Schlussfolgerungen hinsichtlich der Effizienz oder Ineffizienz der tschechoslowakischen Geheimpolizei, der *Státní bezpečnost* (StB), und des kommunistischen Staates im Allgemeinen gezogen.

I. Zur Emigration aus der Tschechoslowakei im geschichtlichen Kontext

In ihrem Buch *The Great Departure*[7] zeigt Tara Zahra, dass in den vergangenen 150 Jahren diejenigen Bürger am wenigsten Möglichkeiten hatten, ihre Heimatländer zu verlassen, die aus staatlicher Sicht zu den »begehrtesten« Untertanen gehörten: In der Regel traf dies auf junge und arbeitsfähige Männer zu.[8] In diesem Punkt unterschied sich das Vorgehen der tschechoslowakischen Kommunisten nicht von der demokratischen Nachkriegsregierung nach 1945. So wurde »das erste totale Auswanderungsverbot in der Tschechoslowakei« bereits 1945 erlassen.[9] Die Ausstellung von Reisepässen wurde auf »erforderliche« Reisen beschränkt und dies mit der »Notwendigkeit, Arbeitskräfte für den Wiederaufbau zu behalten«, begründet. 1946 wurden Auslandsreisen gestattet, »wenn sie ausschließlich den Interessen der Regierung dienten«, und 1947 wurde die Auswanderung schließlich »gänzlich verboten, ebenso wie alle Reisen ins Ausland zu privaten Zwecken«.[10] Das »Humankapital, das für den Wiederaufbau der vom Krieg zerstörten Gesellschaften benötigt wurde«, war einfach zu wertvoll.[11]

Nach der Machtübernahme der Kommunisten wurden ganz im Sinne der sowjetischen Praxis Grenzbefestigungen errichtet. Wie der Historiker Jan Rychlík hervorhebt, beruhte diese Vorgehensweise auf der Vorstellung, Flüchtlinge würden den Aufbau des Sozialis-

5   Richard Swedberg/Ola Agevall: The Max Weber Dictionary. Keywords and Central Concepts, Stanford 2005, S. 19.
6   Siehe das Kapitel »Bureaucracy, by Max Weber«, in: Tony Waters/Dagmar Waters (Hg.): Weber's Rationalism and Modern Society. New Translations on Politics, Bureaucracy, and Social Stratification, London 2015, S. 73–128.
7   Tara Zahra: The Great Departure. Mass Migration from Eastern Europe and the Making of the Free World, New York 2016.
8   Ebd. S. 18.
9   Ebd.
10 Ebd., S. 219 f. Siehe auch Rychlík: »Překračování hranic« (Anm. 1), S. 26–36.
11 Zahra: The Great Departure (Anm. 7), S. 224. Siehe auch Rychlík: »Překračování hranic« (Anm. 1), S. 10.

mus sabotierten.[12] Nach dem Gesetz 231/1948 (Gesetz zum Schutz der volksdemokratischen Republik) wurde ein Bürger, der beim Versuch, nach Westdeutschland oder Österreich zu gelangen, gefasst wurde, als Verräter behandelt und daher routinemäßig nicht nur zu fünf bis zehn Jahren schwerer Arbeit (Versuch, die Republik illegal zu verlassen), sondern zu zehn bis 25 Jahren Gefängnis (Staatsverrat) verurteilt.[13]

Während des Prager Frühlings waren Reisen ins Ausland zu touristischen, beruflichen oder Studienzwecken fast uneingeschränkt gestattet, doch angesichts der wachsenden Zahl von Tschechoslowaken, die nach dem Einmarsch der Truppen des Warschauer Pakts am 20. August 1968 dauerhaft ins Ausland ausreisten, wurden die Bedingungen am 8. Oktober 1969 geändert: Private Reisen in den kapitalistischen Westen wurden erneut stark eingeschränkt.[14]

Das Ausmaß staatlicher Maßnahmen gegen tschechoslowakische Bürger, die nach 1968 versuchten, das Land ohne offizielle Genehmigung zu verlassen, war dennoch nicht vergleichbar mit jenen in den 1950er-Jahren. Die meisten Menschen wählten nun den Weg über Jugoslawien, wohin sie relativ leicht gelangen konnten. Zudem waren die jugoslawischen Grenzen vergleichsweise leicht passierbar. Außerdem sahen die Jugoslawen davon ab, die tschechoslowakischen Behörden zu informieren, wenn tschechoslowakische Staatsbürger beim Versuch, über die Grenze zu gelangen, gefasst wurden.[15]

Von der Repression zur Verhandlung

Um den Fall der Familie Ouřada richtig einordnen zu können, ist es wichtig zu wissen, dass die kommunistischen Behörden nicht nur versuchten, die Bürger generell an einer Flucht zu hindern, sondern sie seit Beginn ihres Regimes auch dazu animierten, wieder in die Heimat zurückzukehren. »Im Juni 1948 startete die tschechoslowakische Regierung das erste von vielen ›Amnestie‹-Programmen für reumütige Flüchtlinge und versprach den Rückkehrern, dass sie für ihre illegale Rückkehr nicht bestraft werden würden«, so Zahra.[16] Weiter hebt sie hervor, dass bei diesen Amnestien angeblich zwischen politischen und nichtpolitischen Emigranten unterschieden wurde: »Die Mehrheit der Emigranten, so betonten kommunistische Funktionäre, seien fehlgeleitete Abenteurer, egoistische Materialisten oder Opfer westlicher Propaganda gewesen.« Sie seien »nicht aus politischer Feindseligkeit gegenüber dem Sozialismus ausgewandert und könnten rehabilitiert werden, wenn sie nach Hause zurückkehrten«.[17] Diese Haltung ließ auch in den 1970er- und 1980er-Jahren ein gewisses Maß an Verhandlungsspielraum zwischen der Bevölkerung und der Geheimpolizei zu: Die Bürger konnten argumentieren, sie seien getäuscht worden und hätten das kommunistische Regime nie kritisieren wollen.

---

12   Ebd., S. 21.
13   Ebd., S. 24.
14   Ebd., S. 36.
15   Ebd., S. 35.
16   Zahra: The Great Departure (Anm. 7), S. 240.
17   Ebd., S. 240.

Die Amnestiekampagnen von 1948, 1955, 1960, 1968, 1973 und 1988 sowie die Regulierungsmaßnahmen von 1977 blieben jedoch insgesamt erfolglos:[18] Weniger als fünf Prozent derjenigen, die das Land verlassen hatten, kehrten zurück.[19] Dennoch zeugen sie von dem Willen der tschechoslowakischen Regierung, den Kontakt zu den Emigranten nicht zu verlieren. Laut Zahra begann die Regierung im Jahr 1977, »Emigranten die Möglichkeit zu geben, ihre Auswanderung in den Westen rückwirkend zu legalisieren, indem sie sich beim Konsulat registrieren ließen und hohe Gebühren in ausländischer Währung zahlten. Die Gebühren wurden als eine Art Rückzahlung an den sozialistischen Staat für die Ausbildung und das Wohlergehen der Emigranten gerechtfertigt [...]. Der Haken an der Sache war, dass diese ›legalen‹ Emigranten nun aufgefordert wurden, ein Dokument zu unterzeichnen, in dem sie sich verpflichteten, sich dem Regime gegenüber nicht ›unfreundlich‹ zu verhalten. Diejenigen, die dem nachkamen, wurden mit der Erlaubnis belohnt, die Tschechoslowakei zu besuchen (und würden, so hoffte man, Devisen mitbringen). Wer sich weigerte, wurde mit dem Verlust der Staatsbürgerschaft bestraft und durfte seine Familie nicht mehr besuchen.«[20]

Im Oktober 1988 erließ Staatspräsident Gustáv Husák anlässlich des 70. Jahrestages der Gründung des tschechoslowakischen Staates am 28. Oktober 1918 und des 20. Jahrestages der Föderalisierung des Staates im Jahr 1968 eine letzte Amnestie für die Emigranten und unternahm damit einen weiteren Versuch, sie zur Rückkehr in die Heimat zu bewegen.[21]

II. Der Fall der Familie Ouřada

Was staatliches Handeln im Kontext von Flucht, Auswanderung und den Versuchen der tschechoslowakischen Behörden, Emigranten zur Rückkehr zu motivieren, konkret bedeutete, wird am Beispiel der Fallakte Nummer 2222-S-1977 deutlich.[22] Die Akte umfasst 47 Einträge (Dokumente verschiedener Behörden, wie der StB Prag, der regionalen Behörde für Passangelegenheiten und Visa, der Anwaltskammer, der Staatsanwaltschaft) von September 1969 bis April 1989. Damit deckt sie den gesamten Zeitraum der *normalizace*[23] ab. Die Akte enthält eine Ermittlung *(vyšetřovací spis)* und eine Anklageschrift *(trestní spis)*. Sie betrifft den Familienvater Václav Ouřada »und seine Komplizen«.

18   Siehe Rychlík: »Překračování hranic« (Anm. 1), S. 42.
19   Siehe Zahra: The Great Departure (Anm. 7), S. 242, 252.
20   Ebd., S. 259.
21   Rozhodnutí č. 167/1988 Sb., Rozhodnutí prezidenta Československé socialistické republiky o amnestii ze dne 27. října 1988, 27 October 1988, https://www.zakonyprolidi.cz/cs/1988-167?text=amnestie (ges. am 21. Dezember 2021).
22   ABS, ČVS-VS-2222-S-1977.
23   Mit »normalizace« wird die Zeit der Wiederherstellung der öffentlichen Ordnung nach dem Einmarsch der Truppen des Warschauer Pakts 1968 bezeichnet, die von 1969 bis zur Samtenen Revolution 1989 datiert wird.

Von den drei Kindern der Familie Ouřada stammten laut Akte zwei aus der ersten Ehe von Drahomíra Ouřadová mit Miroslav Piffl.

Allem Anschein nach verließ der 1936 geborene Václav Ouřada seine Familie am 9. Februar 1969. Er nutzte dazu eine offiziell genehmigte Reise nach Jugoslawien und flog nach Australien, um dort seinen Vater zu besuchen, der 1948 dorthin ausgewandert war. Seiner Frau schrieb er, er sei in den Westen geflohen und habe die Familie für immer verlassen. Das Regime hatte den Fall jedoch offenbar anders eingeschätzt und noch eine Zeit lang gehofft, ihn zur Rückkehr bewegen zu können: Václav Ouřadas Ausreisegenehmigung galt eigentlich nur bis zum 12. März, aber er konnte sie von Australien aus bis zum 30. September 1969 verlängern. Erst danach wurde er offiziell als vermisst gemeldet.

Seine 1930 geborene Ehefrau Drahomíra Ouřadová und die Kinder Miroslava (geb. 1951), Rotislav (geb. 1954) und Jana (geb. 1961) verhielten sich indessen mehrere Monate lang so, als seien sie verlassen worden. Drahomíra Ouřadová sprach in aller Öffentlichkeit über ihre Pläne, sich von ihrem nunmehr entfremdeten Ehemann scheiden zu lassen. Am 3. Juli 1969 erhielten sie und die Kinder schließlich eine Ausreisegenehmigung für einen Urlaub in Österreich und Jugoslawien, die am 3. August 1969 ablaufen sollte, also früher als die ihres Ehemannes und Vaters.[24] Die Ehefrau und die Kinder nutzten die Reise, um ebenfalls in den Westen zu emigrieren. Kaum überraschend wurden sie schon bald auch in Australien registriert.

Obwohl die Familie Ouřada nur eine von vielen war, die zwischen 1968 und 1969 aus der Tschechoslowakei emigrierten, wurde sie zum Gegenstand intensiver behördlicher Aktivitäten, die sich über mehrere Jahre hinzogen. Anhand der Einträge in der Fallakte wird hier der Verlauf der Ereignisse rekonstruiert. Er steht damit exemplarisch für zahlreiche ähnliche Konstellationen:

9. September 1969, Pass- und Visastelle Prag: »Ein gewisser Miroslav Piffl (Jahrgang 1920) kam ohne vorherige Terminvereinbarung zu uns, um sich nach dem Verbleib seiner Kinder zu erkundigen. Er hatte im Juni eine Vollmacht unterschrieben, damit sie mit ihrer Mutter ins Ausland reisen konnten, und hat seitdem keine Nachricht erhalten, obwohl sie versprochen hatten, ihm eine Postkarte aus Wien zu schicken.«[25]

Miroslav Piffl blieb in seinen Aussagen eher vage. Sein Bericht enthält einige Ungereimtheiten und wirft eine entscheidende Frage auf: Warum bemerkte er das Fehlen seiner Kinder erst im September, obwohl sie eigentlich bereits Mitte Juli zurückkehren sollten? Er gab an, seinen Kindern nahezustehen, verfügte aber offenbar nicht einmal über grundlegende Informationen: »Sie sind irgendwann Ende Juni oder Anfang Juli abgereist«. »Soweit ich weiß, hatten sie eine Ausreisegenehmigung für zwei Wochen, wie sie mir sagten, als ich ihnen meine schriftliche Genehmigung gab.« »Aber sie sind nicht zurückgekommen, und soweit ich weiß, ist auch ihre Mutter nicht zurückgekommen.«

---

24 Siehe ABS, ČVS-VS-2222-S-1977, »Usnesení«, 12 July 1977, Vyšetřovatel StB npor. Dušák, StB Praha.

25 Krajský odbor pasů a víz-Praha, »Záznam«, 9. September 1969 [Unterschrift unlesbar], ABS, VIMV, V-25723 MV, 1 sv.

»Ich wusste nicht, dass ihr Ehemann auch im Ausland war.« Gerade die letzte Aussage
überrascht, da der zweite Ehemann Drahomíra Ouřadovás mehr als sechs Monate zuvor
abgereist war und seine Kinder und ihre Mutter in ernsten finanziellen Nöten zurück-
gelassen hatte. Miroslav Piffl bat um eine Bestätigung ihrer Auswanderung »für das
Bezirksgericht Prag-Ost«. Wahrscheinlich, um seine Unterhaltszahlungen zu stoppen.
Wann hätten die tschechoslowakischen Behörden bemerkt, das Piffls Ex-Frau mit den
Kindern ausgereist war? Drahomíra Ouřadová war übrigens bereits Anfang Juli wegen
Nichterscheinens am Arbeitsplatz entlassen worden.

11. Dezember 1969, SNB (*Sbor národní bezpečnosti*, Korps der nationalen Sicherheit)
Prag (Polizei): Ermittlungsberichte über Václav Ouřada und Drahomíra Ouřadová.

Dieser Bericht über Václav Ouřada ist mit Fehlern gespickt und oft ungenau. Er
basiert mit ziemlicher Sicherheit auf dem, was ein Informant, höchstwahrscheinlich
jemand, der der Familie nahestand, einem offensichtlich nachlässigen – oder überlaste-
ten – Ermittler mitteilte, der sich nicht die Zeit nahm, die Geschichte auf ihre Glaubwürdigkeit zu prüfen. In dem Bericht wird darauf hingewiesen, dass der Ehemann zuerst
ausgewandert sei und dann seine Frau eingeladen habe, ihm zu folgen. Die Einzelheiten
sind jedoch lückenhaft. Was der Bericht an Informationen vermissen lässt, wird mit
Feindseligkeit gefüllt; so ähnelt der Polizeibericht eher einer Rufmordkampagne: »Der
Beruf des Angeklagten konnte nicht festgestellt werden. Er arbeitete an verschiedenen
Orten und in verschiedenen Bereichen, zuletzt als Fahrer in einer Reihe von Agenturen
und Firmen. Er war nicht sonderlich fleißig, was seine häufigen Abwesenheiten und die
allgemeine Unzufriedenheit mit ihm an seinem Arbeitsplatz erklärt.« Offensichtlich gibt
der Ermittler hier wieder, was er von einem Informanten gehört hat. Der Informant
wusste nicht, wo Ouřada gearbeitet hatte, behauptete aber zu wissen, dass sein Arbeitgeber mit ihm unzufrieden war. Doch wie konnte er oder sie wissen, dass Ouřadas
Arbeitgeber unzufrieden mit ihm war, wenn er oder sie nicht einmal wusste, wo er gearbeitet hatte? Und wie konnte der Ermittler diese Behauptung als Tatsache wiederholen,
ohne sie zu überprüfen? Sehr nachlässige Arbeit!

Weiter hieß es in dem Bericht: »Er hat sich nie wirklich für Politik interessiert. Er war
in seiner Nachbarschaft als sehr passiver, apathischer Bürger bekannt. Er hatte keinen
politischen Sachverstand, es gab viele Dinge, die er nicht begriff, und er versuchte es auch
gar nicht. Dafür war er viel zu faul. Sein Hauptanliegen war es, ein gutes und unbe-
schwertes Leben zu führen, ohne Probleme und Sorgen. Er hat sich nie politisch oder
öffentlich in seiner Nachbarschaft engagiert, er hat seine Meinung nicht zum Ausdruck
gebracht.«[26]

Möglich wäre, dass dieser Bericht auf den Aussagen eines Nachbarn beruht. Jemand,
der vorgibt, den Charakter eines Menschen so gut zu kennen, dabei jedoch gleichzeitig
konkrete Details außer Acht lässt, könnte ein enger Freund sein, was aber angesichts der
Feindseligkeit, die von dem Bericht ausgeht, kaum glaubhaft ist. Wahrscheinlicher ist es
deshalb, dass dieser Bericht auf den Schilderungen eines Familienmitglieds beruht,

---

26 KS SNB Praha, »Zpráva o prošetření«, 11 December 1969, pplk. Zachlo, ABS, VIMV, V-25723 MV,
     1 sv.

zumal der Bruder von Drahomíra Ouřadová, Josef Olžbut, mit seiner Frau im selben Haus wie die Familie Ouřada wohnte. Da der Tonfall des Bruders mit späteren Aussagen jedoch nicht vergleichbar ist und viele der Äußerungen den Eindruck von Eifersucht vermitteln, liegt es nahe, dass es sich bei der Informantin um die Frau des Bruders handelte.

Hier ein weiteres Beispiel: »Ouřada war als ein eher durchschnittlicher Mann bekannt. Seine Intelligenz war nicht besonders ausgeprägt. Er war faul und hat sich nicht besonders angestrengt. Er hatte nicht einmal ein besonderes Interesse oder Hobby. Außerdem stand er sehr unter dem Einfluss seiner Frau.« Der Ermittler notierte dazu: »Seine familiäre Situation war stabil. Seine Frau war zwar viel aufbrausender als er, sie neigte dazu, sich zu streiten, aber die Besonnenheit des Angeklagten hielt sie im Zaum. [...] Das Motiv des Angeklagten für die Auswanderung war der Wunsch, materielle Vorteile zu erlangen. In der letzten Zeit stand er in Briefkontakt mit seinem Vater in Australien. Wahrscheinlich einigte er sich im Voraus über die Bedingungen seines Aufenthalts bei seinem Vater und über die materiellen Vergünstigungen, die er an seinem neuen Arbeitsplatz erhalten würde. Möglicherweise waren sie besser als diejenigen, die er hier genoss, und deshalb wollte er vielleicht auswandern. Da seine Frau ebenfalls nach ›etwas Besserem‹ strebte, folgte sie ihm.«[27]

Es scheint widersprüchlich, dass Ouřada ohne seine Frau ausreiste, obwohl er laut dem Bericht sehr unter ihrem Einfluss stand. Und wie sich später herausstellen sollte, wies er sie an, sich ihm *nicht* anzuschließen – die Erzählung ist ziemlich widersprüchlich. Sicher ist: Der Versuch, diesen Fall von Emigration als materiell und nicht politisch motiviert zu charakterisieren, geschah nicht ohne Grund – ich werde auf diesen Punkt zurückkommen.

Ein weiterer Bericht desselben Ermittlers betrifft Drahomíra Ouřadová und zeichnet sich durch ein ähnliches Urteil aus: »In der Vergangenheit hatte sie eine Reihe von Arbeitsstellen. Am längsten war sie bei Tesla, und bis zu ihrer Abreise ins Ausland hat sie in der Fabrik in Přemyšlení gearbeitet. Sie hat sich nie für öffentliche Belange oder das politische Leben interessiert. Zwar äußerte sie sich gelegentlich kritisch über die Situation in unserem Land, aber das entsprang in den meisten Fällen ihrem völligen Mangel an politischem Bewusstsein und Wissen. Sie war mehr an ihren persönlichen Angelegenheiten als am politischen Leben interessiert.«[28]

Als diese Berichte 1969 aufgezeichnet wurden, versuchten sich die Behörden ein Bild von der Situation während des Prager Frühlings zu machen: Die Menschen wurden unablässig bewertet, um festzustellen, ob sie zu den »Feinden des Sozialismus« gehörten oder auf der Seite des Regimes standen, was zumeist aus einem Gefühl von Apathie und Gleichgültigkeit geschah. Weiter heißt es in dem Bericht: »[Ouřadová] galt als passive Bürgerin, von der man kein aktives politisches Engagement erwartete.«[29] Aus diesen

27 Ebd.
28 Ebd.
29 Ebd.

Worten lässt sich erahnen, dass es sich hier um einen konfliktträchtigen Punkt für den Ermittler handelte. Zuvor war eine passive und apathische Haltung verwerflich gewesen, in den 1950er-Jahren machte man sich damit sogar verdächtig; doch seit August 1968 war sie stattdessen eine wünschenswerte Eigenschaft, gleichbedeutend mit einer passiven Billigung des herrschenden Regimes.

Duane Huguenin hat gezeigt, dass die StB, genau wie ihr ostdeutsches Pendant, die Staatssicherheit, in den 1960er-Jahren von repressiven zu eher prophylaktischen Handlungen überging.[30] Die kommunistischen Regime wechselten von einer »Wer nicht für uns ist, ist gegen uns«-Haltung im Stalinismus auf eine Position, die sich mit »Wer nicht gegen uns ist, ist für uns« zusammenfassen lässt.[31] Dieses Zitat wird János Kádár zugeschrieben, dem ungarischen Staatschef, der nach dem Sturz von Imre Nagy und der Niederschlagung des ungarischen Volksaufstandes von 1956 die Macht übernahm, aber es beschreibt ebenso gut die Situation in anderen kommunistischen Ländern. Passive Loyalität reichte also aus, um einem Bürger im kommunistischen Regime Ruhe und Frieden zu garantieren. Natürlich war genau diese Herabsetzung der Erwartungen ein schlechtes Omen für das langfristige Überleben des Regimes, aber sie war die damals vorherrschende Praxis. Folglich äußert sich der Ermittler widersprüchlich über Drahomíra Ouřadovás Passivität. Während er sie nun als positiven Faktor wertet, kann er gleichzeitig nicht umhin, sie mit einem gewissen Maß an Verachtung darzustellen. Dies deutet darauf hin, dass er möglicherweise einer älteren Generation von Geheimdienstmitarbeitern angehörte.

Darüber hinaus war sein Bericht von Sexismus und männlicher Überheblichkeit geprägt: »Sie war eine temperamentvolle, streitsüchtige, selbstbewusste Frau. Sie kam nicht gut mit Menschen zurecht, konnte sich nicht gut auf andere einstellen. Außerdem neigte sie zu einer lockeren, anspruchslosen Lebensweise. Sie versuchte, anderen Menschen eine provokative, nahezu kleinbürgerliche Fassade vorzuspielen. Zusätzlich zum Rauchen hatte sie eine Vorliebe für gutes Essen und Trinken. Diese negativen Eigenschaften führten zu Konflikten mit ihren Mitmenschen, sei es in der Familie oder in der Nachbarschaft. […] Andererseits kann man ihr nicht absprechen, dass sie sich bemüht hat, eine richtige Familie zu gründen und ihren Haushalt in Schuss zu halten. Es war ihre zweite Ehe. Von ihrem ersten Mann hatte sie zwei Kinder, die Tochter Miroslava und den Sohn Rotislav. Mit ihrem zweiten Ehemann hatte sie die Tochter Jana. Ihre erste Ehe scheiterte an ihrer Intoleranz gegenüber der Gutherzigkeit ihres Mannes. Ihre Eltern, die damals noch lebten, trugen ebenfalls eine Mitschuld. […] Mit ihrem jetzigen Mann hat sie in relativer Harmonie und Stille gelebt. Er gehorchte ihr die meiste Zeit, widersetzte sich ihr nicht und seine Gelassenheit und Gutmütigkeit beruhigten sie. Er ist mit ihr, den

---

30   Siehe Duane Huguenin: »Mutations des pratiques répressives de la police secrète tchécoslovaque (1956–1968). Du recours à la force au contrôle social« [Die repressiven Praktiken der tschechoslowakischen Geheimpolizei im Wandel (1956–1968). Von der Gewaltanwendung zur sozialen Kontrolle], in: Vingtième Siècle. Revue d'histoire (2007), H. 96, S. 163–177.

31   Zit. nach Jacques Rupnik: »1968 et les paradoxes du communisme tchécoslovaque« [1968 und die Paradoxien des tschechoslowakischen Kommunismus], in: François Fejtö/Jacques Rupnik (Hg.): Le Printemps tchécoslovaque 1968 [Der tschechoslowakische Frühling 1968], Brüssel 1999, S. 35.

Kindern und dem Verlobten der Tochter weggefahren.«[32] Praktisch stimmte diese letzte Aussage nicht: Die Eheleute waren nicht gemeinsam gereist. Bei dieser Passage handelt es sich eventuell um eine bedeutsame Fehlinformation, denn es wäre möglich, dass der Bruder Ouřadovás oder dessen Frau, wenn einer von ihnen die Informationen gegeben hat, alles über den Plan der Familie Ouřada wusste, gemeinsam auszuwandern.

»Die Angeklagte hat sich vermutlich nach einer langen Zeit des Abwägens für die Auswanderung entschieden. Als ihr Mann ihr zum ersten Mal schrieb, um ihr mitzuteilen, was er getan hatte, war ihre erste Reaktion, dass sie ihm nicht folgen würde, dass sie sich von ihm scheiden lassen würde. Danach entschied sie sich aber wohl doch dafür, sich ihm anzuschließen, denn sie hat heimlich fast alle ihre Möbel verkauft und ist ihm gefolgt.«[33] An keiner Stelle der Akte äußern die Polizisten Zweifel am Wahrheitsgehalt von Ouřadovás Aussage, sie sei von ihrem Ehemann verlassen worden, wie sie es ihrem Arbeitgeber gegenüber geäußert hatte. Das viel glaubwürdigere Szenario, dass nämlich Ehemann und Ehefrau diese Strategie gemeinsam ausgearbeitet hatten, kam den Beamten offenbar nicht in den Sinn, oder sie erwähnten es zumindest nicht.

Am 14. November 1970, d. h. mehr als ein Jahr, nachdem sie das Land verlassen hatten, gab die Polizei das Verschwinden der Eheleute Ouřada bekannt.[34] Am 19. November 1970 bestätigte die Pass- und Visastelle auch das Verschwinden der beiden älteren Kinder.[35]

Zwei Jahre später, am 10. Oktober 1972, holte die Polizei eine Beurteilung von Ouřada und Ouřadová bei deren ehemaligen Arbeitgebern ein: »Er stammt aus einer Arbeiterfamilie. [...] Nach seiner zweijährigen Wehrpflicht meldete er sich für ein Jahr zum Dienst bei einer Freiwilligenbrigade in den Bergwerken. [...] Er hat sieben Jahre lang in unserer Firma als Fahrer eines Tatra 603 gearbeitet. Man muss ihm zugutehalten, dass er die meisten Reparaturen an dem Fahrzeug selbst durchgeführt hat, was der Firma eine Menge Geld gespart hat. Er war bereit, mehrere anstrengende Fahrten pro Tag zu unternehmen, und nicht selten war er eine Woche oder zehn Tage lang nicht in Prag. Er hat auch an Samstagen und Sonntagen gearbeitet. Er war fröhlich und lustig, aufgeschlossen, viele Angestellte der Firma sind gerne mit ihm gefahren wegen dieser Eigenschaften. Aber er fuhr meist schnell, riskierte viel, er verließ sich zu sehr auf seine Fähigkeit, in Notsituationen schnell zu reagieren. Auf diesbezügliche Ermahnungen hat er nicht reagiert. Genosse Ouřada hatte drei Kinder, zwei davon aus der ersten Ehe seiner Frau. Er kümmerte sich um sie, als ob sie seine eigenen wären. Seinen eigenen Worten zufolge hatte er zeitlebens seine schwierige Jugend vor Augen und wollte nicht, dass diese beiden Kinder, die für die Scheidung ihrer Eltern ebenso wenig verantwortlich waren wie er

---

32 Ebd.
33 KS SNB Praha, »Zpráva o prošetření«, 11 December 1969, pplk. Zachlo, ABS, VIMV, V-25723 MV, 1 sv.
34 Krajská správa SNB, Odbor vyšetřování Stb, »Hlášení«, 14 November 1970 [Unterschrift unlesbar], ebd.
35 Krajská správa SNB, Odbor pasů a víz, Praha, »Hlášení«, 19 November 1970 [Unterschrift unlesbar], ebd.

damals, so litten wie er selbst. Er war nicht politisch engagiert.«[36] Diese Charakterisierung passt kaum zu einem Vater, der seine Kinder im Stich ließ, um nach Australien zu fliehen.

Ouřadovás ehemaliger Arbeitgeber erklärte, dass sie als Telefonistin in der Firma tätig gewesen sei, aber im Februar 1969 die Stelle gewechselt habe, um Buchhalterin zu werden: »Sie wurde durch ihre familiären Umstände in diese Position gezwungen, da ihr Mann sie verlassen hatte, um auszuwandern, und sie mit drei Kindern ohne Unterhalt zurückgelassen hatte. Politisch hat sie sich in der Firma nie geäußert und keine politische Funktion ausgeübt. Im beruflichen Bereich war ihre Arbeitsleistung aufgrund ihrer Unerfahrenheit gering. Es fiel ihr schwer, ihre Arbeit zu Ende zu bringen und ihre Stunden abzuleisten. Aufgrund ihrer unglücklichen Familienverhältnisse konnte sie sich nicht voll auf ihre Arbeit konzentrieren und machte daher viele Fehler. Ihre schwierige familiäre Situation führte dazu, dass sie sich oft freinahm, was sie dann nur schwer wieder aufholen konnte. Der durchschnittliche Verdienst, den sie erzielen konnte, reichte nicht aus, um ihren Haushalt zu finanzieren. Ende Juni 1969 beantragte sie drei Tage unbezahlten Urlaub, um sich um unvorhergesehene Familienereignisse zu kümmern. Er wurde ihr als Sozialleistung bewilligt. Am Ende ihres Urlaubs erschien sie nicht wieder am Arbeitsplatz, und es wurde später festgestellt, dass sie mit ihren Kindern zu ihrem Ehemann ins Ausland gereist war. Am 31. Juli kündigten wir ihren Arbeitsvertrag. Sie hat keine unbezahlten Gehälter hinterlassen, da sie darum gebeten hatte, ihr vor ihrer Abreise ein Monatsgehalt im Voraus zu zahlen.«[37]

Danach folgt die Bewertung der ältesten Tochter, Miroslava Pifflová, 18 Jahre alt, die bereits eine Anstellung hatte. Sie wird mit neutralen, tendenziell eher wohlwollenden Worten beschrieben: »Sie hat gewissenhaft und pflichtbewusst gearbeitet und ist auf Wunsch auch nach Feierabend bereitwillig bei der Arbeit geblieben. Sie war weder an der politischen Situation interessiert, noch hat sie Stellung zu aktuellen Themen bezogen.«[38]

Am 14. Juni 1973, reichte die StB Prag bei den zuständigen Behörden eine Anfrage ein, ob Václav Ouřada, Drahomíra Ouřadová und die älteste Tochter, Miroslava Pifflová, polizeilich erfasst oder vorbestraft seien. Die Antwort war negativ.[39]

Am 12. Juli 1977, d. h. acht Jahre nach der Ausreise der Familie, leitete die StB offiziell ein strafrechtliches Ermittlungsverfahren *(trestní stíhání)* wegen der »Straftat des Verlassens der Republik« ein[40] und beantragte die Bestellung eines Pflichtverteidigers

36 S. Kimlová, »Posudek na Václava Ouřadu, nar. 5.4.1936 v Praze, bytem Praha 8-Chabry, Tř. Rudé armády 224, t.č. v zahraničí, Početnická a organizační služba, Podnikové ředitelství, Vodičkova 34, Praha 1, 10 October 1972, ABS, VIMV, V-25723 MV, 1 sv.

37 ved. útv. pro kádr. a pers. práci Oldřiích Dvořák, »Ouřadová Drahomíra, nar. 8.12.1930«, 4 October 1972, Tesla Výzkumný ústav jaderné techniky, Přemyšlení, ebd.

38 S. Šnajberk, vedoucí odd. 153-NHE, »Pracovně-politické hodnocení«, 4 December 1972, Závodní výbor FZO Motokov, Praha, ebd.

39 Federální ministerstvo vnitra, Odbor vyšetřování StB Praha, VS-46/8-0/73, 14 June 1973, Výpis z resjtříku trestů: /. Federální ministerstvo vnita, Odbor vyšetřování StB Praha, VS-46/8-0/73, »Žádost o výpis z evidence VB«, 14 June 1973, followed by the answer: authority illegible, Čj. VB 1242/PS-3-73, no record, 19 June 1973, Kpt.Větrevec, ebd.

40 Vyšetřovatel StB npor. Dušák, ČVS-VS-2222-S-1977, »Usnesení«, 12 July 1977, Správa SNB, odbor vyšetřování StB Praha, ebd.

durch das Gericht:[41] Dieser schickte der Familie Ouřada ein Schreiben an ihre Prager Adresse, um sie darüber zu informieren, dass sie für seine Dienste bezahlen müsse.[42]

Am 23. August 1977 wird der Bruder von Drahomíra Ouřadová, Josef Olžbut, der noch im selben Haus wohnte, als Zeuge befragt.[43] Aus seiner Aussage wird deutlich, wie er – und viele andere Bürger in ähnlichen Situationen – gegenüber der Polizei sorgsam jedes Wort abwägte. Seine Einlassungen sind eine Mischung aus vorgetäuschter Ignoranz und glaubwürdiger Feindseligkeit: Er gab an, mit seiner Schwester im selben Haus gelebt zu haben, aber nicht zu wissen, wann genau sie geheiratet hatte. Olžbut schien überzeugt zu sein, dass seine ablehnende, feindliche Haltung gegenüber seinem Schwager Václav Ouřada, die er deutlich zur Schau stellte, von der Polizei geglaubt und gutgeheißen würde – sie war ein »sicheres«, schlagkräftiges Argument. Er gab vor, seinen Schwager kaum zu kennen, konnte aber zahlreiche Details über dessen Vater, der nach Australien ausgewandert war, wiedergeben. Er kannte sogar den Namen und den Mädchennamen sowie die Adresse der ersten Frau von Ouřadas Vater, die dieser 1948 verlassen hatte, als er nach Australien geflohen war.[44] Ein weiterer Widerspruch in Olžbuts Erzählung lag darin, dass er vorgab, ein schlechtes Verhältnis zu seiner Schwester zu haben, obwohl die beiden einen regen Briefwechsel führten (Beispiele sind der Akte beigefügt), in einem freundschaftlichen Ton und mit langen Briefen. Seine Behauptung, er habe sich 1969 nicht in ihre Angelegenheiten eingemischt, weil er seinen Frieden und seine Ruhe haben wollte, entsprach natürlich dem Ideal der StB für gesellschaftliches Verhalten nach 1968 in der Tschechoslowakei, sodass die Polizisten ihm anscheinend nur zu gerne glaubten – oder zumindest entschieden, nicht daran zu zweifeln. Grundsätzlich sind die Beweggründe für sein Verhalten, die er in Bezug auf sich selbst oder seine Familie beschreibt, völlig unpolitisch bzw. entpolitisiert.

Am 9. September 1977 wurden die strafrechtlichen Ermittlungen gegen die Familie Ouřada mit folgender Begründung eingestellt: »Der Abschluss des Verfahrens hängt von der Beurteilung der persönlichen und materiellen Verhältnisse der Angeklagten und aller Umstände ihrer Ausreise aus dem Land ab. Zum gegenwärtigen Stand der Ermittlungen könnten nur die direkten Aussagen der Angeklagten Aufschluss über die Beweislage geben. In Anbetracht der Tatsache, dass diese nicht verfügbar sind, hat der Ermittler keine andere Wahl, als das Anklageverfahren einzustellen.«[45] Der Fall wurde am 2. November 1977 in den Archiven des Innenministeriums abgelegt.[46]

Am 14. Mai 1983 wandte sich eine Notarin an die Polizei und fragte, ob die beiden Piffl-Kinder vorbestraft seien, da ihr Vater, Miroslav Piffl, verstorben sei und sie ver-

---

41 Vyšetřovatel StB npor. Dušák, ČVS-VS-2222-S-1977, »Žádost o ustanovení obhájce«, 12 July 1977, Správa SNB, odbor vyšetřování StB Praha, ebd.

42 Advokátní poradna č. 3, JUDr. Jiří Linhart, 19 July 1977, ebd.

43 Vyšetřovatel StB npor. Dušák, ČVS-VS-2222-S-1977, »Protokol o výslechu svědka«, 23 August 1977, Správa SNB, odbor vyšetřování StB Praha, ebd.

44 Ebd.

45 Vyšetřovatel StB npor. Dušák, ČVS-VS-2222-S-1977, »Usnesení«, 9 September 1977, Správa SNB, odbor vyšetřování StB Praha, ebd.

46 Krajská správa SNB Praha, »Návrh na úlož«, 2 November 1977 [Unterschrift unleserlich], ebd.

suche, sein Erbe zu klären.[47] Daraufhin kam es zu einem Schriftwechsel zwischen der Notarin, der Staatsanwaltschaft und der StB. Letztere teilte den beiden anderen Institutionen wiederholt mit, dass die Kinder als Minderjährige mit ihrer Mutter ins Ausland verzogen und nie strafrechtlich verfolgt worden waren. Vermutlich konnten beide das Erbe antreten, obwohl dies aus der Akte nicht klar hervorgeht.

Eine letzte Wendung nahm der Fall am 18. April 1989: Das Anklageverfahren gegen das Ehepaar Ouřada wurde laut Akte wieder aufgenommen, nur um im gleichen Schritt aufgrund der von Präsident Husák im Oktober 1988 verkündeten Amnestie endgültig eingestellt zu werden.[48]

III. Was geschah wirklich?

Nach Sichtung der gesamten Fallakte lässt sich folgendes Szenario rekonstruieren: Miroslav Piffl, der Vater der beiden älteren Kinder, um die er sich bis zu ihrer Ausreise kaum gekümmert hatte und die 1969 bereits fast erwachsen waren (seine Tochter war berufstätig, sein Sohn besuchte eine höhere Schule), traf sich im Juni 1969 mit ihnen und erfuhr von ihrem Plan auszuwandern. Er gab sein Einverständnis, da er dadurch von Unterhaltszahlungen befreit würde (zu diesem Zeitpunkt wohl nur noch für den Sohn).

Die Familie Ouřada hatte ihre Flucht sorgfältig geplant. Der Vater reiste zuerst, um alles für die Ankunft der ganzen Familie in Australien zu organisieren. Um keinen Verdacht zu erregen, schrieb er seiner Frau, sie solle ihm nicht folgen, was sie pflichtbewusst gegenüber mehreren Personen wiederholte. Sie schlug sich einige Monate durch, verkaufte dann ihr Haus mit allem Hab und Gut, beantragte ein Visum für einen einwöchigen Urlaub in Österreich und Jugoslawien, erhielt einen Gehaltsvorschuss für einen Monat und nahm sich drei Tage frei. Offensichtlich kommunizierte die Passstelle nicht mit ihrem Arbeitgeber, denn niemandem schien die Diskrepanz zwischen der Dauer ihrer angeblichen Reise und den beantragten Urlaubstagen aufzufallen. Dann verschwand sie mit den Kindern und dem Verlobten der Tochter. Es kann nur darüber spekuliert werden, wie lange es gedauert hätte, bis die tschechoslowakischen Behörden das Verschwinden der ganzen Familie bemerkt hätten, wenn nicht der Vater der ersten beiden Kinder, Miroslav Piffl, vorstellig geworden wäre, um seine Unterhaltszahlungen zurückzufordern.

Die Frau des Bruders von Ouřadová gab selbstgefällig Auskunft über ihren Schwager und ihre Schwägerin, die sie eindeutig nicht mochte, während sie sich gegenüber den Kindern, die sie offensichtlich gern hatte oder zumindest nicht so sehr ablehnte wie ihre Eltern, nachsichtiger zeigte. Auch der Bruder von Ouřadová gab vor, der Familie gegenüber ablehnend, sogar feindselig eingestellt zu sein. Dennoch wusste er wohl von den Ausreiseplänen der Familie und billigte sie. Er konnte davon ausgehen, dass die StB einen

---

47   Státní notářství pro Prahu 9, Jiřína Hlúžková, 9D 802:83, »Dědictví po Miroslavu Pifflovi«, 7 September 1983, ebd.

48   Krajská správa SNB, Odbor vyšetřování Stb, »Usnesení«, 18 April 1989, Vyšetřovatel StB pplk. JUDr. Jaroslav Grygar, ebd.

Familienkonflikt als triftigen Grund anerkennen würde, um sich ihm gegenüber nachsichtig und verständnisvoll zu zeigen, womit er Recht behalten sollte.

Der Ermittler der StB von 1969, der ebenso böswillig wie urteilsfreudig war, gehörte wohl eher zur älteren Generation, stammte möglicherweise aus der ungebildeten Arbeiter- oder Bauernschicht und hatte von dem sozialen Aufstieg profitiert, den die Rekrutierung einer neuen Klasse von Geheimpolizisten in den 1950er-Jahren bot. Die Ermittler in den Jahren zwischen 1977 und 1989 erscheinen dagegen eher wie StB-Beamte aus der Zeit der *normalizace*, die ihre Arbeit machten und sich bereit erklärten, die Geschichte zu entpolitisieren und ihre Augen vor den Widersprüchlichkeiten der Zeugenaussagen zu verschließen.

Dieses Dossier zeigt somit, dass nach der Niederschlagung des Prager Frühlings ein gesellschaftliches Tabu in Bezug auf Politik und Emigration bestand. Emigration war verboten und wurde streng bestraft. Dennoch waren die kommunistischen Regierungen im Allgemeinen und die tschechoslowakische Regierung im Besonderen darum bemüht, mit den Emigranten ein Übereinkommen im Guten zu erzielen, um sie zur Rückkehr zu bewegen. Sowohl die Bevölkerung als auch die Polizei handelten nach der unausgesprochenen Devise, dass die Beweggründe für eine Emigration eher materieller Natur zu sein hatten, als dem Drang zu entspringen, einem repressiven politischen Klima zu entfliehen. Das schaffte Verhandlungsspielraum – auch für die Zukunft.

IV. Die tschechoslowakische Bürokratie als eine reibungslos funktionierende Maschinerie

Tara Zahra betont, dass Auswanderungsbeschränkungen ursprünglich von demokratischen Regierungen eingeführt wurden, nicht von faschistischen oder kommunistischen. Um Emigration zu verhindern, seien »demokratische Notwendigkeit« oder »humanitärer Schutz« geltend gemacht worden. Diese rhetorischen Mittel seien bereits etabliert gewesen, bevor sie vom kommunistischen Regime in der Tschechoslowakei instrumentalisiert wurden.[49] Insofern stand das kommunistische Regime durchaus in einer längeren Traditionslinie.

Es zeigt sich, dass es sich beim bürokratischen Aufwand im Fall der Familie Ouřada also um eine Praxis handelte, die von einer logischen, wenn auch moralisch fragwürdigen Regierungspolitik diktiert wurde. Die Fallakte spiegelt die staatliche Politik der Jahre 1973, 1977 und 1988 wider. Vor allem 1977 versuchte das Regime, Emigranten dazu zu bewegen, wieder eine Beziehung zum Vaterland aufzubauen. Nachdem in der Angelegenheit Ouřada viele Jahre nichts passiert war, wurde sie 1977 offiziell wieder aufgenommen und kurz darauf eingestellt, um der Familie einen Anlass zu geben, ihre Beziehungen zu ihrem Heimatland zu normalisieren. Dies geschah erneut, als der Präsident Husák 1988 eine Amnestie verkündete: Der Fall wurde wieder aufgenommen, um unmittelbar danach endgültig geschlossen zu werden.

---

49   Tara Zahra: »Travel Agents on Trial: Policing Mobility in East Central Europe, 1889–1989«, in: Past & Present 223 (2014), H. 1, S. 161–193, hier S. 162.

Die Ideologie spielte in diesem Prozess nur eine untergeordnete Rolle. Zeugen und polizeiliche Ermittlungen setzten viel daran, der Familie Ouřada materielle und nicht politische Motive für die Auswanderung zu unterstellen – dies ließ stets die Tür für eine mögliche Begnadigung und Rückkehr offen. Die Familie mag vielleicht durch westliche Propaganda oder ihre Illusionen vom westlichen Wohlstand und Lebensstandard verführt worden sein, aber sie werden in ihrer Akte nicht per se zu schlechten sozialistischen Bürgern degradiert.

An diesem exemplarischen Fall lässt sich zeigen, dass die StB also weder sinnloses Material anhäufte, noch ihre Ressourcen in nutzloser Bürokratie vergeudete. Zugleich ist die Akte kein Zeugnis für sinnlose Bespitzelungstendenzen und die Anhäufung von Beweisen gegen die eigenen Bürger, sondern ein Beleg für einen gut funktionierenden, organisierten Verwaltungsapparat, der seine Bürger nie aus den Augen verlor. Und in der Tat hatte die StB bis Anfang 1989 ihre Angelegenheiten geordnet und die Gesellschaft unter Kontrolle. Erst im letzten Jahr vor dem Umsturz nahm die soziale Unzufriedenheit immer mehr zu und wurde durch die internationale Situation, insbesondere in der Sowjetunion, verstärkt. Im Zuge dessen wurde die Lage zunehmend unbeherrschbar. Duane Huguenin hat überzeugend dargelegt, dass die StB in gewisser Weise eine Art menschliche Beziehung zur tschechoslowakischen Gesellschaft unterhielt.[50] Diese Verbindung mag verworren, gefährlich, unangenehm oder erdrückend gewesen sein, aber zusammen mit den lokalen kommunistischen Parteizellen war die StB die Institution, die am engsten mit den einfachen Menschen Kontakt hielt. Das macht sie zu einer der erfolgreichsten, wenn nicht zur erfolgreichsten kommunistischen Institution, und als solche ist sie auch eine der besten soziologischen Quellen, um den Alltag im Kommunismus heute zu untersuchen.

Abschließend sei angemerkt: Wie so oft in Polizeiarchiven fällt auch diese Akte eher durch Leerstellen auf, als durch das, was sie enthält. Es fehlt die Politik. Wenn die kommunistische Propaganda darauf pochte, dass nur fehlgeleitete Bürger, die von den illusorischen Verheißungen der Konsumgesellschaft angelockt wurden, dazu gebracht werden konnten, das Land zu verlassen, so implizierte diese bevormundende Sichtweise, dass solche fehlgeleiteten Bürger, im Gegensatz zu den angeprangerten politischen Dissidenten, immer zur Vernunft gebracht werden konnten – insbesondere wenn sie mit Portemonnaies voller harter Währung ins Land zurückkehren durften. Die Behörden bewegten sich auf einem schmalen Grat zwischen Repression und sozialer Verhandlungsführung. Sie versuchten, Menschen, die emigrieren wollten, durch Repressionen zu entmutigen, während sie diejenigen, die es ins Ausland geschafft hatten, mit Nachsicht zur Rückkehr ermutigten. Erst Ende 1989 löste sich dieses Paradoxon schließlich auf: Das Regime und seine Illusionen brachen kurzerhand zusammen.

Aus dem Englischen übersetzt von Alexei Khorkov und Indra Holle-Chorkov

---

50 Siehe Huguenin: »Mutations des pratiques« (Anm. 30). Siehe auch Duane Huguenin: »Les jeunes, l'Ouest, et la police secrète tchécoslovaque. Immaturité ou diversion idéologique?« [Die Jugend, der Westen und die tschechoslowakische Geheimpolizei. Unreife oder ideologische Ablenkung?], in: Vingtième Siècle. Revue d'histoire 109 (2011), H. 1, S. 183–200.

Roger Engelmann / Daniela Münkel

Zwischen »Parteilichkeit« und »Gesetzlichkeit«. Etappen der Verrechtlichung in der Strafverfahrenspraxis der DDR-Staatssicherheit

Wie in anderen kommunistischen Staaten war die Staatssicherheit in der DDR das zentrale Instrument diktatorischer Herrschaft. Zur Ausschaltung politischer Gegner verfügte sie neben weitreichenden Möglichkeiten der Überwachung über die exekutiven Rechte einer strafrechtlichen Ermittlungsbehörde und über eigene Untersuchungshaftanstalten. Ihre Stellung im System der politischen Strafverfolgung war so stark, dass sie zu allen Zeiten die Rechtsprechung in »ihren« Strafverfahren präjudizieren konnte. Trotzdem war die polizeiliche und justizielle Praxis in ihrem Zuständigkeitsbereich großen Wandlungen unterworfen, die man mit dem Begriff der Verrechtlichung fassen kann. Während anfangs Willkür, die vollkommene Entrechtung der Beschuldigten und eine latente Verletzung geltender Normen dominierten, musste sich auch die Staatssicherheit im Laufe der Jahre sukzessive rechtlich normierten Beschränkungen und Grundsätzen unterwerfen, die die Rechtsstellung der Beschuldigten verbessern und eine rationale Wahrheitsfindung sicherstellen sollten. Dieser wechselvolle, immer wieder von Rückfällen in alte Praktiken gekennzeichnete Prozess, in dem manchmal die »Parteilichkeit«, manchmal die »Gesetzlichkeit« im Vordergrund stand, soll im Folgenden nachgezeichnet werden.[1]

I. Willkür und erste Verrechtlichungsschritte unter sowjetischer Führung

Politische Repression war in den ersten Jahren der DDR weitgehend eine sowjetische Angelegenheit und das Ministerium für Staatssicherheit (MfS) der DDR in erster Linie Hilfsorgan der sowjetischen Staatssicherheit. Verhaftungen wurden häufig auf sowjetisches Geheiß vorgenommen und Untersuchungsvorgänge und Häftlinge routinemäßig an die Besatzungsmacht übergeben.[2] Außerdem übten die sowjetischen Instrukteure entscheidenden Einfluss auch auf diejenigen Strafverfahren aus, die formal in deutscher Hand blieben. Anfragen von Angehörigen Festgenommener durften grundsätzlich nur

---

1   Die Ausführungen in diesem Aufsatz basieren über weite Strecken auf den empirischen Befunden der Publikation von Roger Engelmann/Frank Joestel: Die Hauptabteilung IX (MfS-Handbuch: Anatomie der Staatssicherheit – Geschichte, Struktur und Methoden, hrsg. v. BStU), Berlin 2016.
2   Siehe Tätigkeitsberichte der Länderverwaltungen des MfS 1950–1952, Bundesarchiv (im Folgenden: BArch), Ministerium für Staatssicherheit (im Folgenden: MfS) AS 95/55, Bd. 2 u. 7.

mit Zustimmung der sowjetischen Instrukteure beantwortet werden.[3] Diese Auskünfte wurden extrem restriktiv gehandhabt, was dazu führte, dass Festgenommene der Staatssicherheit – so wie es der gängigen sowjetischen Praxis entsprach – einfach »verschwanden«.

Wie erheblich und teilweise irrational der sowjetische Einfluss auf das repressive Agieren der DDR-Staatssicherheit war, zeigten die Vorgänge rund um den Fall Noel Field. Noel Field war zum Drahtzieher einer US-amerikanischen Verschwörung gegen das kommunistische Lager stilisiert worden und spielte als solcher im Anklagekonstrukt von Prozessen gegen sogenannte Parteifeinde in verschiedenen Ländern des kommunistischen Machtbereichs eine zentrale Rolle. Vor dem Hintergrund des Budapester Schauprozesses gegen den ehemaligen ungarischen Innenminister László Rajk und andere Spitzenfunktionäre wurden in der DDR im Sommer 1950 Vorbereitungen für ein ähnliches Vorgehen getroffen und einige kommunistische Funktionäre, denen man Beziehungen zu Noel Field unterstellen konnte, verhaftet: der Chefredakteur des Deutschlandsenders Leo Bauer, der stellvertretende Leiter des DDR-Presseamtes Bruno Goldhammer und der Reichsbahnpräsident Willi Kreikemeyer. Bereits im März 1950 war in diesem Zusammenhang der 2. Vorsitzende der westdeutschen KPD, Kurt Müller, nach Ost-Berlin gelockt und festgenommen worden. Seinen Nachfolger in dieser Funktion Fritz Sperling ereilte im Februar 1951 das gleiche Schicksal. Im November 1952 wurde dann in diesem Kontext auch das ehemalige Politbüromitglied Paul Merker verhaftet, der im August 1950 lediglich aus der SED ausgeschlossen worden war. Zum offensichtlich geplanten großen Schauprozess kam es in der DDR jedoch nicht, zunächst, weil die Sowjetunion in der DDR aus deutschlandpolitischen Gründen vorsichtiger war, und später, weil sich die Ermittlungen, insbesondere aufgrund der Widerspenstigkeit von Merker, zu lange hinzogen und mit dem Tod Stalins im März 1953 die treibende Kraft wegfiel.[4]

Obwohl zu dieser Zeit in der DDR eigentlich noch die Reichsstrafprozessordnung galt, wurden vom MfS noch nicht einmal die grundlegendsten strafverfahrensrechtlichen Prinzipien eingehalten. Eine einschlägige Richtlinie von 1950 enthält zwar die Bestimmung, dass gemäß »der gültigen Strafprozessordnung [...] beim Staatsanwalt bzw. Richter« ein Haftbefehl zu erwirken sei.[5] Doch das geschah bis 1952 selten. Die mit »Haftbefehl« überschriebenen Formulare, mit denen das MfS damals arbeitete, sahen oftmals nur die Unterschrift des verantwortlichen leitenden Staatssicherheitsoffiziers vor. Die Haftbeschlüsse wurden zudem in aller Regel von der zuständigen operativen Diensteinheit gefällt und nicht von einem Untersuchungsoffizier. Auch die ersten Vernehmun-

---

3 Siehe Richtlinie Nr. 4 vom 6. Januar 1951: Anfragen von Angehörigen verhafteter oder festgenommener Personen, BArch, MfS, BdL/Dok. 2368.

4 Siehe George Hermann Hodos: Schauprozesse. Stalinistische Säuberungen in Osteuropa 1948–1954, Berlin 2001, S. 240–272; Wolfgang Kießling: Partner im »Narrenparadies«. Der Freundeskreis um Noel Field und Paul Merker, Berlin 1994.

5 Richtlinien zur Erfassung der durch die Organe des Ministeriums für Staatssicherheit der DDR verhafteten Personen vom 20. September 1950, in: Roger Engelmann/Frank Joestel (Bearb.): Grundsatzdokumente des MfS (MfS-Handbuch: Anatomie der Staatssicherheit – Geschichte, Struktur und Methoden, hrsg. v. BStU), Berlin 2004, S. 42–45.

gen wurden üblicherweise von den operativen Abteilungen, also von Offizieren durchgeführt, die noch nicht einmal eine rudimentäre juristische Ausbildung durchlaufen hatten. Nicht selten wurden die Häftlinge erst Wochen oder gar Monate nach ihrer Festnahme an die zuständige Untersuchungsabteilung weitergereicht.[6]

Typisch für diese Rechtlosigkeit von Beschuldigten im MfS-Gewahrsam war etwa der Fall des ehemaligen Staatssekretärs im DDR-Justizministerium, Helmut Brandt (CDU), der nach Kritik an den Waldheimer Prozessen, bei denen mehrere Tausend vermeintliche und tatsächliche NS-Täter in Schnellverfahren abgeurteilt worden waren, im September 1950 festgenommen wurde. Die Staatssicherheit hielt ihn fast zwei Jahre lang gefangen, bevor sie im August 1952 einen richterlichen Haftbefehl für ihn erwirkte. Brandt wurde bei den Vernehmungen misshandelt,[7] was gerade bei prominenten Untersuchungshäftlingen üblich war. Im Falle von Fritz Sperling sind ebenfalls Misshandlungen dokumentiert.[8] Drohungen aller Art, auch Todesdrohungen wie im Fall von Paul Merker,[9] und permanenter Schlafentzug durch ausgedehnte Nachtverhöre waren in dieser Zeit (und bis mindestens 1956) eher die Regel als die Ausnahme. Diese Praxis wog umso schwerer, als die DDR-Gerichte ab Januar 1951 – entgegen der noch geltenden Reichsstrafprozessordnung – die Vernehmungsprotokolle der Staatssicherheit mit den dort niedergeschriebenen »Aussagen« der Beschuldigten als Beweismittel werten konnten, selbst wenn die Angeklagten diese Geständnisse vor Gericht widerriefen.[10]

Das Gebaren der Staatssicherheit, das nicht nur der Strafprozessordnung (StPO), sondern auch Artikel 136 der DDR-Verfassung widersprach, in dem grundlegende Beschuldigtenrechte ebenfalls garantiert waren,[11] sorgte für verbreiteten Unmut insbesondere bei den Angehörigen von Verhafteten. Die Oberste Staatsanwaltschaft der DDR sah sich deshalb im Mai 1951 veranlasst, hierfür eine rechtliche Legitimation zu liefern. Sie behauptete, dass DDR-Verfassung und StPO bei den Ermittlungsverfahren, die von der Staatssicherheit als strafrechtliches Untersuchungsorgan durchgeführt wurden, nicht maßgeblich seien, weil hier alliiertes Recht, namentlich die Kontrollratsdirektive Nr. 38 und die Ausführungsbestimmungen zum SMAD-Befehl 201, zur Anwendung kämen.[12]

---

6   Siehe z. B. Monatsbericht der Abteilung IX der Verwaltung Groß-Berlin vom 30. Januar 1951, BArch, MfS, AS 95/55, Bl. 18–25, hier Bl. 18–21.

7   Siehe Hermann Wentker: Ein deutsch-deutsches Schicksal. Der CDU-Politiker Helmut Brandt zwischen Anpassung und Widerstand, in: Vierteljahrshefte für Zeitgeschichte 49 (2001), H. 3, S. 464–506, hier S. 493 f.

8   Siehe Fritz Sperling: »Ich opfere mich für die Partei«, in: Hubertus Knabe (Hg.): Gefangen in Hohenschönhausen. Stasi-Häftlinge berichten, Berlin 2007, S. 149–151.

9   Siehe Kießling: Partner im »Narrenparadies« (Anm. 4), S. 294.

10   Siehe Andrea Herz: Die Erfurter Untersuchungshaftanstalt der DDR-Staatssicherheit 1952–1989, Erfurt 2006, S. 23.

11   Der Artikel 136 der DDR-Verfassung enthielt die Verpflichtung zur Einholung eines richterlichen Haftbefehls »spätestens am Tage nach dem Ergreifen« sowie die Verpflichtung, dem Beschuldigten den Grund für seine Verhaftung zu eröffnen und »auf seinen Wunsch einer von ihm benannten Person« von der Verhaftung Mitteilung zu machen.

12   Siehe Schreiben an den Generalstaatsanwalt von Sachsen-Anhalt vom 26. Mai 1951, BArch, MfS, AU 258/52, Bd. 15, Bl. 8.

Diese Rechtsnormen, die ursprünglich der Bestrafung von NS-Tätern dienten, wurden inzwischen überwiegend gegen Gegner der kommunistischen Herrschaft und andere »Feinde« angewandt.

Überraschend ist, dass die verhängten Strafmaße vor 1952 im Mittel relativ niedrig waren. Sie lagen überwiegend unter fünf Jahren Haft. Todesurteile vor DDR-Gerichten auf der Grundlage von MfS-Ermittlungsverfahren gab es vor Sommer 1952 gar nicht. Die zurückhaltende Urteilspraxis hatte mehrere Gründe. Die Säuberung der Richterschaft war zu dieser Zeit noch nicht vollständig abgeschlossen, und so pflegten die zuständigen Richter damals teilweise noch eine relativ milde Spruchpraxis, die bereits in SBZ-Zeiten auf wenig Freude bei SED und Besatzungsmacht gestoßen war.[13] MfS und Staatsanwaltschaften waren mit dieser Urteilspraxis latent unzufrieden und versuchten immer wieder, die Urteile in Berufungsverfahren nach oben zu korrigieren.[14]

Der zweite Grund für die relativ niedrigen Strafmaße dürfte die Tatsache gewesen sein, dass vor DDR-Gerichten überwiegend die leichteren Fälle verhandelt wurden, während die als schwerwiegend angesehenen Fälle vom MfS zumeist an die sowjetische Staatssicherheit abgegeben wurden und anschließend vor die Sowjetischen Militärtribunale (SMT) kamen, die eine drakonische Spruchpraxis pflegten. Hier waren – ganz anders als bei den Urteilen der DDR-Gerichte – Strafmaße, die unter zehn Jahren Haft lagen, die Ausnahme, 25 Jahre Haft dagegen Standard. Nach Wiedereinführung der Todesstrafe verhängten SMT in den Jahren 1950 bis 1952 mindestens 1087 Todesurteile gegen deutsche Zivilisten, die überwiegend auch vollstreckt wurden.[15] Betrachtet man die 1629 Personen, die im Jahr 1951 von SMT verurteilt wurden, und die 3790 im selben Jahr in den Untersuchungsabteilungen des MfS registrierten Beschuldigten, so zeigt sich, dass ein erheblicher Teil der politischen Strafverfolgung in der DDR in dieser Zeit noch auf das Konto der sowjetischen Militärjustiz ging.

Im Jahr 1952 erfolgte eine weitergehende Übernahme der politischen Strafjustiz durch die DDR-Organe und die Integration der strafrechtlichen Untersuchungstätigkeit des MfS in das DDR-Rechtssystem. Vor dem Hintergrund deutschlandpolitischer Überlegungen übergab die Sowjetische Kontrollkommission (SKK) der SED-Führung im November 1951 ein Memorandum, das »Mängel und Fehler« in der Strafverfolgungspraxis beklagte, die »eine gewisse Unzufriedenheit in der Bevölkerung« verursacht hätten und »von der in- und ausländischen Reaktion im Kampf gegen die demokratischen Kräfte ausgenutzt« werde. Die SKK forderte die Beendigung willkürlicher Verhaftungen, die Benachrichtigung der Angehörigen Inhaftierter (die das Ministerium für Staatssicherheit der Sowjetunion noch zehn Monate zuvor praktisch untersagt hatte) und eine

---

13 Siehe Christian Meyer-Seitz: Die Verfolgung von NS-Straftaten in der Sowjetischen Besatzungszone, Berlin 1998.

14 So ging die Staatsanwaltschaft in Ost-Berlin im Januar 1951 bei allen Urteilen, die auf weniger als fünf Jahre Haft lauteten, in Berufung. Siehe Monatsbericht der Abteilung IX der Verwaltung Groß-Berlin vom 30. Januar 1951, BArch, MfS, AS 95/55, Bd. 7, Teil 1, Bl. 18–25, hier Bl. 23.

15 Siehe Andreas Hilger/Mike Schmeitzner/Ute Schmidt (Hg.): Sowjetische Militärtribunale, Bd. 2: Die Verurteilung deutscher Zivilisten 1945–1955, Köln u. a. 2003, S. 794.

staatsanwaltschaftliche Aufsicht über strafrechtliche Untersuchungen sowie die Untersuchungshaft.[16]

Am 11. Dezember 1951 erließ das SED-Politbüro einen entsprechenden Beschluss.[17] Zunächst sollten eine weitere Säuberung der Justiz »von reaktionären und zweifelhaften Elementen« erfolgen und »besonders qualifizierte und überprüfte« Untersuchungsrichter »in Vereinbarung mit den Staatssicherheitsorganen« bestellt werden, die für die Haftbefehle bei MfS-Gefangenen zuständig werden sollten. Zudem wurde der Ministerrat beauftragt, der Staatsanwaltschaft die Aufsicht über alle strafrechtlichen Untersuchungen, auch die der Staatssicherheit, zu übertragen, was im Frühjahr 1952 normativ umgesetzt wurde.[18]

Zentral war dabei die Anpassung der MfS-Praxis bei vorläufigen Festnahmen und Verhaftungen an die Normen der StPO. Festgenommene waren »binnen 24 Stunden« dem Aufsicht führenden Staatsanwalt zu melden und dem zuständigen Richter zur Erwirkung eines Haftbefehls vorzuführen.[19] Der Staatsanwalt hatte dafür zu sorgen, dass dem Festgenommenen »bei der ersten richterlichen Vernehmung der Grund der Verhaftung eröffnet wird und dass – sofern der Zweck der Untersuchung nicht gefährdet wird – auf seinen Wunsch einer von ihm benannten Person Mitteilung von der Verhaftung gemacht wird«.[20]

Mindestens ebenso bedeutsam war die Einführung einer staatsanwaltschaftlichen Aufsicht über die strafrechtlichen Untersuchungen des MfS, die allerdings auf einen kleinen Kreis von Staatsanwälten beschränkt wurde, die für diese Aufgabe vom Generalstaatsanwalt »im Einvernehmen« mit dem MfS bestellt wurden.[21] In der betreffenden Rundverfügung wird ausdrücklich festgestellt, dass die Aufsicht des Staatsanwaltes »mit dem Zeitpunkt der Festnahme« beginne und dass der Aufsicht führende Staatsanwalt das Recht habe, »in die Akten der Untersuchungsorgane jederzeit Einsicht zu nehmen« und »sich jederzeit an den Vernehmungen selbst zu beteiligen«.[22] Auch wurde jetzt das Vorgehen des Staatsanwaltes bei etwaigen Rechtsverletzungen des MfS ausdrücklich geregelt.[23]

---

16 Siehe Hermann Wentker: Justiz in der SBZ/DDR 1945–1953. Transformation und Rolle ihrer zentralen Institutionen, Berlin 2001, S. 531 f.

17 Siehe Protokoll der Sitzung des Politbüros am 11. Dezember 1951, TOP Nr. 6, BArch, DY 30, IV 2/2/182, Bl. 1–8, hier Bl. 3, sowie Anlage Nr. 3 »Maßnahmen zur Verbesserung der Organe der Justiz und ihrer Arbeit in der Deutschen Demokratischen Republik und in Berlin«, ebd., Bl. 14–32.

18 Rundverfügungen des DDR-Generalstaatsanwaltes Nr. 7/52, 9/52, 11/52 u. 12/52, alle vom 31. März 1952, Abschriften in BArch, MfS, BdL/Dok. 68, 70, 72 u. 73. Befehl Nr. 74/52 zum Beschluss des Ministerrates vom 27. März 1952, 15. 5. 1952, sowie Dienstanweisung 1/52 zum Befehl Nr. 74/52 vom 15. Mai 1952, in: Engelmann/Joestel (Bearb.): MfS-Grundsatzdokumente (Anm. 5), S. 49–57.

19 Siehe Dienstanweisung Nr. 1/52 des Ministers für Staatssicherheit vom 15. Mai 1952, in: ebd., S. 52.

20 Rundverfügung des DDR-Generalstaatsanwalts Nr. 7/52 vom 31. März 1952, BArch, MfS, BdL/Dok. 68, Bl. 1.

21 Dienstanweisung Nr. 1/52 des Ministers für Staatssicherheit vom 15. Mai 1952, in: Engelmann/Joestel (Bearb.): Grundsatzdokumente des MfS (Anm. 5), S. 51–57, hier S. 53.

22 Rundverfügung des GStA Nr. 11/52 vom 31. 3. 1952, BArch, MfS, BdL/Dok. 72, Bl. 1–4, hier Bl. 2.

23 Ebd., Bl. 3.

In der Praxis waren jedoch sowohl die Möglichkeiten als auch der Wille der Staatsanwaltschaften beschränkt, diese Kompetenzen wirklich auszuschöpfen. Ein entschei-
dendes Hindernis war, dass selbst diese besonders »überprüften« Staatsanwälte der für
Staatssicherheitsdelikte zuständigen Abteilung I der Staatsanwaltschaften nur einen sehr
begrenzten Einblick in das tatsächliche Ermittlungsgeschehen hatten: Bereits im März
1952 (im Vorgriff auf die zu erwartende staatsanwaltschaftliche Aufsicht) war im Untersuchungsorgan des MfS das Prinzip der doppelten Aktenführung verbindlich gemacht
worden.[24] Diese diente der »Wahrung der Konspiration der Arbeitsmethoden« gegenüber
der Staatsanwaltschaft und wurde jetzt nochmals ausdrücklich bestätigt. In der Haupt-
akte zum Ermittlungsverfahren sollte nur das offizielle und strafprozessual legale Material abgelegt werden. Daneben führte der MfS-Untersuchungssachbearbeiter eine Hand-
akte mit dem internen Schriftverkehr, dem operativen Material sowie den Niederschriften
der sogenannten Zelleninformatoren, der Spitzel, die in den MfS-Untersuchungshaft-
anstalten auf die Beschuldigten angesetzt wurden. In diese Akte hatte der aufsichtfüh-
rende Staatsanwalt keinen Einblick.[25]

Die formale Unterwerfung der MfS-Untersuchungstätigkeit unter das geltende Straf-
verfahrensrecht war letztlich auch deshalb nicht so einschneidend, weil wenig später, im
Oktober 1952, die neue DDR-Strafprozessordnung erlassen wurde, die die Beschuldigtenrechte deutlich einschränkte. Auf eine sowjetische Intervention hin wurde die
Möglichkeit des Rechtsbeistandes während des Ermittlungsverfahrens durch die Einschränkung relativiert, dass diese »den Zweck der Untersuchung« nicht gefährden dürfe.[26] Es sollte sich zeigen, dass eine solche Gefährdung des Untersuchungszwecks in MfS-
Verfahren als Regelfall angenommen wurde. Eine MfS-interne Dienstanweisung vom
Dezember 1953 bestimmte demnach auch, dass Beschuldigten vor Abschluss des Ermittlungsverfahrens eine Sprech- und Schreiberlaubnis grundsätzlich nicht zu gestatten sei.[27]

Im Oktober 1952 kam es zu einer ersten umfassenden Initiative des Ministers für
Staatssicherheit Wilhelm Zaisser, die Praxis der Misshandlungen von Untersuchungshäftlingen abzustellen. In einem zentralen Befehl gab er die Absetzung und Degradie-
rung des Leiters einer MfS-Bezirksverwaltung wegen »Übergriffen« bei Vernehmungen
bekannt,[28] und im Spätherbst 1952 wurden auch erste Strafverfahren gegen MfS-Mitarbeiter wegen Aussageerpressung und Körperverletzung aktenkundig.[29]

24 Siehe Dienstanweisung des Staatssekretärs Mielke vom 20. März 1952: Übergabe von Unter-
    suchungsvorgängen an die Staatsanwaltschaften und die Gerichte, BArch, MfS, BdL/Dok. 2032.
25 Siehe Dienstanweisung Nr. 1/52 des Ministers für Staatssicherheit vom 15. Mai 1952, in: Engel-
    mann / Joestel (Bearb.): MfS-Grundsatzdokumente (Anm. 5), S. 51–57, hier S. 53 f.
26 Siehe Wentker: Justiz in der SBZ/DDR (Anm. 16), S. 551 f.
27 Siehe Dienstanweisung Nr. 38/53 des Staatssekretärs für Staatssicherheit vom 1. Dezember 1953, in:
    Engelmann / Joestel (Bearb.): MfS-Grundsatzdokumente (Anm. 5), S. 64–66, hier S. 65.
28 Befehl des Ministers für Staatssicherheit Nr. 211/52 vom 18. Oktober 1952, BArch, MfS, BdL/
    Dok. 88.
29 Siehe Jens Gieseke: Die hauptamtlichen Mitarbeiter. Personalstruktur und Lebenswelt 1950–
    1989/90, Berlin 2000, S. 145–152.

Es ist bemerkenswert, dass diese erste Etappe der Verrechtlichung sicherheitspolizeilicher und justizieller Repression in der DDR in die ausgehende Stalin-Ära fällt, die ansonsten eher von einer ausgeprägten Willkürpraxis gekennzeichnet war. Entsprechend widersprüchlich waren die sowjetischen Einflussnahmen, in denen zunächst auf Milderungen bedacht deutschlandpolitische Gesichtspunkte dominierten, später dann aber ein dezidiert repressiver Kurs. Bezeichnend ist in diesem Zusammenhang die Erarbeitung eines neuen DDR-Strafgesetzbuches, die ebenfalls im November 1951 angestoßen wurde. Hiermit sollten differenzierte politische Straftatbestände in Anlehnung an das sowjetische Strafrecht eingeführt und damit der juristisch hochproblematische Rückgriff auf die Kontrollratsdirektive 38 und den Artikel 6 der DDR-Verfassung[30] als Strafnorm abgelöst werden.

Die Arbeiten am Gesetzentwurf standen zunehmend unter dem Druck sich verhärtender politischer Vorgaben und wurden erst im Frühjahr 1953 abgeschlossen. Doch als am 5. März 1953 Stalin starb und die neue sowjetische Führung wiederum einen Kurswechsel einleitete, passte das Gesetz nicht mehr in die politische Landschaft. Ein im Mai 1953 von sowjetischer Seite dem Ministerpräsidenten Otto Grotewohl übergebenes »Merkblatt« kritisierte den Gesetzentwurf jetzt wegen der Unbestimmtheit verschiedener Straftatbestände und der Härte der vorgesehenen Strafen. Mit dem auch in justizpolitischer Hinsicht milderen »Neuen Kurs«, der der DDR-Führung von der sowjetischen Führung im Juni 1953 diktiert wurde, vertrug er sich in keiner Weise – das Vorhaben wurde erst einmal begraben.[31]

II. »Schwert der Partei« und »Rechtspflegeorgan« – Entwicklungen und Rückschläge in der Ulbricht-Ära

Wie von der sowjetischen Führung gefordert, kam es ab Juni 1953 zu umfangreichen Entlassungen von Strafgefangenen und Untersuchungshäftlingen. Insgesamt wurden in der DDR bis zum Jahresende 24 000 Gefangene freigelassen.[32] Dagegen wurden im Zusammenhang mit dem Aufstand vom 17. Juni 1953 nur rund 1500 Personen von DDR-Gerichten neu zu Haftstrafen verurteilt.[33] Auch die Strafmaße fielen jetzt im Allgemeinen deutlich niedriger aus als vor dem Juni-Aufstand. Gegen Aufständische, die nicht als Rädelsführer eingestuft wurden, ermittelte in der Regel die Volkspolizei. Die

---

30 In Art. 6 Abs. 2 werden »Boykotthetze gegen demokratische Einrichtungen«, »militaristische Propaganda« und Kriegshetze als »Verbrechen im Sinne des Strafgesetzbuches« bezeichnet, ohne die Tatbestände oder einen Strafrahmen im Einzelnen zu definieren. Die DDR-Justiz zog diese Norm generell bei der Ahndung von politischen Delikten heran, auch bei Spionage oder »feindlichen« Organisationshandlungen, und verhängte auf dieser Grundlage auch Todesurteile.

31 Siehe Wentker: Justiz in der SBZ/DDR (Anm. 16), S. 554–556.

32 Siehe Ilko-Sascha Kowalczuk: »Energisches ›Handeln‹ erfordert die Lage«. Politische Strafverfolgung vor und nach dem 17. Juni, in: Roger Engelmann/Ilko-Sascha Kowalczuk: Volkserhebung gegen den SED-Staat. Eine Bestandsaufnahme zum 17. Juni 1953, Göttingen 2005, S. 223.

33 Ebd.

Urteile lauteten häufig lediglich auf ein bis zwei Jahre Gefängnis wegen Landfriedensbruchs.

Doch der justizpolitisch milde »Neue Kurs« schwächte sich sukzessive ab, als die Machthaber als Antwort auf den Volksaufstand eine Strategie der »konzentrierten Schläge« gegen westliche Nachrichtendienste, antikommunistische Organisationen und politische Gegner initiierten. Von Oktober 1953 bis April 1955 kam es zu mehreren Verhaftungswellen mit Hunderten von Festgenommenen, flankiert von einer ausgeklügelten Propaganda, die die einschüchternde Wirkung der Maßnahmen verstärken sollten.[34] In diesem Sinne bezeichnete der neue Staatssicherheitschef Ernst Wollweber im April 1954 auf dem IV. SED-Parteitag sein Organ als das »scharfe Schwert der Partei, mit dem der Feind unerbittlich geschlagen werde«.[35] Das bei diesen »Aktionen« angewandte Grundprinzip bestand darin, auf einen Schlag alle Personen zu verhaften, bei denen nach Aktenlage eine ausreichende strafrechtliche Belastung erkennbar schien. Natürlich führte diese Praxis zu »unbegründeten Verhaftungen« aller Art, mit denen sich am Ende sogar die Sicherheitskommission des SED-Politbüros befassen musste. »Übereilte Festnahmeersuchen« auf der Grundlage von unüberprüften Informationen wurden kritisiert. Die Partei verlangte jetzt ausdrücklich, dass die Untersuchungsabteilungen noch vor der Festnahme einbezogen werden sollten, um »eine objektive Beurteilung des als Grundlage für den Vorschlag zur Verhaftung dienenden Materials zu erreichen«.[36]

Wollweber verpflichtete seine Mitarbeiter Ende Dezember 1954 zu einer größeren Sorgfalt bei den Ermittlungen und bei der Einhaltung strafverfahrensrechtlicher Vorschriften. Vom 1. Januar bis zum 30. September 1954 seien 282 Untersuchungshäftlinge der Staatssicherheit mangels Beweisen aus der Haft entlassen worden, bei weiteren 104 Beschuldigten habe die Staatsanwaltschaft das Verfahren eingestellt und 96 Angeklagte seien von den Gerichten freigesprochen worden. Bei den meisten dieser Fälle hätten »vor der Verhaftung weder ausreichende Beweise für ihre strafbare Handlung noch stichhaltige Verdachtsmomente« vorgelegen. Es habe zahlreiche Fälle von Namensverwechslungen und Festnahmen auf der Grundlage »unüberprüfter einseitiger« Berichte inoffizieller Mitarbeiter gegeben.[37] Die Staatssicherheit sei aber der »Partei und Regierung gegenüber in vollem Umfange dafür verantwortlich«, dass sie die ihr »übertragenen Machtbefugnisse verstärkt gegen die tatsächlichen Feinde [...] und zum Schutze der werktätigen Bevölkerung gegen feindliche Anschläge« einsetze.[38] In Fällen, wo sich der

34 Siehe Karl Wilhelm Fricke/Roger Engelmann: »Konzentrierte Schläge«. Staatssicherheitsaktionen und politische Prozesse in der DDR 1953–1956, Berlin 1998; Ronny Heidenreich/Daniela Münkel/Elke Stadelmann-Wenz: Geheimdienstkrieg in Deutschland. Die Konfrontation von DDR-Staatssicherheit und Organisation Gehlen 1953, Berlin 2016.
35 Protokoll der Verhandlungen des IV. Parteitages der SED, Bd. 2, Berlin 1954, S. 703.
36 Auszug aus dem Beschluss der Sicherheitskommission des Politbüros vom 26. Oktober 1954, BArch, MfS, HA IX 8898, Bl. 7–10.
37 Befehl 345/54 des Staatssekretärs für Staatssicherheit, 28. Dezember 1954, BArch, MfS, BdL/Dok. 269, Bl. 1 f.
38 Ebd., S. 3.

Verdacht nicht bestätige, sei dafür Sorge zu tragen, »dass die zu Unrecht verhaftete Person in kürzester Zeit vollkommen rehabilitiert« werde.[39]

Es wird deutlich, dass SED und Staatssicherheit schon vor dem »Tauwetter« von 1956 um Qualitätssteigerung bei der Beweisführung und um ein Mindestmaß an Rechtsförmigkeit der Verfahren bemüht waren. Auch die immer noch übliche Gewaltanwendung bei den Vernehmungen wurde mit zunehmender Konsequenz bekämpft.[40] Im August 1955 erließ Wollweber einen entsprechenden Befehl, mit dem er bekannt gab, dass bei der Überprüfung einer Bezirksverwaltung festgestellt worden sei, dass Vernehmer Untersuchungshäftlinge misshandelt hätten, »worunter sich unter anderem eine Person befand, die wegen Mangel[s] an Beweisen kurze Zeit später entlassen werden musste«. »Solche Handlungen« seien »geeignet, das Ansehen der Organe der Staatssicherheit in der Öffentlichkeit zu schädigen«.[41] Der Leiter der betreffenden Untersuchungsabteilung wurde degradiert und in eine andere Bezirksverwaltung versetzt.

Die Auswirkungen des XX. Parteitag der KPdSU im Februar 1956, auf dem Nikita Chruščev mit den Verbrechen Stalins abrechnete, auf die Repressionspraxis der Staatssicherheit waren dagegen eher begrenzt, weil Ulbricht die sowjetischen Einflüsse, so gut er konnte, mit der Vorgabe abwehrte, politische »Fehlerdiskussionen« müssten unbedingt vermieden werden.[42] Auch Erich Mielke, der als Stellvertreter der bisherigen Staatssicherheitschefs für die konkrete Repressionspraxis verantwortlich gewesen war, hatte natürlich kein Interesse an der Aufarbeitung seiner eigenen Verfehlungen. Selbst die vollkommen konstruierten Beschuldigungen und »Beweisführungen« gegen hochrangige »Parteifeinde« in der Zeit vor Stalins Tod wurden nicht selbstkritisch diskutiert. So widmete sich das Kollegium des MfS am 19. März 1956 knapp drei Stunden der Überprüfung der Fälle Kurt Müller, Bruno Goldhammer, Leo Bauer, Paul Merker und Max Fechner. Es handelte sich demnach ausschließlich um Verfahren gegen hohe Funktionäre, die der SED oder der KPD angehörten und die, obwohl strafrechtlich eindeutig unschuldig, aus politischen Gründen kriminalisiert worden waren. Bezeichnenderweise behauptete Mielke laut Sitzungsprotokoll unwidersprochen, »dass sämtliche gegebenen Hinweise über die Gruppe Field/Slansky gründlich überprüft wurden und keine Festnahmen durchgeführt wurden, wo keine konkreten Beweismittel vorlagen«.[43]

Angesichts einer solchen Haltung bei den DDR-Verantwortlichen bedurfte es wiederum einer sowjetischen Initiative, um 1956 in der Staatssicherheit weitere Verrechtlichungsschritte in Gang zu setzen. Ein Vermerk der sowjetischen Berater der Staats-

39　Ebd., S. 4–6.
40　Siehe auch Julia Spohr: In Haft bei der Staatssicherheit. Das Untersuchungsgefängnis Berlin-Hohenschönhausen 1951–1989, Göttingen 2015, S. 307–311.
41　Befehl Nr. 236/55 von Staatssekretär Wollweber vom 10. August 1955, BArch, MfS, BdL/Dok. 288, Bl. 2.
42　Roger Engelmann: Staatssicherheitsjustiz im Aufbau. Zur Entwicklung geheimpolizeilicher und justitieller Strukturen im Bereich der politischen Strafverfolgung 1950–1963, in: ders./Clemens Vollnhals: Justiz im Dienste der Parteiherrschaft. Rechtspraxis und Staatssicherheit in der DDR, Berlin 1999, S. 133–164, hier S. 152 f.
43　Protokoll der Kollegiumssitzung am 19. März 1956, BArch, MfS, SdM 1551, Bl. 26 f.

sicherheit von Anfang Mai 1956 thematisierte neben vielen Kritikpunkten an der Untersuchungstätigkeit des MfS, die schon in den internen Diskussionen von 1955 eine Rolle gespielt hatten, vor allem, dass die vorläufige Festnahme ohne Haftbefehl, die die Strafprozessordnung nur als Ausnahme vorsehe, in der Praxis der Staatssicherheit der Regelfall sei. Zudem wurde kritisiert, dass Verhaftungen im Hinblick auf die Erwirkung des richterlichen Haftbefehls nicht selten unter Verletzung der 24-Stunden-Frist erfolgten.[44] Die »Freunde« forderten vom MfS »die unbedingte Einhaltung der gesetzlichen Bestimmungen«. Außerdem verlangten sie, dass die Häftlinge »in der Regel« sofort nach der Festnahme »mit dem gesamten über sie vorhandenen Beweismaterial den Untersuchungsabteilungen übergeben werden« sollten, um so die Erwirkung eines richterlichen Haftbefehls in der gesetzlich vorgeschriebenen Frist zu ermöglichen. Wenn die Möglichkeit einer Anwerbung des Festgenommenen bestehe, so sei die Teilnahme der zuständigen operativen Mitarbeiter an den Vernehmungen zu gestatten.[45]

Im Jahr 1956 kam es immerhin zu einer Stärkung der Position der Justizorgane gegenüber dem MfS. Auf einer Parteiaktivtagung im Ministerium für Staatssicherheit am 11. Mai 1956 musste auch Ulbricht wenigstens partiell auf die neue Linie einschwenken. Er ermahnte das Untersuchungsorgan, dass es »normale Beziehungen zu den Staatsanwälten« herstellen solle. Die Tendenzen, »manchmal so ein bisschen zu drücken auf den Staatsanwalt und auf den Richter«, müsse man »vermeiden«. Die Untersuchungsoffiziere sollten durch die Beweisführung überzeugen und nicht dadurch, dass sie dem Staatsanwalt oder dem Richter Anweisungen erteilten.[46]

Das politische »Tauwetter« währte in der DDR allerdings nur kurz. Schon ab dem Spätherbst 1956 ging es der SED-Führung – vor dem Hintergrund des Ungarn-Aufstandes – vor allem darum, »liberalistische Tendenzen in der Justiz« zu bekämpfen und die Staatssicherheit zu mehr Tatkraft zu ermuntern.[47] Diese Tendenz verstärkte sich im Folgejahr. Ernst Wollweber schärfte seinen Offizieren jetzt ein, wenn sie eine Verhaftung für notwendig hielten, müssten sie diese Ansicht offensiv vertreten und sich nicht mit den Entscheidungen der Justizorgane abfinden.[48] Dies war unzweifelhaft die implizite Aufforderung, wieder zu den alten Methoden der Druckausübung auf Staatsanwälte und Richter zurückzukehren. Die neue Linie schlug sich in den Verhaftungszahlen nieder, die deutlich anstiegen: Von 1956 auf 1957 wuchs die Zahl der Beschuldigten in MfS-Ermittlungsverfahren um gut 27 Prozent und im Jahr 1958 sogar um 63 Prozent.[49]

Von großer Bedeutung für die politische Strafverfolgung war der Erlass des Strafrechtsergänzungsgesetzes (StEG) im Dezember 1957, das dem MfS erstmals differen-

---

44 Siehe Vermerk der Berater o. D., im russischen Original und Übersetzung vom 2. Mai 1956, BArch, MfS, SdM 1201, Bl. 207–212 und 225–231, hier Bl. 227 f.
45 Ebd., Bl. 229 f.
46 Rede Ulbrichts auf der Parteiaktivtagung des MfS am 11. Mai 1956, BArch, MfS, SdM 2366, Bl. 20–34.
47 Siehe Engelmann: Staatssicherheitsjustiz (Anm. 42), S. 156.
48 Referat Wollwebers auf der MfS-Dienstkonferenz am 26. April 1957, BArch, MfS, ZAIG 5604, Bl. 153–214, hier Bl. 173.
49 Siehe Engelmann/Joestel: Hauptabteilung IX (Anm. 1), S. 225.

zierte politische Strafrechtsnormen an die Hand gab. Es galt als »Konkretisierung« des Artikels 6 der Verfassung und konnte somit nach dem Rechtsverständnis der DDR auch rückwirkend angewandt werden.[50] Die hier normierten Straftatbestände können ihre Anlehnung an das sowjetische politische Strafrecht, d. h. an die Normen der Artikel 58 und 59 des Strafgesetzbuches der Russischen Sozialistischen Föderativen Sowjetrepublik, nicht verleugnen. Auch die krisenhaften Ereignisse des Jahres 1956 hatten sich in den Tatbestandsdefinitionen niedergeschlagen, insbesondere in § 13 Strafergänzungsgesetz (StEG) »Staatsverrat«, bei dem es sich eigentlich um den Hochverratsparagrafen handelte, der allerdings neben dem »gewaltsamen Umsturz« auch die »planmäßige Untergrabung« der »verfassungsmäßigen Staats- oder Gesellschaftsordnung« unter Strafe stellte und damit gegen jede Form von organisierter politischer Opposition angewendet werden konnte. Er kam jedoch nur in den Jahren 1958 bis 1960 gegen insgesamt 45 Beschuldigte zur Anwendung, von denen die meisten sogenannte Revisionisten mit SED-Parteibuch aus dem intellektuellen Milieu waren. Als für das MfS quantitativ bedeutsamster Straftatbestand des StEG erwies sich in den Folgejahren § 19 »Staatsgefährdende Propaganda und Hetze«, der der Bekämpfung von mündlichen und schriftlichen oppositionellen Äußerungen diente. Er wurde von 1958 bis 1967 in fast 5400 Ermittlungsverfahren herangezogen.

Die Jahre um den Mauerbau waren von einem justizpolitischen Schlingerkurs geprägt. Zunächst setzte der frisch ins Amt eingetretene Staatsratsvorsitzende Walter Ulbricht am 30. Januar 1961 mit dem Staatsratsbeschluss zur weiteren Entwicklung der sozialistischen Rechtspflege ein justizpolitisches Entspannungssignal, das auf eine differenziertere, integrativere und mildere Justizpraxis zielte.[51] Die milde Phase war jedoch nur von kurzer Dauer. Nach der Sperrung der Berliner Sektorengrenze am 13. August 1961 kam es zu einer extremen repressiven Kehrtwende, die allerdings im Frühjahr 1962 abrupt wieder beendet wurde. Eine wesentliche Rolle spielte dabei die Fernwirkung des XXII. Parteitages der KPdSU im Oktober 1961, der in der Sowjetunion die zweite Entstalinisierungsphase eingeleitet hatte. Nach der Abriegelung des eigenen Staatsgebietes betrachtete die SED-Führung im Frühjahr 1962 die DDR als ausreichend konsolidiert, um den justizpolitischen Kurs des Staatsratsbeschlusses wieder aufgreifen zu können. Am 17. April 1962 verabschiedete das Politbüro eine Vorlage, die ihn in einem noch weitergehenden Sinn neu interpretierte.[52]

Das Papier zielte u. a. auf die strafverfahrensrechtliche Normalisierung der Rolle der Staatssicherheit: Der Generalstaatsanwalt wurde verpflichtet, »besonders auf die Einhaltung der Gesetzlichkeit bei Verhaftungen zu achten«. Bei »der Prüfung der Voraussetzungen für die Anordnung der Untersuchungshaft« seien strengste Maßstäbe anzulegen«. Das »Prinzip der Unabhängigkeit der Richter und das Prinzip ihrer alleinigen Unterord-

---

50   Siehe Vorlesung zum StEG für alle Mitarbeiter des MfS, Dezember 1957, BArch, MfS, AS 153/63, Bl. 114–154, hier Bl. 120.

51   Siehe Beschluss des Staatsrates über die weitere Entwicklung der sozialistischen Rechtspflege vom 30. Januar 1961, in: Neues Deutschland, Berliner Ausgabe vom 31. Januar 1961, S. 1.

52   Siehe Protokoll der Sitzung des Politbüros am 17. April 1962, Tagesordnungspunkt 5 und Anlage 7, BArch, DY 30, J IV 2/2/824, Bl. 1–4 u. 25–30.

nung unter die Gesetze« dürfe nicht verletzt werden. Außerdem seien die Weisungen des Generalstaatsanwaltes für die Untersuchungsorgane grundsätzlich verbindlich.[53]

Ein undatiertes Grundsatzpapier aus dem ZK-Apparat rügte zahlreiche Verstöße der Untersuchungsabteilungen des MfS gegen die »sozialistische Gesetzlichkeit«. Eine Reihe von Rechtsnormen werde dahingehend verletzt, dass gesetzliche Ausnahmebestimmungen zur Regel gemacht würden, etwa die Festnahme ohne Haftbefehl oder die Hausdurchsuchung ohne staatsanwaltschaftliche Anordnung. Mitarbeiter der Untersuchungsorgane drängten Inhaftierte zum Rechtsmittelverzicht.[54] Hinzu komme, dass die für die MfS-Ermittlungsverfahren zuständige Abteilung I der Staatsanwaltschaften ihre Aufsichtspflicht gegenüber dem Untersuchungsorgan nur »ungenügend« ausübe. »Verstöße gegen die sozialistische Gesetzlichkeit« würden geduldet, weil die Staatsanwälte dem MfS gegenüber »befangen« seien, was daran liege, dass ihre Berufung vom MfS bestätigt werden müsse.[55]

Erich Mielke reagierte auf die neuen politischen Vorgaben mit einem Grundsatzbefehl: Er schärfte seinen Untersuchungsabteilungen ein, dass die Strafprozessordnung von der Einleitung bis zum Abschluss des Ermittlungsverfahrens »strengstens einzuhalten« sei und die »Rechte der Beschuldigten« gewahrt werden müssten. In der Untersuchungsarbeit sei »allseitige Sachaufklärung« einschließlich der Berücksichtigung entlastender Umstände zu leisten. Inhaftierungen müssten durch die Schwere der Straftat bzw. einen Fluchtverdacht oder Verdunklungsgefahr begründet sein, und bei Straftaten von »geringer Gesellschaftsgefährlichkeit« sei schon im Ermittlungsstadium zu prüfen, ob eine Strafe ohne Freiheitsentzug vorgeschlagen oder von der Strafverfolgung ganz abgesehen werden könne.[56]

Am 10. Juni 1963 erließ der Generalstaatsanwalt der DDR die Anweisung Nr. 3/63 zur Anleitung und Kontrolle der Untersuchungsorgane durch die Staatsanwaltschaft,[57] die insbesondere die strafverfahrensrechtlichen Grundsätze bekräftigte, gegen die das MfS und die ihm zugeordneten Staatsanwälte und Haftrichter in der Vergangenheit routinemäßig verstoßen hatten. Entgegen der Auffassung, die in den 1950er-Jahren insbesondere beim MfS dominant war, wurde jetzt betont, dass das Ziel der Vernehmung »die Erforschung der objektiven Wahrheit und nicht nur das Geständnis des Beschuldigten« sein müsse. Die DDR-Rechtswissenschaft distanzierte sich inzwischen recht entschieden von der gegenteiligen Auffassung des ehemaligen sowjetischen Generalstaatsanwaltes und Rechtstheoretikers Andrej J. Vyščinskij.[58]

53 Ebd., Bl. 28 f.
54 ZK-Papier o. D. (1962), BArch, DY 30, J IV 2/202/62.
55 Ebd.
56 Befehl Nr. 264/62 des Ministers für Staatssicherheit zur Durchsetzung des Staatsratsbeschlusses über die weitere Entwicklung der Rechtspflege vom 18. Mai 1962, in: Engelmann/Joestel (Bearb.): Grundsatzdokumente des MfS (Anm. 5), S. 137–140.
57 Siehe BArch, MfS, HA IX 5546, Bl. 118–135.
58 Siehe Richard Schindler: Die Erforschung der objektiven Wahrheit im sozialistischen Strafprozess, in: Neue Justiz 17 (1963), H. 19, S. 614–624, hier S. 618 f.

Bezeichnenderweise galt die Anweisung Nr. 3/63 des DDR-Generalstaatsanwaltes aber nur scheinbar ohne Abstriche für alle Untersuchungsorgane. Ein internes Begleitschreiben des MfS-Untersuchungsorgans zählt neun für das MfS abweichende Festlegungen auf. Unter anderem galt der ganze erste Abschnitt über »Die Kontrolle der Anzeigeaufnahme und die Bearbeitung durch das Untersuchungsorgan« nur für das Ministerium des Innern und die Zollverwaltung. Die Verpflichtung des Untersuchungsorgans, bei Einleitung eines Ermittlungsverfahrens die Ermittlungsverfügung »unverzüglich« an den Staatsanwalt zu leiten, wurde für das MfS lediglich für die Verfahren ohne Haft verbindlich gemacht. Und die Festlegung, dass dem Staatsanwalt die Kontrolle des Untersuchungsplans obliege, wurde – mit der Begründung, dass dort »die konspirativen Mittel und Methoden« des MfS Berücksichtigung finden müssten – vollständig außer Kraft gesetzt. Diese inoffiziellen Sonderregelungen für das MfS wurden den Bezirksstaatsanwälten von der Obersten Staatsanwaltschaft lediglich »mündlich« mitgeteilt.[59] Eine vollständige strafverfahrensrechtliche Normalisierung der Arbeit der MfS-Untersuchungsorgane erfolgte demnach auch 1963 nicht.

Seit Mai 1962 gab es, was zuvor nur in seltenen Ausnahmefällen vorkam, im MfS monatlich gut 20 Prozent Beschuldigte in MfS-Ermittlungsverfahren ohne Haft.[60] Im Jahr 1963 wurden sogar rund 24 Prozent der vom MfS Beschuldigten nicht verhaftet. Schon ab 1964 begann diese Quote wieder zu sinken, in den 1970er-Jahren war sie nur noch einstellig.[61] Im Jahr 1965 ging das justizpolitische »Tauwetter« zu Ende, ohne die strafverfahrensrechtliche Sonderrolle des MfS beseitigt zu haben, aber immerhin hatte es sie abgemildert.

III. Die Honecker-Ära: Repression und repressive Selbstbeschränkung mit Blick auf den Westen

Im Jahr 1968 erhielt die DDR eine neue Strafprozessordnung und ein neues Strafgesetzbuch (StGB). Diese straf- und strafverfahrensrechtlichen Bestimmungen bildeten – mehrfach novelliert – die gesetzlichen Grundlagen für die Arbeit der MfS-Untersuchungsabteilungen bis zum Umbruch 1989. Mit den betreffenden Normen des neuen StGB verfügte die Staatssicherheit nunmehr über ein ausdifferenziertes einheitliches politisches Strafrecht, das sich allerdings in der Substanz wenig von den alten Strafrechtsnormen unterschied. Die umfassende Kodifizierung des »neuen sozialistischen Rechts« im Jahr 1968 markiert somit den Schlusspunkt eines Prozesses, der mit dem Staatsratsbeschluss vom Januar 1961 begann und die weitgehende Integration der Staatssicherheit in das System der »Rechtspflegeorgane« beinhaltete. Die jetzt noch bestehenden spezifi-

59 Schreiben der HA IX an HA IX/6 vom 28. Juni 1963, betr. Anweisung des Generalstaatsanwaltes Nr. 3/63 über Anleitung und Kontrolle der Untersuchungsorgane durch die Staatsanwaltschaft, BArch, MfS, HA IX 5540, Bl. 235 f.
60 Siehe Monatsstatistikbögen 1962, BArch, MfS, HA IX 20244, Bl. 5–16.
61 Siehe Engelmann/Joestel: Hauptabteilung IX (Anm. 1), S. 225.

schen Praxen des MfS in der strafrechtlichen Ermittlungstätigkeit, die vor allem der Abschottung des Geschehens nach außen dienten, wurden erst in den allerletzten Jahren der DDR weiter abgebaut.

Trotz aller Verrechtlichung und Differenzierung ging es immer noch darum, das »Recht als Instrument des Klassenkampfes allseitig zur Sicherung der Macht anzuwenden«.[62] Mit dem Machtantritt Erich Honeckers 1971 war die Phase der justizpolitischen Reformen endgültig vorbei. Die Diskussion des Kriminalitätsberichts des Generalstaatsanwaltes für 1971/72 wurde als Abkehr von Ulbrichts rechtspolitischen Vorstellungen inszeniert.[63] Beklagt wurde jetzt, dass die »vorbeugende Wirkung von Strafverfahren […] durch eine zu lange Verfahrensdauer geschmälert« werde, deren Ursache »in übertriebenen und undifferenzierten Anforderungen an die Aufdeckung von Ursachen und begünstigenden Bedingungen der Straftat und die Einbeziehung und Mitwirkung gesellschaftlicher Kräfte im Strafverfahren« liege. Zudem wurden in der justiziellen Praxis »Erscheinungen ungerechtfertigter Milde durch Überbetonung positiver Seiten der Täterpersönlichkeit« moniert.[64]

Das DDR-Strafrecht wurde in den 1970er-Jahren dreimal (1974, 1977, 1979) verschärft. Insbesondere das 3. Strafrechtsänderungsgesetz von 1979 brachte im politischen Strafrecht auf breiter Front Verschärfungen sowohl bei den Tatbestanddefinitionen als auch bei den Strafmaßen. Von besonderer Bedeutung war die Neufassung von § 219 StGB (»Ungesetzliche Verbindungsaufnahme«). Er normierte nunmehr die Strafbarkeit der Verbreitung von Nachrichten im Ausland sowie von Schriften, Manuskripten »oder anderen Materialien«, die geeignet seien, »den Interessen der DDR zu schaden«. Diese Neuerung wurde auf die Publikationstätigkeit von Stefan Heym und Robert Havemann in der Bundesrepublik zurückgeführt, sodass das gesamte 3. Strafrechtsänderungsgesetz als »Lex Heym« oder als »Lex Havemann-Heym« bezeichnet wurde.[65] Diese Deutung übersieht jedoch, dass sich der neu gefasste § 219 StGB auch zum Vorgehen gegen Ausreisewillige eignete, die Kontakt in den Westen aufgenommen hatten. Hierin sollte in der Folgezeit auch die praktische Bedeutung der novellierten Strafnorm bei der Rechtsanwendung durch die MfS-Untersuchungsorgane liegen.

Das verschärfte Strafrecht führte aber nicht generell zu einer härteren Strafverfolgung. Mielke betonte auf einer MfS-internen Dienstkonferenz im Juli 1979, dass die neuen Strafnormen neben der Möglichkeit, politische Gegner konsequenter abzustrafen, ihren Wert insbesondere aufgrund ihrer vorbeugenden Wirkung hätten. Außerdem erlaube es mehr Differenzierung, also etwa höhere Strafmaße bei Rückfalltätern.[66] Die

---

62 HA IX: Konzeption für eine höhere Qualität der Leitungs- und Führungstätigkeit, April 1969, S. 2, BArch, MfS, HA IX MF 11634.

63 Siehe Bericht über die Entwicklung und Bekämpfung der Kriminalität in den Jahren 1971/72, Anlage Nr. 3 zum Protokoll der Politbürositzung am 24. April 1973, BArch, DY 30/J IV 2/2/1445, Bl. 51–66.

64 Ebd., Bl. 63 f.

65 Siehe Johannes Raschka: Justizpolitik im SED-Staat. Anpassung und Wandel des Strafrechts in der Amtszeit Honeckers, Köln u. a. 2000, S. 176 f.

66 Referat Mielkes vom 6. Juli 1979, BArch, MfS, ZAIG 4784 b, Bl. 17–19.

Novelle diente somit in erster Linie als flexibles und abschreckendes strafrechtliches Verfolgungsinstrument. Einige Straftatbestände, die mit der Strafrechtsnovelle angepasst und ausgebaut worden waren, insbesondere § 99 (»Landesverräterische Nachrichtenübermittlung«), § 214 (»Beeinträchtigung staatlicher und gesellschaftlicher Tätigkeit«), der bereits erwähnte § 219 (»Ungesetzliche Verbindungsaufnahme«) und § 220 (»Öffentliche Herabwürdigung«), spielten in der strafrechtlichen Untersuchungstätigkeit des MfS in den folgenden Jahren jedoch eine immer größere Rolle. Das hatte in erster Linie mit der Zunahme der »hartnäckigen« Ausreiseantragsteller zu tun, die neben den Beschuldigten in Verfahren wegen »Ungesetzlichen Grenzübertritts« (§ 213 StGB), deren Zahl konstant hoch blieb, zur zweitgrößten Gruppe von Beschuldigten in MfS-Strafverfahren wurden.

Die Ausreiseantragsteller entwickelten sich bis Mitte der 1980er-Jahre zu der gesellschaftlichen Gruppe, die mit am stärksten im Fokus der sicherheitspolizeilichen Repression standen. Wie auch in anderen Bereichen tendierte das MfS aber aus internationaler Rücksichtnahme zunehmend dazu, bei ihrer Bekämpfung auf die Anwendung von besonders »politischen« Paragrafen zu verzichten. Mielke legte in seiner einschlägigen Dienstanweisung von 1983 fest, dass in Fällen, in denen »sowohl Tatbestände von staatsfeindlichen Handlungen gegen die DDR als auch der allgemeinen Kriminalität verletzt worden« seien, sorgfältig geprüft werden müsse, »ob durch die Anwendung der Tatbestände der allgemeinen Kriminalität eine höhere gesellschaftliche und gegebenenfalls auch außenpolitische Wirkung erreicht werden kann«.[67] Das führte zwangsläufig dazu, dass das MfS zunehmend die schweren Straftatbestände des 2. Kapitels, besonderer Teil, des StGB (»Verbrechen gegen die Deutsche Demokratische Republik«) mied und in das 8. Kapitel (»Straftaten gegen die staatliche Ordnung«) auswich, in dem nach DDR-Rechtsauffassung Straftatbestände der »allgemeinen Kriminalität« normiert und die Strafmaße niedriger waren.

Außerdem wurden die Sanktionierungs- und Disziplinierungsmöglichkeiten unterhalb des Strafrechts erweitert. Mit einer neuen Verordnung zur Bekämpfung von Ordnungswidrigkeiten vom März 1984 wurden entsprechende Tatbestände weiter gefasst und damit auf politisch nichtkonformes Verhalten zugeschnitten und der Strafrahmen von 500 auf 1000 Mark hochgesetzt.[68] In der Folgezeit wurde das Ordnungsrecht routinemäßig gegen Ausreisewillige und Oppositionelle eingesetzt. Eine zunehmende Bedeutung erlangten auch verdeckte »Zersetzungsmaßnahmen« gegen politische Gegner, die seit Mielkes Richtlinie zur Bearbeitung operativer Vorgänge von 1976 als »konspirative« Alternative zum Strafverfahren vorgesehen waren.[69]

Das repressivere Klima im ersten Jahrzehnt der Honecker-Ära begünstigte ein selbstherrlicheres Agieren der Staatssicherheit. Ihre Untersuchungsabteilungen wurden so in

---

67   Hans-Hermann Lochen/Christian Meyer-Seitz: Die geheimen Anweisungen zur Diskriminierung Ausreisewilliger, Köln/Bonn 1992, S. 110.

68   Siehe Verordnung zur Bekämpfung von Ordnungswidrigkeiten (OWVO) vom 22. März 1984, in: GBl. [Gesetzblatt] I 1984, S. 173–178.

69   Siehe umfassend Sandra Pingel-Schliemann: Zersetzen – Strategie einer Diktatur. Eine Studie, Berlin 2002.

bestimmten Konstellationen anfällig für Ermittlungsfehler, die mit faktischer Aussageerpressung einhergehen und zur Kriminalisierung von gänzlich Unschuldigen führen
konnten. Der wohl größte Fallkomplex dieser Art, bei dem es von 1968 bis 1977 zur
Verurteilung von fast 150 Personen unter falschen Spionageanschuldigungen gekommen
war, sorgte 1979 für ein MfS-internes Erdbeben.[70]

Ausgangspunkt waren falsche Selbstbezichtigungen eines westdeutschen Möchte-
gern-Topagenten, der bei den Vernehmungen diverse falsche Anschuldigungen gegen
DDR-Bürger erhob. Problematisch wurde die Angelegenheit, als sie von einem der stellvertretenden Leiter des Untersuchungsorgans, Herbert Pätzel, zur Grundlage einer
Theorie von »Agenten mit spezieller Auftragsstruktur« (AsA) gemacht wurde.[71] Obwohl
die fachlich eigentlich zuständige MfS-Spionageabwehr sich mehr als skeptisch geäußert
hatte, entwickelte dieses Ermittlungskonstrukt MfS-intern eine enorme Wirkung.
Untersuchungsoffiziere zermürbten eine Vielzahl von Beschuldigten nach allen Regeln
der Kunst, um die gewünschten Geständnisse zu bekommen. Häufig erst nach jahrelanger Untersuchungshaft machten sie absurde Aussagen, die keiner Überprüfung stand-
gehalten hätten, wäre eine solche erfolgt. Und die Militärstaatsanwälte und Richter der
Militärsenate folgten den Ermittlungen der Staatssicherheit blind.

Die Sache flog nur deshalb auf, weil Rechtsanwalt Wolfgang Vogel, der mit seiner
Kanzlei einige der Beschuldigten vertreten hatte, die hanebüchenen Ungereimtheiten
bemerkte und aufgrund seiner privilegierten Beziehungen zum MfS bei Mielke intervenierte. Dieser richtete eine MfS-interne Untersuchungskommission ein, die in ihrem
Abschlussbericht vielfache »Verletzungen des Strafprozessrechts und Verstöße gegen die
Objektivität im Ermittlungsverfahren« konstatierte.[72] Pätzel wurde von seiner Funktion
entbunden und als Offizier im besonderen Einsatz in die staatliche Archivverwaltung
versetzt. Gegenüber der Öffentlichkeit und den Opfern der Ermittlungsmanipulationen
räumte das MfS natürlich kein Fehlverhalten ein. Die zu Unrecht Verurteilten wurden
lediglich unter diversen Vorwänden aus der Haft entlassen.

Mielke, der bei Ermittlungsfehlleistungen dieses Ausmaßes damit rechnen musste,
dass sie (auch im Westen) bekannt wurden, reagierte ungewöhnlich entschieden. Er konstatierte »grobe Verletzungen von Gesetzen unseres sozialistischen Staates und meiner
Befehle und Weisungen sowie ernste Mängel und unentschuldbare Fehler in der Füh-
rungs- und Leitungstätigkeit«.[73] Es sei zwar unbestritten, dass das Geständnis des
Beschuldigten für die Wahrheitsfindung von großem Wert sei, aber es befreie »nicht von

70   Siehe Johannes Beleites/Frank Joestel: »Agenten mit spezieller Auftragsstruktur«. Eine Erfindung
     des MfS und ihre Folgen, in: Horch und Guck 17 (2008), H. 61, S. 46–49, sowie dies.: Agenten,
     Iglus, Diversantentaucher. Das Ende eines absurden Ermittlungs-Konstruktes des DDR-Staats-
     sicherheitsdienstes, in: Horch und Guck 18 (2009), H. 63, S. 56–61.
71   Harry Dahl/Herbert Pätzel/Klaus Achtenberg: Die Qualifizierung der vorbeugenden und offen-
     siven Bekämpfung staatsfeindlicher Aktivitäten der verdeckten Kriegsführung unter den gegen-
     wärtigen Bedingungen des Klassenkampfes (1974), BArch, MfS, JHS 21834, Bde. 1 u. 2.
72   Zit. nach Beleites/Joestel: Agenten, Iglus (Anm. 70), S. 56
73   Referat Mielkes auf der zentralen Dienstkonferenz am 24. Mai 1979, BArch, MfS, ZAIG 4783,
     Bl. 46.

der Pflicht zur allseitigen und unvoreingenommenen Feststellung der Wahrheit«. Wenn der Beweis für die Richtigkeit des Geständnisses nicht zweifelsfrei erbracht werden könne, gelte auch in solchen Fällen, dass »im Zweifel zugunsten des Beschuldigten zu entscheiden« sei.[74] Nicht zulässig sei, dass der Untersuchungsführer dem Beschuldigten »ihm genehme Aussagen« diktiere und dass Niederschriften so verändert würden, dass sie »in die gewünschte Bearbeitungsrichtung« passten.[75] Es müssten zukünftig die »Potenzen der Staatsanwaltschaft« umfassender zur »Qualifizierung der Beweisführung« genutzt werden. Auch sei dem Strafverteidiger nicht »stereotyp« erst nach Abschluss der Ermittlungen eine Sprecherlaubnis zu erteilen. Für die »rechtzeitige Aufdeckung der Schwachstellen, der objektiven und subjektiven Mängel in der Beweisführung« sei auch die »Rechtsanwaltssicht« von Bedeutung.[76]

Durch den MfS-internen AsA-Skandal wurden mithin Themen wieder aktuell, die schon in den Verrechtlichungsbemühungen der frühen 1960er-Jahre eine Rolle gespielt hatten. Das MfS musste seine Rolle wieder neu definieren, wobei jetzt innerdeutsche Einflüsse und die internationale Einbindung der DDR zunehmend an Bedeutung gewannen. Ein Grundsatzpapier zur Untersuchungsarbeit betonte jetzt, dass die rechtlichen Instrumente »politisch wirksam«[77] anzuwenden seien, was dann gegeben sei, wenn die aktuelle SED-Politik unterstützt und vor allem nicht gestört werde. Dem Gegner sollten keine Angriffspunkte dafür geboten werden, das Ansehen der DDR zu beeinträchtigen. Zur Disziplinierung von Personen, die politisch unerwünschtes Verhalten an den Tag legten, sollten daher vermehrt Mittel unterhalb des strafrechtlichen Ermittlungsverfahrens angewendet werden, etwa strafverfahrensrechtliche Vorprüfungen mit Vorladungen oder Zuführungen, das Polizeirecht, das Ordnungswidrigkeitsrecht oder das Melderecht.[78]

Eine entscheidende Entwicklung der 1980er-Jahre war die Stärkung der Rolle der Strafverteidiger in MfS-Strafverfahren. Ausgangspunkt war, dass die DDR-Strafprozessordnung dem Verteidiger zwar grundsätzlich das Recht zugestand, mit dem Beschuldigten zu sprechen und zu korrespondieren. Der Staatsanwalt konnte jedoch während des Ermittlungsverfahrens hierfür die Bedingungen festsetzen, »damit der Zweck der Ermittlung nicht gefährdet wird«.[79] In einer entsprechenden Arbeitsanweisung des Generalstaatsanwalts war spezifiziert, was das konkret bedeuten konnte: »Begrenzung der Gespräche auf die persönlichen Belange des Beschuldigten«, »Begrenzung der Aussprache auf Sachkomplexe, zu denen die Ermittlungen im Wesentlichen abgeschlossen sind« und »Durchführung der Aussprache in Anwesenheit des Staatsanwaltes bzw. vom Staatsanwalt beauftragter Angehöriger des Untersuchungsorgans zur Kontrolle der vom

---

74 Ebd., Bl. 59 f.
75 Ebd., Bl. 64.
76 Ebd., Bl. 82 f.
77 HA IX: Grundsätzliche Ziele und Aufgaben in den nächsten Jahren vom 16. Februar 1981, BArch, MfS, HA IX 568, Bl. 89.
78 Siehe HA IX/8: Rechtliche Möglichkeiten außerhalb des StGB zur Absicherung von Großveranstaltungen, BArch, MfS, HA IX 8315, Bl. 105–115.
79 § 64 Abs. 3 StPO von 1968.

Staatsanwalt festgesetzten Bedingungen«. Bei »Verdacht des Vorliegens eines staatsfeindlichen Organisationsverbrechens« konnte der Staatsanwalt »für ein bestimmtes Stadium
des Ermittlungsverfahrens« die Erteilung der Sprecherlaubnis ganz versagen.[80]

In den 1970er-Jahren wurde bei MfS-Verfahren von diesen Möglichkeiten zur Einschränkung der Kommunikation zwischen Untersuchungshäftlingen und Verteidigern
ausgiebig Gebrauch gemacht. Selbst das DDR-Justizministerium beklagte 1974, die
Regelungen für Sprechmöglichkeiten in den Untersuchungshaftanstalten seien so eingeschränkt, dass eine ausreichende Vorbereitung auf die Verhandlungen »nicht immer
möglich« sei.[81]

Mitte der 1980er-Jahre entwickelte sich dann in der DDR-Fachöffentlichkeit eine
Diskussion über die anwaltliche Betreuung der Beschuldigten während des Ermittlungs-
verfahrens.[82] Offenbar fiel hinter den Kulissen die Entscheidung, die alte restriktive
Praxis zu beenden, denn im Oktober 1985 hielt Wolfgang Vogel an der Babelsberger
Akademie für Staats- und Rechtswissenschaft der DDR einen Vortrag, in dem er die
Tendenzen bemängelte, »die gesetzlich geregelten Fälle der Mitwirkung des Verteidigers
zu eng zu behandeln«. Im Hinblick auf die Erteilung der Sprechgenehmigung sei vom
Gesetzgeber gewiss keine starke Verzögerung und »schon gar nicht ein Hinhalten bis
zum Abschluss der Ermittlungen gedacht« gewesen. Diese Praxis stoße bei Mandanten,
deren Angehörigen und den diplomatischen Betreuern auf nur wenig Verständnis. Genau
genommen gefährdeten die »Sprecher« auch ohne Auflagen den Zweck der Untersuchung
nur in den seltensten Fällen. Ähnliches gelte für die Möglichkeit frühzeitiger Akteneinsicht; sie dürfe nach Abschluss der Ermittlungen auch dann nicht eingeschränkt
werden, wenn die Anklage noch nicht erhoben sei. Daran müssten die Verteidiger zu oft
erst erinnern. »Beklagenswert« sei auch, dass mit der in der StPO »vorgesehenen Teilnahme des Verteidigers an von ihm beantragten Beweiserhebungen im wahrsten Sinne
des Wortes gegeizt« werde.[83]

Das politische Gewicht von Vogels Ausführungen wird dadurch unterstrichen, dass
der Leiter des MfS-Untersuchungsorgans, Rolf Fister, das Vortragsmanuskript wenige
Tage später mit der Bitte um »Durcharbeitung und Standpunktbildung« an seine
Leitungskader versandte. Der Klärungsprozess mündete im März 1986 in einem mit den
zentralen Justizorganen abgestimmten Standpunkt »zur Verwirklichung des Rechts auf
Verteidigung«,[84] der verkündete, dass vor dem Hintergrund der westlichen »Menschen-
rechtsdemagogie« das »Recht des Beschuldigten, sich in jeder Lage des Verfahrens eines
Verteidigers zu bedienen, […] konsequent zu gewährleisten« sei. Dem Beschuldigten sei

---

80 Arbeitsinformation Nr. 4/68 des Generalstaatsanwaltes zur Stellung des Verteidigers vom 26. Juni
1968, BArch, MfS, HA IX 542, Bl. 64 f.

81 Zit. nach Bernd Eisenfeld: Rolle und Stellung der Rechtsanwälte in der Ära Honecker im Spiegel der
Kaderpolitik, in: Engelmann / Vollnhals (Hg.): Justiz im Dienste (Anm. 42), S. 369.

82 Siehe v. a. Gregor Gysi: Aufgaben des Verteidigers bei der Belehrung, Beratung und Unterstützung
des Beschuldigten im Ermittlungsverfahren, in: Neue Justiz 39 (1985), H. 10, S. 416–418.

83 Vortrag von Wolfgang Vogel: Zu Problemen der Tätigkeit des Rechtsanwalts im Strafverfahren der
DDR, gehalten am 17. 10. 1985, BArch, MfS, HA IX 16248, Bl. 11–13.

84 HA IX: Standpunkt zu ausgewählten Fragen zur Verwirklichung des Rechts auf Verteidigung und
zur Erhöhung der Sicherheit im Strafverfahren, BArch, MfS, HA IX 2035, Bl. 2–14.

nach der Verhaftung »unverzüglich« ein Verzeichnis der Rechtsanwälte vorzulegen. Würden Beschuldigte, insbesondere Ausländer, einen sofortigen Sprechkontakt mit dem gewählten Verteidiger fordern, könne der Staatsanwalt dies ermöglichen, »um unnötige Konfrontationen zu vermeiden«.[85] Bedingungen für die »Rechtsanwaltssprecher«[86] seien »nur insoweit und so lange festzusetzen«, wie »eine reale Gefährdung des Zwecks der Untersuchungen« bestehe. Akteneinsicht sei grundsätzlich bereits vor dem Abschluss des Ermittlungsverfahrens zu gestatten, soweit das »ohne Gefährdung der Untersuchung« möglich sei. Das Gleiche gelte für die Beteiligung des Verteidigers an den Beweiserhebungen.[87]

Statistisch ist die Stärkung der Stellung der Anwälte in den MfS-Ermittlungsverfahren in der Folgezeit vor allem am Rückgang der »Rechtsanwaltssprecher« abzulesen, bei denen die Kommunikation zwischen Verteidiger und Mandant durch Auflagen eingeschränkt wurde. Wurde 1980 noch fast ein Drittel der Sprechtermine im Verantwortungsbereich des zentralen Untersuchungsorgans nur unter Auflagen erteilt, sank der Anteil dieser eingeschränkten Mandantengespräche bis 1985 auf 14 Prozent und im Folgejahr abermals drastisch auf nur noch 2 Prozent. In den Jahren 1987 und 1988 gab es insgesamt nur noch drei »Auflagensprecher«.[88]

Das letzte Jahr der SED-Herrschaft brachte weitere Begrenzungen der strafrechtlichen Repressionsmöglichkeiten, denn das im Januar 1989 verabschiedete Wiener KSZE-Abschlussdokument führte zu der Verpflichtung, »Auskunft über alle Ermittlungsverfahren an anfragende KSZE-Staaten zu geben«.[89] Auch die Strafverfahren wegen Ausreiseaktivitäten mussten jetzt einer internationalen Kontrolle standhalten, was dazu führte, dass »Handlungen, die lediglich sichtbar machten, dass die Ablehnung des Antrags nicht akzeptiert wird«, nicht mehr verfolgt wurden.[90] Konsequenz war, dass die Zahl der betreffenden Ermittlungsverfahren von Januar bis Juni 1989 auf nur noch rund 38 Prozent des entsprechenden Vorjahreszeitraumes sank.[91]

IV. Resümee

Die Staatssicherheit der DDR entstand als Hilfsorgan der sowjetischen Staatssicherheit, sie war ihr Abbild, stand unter ihrer Anleitung und kopierte ihre Praktiken, was sich in Gewalt, Willkür, Missachtung rechtlicher Normen und zuweilen auch irrationalem

---

85 Ebd., Bl. 3.
86 »Rechtsanwaltssprecher« wurden die Beratungen der Rechtsanwälte mit ihren Mandanten in der Untersuchungshaft genannt.
87 Ebd., Bl. 5–7.
88 Siehe HA IX/AKG/Bereich Koordinierung: Jahresanalyse 1988 vom 30. Januar 1989, BArch, MfS, HA IX 519, Bl. 32–43, hier Bl. 38.
89 Mielke auf der Kollegiumssitzung am 1. Februar 1989, BArch, MfS, ZAIG 5342, Bl. 1–50, hier Bl. 48.
90 Orientierung des Leiters der HA IX auf der Dienstberatung am 30./31. Mai 1989, BArch, MfS, HA IX 2109, Bl. 11 f.
91 Siehe ZAIG: Information von Juli 1989, BArch, MfS, HA IX 16313, Bl. 7–24.

Handeln zeigte. Doch die besonderen Bedingungen der deutschen Teilung bremsten zuweilen den geheimpolizeilichen Verfolgungseifer. Noch unter Stalin leitete die Sowjetische Kontrollkommission, primär aus deutschlandpolitischen Motiven, einen Verrechtlichungssprozess in der MfS-Strafverfolgung ein.

Auch nach Stalins Tod folgten Milderungen und Verschärfungen sicherheitspolizeilicher Repression in der DDR zunächst den Konjunkturen sowjetischer Politik. 1956 gelang es Ulbricht jedoch, die Entstalinisierungsimpulse in der DDR effektiv zu bremsen, sodass die Auswirkungen auf die Strafverfolgungspraxis des MfS schwach und wenig nachhaltig waren. Erst nach dem Mauerbau wandelte sich Ulbricht zum justizpolitischen Reformer; ein umfassender Verrechtlichungsschub führte zu einer weiteren Normalisierung der MfS-Strafverfahrenspraxis.

Die Machtübernahme von Erich Honecker ging einher mit einer repressiven Wende, die zu Verschärfungen des Strafrechts und einer wieder instrumentellen Rechtsanwendung durch die MfS-Untersuchungsorgane führte. Es war daher kein Zufall, dass es jetzt auch zu regressiven Tendenzen bis hin zu systematischen Aussageerpressungen und zur Verurteilung zahlreicher Unschuldiger im Rahmen eines fiktiven Ermittlungskonstruktes kam. Doch inzwischen galt ein solches Geschehen auch apparatsintern als skandalös und löste Lernprozesse aus, die auf eine weitere Verrechtlichung hinausliefen. Vor dem Hintergrund einer zunehmenden internationalen Einbindung musste die Staatssicherheit auf Dauer eine Erweiterung der Beschuldigtenrechte und eine Beschränkung ihrer Sanktionsmöglichkeiten hinnehmen. So verlor sie einen Teil ihrer repressiven Fähigkeiten und damit auch ihrer Effektivität als Instrument der Diktatur.

Sebastian Stude

»Man muss die richtige Taktik anwenden.« Ermittlungsverfahren und Untersuchungshaft der DDR-Staatssicherheit in den 1950er- und 1970er-Jahren

Anhand von zwei Fallbeispielen aus dem Bezirk Potsdam Mitte der 1950er-Jahre und Ende der 1970er-Jahre soll das Vorgehen der ostdeutschen Geheimpolizei bei strafrechtlichen Ermittlungsverfahren und damit einhergehender Untersuchungshaft näher betrachtet werden. Dazu werden Inhaftierte und hauptamtliches Personal der Staatssicherheit, aber auch staatliche Institutionen, Regelungen und Verfahrensweisen beschrieben. Durch welche Handlungsweisen gerieten die inhaftierten Personen ins Visier der Staatssicherheit? Welche Erfahrungen und Motive bestimmten das Verhalten der Inhaftierten? Welche Herkunft und Verhaltensweisen prägten die Geheimpolizisten? Und was zeichnete das asymmetrische Beziehungsverhältnis zwischen Inhaftierten und hauptamtlichem Personal der Staatssicherheit aus?[1]

Es soll herausgearbeitet werden, wie die ostdeutsche Geheimpolizei ihr taktisches Vorgehen vor dem Hintergrund allgemeiner politischer und gesellschaftlicher Ereignisse anpasste, um ihr strategisches Ziel zu erreichen: die Sicherung der SED-Herrschaft. Die allgemeinen Entwicklungen provozierten beim hauptamtlichen Personal der Staatssicherheit Verunsicherung und führten zu unterschiedlichen Konflikten: zum einen innerhalb der Staatssicherheit selbst, zum anderen zwischen der Staatssicherheit und Kooperationspartnern bei Polizei, Staatsanwaltschaft und Gericht. Letztere gewannen an Bedeutung, weil die Geheimpolizei im Laufe der Zeit nicht mehr nur auf rücksichtslose Gewalt, sondern zunehmend auf ein differenziertes Vorgehen, routinierte Verfahrensweisen und institutionelle Kooperation setzte. Insgesamt erwies sich die Geheimpolizei als lernfähige Institution. Agierte sie in der Transformationsphase der 1950er-Jahre als »Instrument des ›bürokratischen Terrors‹«[2], entwickelte sie sich bis in die »sozialistische Gesellschaft« der 1970er-Jahre zu einer »modernisierten Repressionsbürokratie«[3]. Auf veränderte Rahmenbedingungen reagierte die SED-Geheimpolizei also mit einem Aus-

---

1   Zum hier zugrunde liegenden gesellschaftsgeschichtlichen Erklärungsmodell der »Diktatur der Grenzen« siehe Thomas Lindenberger: Die Diktatur der Grenzen. Zur Einleitung, in: ders. (Hg.): Herrschaft und Eigen-Sinn in der Diktatur. Studien zur Gesellschaftsgeschichte der DDR, Köln u. a. 1999, S. 13–44.
2   Jens Gieseke: Deutsche Demokratische Republik, in: Lukasz Kaminski/Krzysztof Persak/Jens Gieseke (Hg.): Handbuch der kommunistischen Geheimdienste in Osteuropa 1944–1991, Göttingen 2009, S. 199–264, hier S. 222.
3   Jens Gieseke: Die hauptamtlichen Mitarbeiter der Staatssicherheit. Personalstruktur und Lebenswelt 1950–1989/90, Berlin 2000, S. 223 und 320–353.

bau ihres Apparates, einer Professionalisierung ihrer Kader und differenzierenden Arbeitsmethoden.

I. »Terror« auf dem Lande

September 1956 in Wulkow, ein kleiner Ort nördlich von Berlin: Eine Gruppe von Männern zwischen Ende 20 und Anfang 40 Jahren verprügelt einen Soldaten der sowjetischen Armee. Es ist Wochenende nach Schankschluss, als das spätere Opfer vor der örtlichen Gaststätte mehrere Schüsse aus seiner Pistole abfeuert. Einheimische Bauern, ein Arbeiter und ein Feuerwehrmann stürzen sich daraufhin auf den betrunkenen Soldaten, um ihn zu entwaffnen. Eine Gewaltorgie entlädt sich über dem sowjetischen Soldaten. Als die Menge von ihm ablässt, wird er in die örtliche Bürgermeisterei gebracht und notversorgt. Später bringen ihn herbeigerufene Kameraden ins Armeelazarett.[4]

Zunächst ermittelte die Volkspolizei. Sie berichtete über die Angelegenheit als »Spitzenmeldung« an die Bezirksbehörde der Volkspolizei Potsdam und zusätzlich an die örtliche Kreisdienststelle der Staatssicherheit. Rasch wurden mehrere Tatverdächtige ermittelt, gegen die das Kreisgericht Neuruppin Haftbefehle wegen des Verdachts der »Körperverletzung« verhängte.[5] Einer der Tatverdächtigen beschrieb das Geschehene gegenüber der Polizei so: »Am Sonnabend […] war ich […] zur Versammlung des Erntekomitees und anschließend bin ich in die Gastwirtschaft […] gegangen. Ich habe mich dort aufgehalten, bis vom Gastwirt Feierabend geboten wurde. Ich habe während dieser Zeit ca. 15 Glas Bier getrunken, war aber nicht betrunken. Als ich im Begriff war, die Gastwirtschaft zu verlassen, hörte ich, wie auf der Straße zwei bis drei Mal geschossen wurde. […] Ich lief ebenfalls zu dieser Stelle und als ich dort ankam, sah ich, dass auf einen sowjetischen Offizier eingeschlagen wurde. Ich habe ebenfalls auf diesen Offizier eingeschlagen.«[6] Als Motivation für sein Handeln nannte der Tatverdächtige seine »Wut« auf Angehörige der sowjetischen Armee. Er begründete sie mit Vergewaltigungen, die seine Ehefrau im Kriegsjahr 1945 erfahren hätte,[7] während er selbst sich zwischen 1944 und 1947 in englischer und französischer Kriegsgefangenschaft befand. Zuvor habe er seit 1939 als Artillerist der deutschen Wehrmacht am Zweiten Weltkrieg teilgenommen. Im Krieg nahm der damals keine 30 Jahre alte Tatverdächtige an Kampfeinsätzen in Frankreich, Jugoslawien und der Sowjetunion teil. Dafür erhielt er Auszeichnungen wie das Eiserne Kreuz Erster und Zweiter Klasse. Im Jahr 1948 kehrte er aus der franzö-

---

4   Siehe Strafanzeige v. 18. 9. 1956, Bundesarchiv (im Folgenden: BArch), Ministerium für Staatssicherheit (im Folgenden: MfS), BV Potsdam, AU 3/57, Bd. 1, Bl. 13. Vernehmung v. 25.9.1956, Ebd., Bl. 30–34. Spitzenmeldung v. 18.9.1956, ebd., Bl. 177.

5   Siehe Strafanzeige v. 18.9.1956, BArch, MfS, BV Potsdam, AU 3/57, Bd. 1, Bl. 13. Haftbefehl v. 19.9.1956, ebd., Bl. 14. Vernehmung v. 25.9.1956, ebd., Bl. 30–34. Aktennotiz, o. Dat., ebd., Bl. 112. Spitzenmeldung v. 18.9.1956, ebd., Bl. 177.

6   Vernehmung eines Beschuldigten v. 18.9.1956, ebd., Bl. 27–29, hier Bl. 28 f.

7   Ebd., Bl. 27–29.

sischen Kriegsgefangenschaft zurück ins brandenburgische Wulkow, wo er zuletzt gemeinsam mit seiner Ehefrau in der Landwirtschaft arbeitete.[8]

Die Polizei ermittelte nach den Wulkower Ausschreitungen im September 1956 zunächst wegen »gefährlicher Körperverletzung«. Ein Delikt, das bereits in Paragraf 223 des Bürgerlichen Strafgesetzbuchs von 1871 auftaucht und in dem der Begriff »Misshandlung« eine zentrale Rolle einnimmt. Der regionale Bezirksstaatsanwalt gab die Untersuchungen aber schon bald an die Potsdamer Bezirksverwaltung für Staatssicherheit ab. Anders als die Polizei ermittelte die Staatssicherheit nun wegen »Terrors« nach Artikel 6 der DDR-Verfassung. Dieser Vorwurf zielte ebenfalls auf das Bestrafen gewalttätigen Verhaltens ab, wies aber eine deutlich politische Konnotation auf.[9] Damit ist der Fall ein typisches Beispiel für die seinerzeit vorherrschende Überlagerung politischer und krimineller Strafvorhalte.[10]

Zwei Tatverdächtige kamen in die Untersuchungshaft der Staatssicherheit in Potsdam.[11] Hier übernahm Hans Maxa die Ermittlungen.[12] Hans Maxa, Jahrgang 1921, verfügte über einen Schulabschluss nach der 8. Klasse und eine Berufsausbildung als Klempner und Rohrleger. Ähnlich wie die beiden jungen Männer, gegen die er nun ermittelte, hatte auch Hans Maxa im Zweiten Weltkrieg als Soldat gedient. Als Flugabwehrkanonier kämpfte er ab Anfang 1943 für die deutsche Wehrmacht in der Sowjetunion und in Polen. Über seinen KPD-Eintritt im Dezember 1945 kam er in die SED. Von seiner Tätigkeit als Handwerker und Kraftfahrer, zuerst bei der KPD- und später bei der SED-Bezirksleitung in Potsdam, führte ihn sein Weg im Sommer 1952 zur Staatssicherheit. Dort brachte es Hans Maxa bis zum Leutnant der Untersuchungsabteilung. Seine Leistungen als Ermittler schienen allerdings mäßig zu sein. Die Staatssicherheit selbst attestierte ihm »Schwierigkeiten« und die Notwendigkeit »ständiger Kontrolle und Anleitung«.[13] Nachdem er zwischenzeitlich einer anderen Diensteinheit angehörte, wurde Hans Maxa im Sommer 1963 ganz aus der Staatssicherheit entlassen. Als Begründung wurden eklatante Widersprüche zwischen seinem Verhalten und den Erwartungen der Geheimpolizei an ihre Offiziere angeführt. In seiner Personalakte wurde vermerkt, er sei »schwatzhaft veranlagt« und neige zum »übermäßigen Alkoholkonsum«. Schon vor seiner Entlassung hatte Maxa Disziplinarstrafen bis hin zu einem fünftägigen Arrest wegen »Verstoßes gegen Konspiration«, »unmoralischen Verhaltens« oder der Nichtanzeige familiärer Kontakte nach West-Berlin erhalten.[14] Solche Vermerke in den Potsdamer Personalakten der 1950er- und 1960er-Jahre waren kein Einzelfall. Der gemein-

---

8   Vernehmung v. 25.9.1956, ebd., Bl. 30–34. Vernehmung v. 1.10.1956, ebd., Bl. 35–38.
9   Siehe Haftbefehl v. 19.9.1956, ebd., Bl. 14. Vernehmung v. 25.9.1956, ebd., Bl. 30–34, hier Bl. 31. Beschluss v. 29.9.1956, ebd., Bl. 114. Sachstandsbericht v. 28.9.1956, ebd., Bl. 207–211.
10   Siehe Johannes Raschka: Justizpolitik im SED-Staat. Anpassung und Wandel des Strafrechts während der Amtszeit Honeckers, Köln 2000, S. 25.
11   Haftbeschluss v. 24.9.1956, BArch, MfS, BV Potsdam, AU 3/57, Bd. 1, Bl. 11.
12   Untersuchungsplan, o. Dat., ebd., Bl. 5.
13   Vorschlag zur Entlassung v. 30.7.1963, BArch, MfS, Diszi, Nr. 6834/92, Bl. 164–168, hier Bl. 166.
14   Kaderkarte H. M., BArch, MfS, HA KuSch, AKG-KA. Vermerk v. 8.11.1962, BArch, MfS, Diszi, Nr. 6834/92, Bl. 112. Vorschlag zur Entlassung v. 30.7.1963, ebd., Bl. 164–168.

schaftliche Gaststättenbesuch in Dienstuniform, das Investieren der kurz zuvor ausgezahlten Prämie in Alkohol oder das öffentliche Hantieren mit der Dienstwaffe stellten wiederkehrende Verfehlungen dar. Überhaupt schien die Potsdamer Situation beispielhaft für die allgemein ungeordneten inneren Verhältnisse während der »wechselhaften Gründungs- und Aufbaujahre« der ostdeutschen Geheimpolizei zu stehen.[15] Damit widersprach sie ganz offensichtlich dem in der Ost-Berliner Zentrale entworfenen Bild, Teil der tschekistischen Avantgarde zu sein, mit der Ehre und entsprechende Verpflichtungen verbunden wurden.[16] Auch zu den von Walter Ulbricht auf dem V. SED-Parteitag im Juli 1958 verkündeten »Zehn Geboten der sozialistischen Moral und Ethik« passten solche Verhaltensweisen nicht. Geheimpolizeilicher Selbstanspruch, propagiertes Gesellschaftsbild und praktische Lebenswirklichkeit fielen auseinander. Anders als manche seiner Kameraden aus der Gründergeneration der Staatssicherheit, die es mit Disziplin, Talent oder auch aufgrund ihrer Funktionen in der hiesigen SED-Parteiorganisation dennoch bis zum Referatsleiter schafften, scheiterte Hans Maxa auf seinem Weg zum professionell agierenden Geheimpolizisten.[17] Seine Entlassung im Sommer 1963 stand aber auch für die poststalinistische Personalpolitik der Staatssicherheit insgesamt, die vorhandenen Kader im Sinne einer Professionalisierung stärker als zuvor zu disziplinieren und zu qualifizieren – gegebenenfalls aber auch zu entlassen.[18] Denn in personeller Hinsicht zielte die bereits Ende der 1950er-Jahre initiierte »Transformation zur modernisierten Repressionsbürokratie« auf eine Synthese von politischer Loyalität *und* fachlicher Qualifikation.[19] Als wichtiger Faktor kam die zunehmende Bedeutung des praktischen Erfahrungswissens der Geheimpolizisten hinzu.

Die von Hans Maxa zu den Wulkower Ausschreitungen vom September 1956 geführten Vernehmungen dauerten bis zu sieben Stunden. Beginnend am Vormittag zogen sie sich bisweilen bis in den späten Nachmittag hinein. Von den zuvor durch die Polizei dokumentierten Aussagen unterschieden sich die geheimpolizeilichen Protokolle deutlich. Augenfällig ist einerseits die extreme Verknappung. So umfasst das Protokoll einer siebenstündigen Vernehmung gerade einmal zwei Seiten. Andererseits gab es erhebliche semantische Verschiebungen. So dokumentieren die Vernehmungsprotokolle der Staatssicherheit nicht mehr die »Wut«, sondern den »Hass« des Tatverdächtigen auf die Sowjetunion und deren Armeeangehörige. Die Vergewaltigungen der Ehefrau als vorgebliches Handlungsmotiv wurden jetzt als »Belästigungen« durch Sowjetsoldaten tituliert. Politische Akzente setzten die geheimpolizeilichen Vernehmungen und deren Protokolle, indem sie festhielten, dass die Tatverdächtigen westliche Radiosender hörten und bereits

15   Jens Gieseke: Abweichendes Verhalten in der totalen Institution. Delinquenz und Disziplinierung der hauptamtlichen MfS-Mitarbeiter in der Ära Honecker, in: Roger Engelmann/Clemens Vollnhals (Hg.): Justiz im Dienste der Parteiherrschaft. Rechtspraxis und Staatssicherheit in der DDR, Berlin 1999, S. 531–553, hier S. 532.
16   Siehe Gieseke: Die hauptamtlichen Mitarbeiter der Staatssicherheit (Anm. 3), S. 126 ff.
17   Siehe Auskunft, o. Dat., BArch, MfS, BV Potsdam, KS II, Nr. 502/89, Bd. 1, Bl. 7–17. Straftenor v. 27.10.1954, ebd., Bd. 2, Bl. 7. Bericht v. 2.11.1954, ebd., Bl. 8 f.
18   Siehe Gieseke: Die hauptamtlichen Mitarbeiter der Staatssicherheit (Anm. 3), S. 172–208.
19   Ebd., S. 242 f.

früher an Gewalttätigkeiten gegen sowjetische Armeeangehörige beteiligt waren.[20] Überhaupt zielte die Geheimpolizei mit ihren Ermittlungen in besonderer Weise auf einen vermeintlich politischen Hintergrund des Vorfalls. Dementsprechend bedeutsam schien ihr, dass einer der beiden Inhaftierten an seinem Wohnort als »offener Feind der Sowjetunion« galt. Seine Einordnung als typischer »Raufbold« und seine zurückliegenden guten Arbeitsleistungen verloren dagegen an Gewicht.[21] Innerhalb weniger Wochen schloss die Geheimpolizei ihre Ermittlungen ab. Demnach hatte der verprügelte sowjetische Offizier ohne erkennbaren Anlass mehrere Pistolenschüsse in die Luft abgegeben – und sei daraufhin das Opfer »brutaler und unmenschlicher« Misshandlungen geworden. Den Vorwurf des »Terrors« hielt die Staatssicherheit jedoch nicht aufrecht und klassifizierte das Ereignis stattdessen als »gefährliche Körperverletzung«. In den zwei inhaftierten Personen glaubte sie »typische Schlägernaturen« voller »Hass gegen die Sowjetunion« zu erkennen. Ein Gericht verurteilte beide zu je einem Jahr Gefängnis.[22]

Bemerkenswert war der Ausgang der geheimpolizeilichen Ermittlungen und des Gerichtsverfahrens in mehrfacher Hinsicht: Neu war der hohe Ermittlungsaufwand der Staatssicherheit im Vergleich zur noch wenige Jahre vorher gängigen Praxis von willkürlichen Verhaftungen und Geständnisproduktion mittels Nachtverhören und anderen Foltermethoden für den »Beweis« eines Delikts, um eine möglichst hohe Strafe zu rechtfertigen. Interessant war auch das vergleichsweise milde Gerichtsurteil zu einem Jahr Gefängnis. Ähnliche Strafen hatten infolge der II. SED-Parteikonferenz im Juli 1952 und der anschließenden Kampagne zum »Aufbau des Sozialismus« schon für kleinere Diebstahldelikte gedroht. Zwar waren in den 1950er-Jahren Ermittlungsverfahren der Potsdamer Staatssicherheit ohne abschließendes Gerichtsurteil mit einer Haftstrafe keine Seltenheit und betrafen immerhin mehr als 20 Prozent der Verfahren insgesamt (ca. 350 Fälle). Sehr viel häufiger, nämlich in 56 Prozent der Ermittlungsverfahren (ca. 900 Fälle), erwarteten die in den 1950er-Jahren Inhaftierten allerdings Haftstrafen von mehr als einem Jahr, mitunter sogar bis zu zehn Jahren. Lediglich bei zehn Prozent aller Fälle (ca. 170 Fälle) folgten auf Ermittlungen der Staatssicherheit relativ niedrige Haftstrafen von bis zu einem Jahr. Beide Aspekte, die vergleichsweise differenzierte Ermittlungstätigkeit der Staatssicherheit und das milde Gerichtsurteil, waren die Folge eines politischen »Tauwetters«, das vom XX. KPdSU-Parteitag im Februar 1956 und Nikita Chruščëvs Entstalinisierungs-Kurs sowie der III. SED-Parteikonferenz im März 1956 ausgehend zumindest in seinen Ausläufern auch die geheimpolizeiliche und juristische Praxis in der DDR erreichte. Nur kurze Zeit später folgte als Reaktion auf die ungarischen und polnischen Volksaufstände bereits eine neue politische »Frostperiode«.[23]

---

20 Siehe Vernehmung v. 1.10.1956, BArch, MfS, BV Potsdam, AU 3/57, Bd. 1, Bl. 35–38. Vernehmung v. 3.10.1956, ebd., Bl. 39 f.

21 Zusätzliche Ermittlungen v. 1.10.1956, ebd., Bl. 98.

22 Schlussbericht v. 11.10.1956, ebd., Bl. 213–220.

23 Roger Engelmann/Frank Joestel: Hauptabteilung IX – Untersuchung, Anatomie der Staatssicherheit, MfS-Handbuch, Berlin 2016, S. 67–81. Jens Gieseke: Psychologisches Wissen in der Verfolgungspraxis der DDR-Staatssicherheit – ein historischer Überblick, in: Andreas Maercker/Jens Gieseke (Hg.): Psychologie als Instrument der SED-Diktatur. Theorien – Praktiken – Akteure – Opfer, Bern 2021, S. 37–56, hier S. 38–41. Gieseke: Deutsche Demokratische Republik (Anm. 2), S. 218, 223.

Typisch am beschriebenen Fall ist auch, dass es der Geheimpolizei in der brandenburgischen Region in den 1950er-Jahren unter anderem oblag, gegen gewaltsame Übergriffe
auf örtliche SED- und LPG-Funktionäre sowie auf ostdeutsche und sowjetische Sicherheitskräfte zu ermitteln. Die Personen, gegen die die Staatssicherheit dabei oftmals vorging, standen in unterschiedlicher Art und Weise für einen bestimmten Teil der männlichen ostdeutschen Nachkriegsgesellschaft. Es handelte sich dabei um ehemalige
Soldaten der deutschen Wehrmacht, die Krieg, Kriegsniederlage, Gefangenschaft,
Deportation und Besatzung erlebt hatten. Ihre inneren Einstellungen und ihre Verhaltensweisen verwiesen auf zurückliegende extreme Erfahrungen und Prägungen im Zweiten Weltkrieg und der Zeit unmittelbar danach. Charakteristisch für die gesellschaftliche Situation in der brandenburgischen Region in den 1950er-Jahren ist auch der
Zusammenhang von Alkoholkonsum im öffentlichen Raum und der Gewalteskalation
gegenüber Partei- und Staatsfunktionären sowie ostdeutschen und sowjetischen Sicherheitskräften. Maßgeblich für die Übernahme der Ermittlungen durch die Staatssicherheit war dabei die Zuschreibung eines politischen Hintergrunds. Gleichwohl gelangte
die Geheimpolizei im Zuge ihrer Untersuchungen regelmäßig zu der Erkenntnis, den
Straftaten lägen keine politischen Motive, sondern »nur« kriminelles Verhalten zugrunde.

Die Zuständigkeiten der Geheimpolizei Mitte der 1950er-Jahre beschrieb der amtierende Leiter der Potsdamer Untersuchungsabteilung, indem er angab, es müsse entweder
eine strafrechtliche *oder* eine politische Dimension gegeben sein.[24] Die strafrechtlichen
Zuständigkeiten der Staatssicherheit bezogen sich also auf ein unscharf konturiertes
Feld.[25] Infolgedessen zog die Geheimpolizei fortwährend Ermittlungen an sich, die sie
wegen ihres unpolitischen Kerns im weiteren Verfahren wieder an die Polizei abgab oder
ganz und gar einstellte. In solchen Fällen verpflichtete die Staatssicherheit die betroffenen Personen, über die zurückliegenden Geschehnisse zu schweigen.[26] Mitte der 1950er-
Jahre schien dies umso gebotener, als die Geheimpolizei selbst gegen Unregelmäßig-
keiten in ihrer Potsdamer Untersuchungsabteilung vorging. Das dortige Personal war
einerseits aufgefallen, weil im Jahr 1954 ein Viertel aller Untersuchungshäftlinge aus
Mangel an Beweisen, wegen Verfahrenseinstellungen durch die Staatsanwaltschaft oder
aufgrund eines Freispruchs vor Gericht ohne Strafe freigekommen war. In nur einem
anderen Bezirk der DDR endeten noch mehr Ermittlungsverfahren ohne Strafen. Im
Jahr 1955 wurde an dem Leiter der Potsdamer Untersuchungsabteilung ein Exempel
statuiert. Er hatte gewaltsame Übergriffe auf inhaftierte Personen nicht nur geduldet,

---

24 Siehe Diskussion zur Dienstbesprechung am 15.8.1957 v. 20.8.1957, BArch, MfS, BV Potsdam, Allg.
S., Nr. 3/60, Bd. 1, Bl. 101–103. Protokoll der Parteiaktivtagung vom 3.3.1958, ebd., Bd. 2,
Bl. 24–61.

25 Siehe Roger Engelmann: Staatssicherheitsjustiz im Aufbau. Zur Entwicklung geheimpolizeilicher
und justitieller Strukturen im Bereich der politischen Strafverfolgung, in: Engelmann/Vollnhals:
Justiz im Dienste der Parteiherrschaft (Anm. 15), S. 133–164, hier S. 135 f. Auch Clemens Vollnhals:
»Die Macht ist das Allererste«. Staatssicherheit und Justiz in der Ära Honecker, in: ebd., S. 227–271,
hier 245 f.

26 Siehe Bericht v. 28.3.1953, BArch, MfS, BV Potsdam, AU 127/53, Bd. 1, Bl. 52 f. Verpflichtung v.
14.4.1953, ebd., Bl. 54.

sondern auch gedeckt. Kein anderer als Hans Maxa hatte nachweislich beispielsweise mindestens einen Untersuchungshäftling misshandelt, gegen den die Staatssicherheit ihre Ermittlungen kurz darauf wegen einer Personenverwechslung hatte einstellen müssen. Die Ost-Berliner Zentrale befürchtete Schaden für das Ansehen der Staatssicherheit, sollten derlei Vorfälle bekannt werden.[27] Grundsätzlich herrschten in der Potsdamer Untersuchungsabteilung Planlosigkeit und Überforderung. Der Chef der Geheimpolizei, Ernst Wollweber, enthob den Potsdamer Abteilungsleiter deshalb seines Postens, stufte ihn im militärischen Rang herab und versetzte ihn in eine andere Bezirksverwaltung.[28]

Allerdings bedeutete die Ablösung des Leiters nicht automatisch das Ende von Regelverstößen in der Potsdamer Untersuchungsabteilung. Gewalt, ungenügende Aktenführung und schlechte Arbeitsorganisation hielten an. Das zumindest offenbarten interne Untersuchungen der Staatssicherheit. Dafür, dass die Angelegenheit nicht an Bedeutung verlor, sprach auch, dass der Leiter der Bezirksverwaltung Potsdam, Rudi Mittig, Anfang des Jahres 1959 persönlich an deren Auswertung teilnahm. Deutliche Kritik übten kontrollierende Offiziere aus Ost-Berlin an der Potsdamer Praxis der Vernehmungen. Insbesondere die Erstvernehmungen fielen ihrer Meinung nach zu kurz aus. Als Orientierung gaben die Geheimpolizisten aus der Zentrale vor: »Eine Erstvernehmung darf nicht fünf Stunden dauern, das ist zu wenig. Psychologisch gesehen hat der Häftling zuerst einen Schock durch seine Festnahme erhalten. Dieser Fakt muss ausgenutzt werden.«[29] Scharf kritisierten sie die Dokumentation der Vernehmungen, die oftmals verkürzt und in Einzelfällen gar nicht erfolgte. Den Potsdamer Erklärungsversuch, das Weglassen unwahrer Aussagen sei der Grund für die kurzen Protokolle, parierte ein Ost-Berliner Offizier gereizt: »Hier muss es andere Mängel bei den Genossen geben. Es gibt doch nicht nur Häftlinge, die lügen.«[30] Interessant ist in diesem Zusammenhang auch diese Aussage der Zentrale: »Fehlen solche Protokolle, so zeigt sich nicht der Kampf, den man mit dem Häftling führt […].«[31]

Nach Stalins Tod und Nikita Chruščёvs Distanzierung von Stalin erschöpfte sich der geheimpolizeiliche »Kampf« Ende der 1950er-Jahre nicht mehr allein in rücksichtsloser Gewalt. Zwar kam es im Schatten der Grenzabriegelung nach West-Berlin im August 1961 wieder zu einer repressiveren Vorgehensweise.[32] Doch Anfang 1959 mahnten die Ost-Berliner Offiziere ihre Kollegen in der Region: »Auch liegt die Härte in der Vernehmung nicht darin, wenn die Wände wackeln und der Häftling angebrüllt wird. Das ist

---

27   Siehe Zentrale Dienstbesprechung am 5.10.1955, o. Dat., BArch, MfS, BV Potsdam, AS 102/66, Bl. 225–254.

28   Siehe Engelmann: Staatssicherheitsjustiz im Aufbau (Anm. 25), S. 145–150.

29   Protokoll v. 20.1.1959, BArch, MfS, AS, Nr. 95/66, Bd. 1, Bl. 264–277, hier Bl. 268.

30   Ebd., hier Bl. 275.

31   Ebd., hier Bl. 264.

32   Siehe Henrik Bispinck: Einleitung 1956, in: ders. (bearbeitet): Die DDR im Blick der Stasi. Die geheimen Berichte an die SED-Führung 1956, Berlin 2016, S. 12–57. Gieseke: Die hauptamtlichen Mitarbeiter der Staatssicherheit (Anm. 3), S. 216–222; ders.: The Future of Torture and »Wet Jobs« after Stalin. Stasi Discourses on the Legitimacy of Violent Practices (unpublished paper), o. Dat., 16 Seiten, hier S. 5; Raschka: Justizpolitik im SED-Staat (Anm. 10), S. 35.

ein Fehler. […] Ausdauer und konkrete Fragen dem Häftling stellen, damit kommt man zum Ziel. Schreien ist nur eine Schwäche des Vernehmers, das merkt auch der Häftling. Man muss die richtige Taktik anwenden.«[33]

Zuletzt monierten die Geheimpolizisten der Zentrale die Potsdamer Aktenführung und die Übergabe unvollständiger Ermittlungsakten an die Staatsanwaltschaft. Dass Aktenführung und Arbeitsorganisation Ende der 1950er-Jahre ein strukturelles Problem in der Potsdamer Bezirksverwaltung darstellten, deuteten die Erklärungsversuche der regionalen Ermittler an. Sie sahen ihre Tätigkeit beeinträchtigt, weil sie für Vernehmungen verwertbare operative Materialien anderer Diensteinheiten oftmals zu spät oder nur ungenügend aufbereitet erhielten. Die Geheimpolizisten in der Region waren durch die widersprüchlichen Vorgaben zu den Protokollen verunsichert: Während die Ost-Berliner Zentrale eine ausführliche Dokumentation vorgab, drängten die regionalen Kooperationspartner bei Staatsanwaltschaft und Gericht auf das genaue Gegenteil, da im Rahmen der Anklage und Gerichtsverhandlung ansonsten in den »Protokollen sehr schlecht durchzukommen« sei.[34] Auch mit der Polizei war auf regionaler Ebene keinesfalls die von der Staatssicherheit angestrebte Kooperation zustande gekommen. Der amtierende Leiter der Untersuchungsabteilung zeigte sich auf einer SED-Parteiaktivtagung der Potsdamer Bezirksverwaltung der Staatssicherheit im Frühjahr 1958 empört, weil bei einer zurückliegenden Veranstaltung der Kriminalpolizei die Staatssicherheit nicht einmal erwähnt worden sei.[35]

Insgesamt stand die Geheimpolizei in der brandenburgischen Region in der zweiten Hälfte der 1950er-Jahre den allgemeinen Entwicklungen verunsichert gegenüber. Grob entsprach dies der DDR-weiten Situation. Wenige Jahre nach Gründung der Staatssicherheit im Februar 1950 war ihr Personal nach dem Tode Stalins, dem Desaster des Volksaufstandes im Juni 1953, den in kurzen zeitlichen Abständen wechselnden politischen »Tauwetter-« und »Frostperioden« zwischen dem XX. KPdSU-Parteitag im Februar 1956 und den Volksaufständen in Polen und Ungarn im Oktober 1956 verunsichert. Die zwischenzeitliche Herabstufung des Ministeriums für Staatssicherheit zu einem Staatssekretariat beim Ministerium des Innern, der mehrfache Personalaustausch an der Spitze der Geheimpolizei von Wilhelm Zaisser (1953) über Ernst Wollweber (1957) zu Erich Mielke, deren Verbannung aus dem SED-Politbüro ebenso wie die formale staatsanwaltschaftliche Aufsicht seit 1952 vermittelten keine Sicherheit. Außerdem war die Personalstruktur der Geheimpolizei nicht darauf ausgerichtet, sich an solche Entwicklungen und politischen Machtkämpfe anpassen zu können. Gleiches galt für die flexible Anwendung des normativen Regelwerks aus DDR-Verfassung, Strafergänzungsgesetz, Passgesetz und Staatsanwaltsgesetz. Dafür fehlte es dem hauptamtlichen Personal oftmals an intellektueller Beweglichkeit, professioneller Ausbildung, praktischer Erfahrung und persönlichem Interesse. Denn die maßgeblichen Kriterien, nach denen das Gründer-

---

33 Protokoll v. 20.1.1959, BArch, MfS, AS, Nr. 95/66, Bd. 1, Bl. 264–277, hier Bl. 273.

34 Ebd., hier Bl. 274.

35 Siehe Protokoll der Parteiaktivtagung vom 3.3.1958, BArch, MfS, BV Potsdam, Allg. S., Nr. 3/60, Bd. 2, Bl. 24–61, hier Bl. 38 f.

personal ausgewählt worden war, lauteten politische Loyalität und kompromisslose Härte.[36]

Gerade der Blick auf das operative Personal in der brandenburgischen Region verdeutlicht das Ausmaß von intellektueller Beschränktheit, fehlender Professionalität, nicht vorhandener praktischer Erfahrung und abweichenden persönlichen Interessen. Weiterhin hatten sich bis Ende der 1950er-Jahre keine festen Handlungsroutinen in der Ermittlungstätigkeit herausgebildet, die den Vorgaben der Ost-Berliner Zentrale entsprachen. Angesichts wechselhafter politischer Vorgaben, dem vielgestaltigen normativen Regelwerk und sprunghafter Kampagnen, angefangen bei der Bekämpfung westlicher Spionage und Agententätigkeit, über die Durchsetzung der sozialistischen Umgestaltung in Landwirtschaft und Industrie bis zur Verfolgung der Zeugen Jehovas, verwundert das kaum. Außerdem hatte sich in der Region keine stabile Kooperation mit den Partnern bei Polizei, Staatsanwaltschaft und Gericht entwickelt. Äußeres Anzeichen der Verunsicherungen in Potsdam war auch der häufige Austausch des Leiters der hiesigen Untersuchungsabteilung. In den 1950er-Jahren bekleidete den Posten ein halbes Dutzend unterschiedlicher Personen. Nicht zufällig verstetigte sich die Potsdamer Situation Anfang der 1960er-Jahre. Im Zuge der Abriegelung von West-Berlin etablierte sich die Staatssicherheit damals DDR-weit als zuverlässiges Herrschaftsinstrument der SED-Führung. Insofern hatte der 13. August 1961 als »heimlicher Gründungstag«[37] der DDR auch Auswirkungen auf die ostdeutsche Geheimpolizei. Die Staatssicherheit befand sich mittlerweile auf dem Weg zur »modernisierten Repressionsbürokratie«. Als dauerhafte Tätigkeitsschwerpunkte und politische Legitimation zugleich bildeten sich ihr Vorgehen gegen Grenz- und Fluchtdelikte, gegen Ausreiseantragsteller und gegen die politische Opposition heraus. Der seit November 1957 amtierende Minister für Staatssicherheit, Erich Mielke, stand maßgeblich für diese Entwicklung.

II. »Rowdytum« in der Kleinstadt

Mai 1979 in Werder (Havel), einer Kleinstadt südwestlich von Berlin: Es beginnt als »Herrenpartie« zu Christi Himmelfahrt. Ein knappes Dutzend junger Männer macht sich auf den Weg ins nahe gelegene Potsdam. Am frühen Vormittag starten sie dort ihren »kleinen Kneipenbummel«.[38] Anschließend geht es mit dem Dampfer auf der Havel zurück in ihre Heimatstadt. Der harte Kern von sechs Männern im Alter bis Ende 20 setzt den Umtrunk in den örtlichen Gaststätten fort. Die heitere Szenerie wandelt sich schlagartig, als einer der Männer von einem Trabant angefahren wird. Auf offener Straße entsteht ein Handgemenge. Die beiden Autoinsassen werden unsanft aus dem Fahrzeug

---

36 Siehe Gieseke: Deutsche Demokratische Republik (Anm. 2), S. 201–208 und 216–227.

37 Dietrich Staritz: Geschichte der DDR 1949–1990. Frankfurt a. M. 1996, S. 196. Zit. nach Elke Stadelmann-Wenz: Widerständiges Verhalten und Herrschaftspraxis in der DDR. Vom Mauerbau bis zum Ende der Ulbricht-Ära, Paderborn u. a. 2009, S. 21.

38 Eingabe v. 26.5.1979, BArch, MfS, BV Potsdam, AU 1292/80, Bd. 1, Bl. 18 f., hier Bl. 18.

gezogen. Den Fahrer traktieren die jungen Männer mit Faustschlägen und Fußtritten. Er erleidet Schürfwunden und Blutergüsse. Sein Beifahrer kann fliehen, um Hilfe zu holen.[39] Für drei der jungen Männer endet die »Herrenpartie« im Polizeigewahrsam, mit einem weiteren Mann werden sie tags darauf in die Untersuchungshaft bei der Staatssicherheit in Potsdam überführt. Über den Bezirksstaatsanwalt erwirkt die Geheimpolizei beim Kreisgericht Potsdam-Stadt einen Haftbefehl.[40]

Typischerweise warf die Staatssicherheit den vier jungen Männern vor, als Gruppe und aus »Missachtung der öffentlichen Ordnung […] Gewalttätigkeiten und grobe Belästigungen gegenüber Personen«, also »Rowdytum« begangen zu haben. »Rowdytum« war als Straftatbestand in Paragraf 215 ins DDR-Strafgesetzbuch von 1968 eingegangen. Allgemeine Merkmale dieses Strafgesetzbuches waren einerseits dessen Orientierung am sowjetischen Recht und andererseits die Betonung erzieherischer Funktionen des Strafrechts. Im Vergleich zur »Körperverletzung«, mit der ähnliche Delikte definiert wurden, drohten bei Verurteilungen wegen »Rowdytums« härtere Strafen mit bis zu fünf Jahren Haft.[41]

Dass die Tat von der Geheimpolizei als »Rowdytum« eingestuft wurde, hatte vor allem zwei Gründe: Bei den zwei angegangenen Personen handelte es sich um Polizeiangehörige, die zivilen Streifendienst versahen. Zudem vermuteten Polizei und Staatssicherheit, Bundesbürger könnten Zeugen der Auseinandersetzung geworden sein. Deshalb berichteten sie die Angelegenheit auch an den Minister des Innern, den Chef der Deutschen Volkspolizei und an die zentrale Ost-Berliner Untersuchungsabteilung der Staatssicherheit. Die Geheimpolizei übernahm die Ermittlungen nicht zuletzt, um einen gezielten Angriff auf die Polizeiangehörigen und den Straftatbestand des ›Terrors‹ zu prüfen.[42]

Überhaupt war das »Rowdytum« Ende der 1970er-Jahre im Bezirk Potsdam einer der Ermittlungsschwerpunkte der Geheimpolizei. Im Jahr 1979 leitete die Staatssicherheit insgesamt 121 Ermittlungsverfahren ein, darunter 22 Verfahren wegen »Rowdytums« (18 Prozent). Als politisch brisant galt das Delikt, weil es die Dimension des Scheiterns von sozialistischer Jugendpolitik und Bildungssystem abbildete. Als strukturelles Merkmal geheimpolizeilicher Ermittlungen gegen »Rowdytum« fielen dabei Handlungen auf, die sich gegen Personal, Inhalte oder Symbole des Staates richteten. Im gleichen Zeitraum bildeten die Ermittlungen der Staatssicherheit gegen »Ungesetzlichen Grenzüber-

---

39 Siehe Vernehmungsprotokoll v. 26.5.1979, ebd., Bl. 54–58. Vernehmungsprotokoll v. 6.6.1979, ebd., Bl. 59–63. Vernehmungsprotokoll v. 6.6.1979, ebd., Bl. 69–73. Vernehmungsprotokoll v. 6.6.1979, ebd., Bl. 82–86. Bericht v. 7.6.1979, ebd., Bd. 2, Bl. 58–63. Vorschlag v. 24.5.1979, ebd., Bd. 3, Bl. 12. Erstmeldung v. 26.5.1979, ebd., Bl. 20–24. Bericht v. 25.5.1979, ebd., Bd. 3, Bl. 120–123.

40 Siehe Einlieferungsanzeige v. 25.5.1979, BArch, MfS, BV Potsdam, AU 1292/80, Bd. 1, Bl. 12–13. Antrag v. 26.5.1979, ebd., Bl. 14. Haftbefehl v. 26.5.1979, ebd., Bl. 15. Einlieferungsanzeige v. 25.5.1979, ebd., Bd. 2, Bl. 11 f. Hafteinlieferung v. 24.5.1979, ebd., Bl. 13.

41 Siehe Raschka: Justizpolitik im SED-Staat (Anm. 10), S. 13 ff, 35–39, 43–45.

42 Siehe Beschluss v. 30.5.1979, BArch, MfS, BV Potsdam, AU 1292/80, Bd. 1, Bl. 7 f. Eingabe v. 26.5.1979, ebd., Bl. 18 f. Erstmeldung v. 26.5.1979, ebd., Bd. 3, Bl. 20–24. Ergänzende Information v. 10.6.1979, ebd., Bd. 3, Bl. 118 f.

tritt« mit 53 Fällen (44 Prozent) einen noch größeren Tätigkeitsschwerpunkt.[43] Zum Vergleich der arbeitsteiligen Strafverfolgung in der Region: Die Bezirksbehörde der Volkspolizei Potsdam leitete im Jahr 1979 insgesamt 9189 Ermittlungsverfahren ein, darunter 153 Ermittlungen wegen »Rowdytums« (2 Prozent) sowie 106 Ermittlungen wegen Grenz- und Fluchtdelikten (1 Prozent). In absoluten Zahlen bearbeitete die Polizei zwar das Gros solcher Fälle, zu ihrem alltäglichen Kerngeschäft gehörten jedoch andere Angelegenheiten, allen voran Eigentumsdelikte und Körperverletzungen.[44]

Innerhalb der Potsdamer Bezirksverwaltung der Staatssicherheit ermittelte Norbert Hollwitz zum »Rowdy«-Fall aus dem Frühjahr 1979.[45] Hollwitz, Jahrgang 1950, hatte nach der 8. Klasse den Beruf des Drehers gelernt und im Rahmen der Berufsschule den Schulabschluss nach der 10. Klasse erworben. Seit Oktober 1969 war er Mitglied in der SED. Der Staatssicherheit gehörte er bereits seit November 1968 an. Die Karriere von Norbert Hollwitz steht in Teilen beispielhaft für jene Zeit: Zunächst leistete er seinen Grundwehrdienst beim Wachregiment der Potsdamer Bezirksverwaltung, anschließend wurde er als Wachposten in der Untersuchungshaftanstalt eingestellt, um zwei Jahre später als Ermittler zur Untersuchungsabteilung zu wechseln. Ein mehrmonatiger Lehrgang an einer Ausbildungseinrichtung der Staatssicherheit in Gransee vermittelte ihm Grundlagen des Strafrechts und der geheimpolizeilichen Ermittlungstätigkeit. Über ein mehrjähriges Fernstudium an der Juristischen Fachschule der Staatssicherheit in Potsdam-Eiche erwarb Hollwitz später den Abschluss eines »Fachschul-Juristen«. Er verblieb bis Ende der 1980er-Jahre in der regionalen Untersuchungsabteilung und stieg dort bis zum Referatsleiter im Range eines Majors auf.[46] Die geradezu idealtypische Karriere von Hollwitz stand für das damalige von der ostdeutschen Geheimpolizei angestrebte Ziel, ihren Personalnachwuchs in jungen Jahren einzustellen und langfristig zu professionell ausgebildeten und praktisch erfahrenen Kadern zu entwickeln.

Dass sich die zentral formulierte Kaderstrategie tatsächlich in der Region abbildete, vermittelt das Personaltableau der Potsdamer Untersuchungsabteilung im Jahr 1989. Damals gehörten die fünf Referatsleiter Geburtsjahrgängen an, die nicht mehr am Zweiten Weltkrieg teilgenommen hatten und bis auf eine Ausnahme in die DDR hineingeboren worden waren. Typisch waren ein Schulabschluss nach der 8. oder 10. Klasse, Berufsausbildungen (nicht selten mit Abitur), spätere Qualifikationen an Einrichtungen der Staatssicherheit, der Humboldt-Universität zu Berlin oder der Juristischen Fachschule in Potsdam. Der lange Karriereweg dieser Trägergeneration der Geheimpolizei in der

43   Zu den Ermittlungsverfahren und Untersuchungshäftlingen der Bezirksverwaltung Potsdam der Staatssicherheit 1979: BArch, MfS, BV Potsdam, Abt. IX, Kartei C 1/F 18.

44   Siehe Auswertung der Kriminalstatistik des Bezirkes Potsdam […] im Jahre 1988 und Vergleich der Jahre 1979 bis 1987 v. 13.2.1989, BLHA, Rep. 471, Nr. 465, o. Pag. Siehe auch Sebastian Stude: Neben der Gesellschaft. »Rowdys« und »Rowdytum« in Potsdam 1968–1989, in: Jörg Baberowski/ Robert Kindler/Stefan Donth (Hg.): Disziplinieren und Strafen. Dimensionen politischer Repression in der DDR, Frankfurt a. M. 2021, S. 45–67.

45   Siehe Beschluss v. 30.5.1979, BArch, MfS, BV Potsdam, AU 1292/80, Bd. 1, Bl. 7 f.

46   Siehe Kaderkartei N. H., BArch, MfS, HA KuSch, AKG-KA. Beurteilung v. 12.6.1973, BArch, MfS, BV Potsdam, Abt. KuSch, Nr. 2045, Bl. 67 f. Vorschlag v. 19.9.1977, ebd., Bl. 75. Zeugnis v. 1.3.1979, ebd., Bl. 82–84.

»modernisierten Repressionsbürokratie« begann spätestens Mitte der 1970er-Jahre. Ihre Krönung fand diese Personalentwicklung in der Potsdamer Untersuchungsabteilung in der Person ihres langjährigen Leiters Helmut Lehmann.[47] Zur Verleihung des »Vaterländischen Verdienstordens in Bronze« hieß es über die von ihm geführte Potsdamer Untersuchungsabteilung Mitte der 1980er-Jahre, sie gehöre zu den DDR-weit leistungsstärksten, die regionale Kooperation mit anderen Diensteinheiten der Geheimpolizei ebenso wie mit der Kriminalpolizei und dem Zoll habe sich verbessert, zu den Justizorganen beim Bezirksstaatsanwalt, der Militärstaatsanwaltschaft und dem Kreisgericht bestünden enge Arbeitskontakte. Damit war gewissermaßen das poststalinistische Programm der SED-Geheimpolizei formuliert. Die Staatssicherheit strebte jetzt nach politisch zuverlässigen, fachlich qualifizierten und praktisch erfahrenen Kadern. Im Rahmen der staatlichen Sicherheitsarchitektur hatten sie die politischen Interessen der SED-Führung mittels institutioneller Kooperation und routinierter Verfahrensweisen durchzusetzen.[48]

Tatsächlich vermitteln die im Aktenapparat der Potsdamer Geheimpolizei seit Ende der 1970er-Jahre dokumentierten Arbeitsschritte und Handlungsabläufe den Eindruck institutioneller Kooperation und routinierter Verfahrensweisen – so auch das im Frühjahr 1979 gegen die vier jungen Männer wegen »Rowdytums« geführte Ermittlungsverfahren. Schon die äußere Form der Vernehmungsprotokolle, aber auch die in ihnen dokumentierten Inhalte stehen für diesen Befund. Die im Einzelfall bis zu neun Stunden dauernden Vernehmungen bildeten das zentrale Element der Ermittlungen. Über den Tathergang und die jeweiligen Tatbeteiligungen hinaus kreisten die Vernehmungen um die Zuordnung der vier Männer entlang idealtypischer Vorstellungen von »Normen der sozialistischen Gesellschaftsordnung«[49] beziehungsweise deren Gegenkonstruktion des »Rowdytums«. Deshalb interessierte sich Norbert Hollwitz für soziale Herkunft, Erziehung, Ausbildung und berufliche Karriere, Gesetzeskonflikte, Engagement in Gesellschaft und Politik, Freizeitverhalten oder auch West-Kontakte. Die jungen Männer einten nicht zu übersehende Gemeinsamkeiten hinsichtlich ihrer Parteilosigkeit und ihres politischen Desinteresses. Drei der vier waren ledig und kinderlos, sie gingen Berufen wie Maurer, Maler oder Busfahrer nach. Alle hatten am Tag ihrer Inhaftierung erhebliche Mengen Alkohol konsumiert. Einer berichtete dem Haftrichter von bis zu 15 Gläsern Bier plus einer Flasche Wein, die er getrunken habe und wovon er nach eigenem Erinnern »nur leicht angetrunken« gewesen war. Ein ärztliches Gutachten bescheinigte den Beteiligten eine Blutalkoholkonzentration von bis zu 2 Promille.[50] Die jungen Männer stammten alle aus der Region um Potsdam, sie unterschieden sich jedoch hinsichtlich ihrer Familiensituation, ihres gesellschaftlichen und beruflichen Engagements sowie

---

47 Siehe Helmut Lehmann/Horst Kleeßen: Zur Gestaltung der Zusammenarbeit zwischen der Untersuchungsabteilung und anderen Diensteinheiten des Ministeriums für Staatssicherheit bei der Bearbeitung von Delikten staatsfeindlicher Hetze, Potsdam 1971, BArch, MfS, JHS, MF, Nr. 3194.

48 Siehe Kaderkartei H. L., BArch, MfS, HA KuSch, AKG-KA.

49 Schlussbericht v. 17.7.1979, BArch, MfS, BV Potsdam, AU 1292/80, Bd. 3, Bl. 127–137, hier Bl. 132.

50 Siehe Vernehmung v. 26.5.1979, Ebd., Bd. 1, Bl. 16 f. Schlussbericht v. 17.7.1979, ebd., Bd. 3, Bl. 127–137, hier Bl. 133.

vorausgegangener Gesetzeskonflikte. Damit lief die Fahndung der Staatssicherheit nach dem Idealtypus des »Rowdys« zumindest teilweise ins Leere. Einer der »Rowdys« entpuppte sich als »freiwilliger Helfer der Volkspolizei«.[51] Einen anderen priesen die Arbeitskollegen als beflissenen und unauffälligen Mitarbeiter. In einer abgeforderten Stellungnahme formulierten sie: »Die von ihm begangene rowdyhafte Handlung hätte ihm das Kollektiv […] nie zugetraut.«[52] Von Beginn an wehrten sich auch die vier Delinquenten gegen die geheimpolizeiliche Fremdzuschreibung, »Rowdys« zu sein oder »Rowdytum« begangen zu haben.

Im Zuge der Ermittlungen wurden den Inhaftierten formale Rechte eingeräumt, die ihre Position in der Verfahrenspraxis jedoch keinesfalls stärkten. Dazu gehörten Widersprüche der Inhaftierten, die sie zur angeordneten Untersuchungshaft einlegten, die jedoch abschlägig beschieden wurden. Im konkreten Fall stand die Ablehnung der Widersprüche für eine spezifische Asymmetrie im Beziehungsverhältnis zwischen den Inhaftierten einerseits sowie der Kooperation aus Geheimpolizei, Staatsanwalt und Gericht andererseits. Die Spezifik dieses asymmetrischen Beziehungsverhältnisses prägte neben ungleichen Machtpositionen insbesondere ein unfaires juristisches Verfahren. Wegen fehlender Handhabe musste die Staatssicherheit zwei der vier Inhaftierten kurze Zeit später wieder aus der Untersuchungshaft entlassen. Seine Fortsetzung fand das asymmetrische Beziehungsverhältnis von Inhaftierten und geheimpolizeilichen Ermittlern in der Rücknahme zuvor beantragter Zeugenaussagen. Diese hatten die Inhaftierten zu ihrer Entlastung beantragt, verzichteten im Ergebnis stundenlanger Vernehmungen aber darauf – zum eigenen Nachteil. In solch raffinierten Vorgehensweisen und Verfahrenstricks, die oftmals schwer zu durchschauen und formal kaum zu beanstanden waren, und nicht mehr unbedingt in rücksichtsloser Gewalt zeigte sich Ende der 1970er-Jahre das interessengeleitete Handeln der Geheimpolizei.[53]

Die geheimpolizeiliche Praxis stand dabei im deutlichen Widerspruch zu plakativen Formulierungen des Leiters der Potsdamer Untersuchungsabteilung. Dieser etikettierte die damalige Politik von SED-Führung und DDR-Regierung im Rahmen einer Dienstkonferenz im Oktober 1978 mit »Weltoffenheit« und war der Meinung, geheimpolizeiliche Ermittlungen müssten auf »Fakten«, »Beweisen« und der »Wahrheit« beruhen. Beschuldigte dürften keine Nachteile erfahren und müssten sich nicht selbst belasten. Dabei gehörte es unverändert zur geheimpolizeilichen Auffassung, dass Ermittlungen und damit einhergehende Inhaftierungen durch die Staatssicherheit »in erster Linie eine politische Entscheidung« und keine juristische Angelegenheit darstellten. Ähnlich anderen Tätigkeitsfeldern der Staatssicherheit gestalteten sich ihre strafrechtlichen Ermittlungen

---

51 Vernehmungsprotokoll v. 13.6.1979, BArch, MfS, BV Potsdam, AU 1292/80, Bd. 1, Bl. 42–52. Vernehmungsprotokoll v. 5.7.1979, ebd., Bd. 2, Bl. 28–32. Vernehmungsprotokoll v. 31.5.1979, ebd., Bd. 3, Bl. 59–70. Vernehmungsprotokoll v. 6.6.1979, ebd., Bd. 4, Bl. 50–58.

52 Kollektivbeurteilung v. 22.6.1979, BArch, MfS, BV Potsdam, AU 1292/80, Bd. 3, Bl. 51 f., hier Bl. 52.

53 Siehe Eingabe v. 26.5.1979, BArch, MfS, BV Potsdam, AU 1292/80, Bd. 1, Bl. 18 f. Beschluss v. 6.6.1979, ebd., Bl. 20 f. Erklärung v. 18.6.1979, ebd., Bl. 68. Beschluss v. 6.6.1979, ebd., Bd. 4, Bl. 19 f.

Ende der 1970er-Jahre jedoch komplexer. Sie bestanden nicht mehr aus »bloße[r] Festnahme mit anschließendem Verhör und Haft«.[54] Eine solche Einschätzung bestätigen die Ausführungen des Potsdamer Abteilungsleiters: »War vor einigen Jahren die Einstellung eines Ermittlungsverfahrens und die damit zwangsläufig verbundene Haftentlassung noch verpönt und eine große Schande für die Abteilung […], so müssen wir heute, wenn wir mit der Entscheidung für eine Inhaftierung eine Fehleinschätzung getroffen haben, auch den Mut zur Korrektur haben, denn Rechtsverletzungen sind ›Geschenke auf dem Tisch des Gegners‹«.[55]

Im internen Kreis offen formuliert, verbargen sich dahinter die aus der Politik von SED-Führung und DDR-Regierung resultierenden Konsequenzen für die Geheimpolizei. Weitgehende internationale Anerkennung und zunehmende Einbindung in internationale Vertragswerke sowie streng reglementierte Öffnung gen Westen schufen neue Rahmenbedingen und neue Tätigkeitsfelder für die Staatssicherheit. In besonderer Weise schlug sich dies im Strafrechtsänderungsgesetz von 1977 nieder, das Regelungen aus den 1950er- und 1960er-Jahren wie das »Gesetz zum Schutz des Friedens« außer Kraft setzte, dafür aber das juristische Vorgehen beispielsweise gegen Fluchthelfer und Ausreiseantragsteller verschärfte. Innerhalb der Geheimpolizei war die zu Jahresbeginn 1976 formulierte Richtlinie zur »Entwicklung und Bearbeitung von Operativen Vorgängen« samt der darin enthaltenen Strategie der »Zersetzung« von Menschen und zwischenmenschlichen Beziehungen eine Zuspitzung dieser Entwicklung.[56] Die allgemeine Praxis brutaler Gewalt in der Untersuchungshaft der Gründerjahre wich zunehmend einer differenzierten und raffinierten politischen Repression – der »weißen Folter«.[57]

Anders als noch in den 1950er-Jahren legte die Staatssicherheit Ende der 1970er-Jahre ihr Augenmerk mehr als zuvor auf den Arbeitsplatz als sozialen Nahbereich derjenigen Personen, gegen die sie strafrechtlich ermittelte. Auf spezifische Art und Weise zeigte sich darin die Bedeutung von Arbeit und Arbeitsorten als »Vergesellschaftungskerne« der ostdeutschen Gesellschaft.[58] Zum einen kategorisierte die Geheimpolizei in »arbeitsame« Personen, »Arbeitsbummelei«, »gute fachliche Arbeit« sowie Verhaltensweisen wie »kameradschaftlich« und »hilfsbereit«.[59] An den Arbeitsplätzen selbst organisierte die Staats-

---

54   Gieseke: Die hauptamtlichen Mitarbeiter der Staatssicherheit (Anm. 3), S. 313.
55   Diskussionsbeitrag […] am 25.10.1978 v. 28.10.1978, BArch, MfS, BV Pdm, AKG, Nr. 666, Bl. 220–226, hier Bl. 223.
56   Richtlinie 1/76 zur Entwicklung und Bearbeitung Operativer Vorgänge (OV) v. Januar 1976, abgedruckt in: Roger Engelmann/Frank Joestel (Bearbeiter): Grundsatzdokumente des MfS, Anatomie der Staatssicherheit. Geschichte, Struktur und Methoden. MfS-Handbuch, Bd. V/5, Berlin 2010 (faksimilierter Nachdruck), S. 245–298. Sowie Vollnhals: »Die Macht ist das Allererste« (Anm. 25), S. 229 ff. u. 264–268; Johannes Raschka: Die Entwicklung des politischen Strafrechts im ersten Jahrzehnt der Amtszeit Honeckers, in: Engelmann/Vollnhals, Justiz im Dienste der Parteiherrschaft (Anm. 15), S. 273–302; Raschka: Justizpolitik im SED-Staat (Anm. 10), S. 89–124; Gieseke: Deutsche Demokratische Republik (Anm. 2), S. 219 f. und 228 f.
57   Gieseke: Psychologisches Wissen (Anm. 23), S. 44.
58   Martin Kohli: Die DDR als Arbeitsgesellschaft? Arbeit, Lebenslauf und soziale Differenzierung, in: Hartmut Kaelble/Jürgen Kocka/Hartmut Zwahr (Hg.): Sozialgeschichte der DDR, Stuttgart 1994, S. 31–61.
59   Schlussbericht v. 17.7.1979, BArch, MfS, BV Potsdam, AU 1292/80, Bd. 3, Bl. 127–137.

sicherheit Aussprachen zu den inhaftierten Personen. Für die Geheimpolizei erfüllten diese Veranstaltungen verschiedene Funktionen, wie z. B. Informationsgewinnung, Meinungsbildung, Disziplinierung und Erziehung ebenso wie Simulation von Partizipation und Transparenz. Überhaupt erfuhr »Erziehung« in den 1970er-Jahren einen neuen Stellenwert im strafrechtlichen Verfahren, nachdem 1968 ein neues Regelwerk aus Strafgesetzbuch, Strafprozessordnung, Strafvollzugs- und Wiedereingliederungsgesetz sowie Ordnungswidrigkeitsgesetz in Kraft getreten war.[60] Nicht zuletzt ging es der Geheimpolizei in den Veranstaltungen am Arbeitsplatz um das Placet der Kolleginnen und Kollegen für die juristische Bestrafung und die soziale Markierung der Delinquenten.[61]

Einen der vier im Frühjahr 1979 inhaftierten Männer begleitete die Staatssicherheit dann auch bis in den Betrieb. Dort berichtete Norbert Hollwitz gegenüber Betriebsleitung, SED-Parteileitung, Gewerkschaftsleitung und Arbeitskollegen von seinen zurückliegenden Ermittlungen. Wie in einem ritualisierten Schauspiel verurteilten die übrigen Anwesenden den Vorgeführten und verlangten seine Bestrafung. Aufschlussreich für den sozialen Nahbereich im Betrieb war, dass die durchweg parteilosen Kolleginnen und Kollegen sich erwartungsgemäß empörten – aber dem menschlich und fachlich geschätzten Kollegen mit ihrer interessengeleiteten Imitation von staatssozialistischer Sprache und Verhaltensweisen eine Brücke zurück an den Arbeitsplatz bauten. Geheimpolizei, Betriebsleitung und Parteileitung ihrerseits unternahmen die soziale Markierung des Delinquenten und benannten ihn für den anstehenden »Kampf um den Titel ›Kollektiv der sozialistischen Arbeit‹« als »Erziehungsschwerpunkt«. Dem mutmaßlichen Gesetzesbrecher blieb lediglich übrig, vor den versammelten Arbeitskollegen »Selbstkritik« zu üben und einzugestehen, an Christi Himmelfahrt 1979 mit den falschen Leuten das Falsche getan zu haben. Für seine Rehabilitation versprach er, sich künftig konform zu verhalten.[62]

Zuletzt ließ die Geheimpolizei den Vorwurf des »Rowdytums« gegenüber zwei der verhafteten vier jungen Männer fallen, um sie stattdessen der »Beschädigung sozialistischen Eigentums« beziehungsweise der »Beleidigung« und »Verleumdung« zu verdächtigen. Laut DDR-Strafgesetzbuch drohten dafür Geldstrafen und bis zu zwei Jahre Haft, also deutlich geringere Strafen als bei einer Verurteilung wegen »Rowdytums«.[63] Nach knapp einmonatiger Untersuchungshaft kamen die beiden Männer, wie schon dargestellt, frei.[64] Während der Staatsanwalt die Ermittlungen gegen einen von ihnen ganz einstellte,[65] inhaftierte die Staatssicherheit den anderen Mann wenige Wochen später

60   Siehe Raschka: Justizpolitik im SED-Staat (Anm. 10), S. 43 ff.
61   Siehe Protokoll v. 6.7.1979, BArch, MfS, BV Potsdam, AU 1292/80, Bd. 2, Bl. 33 f. Kollektivbeurteilung v. 22.6.1979, ebd., Bd. 3, Bl. 51 f.
62   Siehe Aktenvermerk v. 21.6.1979, BArch, MfS, BV Potsdam, AU 1292/80, Bd. 4, Bl. 66 f.
63   Erklärung v. 20.6.1979, BArch, MfS, BV Potsdam, AU 1292/80, Bd. 1, Bl. 11.
64   Siehe Aktenvermerk v. 21.6.1979, ebd., Bl. 99. Meldung v. 20.7.1979, ebd., Bl. 101. Aktenvermerk v. 21.6.1979, ebd., Bd. 4, Bl. 66 f.
65   Siehe Erklärung v. 20.6.1979, BArch, MfS, BV Potsdam, AU 1292/80, Bd. 4, Bl. 10. Erklärung v. 15.8.1979, ebd., Bl. 68.

erneut. Der Hintergrund war pikant: Im privaten Kreis hatte der Mann verbreitet, mehrere Geheimpolizisten hätten ihn mit Gewalt zur Aussage gezwungen. Zwar pflegte die Staatssicherheit Ende der 1970er-Jahre weiterhin derartige Mystifikationen, allgegenwärtig und allwissend zu sein, hatte aber noch weniger als in der zweiten Hälfte der 1950er-Jahre ein Interesse daran, als eine Institution zu gelten, die mit rücksichtsloser Gewalt vorging. Ganz gleich, ob als »Instrument des ›bürokratischen Terrors‹« in der frühen Transformationsphase der DDR oder später als »modernisierte Repressionsbürokratie« in der »sozialistischen Gesellschaft« – eines behielt sich die Staatssicherheit vor: rigoros einzugreifen, wenn sie ihre Interessen verletzt sah. Daher leitete sie gegen den Betroffenen neue Ermittlungen samt Untersuchungshaft ein, diesmal wegen »Staatsverleumdung«.[66] Das Kreisgericht Potsdam-Stadt verurteilte den jungen Mann letztlich wegen »Rowdytums« *und* »Staatsverleumdung« zu einer Freiheitsstrafe von 16 Monaten.[67] Die zwei anderen immer noch in Haft befindlichen Männer wurden vom selben Gericht wegen »Rowdytums« zu Freiheitsstrafen bis zu 20 Monaten verurteilt.[68]

III. Fazit

Unterschiedliche politische Vorgaben und zunehmend komplexer werdende Rahmenbedingungen setzten das hauptamtliche Personal der Staatssicherheit unter erheblichen Anpassungs- und Leistungsdruck. Die Geheimpolizisten agierten stets im Kontext nicht zu unterschätzender Handlungs- und Rechtfertigungszwänge. Für Richter, Staatsanwälte und Polizisten hat die DDR-Forschung das bereits beschrieben.[69] Unterschiedliche Lockerungen und neuerliche Zuspitzungen in der politischen Strafverfolgung verunsicherten aber auch Geheimpolizisten. Als Ausdruck ihres asymmetrischen Beziehungsverhältnisses wusste die große Mehrheit der ostdeutschen Bevölkerung in der Regel nicht um die Bedrängnis, in die das hauptamtliche Personal der Staatssicherheit durch sich wandelnde politische Vorgaben und rechtliche Rahmenbedingungen geriet. Den generellen Trendverlauf gab dabei die SED-Führung vor: die Abkehr von rücksichtsloser Gewalt zur Durchsetzung ihres Herrschaftsprogramms während der Transformationsphase in der frühen DDR und die Hinwendung im Zuge allgemeiner sozialistischer Modernisierungsbemühungen zu effizienteren Herrschaftsmethoden, die sowohl gegenüber der eigenen Bevölkerung als auch nach außen einen Wandel kommunizieren und ein Arrangement offerieren sollten. Im Zuge dessen wurde »Gewalt« tendenziell durch »Vertrauen« beziehungsweise wurde »Strafe« tendenziell durch »Erziehung« ersetzt. Der

---

66   Verfügung v. 24.7.1979, BArch, MfS, BV Potsdam, AU 1292/80, Bd. 1, Bl. 102 f. Einlieferungsanzeige v. 24.7.1979, ebd., Bl. 104 f. Antrag v. 24.7.1979, ebd., Bl. 106. Haftbefehl v. 24.7.1979, ebd., Bl. 107.
67   Meldung v. 15.8.1979, ebd., Bl. 131.
68   Siehe Meldung v. 15.8.1979, BArch, MfS, BV Potsdam, AU 1292/80, Bd. 2, Bl. 70. Meldung v. 15.8.1979, ebd., Bd. 3, Bl. 141.
69   Siehe Falco Werkentin: Politische Strafjustiz in der Ära Ulbricht, Berlin 1995, S. 352–358.

Wandel der Herrschaft blieb nicht folgenlos. Bis Ende der 1970er-Jahre erfuhr die SED-Führung Zuspruch aus der Bevölkerung wie niemals zuvor – und später nie wieder.[70]

Diese Entwicklung war weder geradlinig noch vorhersehbar. Mehrere liberale Phasen und Konjunkturen politischer Repression wechselten einander ab. Dieser Verlauf schien weder zwangsläufig noch unumkehrbar. Im Bezirk Potsdam zeigte sich das am Anstieg der Gefangenenzahlen der Staatssicherheit im Laufe politischer Zuspitzungen: nach dem Prager Frühling im Sommer 1968, nach der Ausbürgerung von Wolf Biermann im November 1976, als Reaktion auf die Ausreisebewegung und das Entstehen von Friedens-, Umwelt- und Menschenrechtsgruppen in der zweiten Hälfte der 1980er-Jahre sowie im Revolutionsjahr 1989. Auf die eskalierende Ausreise- und Fluchtbewegung sowie die einsetzende öffentliche Protestbewegung reagierte die Potsdamer Staatssicherheit zuletzt mit der Inhaftierung von mehr als 250 Frauen und Männern zwischen Januar und Oktober 1989 – die höchste Zahl seit 1954.[71]

Die Staatssicherheit passte die Struktur ihres hauptamtlichen Personals an die Entwicklungen ab Mitte der 1950er-Jahre durch Professionalisierung und Entlassung des vorhandenen sowie Anwerbung neuen Personals an. Für die Gründergeneration der Geheimpolizei mit Erfahrungen von Krieg, Niederlage, Gefangenschaft und Besatzung war ihre geringe Professionalität zu Beginn kein Nachteil. Sie zeichnete sich durch rücksichtslose Gewalt und politische Loyalität aus, um die SED-Herrschaft innerhalb kürzester Zeit zu etablieren. Hinzu kamen eigene Interessen der Geheimpolizisten, wie ein sicheres Einkommen oder eine vergleichsweise komfortable Wohnung, die ihre praktische Bedeutung vor dem Hintergrund der allgemeinen Lebensumstände Anfang der 1950er-Jahre erlangten. Nicht zu unterschätzen ist auch die Bedeutung ihrer inneren Überzeugung, nunmehr auf der Seite historischer Gesetzmäßigkeiten und Sieger zu stehen, die passende Antworten auf grundsätzliche Fragen und wirkungsvolle Reaktionen gegenüber Gegnern anzubieten schienen.[72] Die spätere Trägergeneration im hauptamtlichen Personal der Staatssicherheit zeichnete andere Eigenschaften aus. Dazu gehörten in zunehmendem Maße eine professionelle Ausbildung und die Anhäufung von praktischem Erfahrungswissen. Sie bildeten die Grundlage für den Kern geheimpolizeilicher Tätigkeiten in der »modernisierten Repressionsbürokratie« der 1970er-Jahre: routinierte Verfahrensweisen und institutionelle Kooperation. Im Zusammenhang mit den strafrechtlichen Ermittlungen als Kernbereich im Aufgabenfeld der Staatssicherheit trat das beispielhaft hervor. Gleichwohl mag diese Einschätzung für die ostdeutsche Geheimpolizei insgesamt gelten.

Schließlich verweisen die hier geschilderten Fallbeispiele auf ein allgemeines Merkmal politischer Repression, das auch für den Spezialfall geheimpolizeilicher Ermittlungs-

---

70   Siehe Ulrich Mählert: Kleine Geschichte der DDR, München 1998, S. 98–132.

71   Siehe Kartei zu den Ermittlungsverfahren der Stasi-Bezirksverwaltung Potsdam 1950–89, BArch, MfS, BV Potsdam, Abt. IX, Kartei C 1/F 18 sowie ebd., Nr. 290, Bd. 14.

72   Siehe Ulrich Herbert: Weltanschauungseliten. Radikales Ordnungsdenken und die Dynamik der Gewalt, in: Christian Marx/Morten Reitmayer (Hg.): Die offene Moderne – Gesellschaften im 20. Jahrhundert. Festschrift für Lutz Raphael zum 65. Geburtstag, Göttingen 2020, S. 214–227, hier S. 219 f.

verfahren in der DDR gilt. Demnach umfasst politische Repression verschiedene Dimensionen: einerseits die Kriminalisierung politischen Verhaltens, andererseits die Politisierung kriminellen Verhaltens. Die beiden hier untersuchten Fälle sind der zuletzt genannten Dimension zuzuordnen und weisen einen unübersehbaren Bezug zu gewalttätiger Delinquenz auf. Für das hauptamtliche Personal der Staatssicherheit bedeutete eine solche analytische Unterscheidung von politischer Repression wohl kaum eine Herausforderung. In ihrer beruflichen Praxis ging es den Geheimpolizisten nicht um das Unterscheiden von kriminalisiertem oder politisiertem Verhalten. Ihr Generalauftrag lautete in jedem Fall die Sicherung der SED-Herrschaft. Auf dem Weg dahin wandelte sich allenfalls die Strategie vom »Modus der Gewalt« zum »Modus des Vertrauens«. Mehr als auf das Disziplinieren und Bestrafen der frühen 1950er-Jahre setzte die Staatssicherheit dabei in den 1970er-Jahren auf Arrangement und Erziehung.[73]

---

73 Gieseke: Psychologisches Wissen (Anm. 23).

Jens Gieseke

Tschekismus im Sinkflug. Interne und öffentliche Diskurse über die Staatssicherheit in der spätsozialistischen DDR (1977–1989)

I. Diskurse über die Legitimität der Stasi

In der Historiografie kommunistischer Geheimpolizeien spielt die Frage ihrer Selbstlegitimationen und die Wahrnehmung als Akteure durch die Bevölkerung nur eine untergeordnete Rolle. Meist beschränken sich Analysen des »Geistes« der Staatssicherheitsdienste auf den Hinweis, dass er sich aus der kommunistischen Ideologie speiste und mithin ein Kontinuum in der Geschichte der Sowjetunion und ihres Einflussbereiches darstellte. Umstritten ist höchstens, welcher Klassiker des Marxismus-Leninismus welchen Anteil an der Ausformung der sowjetischen Geheimpolizei und ihrer »Bruderorgane« hatte.

Dieser Beitrag nähert sich der Frage nach Legitimation, Selbstverständnis und öffentlicher Repräsentation der Staatssicherheit aus einer anderen Perspektive: Im Zentrum stehen zeitgenössische Diskurse innerhalb der Geheimpolizei und in der Öffentlichkeit der DDR. In dieser Diskurswelt spielte die *top down* vermittelte kommunistische Ideologie zwar eine wichtige Rolle. Die Organisationskultur der Staatssicherheit war jedoch auch durch eine Vielzahl von weiteren Einflüssen geprägt. Sie wird hier als »Tschekismus« bezeichnet. Der Begriff lehnt sich an die Selbstbezeichnung der Angehörigen der 1917 gegründeten »Außerordentlichen Allrussischen Kommission zur Bekämpfung von Konterrevolution, Spekulation und Sabotage« im revolutionären Russland als »Tschekisten« an.[1] Diese tschekistische Organisationskultur diente der Feindbildvermittlung sowie der Begründung alltäglicher operativer Praktiken. Sie trug zur Motivation der Mitarbeiter bei und regulierte das verdeckte oder offene Auftreten in der DDR-Gesellschaft. Dabei lassen sich vier Diskurssphären unterscheiden:

---

1   Siehe Jens Gieseke: Ideologie, tschekistische, in: Roger Engelmann u. a. (Hg.): Das MfS-Lexikon. Begriffe, Personen und Strukturen der Staatssicherheit der DDR, Berlin 2016, Online-Version: https://www.stasi-unterlagen-archiv.de/mfs-lexikon/detail/ideologie-tschekistische/ (ges. am 6. September 2022). Für eine breitere Diskussion des Konzepts siehe Jens Gieseke: The Post-Stalinist Mode of Chekism. Communist Secret Police Forces and Regime Change after Mass Terror, in: Securitas Imperii 37 (2020), H. 2, S. 16–37, https://securitas-imperii-journal.com/wp-content/uploads/2021/02/SI_37_s16-37-1.pdf (ges. am 6. September 2022). Mein Dank für kritische Diskussionen geht an Tomas Sniegon, Amir Weiner, Nikita Petrov und die anderen Teilnehmerinnen und Teilnehmer des Panels »The Ideology of Chekism from the Cold War Soviet Bloc to Putin's Russia« auf der ASEEES Convention in San Francisco 2019 sowie an die Arbeitsgruppe »Cultures of Surveillance« des EU-Netzwerks NEP4Dissent, besonders an Muriel Blaive und José Maria Faraldo.

1. Der Offizialdiskurs der Führung von Partei und Geheimpolizei begründete und legitimierte die Existenz, die strategische Ausrichtung und die Einsatzformen des geheimen Vorgehens. Historischer Ausgangspunkt war der mythologische Verweis auf die angebliche revolutionäre Reinheit und Kraft der Geheimpolizei der Bolschewiki, der Tscheka, ihres ersten Führers Feliks Dzierżyński sowie ihre »außerordentliche« Rolle als Waffe der Kommunistischen Partei. Dieser Mythos verband die ideologischen Konzepte des Marxismus-Leninismus mit Eigenschaften wie männlicher Härte und der Befähigung zum Klassenhass. Wesentliche Elemente dieses Diskurses waren:

- Er begründete die Notwendigkeit einer Geheimpolizei mit der marxistischen und leninistischen Revolutions-, Staats- und Imperialismustheorie.
- Er konkretisierte und begründete die daraus abgeleiteten Feinddefinitionen und Feindbilder.
- Er ordnete die von der Geheimpolizei ausgeübten oder angedrohten Gewalt- und Zwangsmaßnahmen sowie die verdeckten Ausforschungsmethoden ethisch-moralisch ein.
- Er formulierte eine Erwartungshaltung an die breitere Bevölkerung zum Verhalten gegenüber den sichtbaren oder verdeckten Maßnahmen der Geheimpolizei und der persönlichen Mitwirkung daran.
- Er schuf ein Profil öffentlicher Repräsentation. Hierzu gehörte die Zuweisung eines Platzes in der rituellen Hierarchie der Partei- und Staatsinstitutionen, wie z. B. der Rang des Chefs der Geheimpolizei in den Parteigremien oder gegenüber den Repräsentanten der anderen bewaffneten Organe. Zum öffentlichen Erscheinungsbild gehörten weitere Elemente wie die Mitarbeiteranwerbung, die Medienberichte über Feindaktivitäten und Verfolgungsmaßnahmen sowie das Image-Building in Kultur- und Unterhaltungsformaten, wie z. B. TV-Serien und Kriminalromanen.[2]

2. Eine zweite Diskurssphäre war die interne Selbstdarstellung, die mit der öffentlichen Offizialrepräsentation korrespondierte, aber nicht identisch war. Das MfS hatte die Aufgabe, den Mitarbeitern Handlungsnormen und Motivation zu vermitteln, die politische Linie in konkrete Handlungsanweisungen zu übersetzen, Angebote zu machen, um das Selbstverständnis als Geheimpolizisten zu formen und weiterzuentwickeln, also z. B. das Avantgardebewusstsein zu fördern, aber auch Härten und Anstrengungen des Dienstes zu kompensieren. Möglicherweise ging es dabei auch um Deutungsangebote im Fall von Skrupeln oder Zweifeln in bzw. an der konkreten Verfolgungstätigkeit.

---

2   Für Einzelheiten zu diesen Aspekten siehe Jens Gieseke: Die Sichtbarkeit der geheimen Polizei. Zur öffentlichen Darstellung und Wahrnehmung der Staatssicherheit im DDR-Alltag, in: Helge Heidemeyer (Hg.): »Akten-Einsichten«. Beiträge zum historischen Ort der Staatssicherheit, Festschrift für Roger Engelmann zum 60. Geburtstag, Berlin 2016, S. 100–117; Andreas Kötzing (Hg.): Bilder der Allmacht. Die Staatssicherheit in Film und Fernsehen, Göttingen 2018; siehe auch das AHRC-Projekt »Knowing the Secret Police« von Anselma Gallinat, Sara Jones und Joanne Sayner, Newcastle/Birmingham; siehe auch die Filmdokumentation »The Open Secret« von Nick Jordan und Jacob Cartwright, 2022, verfügbar auf Vimeo: https://vimeo.com/694940535.

Diesen beiden Seiten standen zwei informelle Diskursräume gegenüber:

3. Unter den MfS-Mitarbeitern selbst existierte eine informelle Alltagskultur, die die offiziellen Leitbilder aufnahm, aber auch umformte: Sie setzte Prioritäten und interpretierte die offiziellen Vorgaben, entwickelte eigene Rituale und informelle Regularien, etwa zum Alkoholkonsum, zur Behandlung von Häftlingen, zum Genuss materieller Vorteile und Privilegien. Sie prägte auch Ansehen und informelle Hierarchien zwischen den verschiedenen Dienstzweigen, wie etwa die Kontrastierung von »Partisanen« versus »Analytikern« oder den Nimbus der elitären Auslandsspionage gegenüber den schlichten Gefängniswärtern. Dies war der eigentliche Kernbereich der Stasi-eigenen *cop culture*,[3] im Rahmen dessen z. B. in den 1950er-Jahren ausgehandelt wurde, inwieweit physische Folter – jenseits der offiziellen internen Vorgaben zur Einhaltung der »Gesetzlichkeit« – als legitimes Mittel galt. Darunter fielen z. B. auch Fragen zu tatsächlichen Umgangsformen mit Informanten.[4]

4. Schließlich formte sich in der Gesellschaft ein Ensemble von Bildern und Diskursen über das Wirken der Staatssicherheit, das aus persönlichen Begegnungen, Gerüchten und informell tradierten Sichtweisen sowie Medienberichten aus Ost und West gespeist war. Hier lässt sich nicht von einem einheitlichen Diskurs sprechen, sondern vielmehr von einer potenziellen Vielfalt von Diskursen in unterschiedlichen Sphären der Gesellschaft: die Szene von Dissidenten, Künstlern und Unangepassten, die oftmals direkt in das Visier der Staatssicherheit gerieten; die Funktionäre, Militärs und Fachleute, die im Beruf häufiger mit dem Geheimdienst in Berührung kamen; Vertreter der Kirchen, die mit Partei und Staatssicherheit verhandelten und sich ihren verdeckten Steuerungsambitionen stellen mussten; und auch der politisch unauffällige Teil der Bevölkerung, der sporadisch mit Praktiken der Alltagsüberwachung der Geheimpolizei in Berührung kam.

Gemeinsam ist all diesen Diskursen, dass sie wesentlich durch die Aura der Geheimhaltung geprägt waren, oder genauer: durch das Wechselspiel von Sichtbarkeit und Unsichtbarkeit.[5] Neben den jeweiligen inhaltlichen Konnotationen kam also die Oszillation von Tabu und abgestuften Formen der Artikulation hinzu, die ein breites Feld von Assoziationen eröffnet, aber zugleich besonders schwierig zu erschließen ist.[6] Eine solche Annäherung an die diskursive Konstituierung der »Staatssicherheit« in den öffentlichen, halböffentlichen und privaten Räumen der Gesellschaft reicht über den

3   Der Begriff geht zurück auf die Analyse informeller Diskurse in Polizeiformationen; siehe Rafael Behr: Cop Culture – Der Alltag des Gewaltmonopols. Männlichkeit, Handlungsmuster und Kultur in der Polizei, 2. Aufl. Wiesbaden 2008.
4   Siehe Martin Wieser: IM-Arbeit und das Problem der »Verbrüderung«. Überlegungen zum Verhältnis von Norm und Praxis der Operativen Psychologie, in: Andreas Maercker/Jens Gieseke (Hg.): Psychologie als Instrument der SED-Diktatur. Theorien – Praktiken – Akteure – Opfer, Göttingen/Bern 2021, S. 129–145.
5   Siehe Burkard Sievers: Geheimnis und Geheimhaltung in sozialen Systemen, Opladen/Wiesbaden 1974, S. 19–35.
6   Siehe Gieseke: Die Sichtbarkeit der geheimen Polizei (Anm. 2); Stefan Wolle: Leben mit der Stasi. Das Ministerium für Staatssicherheit im Alltag, in: Helga Schultz/Hans-Jürgen Wagener (Hg.): Die DDR im Rückblick. Politik, Wirtschaft, Gesellschaft, Kultur, Berlin 2007, S. 79–91.

klassischen Blick hinaus, der sich auf Topoi wie die »Ideologie« konzentriert und ein relativ stabiles System von politisch-theoretischen Glaubenssätzen des Sowjetkommunismus unterstellt. Es ist in der Tat fraglich, ob überhaupt von einer eigenständigen »tschekistischen Ideologie« die Rede sein kann, die sich vom Marxismus-Leninismus abheben lässt. Der Zugang über die Tschekismus-Diskurse ermöglicht hingegen eine dynamischere Betrachtung. Er präjudiziert kein Primat der Ideologie, sondern untersucht die performative Seite des Wechselspiels zwischen den skizzierten vier Dimensionen. Die sich wandelnde Repräsentation der Staatssicherheit in den Staatsmedien beeinflusste wiederum Selbstbild und Arbeitsverständnis der MfS-Mitarbeiter, aber auch die Bereitschaft der Bevölkerung, an Überwachungsaktivitäten als Informanten mitzuwirken, ihnen auszuweichen oder aber resistente Haltungen auszuprägen.

Ein Einwand gegen eine solche Analyse sei vorweg angesprochen: Letztlich wirkte die Staatssicherheit stets mehr durch ihre Taten als durch ihre Worte, und dies relativiert zwangsläufig den Stellenwert von »Diskursen« über ihre Legitimität. Insofern ließen sich die Veränderungen im Laufe der Zeit in den Offizialdiskursen als Oberflächenphänomene abtun. Ähnliches gilt für die internen Verhältnisse in den Polizeiapparaten: Sie waren nach strikten Regeln organisiert und insgesamt darauf ausgerichtet, persönliche Befindlichkeiten als handlungswirksame Faktoren gerade auszuschalten.[7] Da aber für diese Apparate die selbstständige und kreative Tätigkeit ihrer Mitarbeiter als Führungsoffiziere, Vernehmer usw. wichtig war, kam es auch auf der Ebene interner Diskurse darauf an, den Einsatzwillen und das Legitimitätsdenken diskursiv ständig zu erneuern. Besonders in Krisenzeiten wurden Art und Reichweite der Legitimation von Repression relevant. Dies gilt etwa für die Konsequenzen der Entstalinisierung Mitte der 1950er-Jahre, die intern zu Verunsicherungen und im nächsten Schritt zu einer revitalisierten Neudefinition »tschekistischer« Tätigkeit führten, und ebenso für die finale Systemkrise der 1980er-Jahre.[8]

Im Zentrum dieses Beitrags steht diese letzte Phase der DDR-Geschichte von Mitte der 1970er-Jahre bis 1989/90, die hier als »Spätsozialismus« verstanden wird.[9] Ihr ging die poststalinistische Periode voraus, die 1956 begann und – je nach Definitionskriterium – mit dem Niedergang reformerischer und ökonomisch-technizistischer Zukunftsentwürfe Ende der 1960er- bis Mitte der 1970er-Jahre endete.[10] Die Periode des Spätsozialismus war im Falle der DDR durch stabile Machtstrukturen bei fortschreitendem wirtschaftlichem Niedergang gekennzeichnet. An die Stelle von utopischen Zukunfts-

---

7   Siehe die Narrative in Uwe Krähnke u. a.: Im Dienst der Staatssicherheit. Eine soziologische Studie über die hauptamtlichen Mitarbeiter des DDR-Geheimdienstes, Frankfurt a. M. 2017.

8   Siehe für die Sowjetunion: Julie Fedor: Russia and the Cult of State Security. The Chekist Tradition, From Lenin to Putin, London 2011. Für das MfS: Jens Gieseke: Die hauptamtlichen Mitarbeiter der Staatssicherheit. Personalstruktur und Lebenswelt 1950–1989/90, Berlin 2000, S. 197–220.

9   Siehe für den internationalen Kontext: Alexei Yurchak: Everything Was Forever, Until It Was No More. The Last Soviet Generation, New Haven 2005. Stephen Kotkin/Jan T. Gross: Uncivil Society. 1989 and the Implosion of the Communist Establishment, New York 2009.

10 Siehe Pavel Kolář: Der Poststalinismus. Ideologie und Utopie einer Epoche (= Zeithistorische Studien, Bd. 57), Köln u. a. 2016.

szenarien trat ein Verlust an Steuerungspotenzialen des Regimes, der sich gesellschaftlich u. a. in Lethargie, West- und Konsumorientierung, »antipolitischen« Formen der Verweigerung und einer Verselbstständigung des rituellen öffentlichen Lebens niederschlug. Aus Sicht der Geheimpolizei gingen diese Veränderungen mit einer wachsenden Abhängigkeit vom Westen und damit der Einbindung Ostdeutschlands in den globalen Menschenrechtsdiskurs einher.

II. Mitte der 1970er-Jahre: Der Tschekismus auf seinem Höhepunkt

1977 war ein Jubiläumsjahr, in das der 100. Geburtstag von Feliks Dzierżyński und der 60. Gründungstag der Tscheka fielen. Es steht in mehrfacher Hinsicht für den Höhepunkt des Einflusses und der Macht der Staatssicherheit. Es war auch das Jahr, in dem die sichtbaren Bezüge auf die tschekistische Tradition am deutlichsten zutage traten. Seit der Gründung der Stasi im Jahr 1950 bezeichneten sich die Angehörigen der ostdeutschen Geheimpolizei intern als »Tschekisten« – also als Repräsentanten einer »außerordentlichen« Machtstruktur, die die kommunistische Herrschaft im sowjetisch besetzten Deutschland errichten und sichern sollten. Sie verstanden sich als »Genossen erster Kategorie«, wie es der erste Stasi-Chef Wilhelm Zaisser nach dem Volksaufstand vom 17. Juni 1953 formulierte.[11] Die öffentliche Ritualisierung dieser Tradition wurde bereits 1967 bei den Feierlichkeiten zum 50. Gründungstag der Tscheka offensichtlich. In diesem Jahr wurde das MfS-Wachregiment Berlin mit dem Ehrennamen »Feliks Dzierżyński« versehen. Ab 1970 bezeichnete die Führung von SED und MfS die Mitarbeiter der Stasi öffentlich als »Tschekisten der DDR« oder »deutsche Tschekisten« – eine Formulierung, die KGB-Delegationen wohlwollend zur Kenntnis nahmen, sich aber interessanterweise nicht zu eigen machten.[12] Die Zelebrierung der tschekistischen Tradition durch die Stasi wies Besonderheiten auf, die sie vom KGB, aber auch von anderen Geheimpolizeien des Ostblocks unterschied.

Im Gegensatz zur Sowjetunion, wo – wie Julie Fedor gezeigt hat[13] – der Personenkult um den Tscheka-Gründer Dzierżyński dazu diente, das Modell eines »sauberen« KGB nach Stalin und Berija neu zu formulieren, hatte die Tscheka-Tradition in Ostdeutschland eine andere Funktion: Sie symbolisierte das Bemühen der Stasi, sich als besonders verlässlicher Partner der sowjetischen Geheimpolizei darzustellen, sozusagen als »Bruderorgan erster Kategorie«. Dahinter stand auch das Ziel der Stasi, sich von der Unzuver-

---

11 Rede von Wilhelm Zaisser auf dem 15. Plenum des ZK der SED, 24.–26.7.1953; Stiftung Archiv der Parteien und Massenorganisationen der DDR im Bundesarchiv (im Folgenden: SAPMO-BArch), DY 30 IV 2/1/119, S. 187–201, hier S. 190.

12 Siehe Erich Mielke: Kompromissloser Kampf gegen die Feinde des Friedens und des Sozialismus, in: Neues Deutschland vom 8. Februar 1970, S. 4; Glückwünsche an J. W. Andropow. Telegramm zum 60. Geburtstag, in: Neues Deutschland vom 15. Juni 1974, S. 1; Zentralkomitee gratuliert Genossen Erich Mielke. Herzlicher Glückwunsch zum 70. Geburtstag, in: Neues Deutschland vom 28. Dezember 1977, S. 1.

13 Siehe Fedor: Russia and the Cult of State Security (Anm. 8).

lässigkeit der tschechoslowakischen Geheimpolizei im Jahr 1968 abzugrenzen. Die Bezugnahmen waren im Vergleich zu anderen Ostblockländern (mit Ausnahme Bulgariens und bis zu einem gewissen Grad Polens, Dzierżyńskis Herkunftsland) relativ explizit, in Relation zur Sowjetunion selbst jedoch beschränkt. Bei einigen offiziellen Anlässen wurde intensiv auf die sowjetische Tradition verwiesen. Im Jahr 1977 gab es beispielsweise eine Sonderbriefmarke und eine Reihe von Buchveröffentlichungen über die Tscheka und ihre Traditionen. Es wurden jedoch keine Denkmäler für Dzierżyński errichtet, und in den im ganzen Land entstehenden Neubausiedlungen wurden nur sehr wenige Straßen nach ihm benannt. Diese relative Zurückhaltung erklärt sich aus der ambivalenten Haltung der ostdeutschen Führung gegenüber dem Tschekismus. Zwar legte sie – und zwar insbesondere die führenden MfS-Mitarbeiter selbst – Wert darauf, die Nähe zur sowjetischen Tradition zu betonen, doch hatten solche Feiern des Tschekismus stets auch den Beigeschmack der Rolle als Erfüllungsgehilfe der fremden Hegemonie. Es gab wirkungsvollere Anknüpfungspunkte für die Konstruktion einer Identität der Geheimpolizei, insbesondere den Antifaschismus. Die ideale Heldenfigur für Identitätserzählungen war daher nicht der Tscheka-Mann des russischen Bürgerkrieges, sondern der deutsche Kommunist, der im Zweiten Weltkrieg als Partisan an der Seite der Sowjetarmee gegen die Nazis gekämpft hatte. Dafür stand etwa der Chef der militärischen Spionageabwehr der Stasi, Generalleutnant Karl Kleinjung, der als Partisan an der Tötung des deutschen Generalkommissars Wilhelm Kube 1943 in Minsk beteiligt war. Noch Mitte der 1970er-Jahre gab es eine Handvoll solcher Männer in der MfS-Führung. Als sie allmählich in den Ruhestand gingen, wurden ihre Lebensgeschichten für Rekrutierungszwecke mobilisiert, um das Image der Stasi als Institution zu verbessern.[14]

Ein ausführliches Bild von den zeitgenössischen Konnotationen dieses Kults zeichnet etwa die von der Zentralen Auswertungs- und Informationsgruppe (ZAIG) ausgearbeitete Musterrede für die im Ministerium abzuhaltenden Dienstversammlungen anlässlich des Jahrestages. Dabei diente die Figur Dzierżyńskis als Projektionsfläche für den gesamten Wertekanon der tschekistischen Sicherheitskultur.[15] Den Grundton bildete die Kombination von revolutionärem Enthusiasmus und militärischen Tugenden. Dzierżyński sei ein »der Kommunistischen Partei treu ergebener Soldat« gewesen, »erfüllt von revolutionärer Leidenschaft und nie versiegender Energie, von Entschlossenheit und Unversöhnlichkeit gegenüber den Feinden des Volkes«. Es folgten die aus der Sowjetunion bekannten historisierenden Assoziationen, Dzierżyński sei ein »proletarischer Jakobiner« gewesen, und zugleich ein »Ritter der Revolution«.[16] Er stünde für »Schwert und Flamme«, dieses »Wahrzeichen des harten Kampfes und des leuchtenden Geistes«. Schließlich hieß es mahnend: »Seinem revolutionären Optimismus, seinem leidenschaftlichen Kämpfertum und seiner Selbstaufopferung für unsere Sache gilt es verstärkt nachzueifern.«[17]

---

14 Aus diesem Genre: »Menschen, ich habe euch geliebt – seid wachsam!« Erinnerungen an Robert Korb, o. O. 1981; Gustav Szinda: Das Leben eines Revolutionärs – Gustav Szinda erinnert sich. Aufgeschrieben von Helmut Sakowski, Leipzig 1989.

15 Siehe [Kein Autor] Rededisposition für Dienstversammlungen zum 100. Geburtstag F. E. Dzierzynskis 1977, Bundesarchiv (im Folgenden: BArch), MfS, ZAIG 4776.

16 Ebd., S. 8.

17 Ebd., S. 15.

Diesen Tugenden der Härte und Militanz standen die positiven Fluchtpunkte des Schaffens Dzierżyńskis gegenüber: »Wie Rosa Luxemburg« sei er einer der populärsten Führer der polnischen Arbeiterklasse gewesen, habe als Volkskommissar für Verkehrswesen und Leiter des Obersten Volkswirtschaftsrates stets die Verbindung zu den Arbeitern gesucht. Als ikonischer Kontrapunkt wurde sein Engagement als Initiator und Vorsitzender der »Kommission zur Verbesserung der Lebensbedingungen der Kinder« hervorgehoben.[18] Dzierżyński sei, anders als von der Bourgeoisie voller Hass behauptet, kein »Anbeter der Gewalt«, kein »unmenschlicher Fanatiker des Terrors« gewesen. Vielmehr: »Die Härte des Vorgehens der Tscheka gegen die Feinde liegt keineswegs im Charakter der Sowjetmacht. Allein das unmenschliche, grausame Vorgehen der Konterrevolution zwingt die Tscheka, schonungslos zu sein. […] In Wahrheit war Dzierzynski ein glühender Verfechter der Sache der Menschlichkeit. Nichts ist menschlicher als der Kampf gegen Ausbeutung, Unterdrückung und imperialistischen Krieg, dem er sich zeitlebens verschrieb.«[19] Noch immer gelte Dzierżyńskis Diktum: »Wer gefühllos geworden ist, taugt nicht mehr für die Arbeit in der Tscheka.«[20] Im Weiteren wurde dann, immer unter Bezug auf Dzierżyński, der aktuelle Horizont von Zielen und Maximen der tschekistischen Sicherheitskultur Mitte der 1970er-Jahre abgeschritten, gegen den Eurokommunismus, für Massenwachsamkeit und »revolutionäre Gesetzlichkeit«.[21] Als Antwort auf die damals von Dissidenten wie Wolf Biermann zitierte »scheinrevolutionäre« Forderung Rosa Luxemburgs nach der »Freiheit der Andersdenkenden« hieß es: »Die Revolution‹ – so Dzierzynski – ›kann denen nicht ihre Freiheit geben, die sie erwürgen wollen.‹ Freiheit für die Arbeiterklasse und die anderen Werktätigen, aber nicht für deren Feinde. Eine solche klare Freiheitsauffassung, eine solche Unversöhnlichkeit gegenüber den Feinden schloss auch die konsequente Anwendung der revolutionären Gewalt bis hin zur Anwendung des ›Roten Terrors‹ ein, der – wie Dzierzynski später schrieb – nichts anderes war ›als der Ausdruck des Willens der ärmsten Bauernschaft und des Proletariats, jegliche Versuche eines Aufstandes zu unterbinden und zu siegen‹.«[22]

Deutlich wird, wie intensiv die ikonografischen Arbeiten am Dzierżyński-Kult darauf abgestimmt waren, einerseits den Kontrast zwischen den Zeiten der bolschewistischen Revolution und dem Stillstand des »real existierenden Sozialismus« zu überbrücken, und andererseits mit der Betonung des emotional unterlegten Humanismus angesichts des aufkommenden Menschenrechtsdiskurses Legitimation in den eigenen Reihen zu stiften.

Die Kombination von Dzierżyński-Kult, dem gemeinsamen Antifaschismus und – als drittem Element – der Sowjetspionage im Kalten Krieg stellt eine Broschüre des Bereichs Agitation des MfS zehn Jahre später, unter dem Titel »Geboren im Feuer der Großen Sozialistischen Oktoberrevolution. 70 Jahre Kampf sowjetischer Tschekisten für

---

18   Ebd., S. 9 und 11.
19   Ebd., S. 29 f.
20   Ebd., S. 31.
21   Ebd., S. 20–28.
22   Ebd., S. 28 f.

den Frieden und die Sicherung des Sozialismus« dar. Die Zielgruppe dieser Broschüre ist nicht eindeutig. Sie war offenbar für einen größeren Leserkreis auch außerhalb des Ministeriums gedacht, unter anderem für die Nachwuchswerbung. Zunächst wird die Gründung der Tscheka 1917 gegen den »Weißen Terror« geschildert, verbunden mit der Kinderhilfsaktion Dzierżyńskis 1921 (»Tschekisten – Humanisten. Alles für die Rettung der Kinder!«) und der Gründung der Komsomol-Organisation der Tscheka 1920. Darauf folgen zwei größere Schwerpunkte: erstens die Interbrigaden des Spanischen Bürgerkriegs sowie die Spione und Partisanen im Zweiten Weltkrieg, und zweitens das Wirken von sowjetischen »Kundschaftern« im Kalten Krieg (Rudolf Abel, Kim Philby, Heinz Felfe, George Blake) und die Leistungen der KGB-Spionageabwehr bei der Enttarnung des amerikanischen »Maulwurfs« Oleg Pen'kovskij 1962.[23] Mit dem Dreisprung von Revolution, Zweitem Weltkrieg und Kaltem Krieg wurde einerseits die Kontinuitätslinie des Kampfes gegen die imperialistische Bedrohung der Sowjetunion hergestellt. Andererseits waren die Kapitel des »Großen Terrors« damit komplett aus der tschekistischen Traditionslinie ausgeblendet und die innenpolitische Rolle der sowjetischen Geheimpolizei konsequent aus der Perspektive eines Kampfes gegen äußere Feinde beschrieben.

III. Der verborgene Wandel der Organisationskultur

Ende der 1970er-Jahre erreichte die Stasi das Maximum in Bezug auf ihren Ressourcenzuwachs und ihre »prophylaktische« Präsenz in der Gesellschaft: Die Organisation verfügte über rund 80 000 hauptamtliche Mitarbeiter, ein Netz von etwa 180 000 Informanten und anderen »inoffiziell« verpflichteten Zuarbeitern. Diese Expansion erfolgte zwar im Verborgenen, aber in der Gesellschaft war das Bewusstsein vorhanden, dass der Staatssicherheitsapparat überall präsent war, wie ein »kratzendes Unterhemd«, wie es Jens Reich in einem 1987 im Westen veröffentlichten Tamisdat-Artikel treffend beschrieb.[24]

Einen wesentlichen Einfluss auf die in der DDR-Bevölkerung kursierenden Bilder von der Staatssicherheit hatten – neben persönlichen Erlebnissen mit den Repräsentanten des MfS bei Anwerbeversuchen oder Erkundungen über Nachbarn und Arbeitskollegen – das westdeutsche Radio und Fernsehen. Ihre Inhalte waren in dieser Phase durch die Auseinandersetzung des DDR-Staates mit der reformkommunistischen Dissidenz um Robert Havemann und Wolf Biermann sowie Rudolf Bahro geprägt. Die Verhaftungswelle nach der Ausbürgerung Biermanns hatte starken Einfluss auf das Bild von der Staatssicherheit, später noch verstärkt durch die eindrücklichen Haftberichte der in den Westen abgeschobenen Anhänger Biermanns.[25] Damit war die »weiße Folter« in der

---

23   Tatsachen – Personen – Hintergründe, Dokumentation der Presseabteilung des Ministeriums für Staatssicherheit: Geboren im Feuer der Großen Sozialistischen Oktoberrevolution. 70 Jahre Kampf sowjetischer Tschekisten für den Frieden und die Sicherung des Sozialismus, o. O. 1987.

24   Jens Reich: Sicherheit und Feigheit – der Käfer im Brennglas, in: Walter Süß/Siegfried Suckut (Hg): Staatspartei und Staatssicherheit. Zum Verhältnis von SED und MfS, Berlin 1997, S. 25–37. Zuerst 1989 veröffentlicht unter dem Pseudonym Thomas Asperger in: Lettre international (Sommer 1989), H. 5.

25   Siehe Jürgen Fuchs: Vernehmungsprotokolle. November ,76 bis September ,77, Reinbek 1978.

Stasi-Untersuchungshaft auf den Kanälen der Westmedien präsent. Ungefähr zur gleichen Zeit gingen auch zahlreiche Berichte über festgenommene oder in die DDR zurückgezogene DDR-Spione durch die Medien, erst der prominente Fall des Kanzleramtsspions Günter Guillaume, dann eine Reihe von Mitarbeiterinnen Bonner Ministerien, die per Rasterfahndung ins Visier von Polizei und Verfassungsschutz geraten waren. Die Schlagzeilen unterstrichen das Image der Staatssicherheit als einem der leistungsfähigsten Geheimdienste der Welt – oder wie es Richard Meier, der Chef der westdeutschen Spionageabwehr, 1979 mit einem gewissen Understatement anerkennend formulierte: »Der Stasi ist kein leichter Gegner«.[26]

In den folgenden Jahren entwickelten sich jedoch neue Spannungen und Problemfelder. Durch den Ausbau des Apparats und das sukzessive Ausscheiden seiner Gründungsmitglieder wurde der Anteil derjenigen Offiziere, die im »Klassenkampf« der 1950er-Jahre direkt mit den sowjetischen Instrukteuren zusammengearbeitet hatten, immer kleiner. Mit dem schrittweisen Abdanken der Gründergeneration aus dem MfS verschob sich der Horizont des Selbstverständnisses. Dies war kein harter Bruch, sondern ein schrittweiser Wandel vom persönlichen Erfahrungswissen zur Traditionsbindung aus zweiter und dritter Hand.[27] Die mittlere Generation von MfS-Mitarbeitern, die von den Jugenderinnerungen der 1950er-Jahre geprägt war und mittlerweile die höheren Ränge des Ministeriums besetzte, holte nun verstärkt ihre Söhne in den Dienst.[28] Bei aller Betonung der alten tschekistischen Tugenden ergab sich aus den politischen und lebensweltlichen Rahmenbedingungen des MfS-Dienstes dieser Phase eine Kaderprägung, die für den risiko- und entbehrungsbereiten Kämpfer weit weniger Raum ließ als für einen Nachwuchs, der über die typisch staatssozialistische Mischung von Subalternität und Machtbewusstsein verfügte. Damit prägte zunehmend ein »beamtenhaftes« Statusdenken die Dienstauffassung, verbunden mit dem Wissen um die materiellen Privilegien, die der Einstieg beim MfS mit sich brachte.

Die Akzentverschiebungen in der Bewusstseinslage registrierten Mitarbeiter aufmerksam. So heißt es in einer internen Studie zur Personalentwicklung aus dem Jahr 1975: »In der Zeit des ›kalten Krieges‹ und ganz besonders der offenen Grenzen nach Westberlin wurde der politisch-operative Mitarbeiter auf Linie II [Spionageabwehr] in seiner politisch-operativen Arbeit öfter unmittelbar mit dem Feind konfrontiert. Die Zahl der festgenommenen Spione und Agenten war hoch, die Angehörigen haben öfter dem personifizierten Feind gegenübergestanden, als das in der gegenwärtigen Klassenkampfsituation der Fall ist und sein kann. Damals, als er glaubte stark genug zu sein, um

---

26 Paul Lersch: »Der Stasi ist kein leichter Gegner«. Spiegel-Gespräch mit Verfassungsschutz-Präsident Meier und Abteilungsleiter Hellenbroich, in: Der Spiegel, Nr. 12 vom 18. März 1979, S. 27–33.

27 Siehe die Statements in: Gisela Karau: Stasiprotokolle. Gespräche mit ehemaligen Mitarbeitern des »Ministeriums für Staatssicherheit« der DDR, Frankfurt a. M. 1992. Ariane Riecker u. a.: Stasi intim. Gespräche mit ehemaligen MfS-Angehörigen, Leipzig 1990. Christina Wilkening: Staat im Staate. Auskünfte ehemaliger Stasi-Mitarbeiter, Berlin/Weimar 1990.

28 Der Klarheit halber sei darauf verwiesen, dass die männliche Form hier bewusst gewählt wurde. Die intergenerationelle Rekrutierung vollzog sich vorwiegend unter den rund 85 Prozent männlichen MfS-Mitarbeitern.

die DDR frontal angreifen zu können, zeigte der Feind auch in der subversiven Tätigkeit sein brutales, offen feindliches Gesicht. [...] Das muss durch geeignete Formen der politisch-ideologischen Erziehungsarbeit bei den jungen Angehörigen ausgeglichen werden. [...] Den jungen politisch-operativen Mitarbeitern fehlen nicht nur Klassenkampferfahrungen, sondern allgemein politisch-operative und Lebenserfahrungen. [...] Das reale Feindbild muss für alle Angehörigen verstandsmäßig begründet und gefühlsmäßig durchdrungen sein. [...] Für die Entwicklung des Feindbildes kommt es darauf an, das Gefühl des Hasses auf den imperialistischen Klassenfeind, Misstrauen für alle seine Worte und Taten, Abscheu und Zorn gegenüber seinen Verbrechen an der Menschheit und das Gefühl der Klassenwachsamkeit zu wecken.«[29]

Ein altgedienter Mitarbeiter erinnerte sich später an den schleichenden Wandel: »Vielleicht klingt es nicht sehr klug, wenn ich moniere, dass in der Folgezeit [seit Anfang der siebziger Jahre] zu viele Intellektuelle zu uns kamen. Was ich damit meine, werde ich zu erklären versuchen. Mich hatte mein Parteisekretär zum MfS geschickt und wir waren eine verschworene Gemeinschaft, in der sich jeder über den Erfolg des anderen freute. Nun kamen junge Leute, die zwar studiert hatten, aber denen es – aus meiner Sicht – oft an der inneren Einstellung fehlte, die für unsere Arbeit unumgänglich war. Für sie war die Tätigkeit schon fast ein ›Job‹.«[30]

Privilegien allein konnten den weltanschaulichen Legitimationskern des Tschekismus nicht stabilisieren. Minister Erich Mielke war sich dieses Umstandes wohl bewusst und forderte kategorisch, aber ein bisschen hilflos, die Besinnung auf alte Werte: »Notwendig ist [die] Verstärkung der politisch-ideologischen und erzieherischen Arbeit im MfS. [Es] geht nicht an, mit Schlagworten zu arbeiten, sondern mehr innere Überzeugung und konsequente Parteilichkeit aus dem Innern heraus ist notwendig. [...] Es gilt, die alte kommunistische Einstellung wieder zu schaffen (Vergleich mit Bemühungen der KPdSU, ist auch hier noch längerer Prozess). [...] [Die] Genossen müssen stärker gegen westliche Einflüsse immunisiert werden.«[31]

Doch private Interessen und materielle Vorteile gewannen an Stellenwert: »Auf Parteiversammlungen im MfS wurde laut ›Wir Tschekisten‹ gerufen, aber beim Rausgehen dachte man schon an der Tür: Wo krieg’ ich den Grill her, wo die Holzkohle für das Wochenende auf der Datsche?«,[32] so ein ehemaliger Offizier der Zentralen Auswertungs- und Informationsgruppe. Auch ein Oberleutnant der Militärabwehr (Jahrgang

29 Rolf Bauer/Wolfgang Härtling: Diplomarbeit an der Juristischen Hochschule (JHS) Potsdam-Eiche 1975. »Einige Gesichtspunkte für die klassenmäßige Erziehung politisch-operativer Mitarbeiter des MfS, insbesondere der Linie II unter den neuen politisch-operativen Lagebedingungen«, BArch, MfS, GVS JHS MF 74/75.

30 Hans Hesse: Ich war beim MfS, o. O. 1997, S. 83 f. Der Offizier, geboren 1923 als Sohn eines Maurers und selbst gelernter Schlosser, war 1954 zum MfS gekommen und leitete von 1960 bis 1985 ein Referat der Abteilung II (Spionageabwehr) in der Bezirksverwaltung Cottbus.

31 »Stichwortprotokoll der Ausführungen des Genossen Minister«, Kollegiumssitzung am 8. Juni 1983; BStU, MfS, SdM 1567, Bl. 48–57, hier Bl. 54.

32 Zit. nach Anne Worst: Heisses Herz – kühler Verstand? Ein Leben im Dienst der Stasi, in: Bernd Wilczek (Hg.): Berlin – Hauptstadt der DDR 1949–1989. Utopie und Realität, Baden-Baden 1995, S. 113–135, hier S. 123 f.

1953) erinnert sich: »Aus heutiger Sicht sage ich mir, je wackliger das System wurde, desto mehr war es angewiesen auf Massenanwerbungen und Versprechungen aus materieller Sicht, Geld, Studium, Karriere.«[33]

IV. Die relative Zivilisierung des Systemkonflikts

Die entscheidende Herausforderung für das MfS bestand darin, Wachsamkeit und Kampfbereitschaft unter den Bedingungen einer ziviler werdenden Konfliktkultur zwischen Ost und West fortzuschreiben. Die offene Gewaltförmigkeit des »europäischen Bürgerkriegs« bis 1945,[34] aber auch die direkten Konfrontationen des Kalten Kriegs bis zur Kuba-Krise 1962 bestimmten nicht mehr dominant die Lebenswelt der MfS-Mitarbeiter. Umso wichtiger war es, das Feindbilddenken auch und gerade im Umfeld von Entspannungspolitik und blockübergreifender Verständigung aufrechtzuerhalten und mit Beispielen für die fortdauernde Bedrohung zu füttern.

Als der wirtschaftliche Druck zunahm und die DDR immer abhängiger von westlicher Hilfe wurde, stellten die Zugeständnisse an die westliche Menschenrechtspolitik, die die DDR im KSZE-Prozess machte, zunehmend die Narrative infrage, die der Stasi-Mission zugrunde lagen, einschließlich des Konzepts der »außerordentlichen Gewalt«.[35] Das Haftregime verlor grundsätzlich nichts von seiner Härte und von den dabei eingesetzten psychischen Zwangsmitteln. Allerdings fühlten sich das Gefängnispersonal und die Vernehmer durch die Wellen, die die Biermann-Affäre schlug, unter Druck. Der damit verbundene öffentliche Aufruhr hatte Folgen: Die in den Publikationen von Jürgen Fuchs angeprangerten Methoden des psychischen Drucks waren in seinem und anderen Fällen aus MfS-Sicht nicht besonders erfolgreich gewesen. Intern war sogar von einer »weichen Welle« im Umgang mit den Häftlingen der Biermann-Proteste die Rede, die das Personal verunsichere. Zudem erwiesen sich die Untersuchungshäftlinge generell als selbstbewusster und begannen, sich durch Vorbereitung und gegenseitige Informationen besser auf die Haftsituation vorzubereiten, was die Verhörtechniken zu unterlaufen begann.[36] Während die DDR noch jährlich etwa 2000 bis 3000 politische Straftäter inhaftierte (von denen die meisten versucht hatten, in den Westen zu fliehen oder ihre Ausreise voranzutreiben), wurden diese Gefangenen nicht mehr hingerichtet oder zu langen Haftstrafen verurteilt, sondern in der Regel nach ein bis zwei Jahren in den Westen verkauft.[37] In der Folge fühlten sich die Vernehmer in ihrer Aufgabe degradiert. Damit

33 Gerd R., Oberleutnant, in: Karau: Stasiprotokolle (Anm. 27), S. 35–51, hier S. 37.
34 Siehe Enzo Traverso: Im Bann der Gewalt. Der europäische Bürgerkrieg 1914–1945, München 2008.
35 Siehe Douglas Selvage/Walter Süß: Staatssicherheit und KSZE-Prozess. MfS zwischen SED und KGB (1972–1989), Göttingen 2019.
36 Siehe Karin Passens: MfS-Untersuchungshaft. Funktionen und Entwicklung von 1971 bis 1989, Berlin 2012, S. 147 und 198–212.
37 Siehe Jan Philipp Wölbern: Der Häftlingsfreikauf aus der DDR 1962/63–1989. Zwischen Menschenhandel und humanitären Aktionen, Göttingen 2013.

verknüpft war eine immer stärkere Betonung formal korrekter Behandlung, die bei den jüngeren Jura- und Kriminalistik-Absolventen der zivilen Universitäten vermehrt zu beobachten war.

Es ist dieser Kontext, auf den Minister Mielke bei einem Treffen mit der Stasi-Führung im Jahr 1982 mit dem alten tschekistischen Reflex reagierte, als er sagte: »Wenn wir nicht gerade jetzt hier in der DDR wären […], wenn ich so in [der] glücklichen Lage wäre wie in der Sowjetunion, dann würde ich einige erschießen lassen. Revolutionäre Gesetzlichkeit, damit ihr wisst, nicht etwa den Prozess machen, so meine ich [das].«[38] Die Legitimität der »außerordentlichen Intervention« – einschließlich des staatlich sanktionierten Mordes – erodierte in der politischen Realität der späten DDR nach und nach. In den internen Diskursen standen die Potenziale tschekistischer Legitimation in Konkurrenz mit der prägenden Kraft einer durch die Westmedien in die DDR importierten, in die Handlungsentscheidungen der SED-Führung hineinwirkenden Vermeidungsstrategie – zumindest faktisch. Die Option auf direkte Gewaltakte jenseits der »sozialistischen Gesetzlichkeit« war für das Selbstverständnis des MfS weiterhin essenziell. Aber sie war zunehmend verkapselt und in die Traditionspflege verlagert, kam nur noch selten als konkrete Handlungsstrategie in Betracht.

V. Die öffentliche Wahrnehmung in den 1980er-Jahren

Die schwindende Strahlkraft der Stasi zeigte sich in der Darstellung des Geheimdienstes und der von ihm bekämpften Feinde in den ostdeutschen Medien. 1981 wurde der letzte ostdeutsche Fernsehfilm über die Auslandsspionage unter dem Titel »Feuerdrachen« ausgestrahlt.[39] Im Mittelpunkt des Mehrteilers steht ein Komplott des Mossad, der mithilfe des westdeutschen Geheimdienstes und der CIA Uran nach Israel schmuggeln will; natürlich wird das Komplott von Stasi-Agenten aufgedeckt. Der Film knüpft an die Optik zeitgenössischer Hollywood-Produktionen an, einschließlich von Drehorten im Westen. Nicht zuletzt bediente er sich deutlich antisemitischer Stereotype von jüdisch-kapitalistischen Politikern. Unter dem Druck der wachsenden finanziellen Abhängigkeit von der Bundesrepublik und dem Bestreben des Parteichefs Erich Honecker um Anerkennung unterließ das DDR-Fernsehen danach solche »Kundschafterfilme«.[40] Auch eine Reihe zur inneren Feindbekämpfung in den 1950er-Jahren stieß auf Widerstand: MfS-Filmspezialisten gingen davon aus, »dass diese Stoffe zurzeit nicht gewollt sind […]. ›Man sei nicht an einer Aufarbeitung des Kalten Krieges interessiert, dies störe die gegenwärtige

---

38 Zitiert aus einem Tonbandmitschnitt von 1984, in: Joachim Walther (Hg.): Erich Mielke – ein deutscher Jäger, München 1995 (Audio-Kassette).

39 »Feuerdrachen«. Fernsehproduktion, DDR 1981, Regisseur: Peter Hagen.

40 Siehe Sebastian Haller: Unsicherheit als mediale Konstruktion. Die Repräsentation des Ministeriums für Staatssicherheit in den 1980er Jahren in Filmen des Fernsehens der DDR, in: Andreas Kötzing (Hg.): Bilder der Allmacht. Die Staatssicherheit in Film und Fernsehen, Göttingen 2018, S. 146–161.

Politik«, beschrieben sie die Haltung in ZK und Chefetage des DDR-Fernsehens.[41] An ihre Stelle traten Repräsentationen von MfS-Mitarbeitern als kriminalpolizeinahe Ermittler, die professionell und kooperativ ihre Fälle lösten.[42]

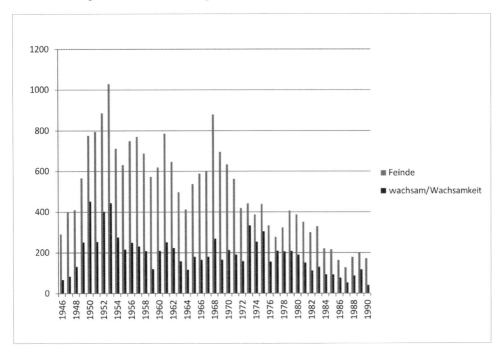

Worthäufigkeit in *Neues Deutschland:* Feinde, wachsam/Wachsamkeit, 1946–1990

In der Zeitung *Neues Deutschland* wurde der Staatssicherheitsapparat fast ausschließlich in Zusammenhängen der repräsentativen Politik erwähnt, etwa in Artikeln über die Beförderung von Generälen, während die Rolle der Stasi bei der Suche nach »Spionen« und »Feinden«, die zuvor immer eine herausragende Rolle gespielt hatte, kaum noch zur Sprache kam. Auffällig ist daneben ein Artikel unter dem Titel »Junge Tschekisten kamen mit gewichtigen Taten«, der über ein »Kampfmeeting« der FDJ-Organisation im MfS mit dem Minister Erich Mielke anlässlich des Nationalen Jugendfestivals im Juni 1984 berichtet. Der Artikel folgt durchweg den Regeln der rituellen öffentlichen Repräsentation: »Eindrucksvoll unterstrichen die jungen Mitarbeiter des MfS die Bereitschaft und Entschlossenheit, mit Elan und hoher Einsatzbereitschaft vorbildliche Ergebnisse für die Sicherung der Arbeiter-und-Bauern-Macht zu erzielen, als junge Revolutionäre ihr Bestes für die Sache des Sozialismus und des Friedens zu geben«, heißt es.[43] Dass

---

41   Zit. nach ebd., S. 150.
42   Ebd., S. 156–161.
43   »Junge Tschekisten kamen mit gewichtigen Taten. Kampfmeeting mit Armeegeneral Erich Mielke«, in: Neues Deutschland vom 9./10. Juni 1984, S. 4.

überhaupt die »jungen Tschekisten« zum Thema gemacht wurden, erklärt sich offenkundig aus dem Nachwuchsmangel des MfS aufgrund des Unwillens von Jugendlichen, ihre Westkontakte aufzugeben und sich der Disziplin des Geheimapparates zu unterwerfen.

Im Kontrast dazu hatte die DDR die Hoheit über die Berichterstattung über oppositionelle »Feindtätigkeit« fast ganz aufgegeben: Nach der Verhaftung von Dissidenten der Initiative Frieden und Menschenrechte sowie von Ausreiseantragstellern im Umfeld der staatlichen Liebknecht-Luxemburg-Demonstration im Januar 1988 war in einer dürren Meldung nur von den »zuständigen Organen der DDR« die Rede, die diese wegen »landesverräterische[r] Beziehungen« inhaftiert hätten.[44] Wer wissen wollte, was geschehen war, informierte sich in Westradio und -fernsehen. Langfristig hatte sich auch die Sprache der Parteizeitung insgesamt verändert. Traditionelle Schlagworte aus dem Kontext der Staatssicherheit, wie »Wachsamkeit« und »Feinde«, verloren in zwei Schüben, nach 1968 und dann wieder ab 1980, immer mehr an Bedeutung.

VI. Perestroika und die finale Krise 1985–1989

Das Konzept des Tschekismus und der Verweis auf die (Waffen-)Brüderschaft mit dem KGB verlor weiter an Kontur, als der KGB unter Gorbačëv gezwungen war, seine Rolle in öffentlicher Diskussion und Kritik neu zu definieren. Sowohl die sowjetische Öffnung als auch die Westpolitik der SED und das gemeinsam mit der westdeutschen Sozialdemokratie verfasste Papier »Der Streit der Ideologien und die gemeinsame Sicherheit« vom August 1987 waren mit öffentlichen Absichtserklärungen zum Verzicht auf Feindbilder verbunden.[45] Die eingeführte Sicherheitskultur wurde damit inkonsistent, ohne dass SED- und MfS-Führung in der Lage gewesen wären, sie auf neuer Basis zu reformulieren. Die SED-Führung war sich dieser Inkonsistenz offenbar durchaus bewusst, wusste aber keinen Ausweg außer der Proklamation des »Sozialismus in den Farben der DDR«.

Das Themenheft der SED-Theoriezeitschrift *Einheit* unter eben dieser Überschrift vom Juni 1989 deutete eine Distanzierung vom sowjetischen Modell auf dem Gebiet der Staatssicherheit nur an: Der Leiter der SED-Akademie für Gesellschaftswissenschaften Otto Reinhold hielt darin fest, dass es ein »allgemeingültiges Modell des Sozialismus nicht gibt und nicht geben kann«.[46] Mit Blick auf die Feindtätigkeit und ihre Bekämpfung betonte er, dass die DDR (wie er offenbar meinte: im Gegensatz zur Sowjetunion) den Sozialismus an der »Trennungslinie der beiden Gesellschaftssysteme« gestalte und diese Tatsache »auch in Zukunft folgenreich« sein werde.[47] Der SED-Jurist Michael Benjamin erinnerte daran, dass »Verfassungstreue als oberstes Prinzip für jeden Bürger

---

44 »Ermittlungsverfahren wegen landesverräterischer Beziehungen«, in: Neues Deutschland vom 26. Januar 1988, S. 2.

45 Siehe hierzu die Diplomarbeit eines Offiziersschülers: Uwe Hasenbein: Zum tschekistischen Feindbild und damit verbundene Probleme bei der Herausbildung des Berufsethos bei Offiziersschülern der Hochschule des MfS, BStU, MfS, JHS 21431, JHS April 1989.

46 Otto Reinhold: Zur Gesellschaftskonzeption der SED, in: Einheit 44 (1989), H. 6, S. 483–489, hier S. 485.

47 Ebd., S. 486.

unabdingbar [...] ist« und dass »allen Versuchen, subjektive Rechte gegen den Sozialismus zu missbrauchen [...], entschieden entgegengetreten« werde.[48]

Die *Einheit* rundete diesen Versuch, die alte Sicherheitsdoktrin unter dem Deckmantel der »Farben der DDR« zu reformulieren, mit der demonstrativen Aufnahme eines Artikels des sowjetischen Militärhistorikers Machmut A. Garelov ab. Er beschwor darin unter dem Titel »Woher kommt die Gefahr?« die Bedrohung durch einen von den USA dominierten Westen.[49]

So hielt die DDR bis zum Zusammenbruch des Ostblocks 1989 an der traditionellen Sicherheitsdoktrin fest, konnte sie aber aufgrund ihrer schmaler werdenden politischen und wirtschaftlichen Spielräume nicht mehr kohärent anwenden. Zu erkennen ist eine sukzessive Sklerotisierung des Tschekismus als handlungsleitende Doktrin, die mit ihrer Kampfesrhetorik aus der ersten Hälfte des 20. Jahrhunderts zunehmend anachronistisch wurde und einer Haltung der Besitzstandswahrung Platz machte.

Der Dzierżyński-Kult, der in wachsendem Umfang zur Kompensation betrieben wurde, erreichte die Mitarbeiter offenbar kaum. Aus der Entspannungspolitik und der Rücksichtnahme der SED-Führung im Umgang mit prominenten Dissidenten und Oppositionellen ergab sich eine zunehmende Frustration der Offiziere, deren unablässig geforderte Dienstbereitschaft kaum noch zu nachhaltigen Erfolgen führte. Zudem entging auch den MfS-Mitarbeitern nicht, dass das sozialistische System ökonomisch und politisch in eine Sackgasse geraten war.

VII. Der gescheiterte Übergang zum Postkommunismus

Insgesamt ergibt sich also das Bild einer äußerlich stabilen, aber in seiner inneren Funktionsweise nur noch eingeschränkt wirksamen Sicherheitskultur des Tschekismus. Die Routinen des Überwachungsstaates gegen die aufbegehrenden Bürger liefen zunächst weiter, aber in der Konfrontation mit den Massendemonstrationen im Oktober 1989 fand sich innerhalb des MfS-Apparates keine lenkende Kraft, die einen Gegenschlag zu organisieren und führen bereit gewesen wäre. Das MfS-Personal geriet vielmehr unter dem Druck der massiven Forderungen nach einer Auflösung der Geheimpolizei in einen Strudel fortschreitender Anpassungsversuche ihrer Aufgabenverständnisse und der damit einhergehenden Bilder von Feinden und Volk.[50]

Diese Orientierungsversuche erfolgten meist unter Rückgriff auf legalistische Selbstversicherungen. Die MfS-Offiziere suchten Halt in vermeintlich unstrittigen, »rechtsstaatlichen« Referenzen wie der Berufung auf Verfassung und Gesetze der DDR. Gängig war nun auch der Verweis auf die Legitimität westlicher, »imperialistischer« Geheim-

48 Michael Benjamin: Die Deutsche Demokratische Republik – ein sozialistischer Rechtsstaat, in: Einheit 44 (1989), H. 6, S. 532–537, hier S. 537.
49 M. A. Garelow: Woher droht Gefahr?, in: Einheit 44 (1989), H. 6, S. 573–589. Die russische Originalversion war erschienen unter dem Titel: Otkuda Ugroza, in: Voenno-istoričeskij Žurnal (1989), H. 2, S. 16–25.
50 Siehe Walter Süß: Staatssicherheit am Ende. Warum es den Mächtigen nicht gelang, 1989 eine Revolution zu verhindern, Berlin 1999.

dienste, wie die Ämter für Verfassungsschutz in Westdeutschland – eine Gleichsetzung, die gerade aufgrund der Überhöhung des Tschekismus noch kurz zuvor verpönt war. Dort, wo die Staatssicherheit offenkundig die »Gesetzlichkeit« verletzt hatte, gingen damit Rückzug und Selbstkritik sowie eine Distanzierung von der »Sicherheitsdoktrin« der »führenden« Partei einher, die unzulässigerweise politische Auseinandersetzungen mit geheimpolizeilicher Verfolgung ersetzt hätte. Alle diese Versuche, der Institution als Ganzes neuen Halt zu geben, scheiterten bekanntlich und endeten im Beschluss des Ministerrates der DDR vom Januar 1990, das Ministerium vollständig aufzulösen.

Seiner institutionellen Hülle beraubt, entwickelte sich der traditionelle Tschekismus unter den sich selbst überlassenen – nun ehemaligen – MfS-Mitarbeitern in neue Richtungen. Sie wurden später teilweise von sowjetischen Tschekisten inspiriert, denen es gelang, ihr Selbstverständnis zu »entkommunisieren« und unter der Ägide des neuen autoritären Staates in Russland neu zu beleben. Während die Vereinigung mit Westdeutschland solchen Bestrebungen in Ostdeutschland schnell ein Ende bereitete, bleibt es aufschlussreich zu beobachten, wie der revolutionäre Kommunismus in den Weltanschauungen ehemaliger Stasi-Mitarbeiter durch abgewandelte Selbst- und Berufsverständnisse ersetzt wurde. Konkret lassen sich in den Debatten nach 1990 drei Umdeutungen des ostdeutschen Tschekismus bei ehemaligen Stasi-Mitarbeitern erkennen.

Die erste Reaktion war – wenn auch isoliert – die Rückbesinnung auf das Erbe Lenins und Dzierżyńskis. Diese Interpretationslinie, die dem Dzierżyński-Kult des Poststalinismus nach 1956 ähnelte, vertrat Wolfgang Hartmann, ein ehemals in Westdeutschland stationierter MfS-Agent, in seinem Artikel »Das Erbe Dzierzynskis – oder weshalb seine Nachdenklichkeit abhanden kam«, publiziert in der Theoriezeitschrift der PDS. Der Artikel hebt Dzierżyńskis angebliche Bemühungen um eine humane und milde Behandlung von Gefangenen sowie die Sorge um den Niedergang der Tscheka-Organisation hervor. Hartmann zitiert Aussagen von Dzierżyńskis Frau Zofia über dessen »Sensibilität« und fragt: »War in unser Denken auch die Nachdenklichkeit Dzierzynskis eingegangen, mit der er die immanenten Gefahren der Entartung eines Apparates sah, welcher mit so großer Macht ausgestattet war?«[51] Dieser Appell an ehemalige Stasi-Mitarbeiter ist vor allem interessant, weil er auf keinerlei Resonanz stieß. Es gab offenbar keinen Weg zurück zum »reinen« Idealismus der kommunistischen Revolution. Lenin und Dzierżyński waren tot – zumindest im offiziellen Diskurs der ehemaligen Stasi-Offiziere.

Eine zweite Variante kann als »Business-Tschekismus« bezeichnet werden. Ihn verkörperten Mitarbeiter aus dem Netz von Außenhandel und MfS, die seit den 1970er-Jahren in die Beschaffung von Devisen für die DDR involviert waren. Diese ehemaligen MfS-Mitarbeiter nutzten ihr kulturelles und soziales Kapital als Tschekisten für eine enge Zusammenarbeit mit russischen Unternehmen und arbeiteten später als Repräsentanten für Firmen wie Gazprom und Nord Stream 2 in Deutschland. Der mittlerweile prominenteste Vertreter unter ihnen ist Matthias Warnig, der die Energiepolitik Putins im

---

51 Wolfgang Hartmann: »Das Erbe Dzierzynskis« – oder weshalb seine Nachdenklichkeit abhanden kam. Persönliche Reflexionen und Fragen an Meinesgleichen, in: Utopie kreativ (1997), H. 83, S. 5–19, hier S. 6.

engen Austausch mit den jeweiligen Bundesregierungen umsetzte.[52] Sie können mithin als deutscher Ableger des neuen, großrussisch-imperialen Tschekismus interpretiert werden, der heute die KGB-Netzwerke um den Autokraten Vladimir Putin prägt.[53]

Eine dritte Variante war die retrospektive Interpretation der eigenen MfS-Tätigkeit als »normales« staatliches Handeln; also gerade die Negierung eines besonderen kommunistischen Geistes. Diese Reaktion war besonders für jüngere Offiziere typisch, die eine starke staatliche Autorität befürworteten und nun vor allem ihre Professionalität als Polizisten, Leibwächter und Geheimdienstler betonten. Nur für eine Minderheit (von etwa 2000 der zuletzt rund 91 000 MfS-Mitarbeiter) ebnete diese Neuinterpretation ihres Selbstverständnisses den Weg in den Dienst der westdeutschen Sicherheitskräfte. Solche ehemaligen Stasi-Mitarbeiter fanden bei ihren westdeutschen Kollegen auch deshalb regelmäßig Anerkennung, weil sie sich als loyal und zugleich fachlich kompetent präsentierten.[54] Der größere Teil hatte jedoch mit dem äußerst negativen Ruf der DDR-Staatssicherheit im vereinigten Deutschland zu kämpfen und war auf eine berufliche Zukunft im privatwirtschaftlichen Sektor angewiesen, unter anderem in der Sicherheitsbranche.

Diese Variationen eines postkommunistischen Tschekismus bedürften einer genaueren Analyse. Es liegt auf der Hand, dass es sich dabei vor allem um Reaktionen im Streben nach beruflicher Zukunftssicherung handelte. Aber die »Dekommunisierung« des eigenen Selbstverständnisses lässt sich nicht auf eine solche reine Zweckanpassung reduzieren. Sie verweist auf die anderen Traditionsbestände der tschekistischen Sicherheitskultur jenseits der marxistisch-leninistischen Ideologie. Wie die massive Unterstützung ehemaliger MfS-Angehöriger für ihren früheren »Waffenbruder« Vladimir Putin und den russischen Krieg gegen die Ukraine zeigt, konnte und kann man auch jenseits der kommunistischen Ideologie weiterhin leidenschaftlicher Tschekist sein.[55]

---

52   Matthias Warnig, https://de.wikipedia.org/wiki/Matthias_Warnig#cite_ref-8 (ges. am 8. Juni 2022); »Gazprom-Manager wollte Berichte über falsche eidesstattliche Versicherung aus dem Internet löschen lassen«, https://www.energie-chronik.de/121111.htm#hintergrund (ges. am 8. Juni 2022); Jürgen Dahlkamp u. a.: Giftiger Cocktail, in: Der Spiegel, Nr. 35 vom 24. August 2008, online: https://www.spiegel.de/wirtschaft/giftiger-cocktail-a-0d479906-0002-0001-0000-000059403043-amp (ges. am 8. Juni 2022).

53   Siehe das journalistische Porträt von Catherine Belton: Putin's People. How the KGB Took Back Russia and Then Took on the West, London 2020; sowie Andrei Soldatov/Irina Borogan: The New Nobility. The Restoration of Russia's Security State and the Enduring Legacy of the KGB, New York 2010.

54   Siehe z. B. zur Integration von MfS-Absolventen des Kriminalistik-Studiums an der Humboldt-Universität in das Landeskriminalamt Brandenburg Thorsten Metzner/Peter Tiede: Politiker streiten über frühere Stasi-Leute beim LKA, in: Der Tagesspiegel vom 4. Juli 2009; zum Kontext Burghard Ciesla: Arglistige Täuschung. Ehemalige Stasi-Mitarbeiter in der Polizei des Landes Brandenburg nach 1990, Berlin 2016. Zur Debatte in der Gewerkschaft der Polizei siehe GdP-Bundeskriminalamt: Kreisgruppe BStU, https://www.gdp.de/gdp/gdpbka.nsf/id/DE_KG-BStU (ges. am 5. Juli 2022).

55   Siehe Erklärung des Vorstandes der Gesellschaft für rechtliche und humanitäre Unterstützung, 1.3.2022; http://www.grh-ev.org/fileadmin/user_upload/GRH/Aktuelles/GRH.Erklaerung_zu_den_Ereignissen_in_der_Ukraine.pdf (ges. am 6. September 2022). Es gab jedoch auch einzelne Gegenstimmen, unter anderem vom langjährigen Sprecher des MfS-Insiderkomitees, Oberst Wolfgang Schmidt, Diskussionsbeitrag in: GRH-Information Nr. 1/2022, S. 14. Mitgliederversammlung der GRH, 5.3.2022, S. 24 f.; siehe http://www.grh-ev.org/fileadmin/user_upload/GRH/Informationen/Information_1-2022.pdf (ges. am 6. September 2022).

VIII. Fazit

Die Entwicklung der tschekistischen Organisationskultur des Ministeriums für Staatssicherheit in den anderthalb Jahrzehnten vor dem Zusammenbruch des kommunistischen Systems zeigt auf den ersten Blick ein hohes Maß an demonstrativer ideologischer Kontinuität, auf den zweiten Blick jedoch einen subkutanen Wandel. In Reaktion auf politische Entwicklungen, aber auch Verschiebungen in den mentalen Anforderungen an den Beruf des kommunistischen Geheimpolizisten änderten sich die offiziellen und informellen, internen und öffentlichen Diskurse und Legitimationen. Der spätsozialistische Tschekismus war im Falle der DDR geprägt von einer »ultrastabilen« Verfestigung des Sicherheitsregimes bei fortschreitendem Handlungs- und Sinnverlust seiner Mitarbeiter und Erosionserscheinungen in der öffentlichen Repräsentation der »Feindbekämpfung«. In den Reihen der Staatssicherheit lässt sich zudem eine fortschreitende Umwertung der verschiedenen Legitimationselemente erkennen, die sich mit dem Zerfall der alten Ordnung in eine etatistische Ideologie des geheimpolizeilichen und geheimdienstlichen Professionalismus transformierte.

Christian Booß

Die Staatsanwaltschaft und die Steuerung der politischen Justiz in der DDR

In den meisten Darstellungen von Repression und Kontrolle in der DDR nimmt das Ministerium für Staatssicherheit (MfS) eine dominante Rolle ein. Doch diese »Stasifizierung« verengt und verzerrt den Blick auf Repressionspraktiken, bei denen andere Ermittlungsorgane ebenso von Bedeutung waren. Institutionen wie die Polizei oder, in den frühen Jahren der DDR, die wichtige Zentrale Kontrollkommission (ZKK), die mit Wirtschaftsverfahren oft Enteignungswellen einleitete, wurden in der Forschung bislang vergleichsweise wenig beachtet. Ebenso wenig wurde das Ineinandergreifen von Repression und Integration ausreichend betrachtet. Dieser Befund zeigt sich deutlich im Bereich der politischen Justiz. Zum sogenannten Untersuchungsorgan, den geheimpolizeilichen Ermittlern der Linie IX des MfS,[1] wurden mehrere Monografien verfasst,[2] zu anderen an den Verfahren beteiligten Institutionen deutlich weniger. Über die Staatsanwaltschaft existierte lange Zeit nur ein substanzieller Aufsatz,[3] und bis dato gibt es keine empirisch gesättigte Monografie über ihre Rolle im politischen Strafprozess.[4]

Zu diesem Ungleichgewicht trug der Umstand bei, dass dem MfS schon in der Forschung der 1990er-Jahre oft eine dominierende Rolle in Verfahren gegenüber den Justizorganen zugesprochen wurde, in denen es als Ermittlungsorgan, in der Sprache des MfS als »Untersuchungsorgan«, tätig war. Einzelne Autoren sahen in der Staatsanwaltschaft lediglich den »Erfüllungsgehilfen«[5] des MfS oder bezeichneten sie gar als »Staffage«[6] im

---

1 Mit Linie wurde im MfS der Verantwortungsstrang bezeichnet, der vom Ministerium, in diesem Fall der Hauptabteilung IX, bis in die nachgeordneten Abteilungen IX der Bezirksverwaltungen reichte.

2 Siehe Roger Engelmann/Frank Joestel: Hauptabteilung IX: Untersuchungsorgan (= MfS-Handbuch), Berlin 2017; Julia Spohr: In Haft bei der Staatssicherheit. Das Untersuchungsgefängnis Berlin-Hohenschönhausen 1951–1989, Göttingen 2015; Rita Sélitrenny: Doppelte Überwachung. Geheimdienstliche Ermittlungsmethoden in den DDR-Untersuchungshaftanstalten, Berlin 2003; Katrin Passens: MfS-Untersuchungshaft. Funktionen und Entwicklung von 1971 bis 1989, Berlin 2012.

3 Siehe Wolfgang Behlert: Die Generalstaatsanwaltschaft, in: Hubert Rottleuthner: Steuerung der Justiz in der DDR. Einflussnahme der Politik auf Richter, Staatsanwälte und Rechtsanwälte, Köln 1994, S. 287–350.

4 Die Monografie von Wiezoreck beinhaltet keine neue Prozessempirie: Siegfried Wiezoreck: Der Generalstaatsanwalt der DDR in der Honecker-Ära, Hamburg 2018.

5 Clemens Vollnhals: Der Fall Havemann. Ein Lehrstück politischer Justiz, Berlin 1998, S. 144.

6 Rolf Daniel Asche: Die DDR-Justiz vor Gericht. Eine Bestandsaufnahme, Göttingen 2008, S. 14. Ähnlich: Karl Wilhelm Fricke: Der Rechtsanwalt als »Justizkader«. Zur Rolle des Verteidigers im politischen Strafverfahren der DDR, in: Aus Politik und Zeitgeschichte 45 (1995), H. 38, S. 9–16, hier S. 16.

Gerichtssaal. Das Gericht fällte dann in diesem Szenario meist ein »Urteil nach Antrag« (UNA) im Sinne der Staatsanwaltschaft,[7] spielte also eine noch untergeordnetere Rolle als die Staatsanwaltschaft. In Extremfällen habe das MfS den übrigen Verfahrensbeteiligten sogar Anweisungen erteilt.[8] Gelegentlich wurden zwar Zweifel an der empirischen Grundlage für derartige Einschätzungen zur Rolle der Staatsanwaltschaft geäußert,[9] aber es fehlt an systematischen Arbeiten zum Verhältnis der unterschiedlichen Akteure, um diese genauer bestimmen zu können.

Im Folgenden soll diese Dominanzthese genauer beleuchtet und neueren Forschungsergebnissen gegenübergestellt werden. Dies führt zu der Frage, ob und von wem die politische Justiz im SED-Staat gesteuert wurde. Abschließend plädiere ich für eine Weitung des Begriffs der politischen Justiz in der DDR.

I. Die Dominanzthese – Indizien und Positionen der Forschung

Die Dominanzthese beruht bei genauer Betrachtung auf erstaunlich wenigen Indizien. Beispielsweise wird eine MfS-interne Weisung zu Festnahmen nach dem Volksaufstand vom 17. Juni 1953 herangezogen: »Sollte es Schwierigkeiten geben, ist der Staatsanwaltschaft zu sagen, die Staatsanwälte sollen sich an den Generalstaatsanwalt Melsheimer wenden, der darüber durch Generalleutnant Mielke informiert ist.«[10] Erich Melsheimer selbst übernahm Schlussberichte des MfS, mit nur wenigen Schönheitskorrekturen versehen, in seine Anklageschriften.[11] Darüber hinaus findet sich in der Entstalinisierungsphase ein ZK-Bericht von 1962, der den starken Einfluss des MfS in Verfahren kritisiert, insbesondere weil das MfS das Personal der Staatsanwaltschaft überprüfe. Die Staatsanwälte würden Rechtsverstöße dulden, da sie ihnen bekannt und sie daher »befangen« seien.[12] Schließlich existiert eine ausführliche Darstellung der Verfahren gegen den Dissidenten Robert Havemann in den 1970er-Jahren, aus der hervorgeht, dass das MfS geradezu Drehbücher verfasst hat, an die sich Staatsanwälte und Richter zu halten hatten.[13] Die detaillierte Beschreibung der Verfahren gegen Havemann und die Bekanntheit des Vorgangs führten dazu, dass sein Fall oftmals exemplarisch für das Vorgehen des MfS in

---

7   Falco Werkentin: Politische Strafjustiz in der Ära Ulbricht. Vom bekennenden Terror zur verdeckten Repression, Berlin 1997, S. 291.

8   Siehe Vollnhals: Fall Havemann (Anm. 5), S. 107–111.

9   Siehe Hubert Rottleuthner (Hg.): Das Havemann-Verfahren. Das Urteil des Landgerichts Frankfurt (Oder) und die Gutachten der Sachverständigen H. Roggemann und H. Rottleuthner, Baden-Baden 1999, S. 359.

10 BV Leipzig, Leitung (gez. Geyer), vom 31.10.1953, BStU, BV Leipzig, Leiter, Nr. 300. Zit. nach Engelmann/Joestel: Hauptabteilung IX (Anm. 2), S. 57.

11 Siehe Roger Engelmann: Staatssicherheitsjustiz im Aufbau, in: ders./Clemens Vollnhals (Hg.): Justiz im Dienste der Parteiherrschaft. Rechtspraxis und Staatssicherheit in der DDR, Berlin 1999, S. 133–164, hier S. 143.

12 Zit. nach Engelmann/Joestel: Hauptabteilung IX (Anm. 2), S. 95.

13 Siehe Vollnhals: Fall Havemann (Anm. 5).

der Honecker-Ära angeführt wurde. Doch bei genauerer Betrachtung wird klar, dass es sich aufgrund der Prominenz des Angeklagten vielmehr um einen Ausnahmefall handelte.

Im Zuge eines Forschungsprojektes über Rechtsanwälte im politischen Prozess der späten DDR wurden ca. 1800 Fälle mithilfe einer Datenbank analysiert, und einige Fälle – darunter auch die Causa Havemann – exemplarisch untersucht.[14] Dabei kamen Zweifel auf, ob die Dominanzthese, zumindest in ihrer Absolutheit, der damaligen Rechtswirklichkeit entspricht. Die Indizien für eine direkte Einflussnahme des MfS fanden sich in viel geringerem Ausmaß und seltener als angenommen, »Drehbücher« wie bei Havemann in keinem weiteren Fall.

Die Havemann-Verfahren Ende der 1970er-Jahre erwiesen sich im Vergleich zum Gros der politischen Verfahren als geradezu atypisch. Robert Havemann war eine Ausnahmegestalt, ein kommunistischer Dissident mit einer NS-Widerstandsbiografie, der stark im Eurokommunismus verwurzelt und eine Art Anti-Honecker war. Es ging darum, ihn zu bekehren oder mundtot zu machen. Die Verfolgung mit juristischen Mitteln bildete dabei nur eine vergleichsweise kurze Episode. Sie war wegen der Bedeutung des kommunistischen Häretikers mit der SED-Spitze abgestimmt. Die Anweisungen ergingen also im Auftrag der Partei und waren vor allem deshalb und nicht allein aufgrund der Machtfülle des MfS für alle Staatsvertreter im Verfahren verpflichtend.

Weitere Zweifel an der Dominanzthese lässt die starke Stellung der Staatsanwaltschaft im Gesetz aufkommen. Bereits das Staatsanwaltsgesetz (StAG) von 1952 nannte als Aufgabe der Staatsanwälte die »Aufsicht über die Gesetzlichkeit«.[15] Laut Strafprozessordnung (StPO) leitete und beaufsichtigte die Staatsanwaltschaft das Ermittlungsverfahren.[16] Diese Rechtskonstruktion war aus dem sowjetischen System übernommen worden. Dort hatte der Staat die Aufgabe, den Willen der anfangs noch kleinen Kommunistischen Partei durchzusetzen. Damit der Staatsapparat auch entsprechend funktionierte, wurden verschiedene Kontrollinstitutionen, wie die kommunistische Geheimpolizei Tscheka oder auch die Staatsanwaltschaft, eingesetzt.[17]

Vor diesem Hintergrund scheint es wenig plausibel, dass die SED einer Institution die »Aufsicht über die Gesetzlichkeit« zusprach und sie gleichzeitig vollkommen entmachtete. Rechtliche Normen und Dominanzthese widersprechen sich hier offenkundig. Zwar ist bekannt, dass sich kommunistische Regime über den Wortlaut von Gesetzen hinwegsetzen. Eine Reihe von Autoren hat deswegen versucht, das Rechtssystem der DDR unter Rückgriff auf die Doppelstaat-Theorie von Ernst Fraenkel zu beschreiben[18] und dabei das willkürliche maßnahmenstaatliche Element betont.[19] In diesem Zusam-

---

14 Siehe Christian Booß: Im goldenen Käfig: zwischen SED, Staatssicherheit, Justizministerium und Mandant – die DDR-Anwälte im politischen Prozess, Göttingen 2017.

15 § 12 StAG-DDR 1952.

16 § 87, 89 StPO-DDR 1968.

17 Dazu Immo Rebitschek: Die disziplinierte Diktatur. Stalinismus und Justiz in der sowjetischen Provinz 1938–1956, Köln 2018.

18 Siehe Ernst Fraenkel: Der Doppelstaat, Frankfurt a. M. 1984.

19 Siehe Werkentin: Politische Strafjustiz (Anm. 7), S. 401; Sélitrenny: Doppelte Überwachung (Anm. 2), S. 412.

menhang wird von »Normensimulation« gesprochen.[20] Allerdings übersieht eine Interpretation, die das Recht zur reinen Fassade erklärt, dass dessen Normen auch dazu dienten, den eigenen Apparat zu steuern. Vor diesem Hintergrund leuchtet es ein, dass das Rechtssystem der DDR einem Prozess unterlag, der in der Literatur meist als »Verrechtlichung« bezeichnet wird.[21] Dieser Begriff verweist zutreffend auf eine stärkere Normierung rechtlicher Verfahren – auch im Bereich der politischen Strafjustiz.[22] Allerdings insinuiert der Begriff der »Verrechtlichung« auch, es handele sich hier um geregelte Verfahren im rechtsstaatlichen Sinne. Dies aber kann für die DDR-Justiz ausgeschlossen werden, wie politische Eingriffe in Prozesse ausreichend dokumentieren.[23] Daher, so wird hier argumentiert, scheint es angebrachter, nicht von »Verrechtlichung«, sondern von »Verregelung« zu sprechen.

Ein weiteres Argument gegen die Dominanzthese ergibt sich aus der praktischen Arbeitsteilung in Ermittlungsverfahren. Das MfS präsentierte der Staatsanwaltschaft seine Ergebnisse bei Ermittlungsende in sogenannten Schlussberichten. Immer wieder ist behauptet worden, dass das MfS damit die Verfahren präjudizierte und die Staatsanwaltschaft die Ermittlungsergebnisse lediglich übernommen habe.[24] Zum einen wird dabei außer Acht gelassen, dass die Strafprozessordnung der DDR vorschrieb, polizeiliche Ermittlungsvorgänge generell mit derartigen Berichten abzuschließen.[25] Zum anderen unterbreitete das MfS in der Regel – jedenfalls soweit dies aktenmäßig nachvollziehbar ist – keine Vorschläge hinsichtlich der zu verhängenden Strafe. Eine Stichprobe von Schlussberichten belegte zudem, dass die Staatsanwälte keineswegs die Vorlagen des MfS wörtlich übernahmen, sondern die Ermittlungsergebnisse nach eigenen Gesichtspunkten zusammenfassten, und auch die Subsumtion unter Straftatbestände, wenn auch meist nur geringfügig, ändern konnten.[26] Auch im weiteren Verfahrensverlauf war in den Akten der Massenverfahren kaum ein direkter Einfluss durch das MfS sichtbar.

Entgegen Einschätzungen, das MfS habe systematisch Prozessverläufe kontrolliert,[27] konnten in den Verfahren der 1970er- und 1980er-Jahre zudem kaum Prozessberichte

20 Ebd. S. 420.
21 Engelmann/Joestel: Hauptabteilung IX (Anm. 2), S. 53.
22 Gesamtdarstellungen zur Justizentwicklung: Moritz Vormbaum: Das Strafrecht der Deutschen Demokratischen Republik, Tübingen 2015; Johannes Raschka: Justizpolitik und SED-Staat. Justizpolitik und Wandel des Strafrechts während der Amtszeit Honeckers, Köln 2000.
23 Siehe Rottleuthner (Hg.): Das Havemann-Verfahren (Anm. 9); Werkentin: Politische Strafjustiz (Anm. 7).
24 Ebd., S. 315; Jan Henrik Bookjans: Die Militärjustiz in der DDR 1963–1990. Eine empirisch gestützte strafrechtliche Untersuchung, Regensburg 2006, S. 99, 107; Wolfgang Behlert: Die Generalstaatsanwaltschaft, in: Rottleuthner: Steuerung der Justiz (Anm. 3), S. 336; ebenso Hans-Jürgen Grasemann: Die Anleitung der Staatsanwaltschaft, in: Materialien der Enquete-Kommission »Aufarbeitung von Geschichte und Folgen der SED-Diktatur in Deutschland« (12. Wahlperiode des Deutschen Bundestages), hrsg. vom Deutschen Bundestag, Bd. 4, Baden-Baden 1995, S. 487–530, hier S. 530.
25 Siehe § 146 Abs. 1, StPO-DDR 1968.
26 Siehe Booß: Käfig (Anm. 14), S. 794 f.
27 Siehe Behlert: Generalstaatsanwaltschaft (Anm. 3), S. 287–350, S. 337 f.

von MfS-Ermittlern nachgewiesen werden, in denen etwa ein Untersuchungsführer im Gerichtssaal den Verhandlungsverlauf dokumentierte. Das MfS kümmerte sich in den meisten Verfahren offenbar nur wenig um die Hauptverhandlungen. Anwesend waren meist nur Vertreter der HA XIV, also des Haftbewachungspersonals, nicht die juristischen Spezialisten der HA IX. Prozessdokumentationen durch das MfS sind rar, man begnügte sich meist mit der Archivierung der offiziellen Prozessdokumente.[28] Überspitzt könnte man sogar von einem weitgehenden Desinteresse des MfS am weiteren Verfahren sprechen. Allerdings wirft auch dies Fragen auf. Wenn ein derart auf Kontrolle ausgerichteter Apparat wie das MfS den weiteren Verlauf des Verfahrens sich selbst überließ, musste ihm der Ausgang dann nicht relativ gesichert erscheinen? Und wenn der Prozessverlauf nicht durch Absprachen, Anweisungen oder gar vorgefertigte »Drehbücher« bestimmt war, wodurch dann?

II. Aspekte der Eigenständigkeit

Die Analyse von ca. 1800 politischen Verfahren aus den 1970er- und 1980er-Jahren deutet darauf hin, dass es eine eigenständige Prozessvorbereitung und interne Abstimmungen der Staatsanwälte gab.[29] Die Vermutung, dass man der Staatsanwaltschaft für die politische Justiz der DDR eine zumindest relativ eigenständige Rolle zubilligen muss, scheint sich anhand vorläufiger Ergebnisse eines Forschungsvorhabens zur Staatsanwaltschaft zu bestätigen.[30] Untersucht werden dabei unter anderem die Entstehung der rechtlichen Normen, die Abstimmungsprozesse im Verfahren, die Personalrekrutierung, die Kontrolle der Staatsanwaltschaft und die Lenkung der Verfahren insgesamt. Am Beispiel von Propagandadelikten, Hetze und Staatsverleumdung werden chronologisch mehr als 100 Fälle entlang einzelner Verfahrensschritte analysiert.

Im Laufe der Untersuchungen zeigte sich, dass das Verhältnis beider Ermittlungsorgane nicht statisch war. Vielmehr veränderte es sich sowohl im Laufe der Jahre, in den unterschiedlichen Justizbereichen, als auch in den unterschiedlichen Etappen eines politischen Strafverfahrens. In den Anfangsjahren der DDR hatte das MfS eine starke Stellung inne und verfolgte eine intensive und willkürliche Verhaftungspraxis. Diese Phase ist nicht sonderlich gut erforscht, doch vermutlich war dieses Vorgehen eine Folge der engen Zusammenarbeit mit den sowjetischen Repressionsorganen. Schon die MfS-Vorläufer fungierten als deren »Hilfsorgane«.[31] Veränderungen brachte weniger das erwähnte Staatsanwaltsgesetz von 1952, als vielmehr die Entstalinisierung. Während anfangs nur wenige grobe, aus dem Besatzungsrecht und der Verfassung abgeleitete Normen existierten, sorgte ab 1957/58 zunächst das Strafrechtsergänzungsgesetz (StEG) für eine diffe-

---

28 Siehe Booß: Käfig (Anm. 14), S. 598 f.
29 Ebd., S. 595 f.
30 Projekt in der ehemaligen Forschungsabteilung der Stasiunterlagenbehörde (BStU), jetzt Bundesarchiv zum Thema »MfS und Staatsanwaltschaft im politischen Prozess der DDR« (Arbeitstitel) von Christian Booß unter Mitarbeit von Sebastian Richter.
31 Engelmann/Joestel: Hauptabteilung IX (Anm. 2), S. 37 ff.

renzierte Normierung der politischen Straftaten. Das MfS hatte schon im Vorfeld seine hypertrophe Festnahmepraxis revidieren und Hunderte politische Gefangene freilassen müssen.[32] Zwischen 1958 und 1962 kam es infolgedessen zu teilweise erheblichen Konflikten zwischen der Generalstaatsanwaltschaft und dem MfS. Sie entzündeten sich an der Personalpolitik der Staatsanwaltschaft und der Frage, ob die Geheimpolizei diese beeinflussen dürfe. Das MfS versuchte in dieser Phase, zu stark eigenständig agierende Staatsanwälte loszuwerden. Aufgrund der Krankheit von Melsheimer und der damit einhergehenden jahrelangen Vakanz an der Spitze der Generalstaatsanwaltschaft verschärfte sich der Konflikt weiter und endete erst, als 1962 Josef Streit Generalstaatsanwalt wurde. Dieser war zuvor seit 1954 als Sektorenleiter Justiz in der wichtigen Abteilung für Staats- und Rechtsfragen der oberste Wächter des zentralen Parteiapparates der SED über die Justiz.[33] Es scheint unrealistisch anzunehmen, dass ein SED-Funktionär, der es gewohnt war, Weisungen zu erteilen, sich einfach dem MfS unterordnen würde. In der Tat zeigte sich, dass Streit auch in seiner neuen Funktion dem MfS Grenzen setzte. Gleichwohl kooperierte er in vielen Fragen und verfolgte auch nicht grundsätzlich andere Ziele als die Tschekisten. Doch die Entscheidung über Personalfragen beispielsweise behielt er sich – im Einklang mit der Partei – selbst vor. Vordergründige Einmischungen des MfS in die Personalpolitik wies er zurück.[34] Laut einem IM-Bericht wollte Streit in dieser Sache sogar beim zuständigen ZK-Sekretär, Erich Honecker, intervenieren, der kurz zuvor noch einer seiner Vorgesetzten im zentralen Parteiapparat gewesen war.[35] Auch wenn ein derartiges Gespräch nur indirekt dokumentiert ist, sprechen Indizien dafür, dass die Kontrolle des MfS über die Personalpolitik der Generalstaatsanwaltschaft deutlich sank.

Auch in der Rechtspflege selbst gab es in dieser Zeit Veränderungen, die mit den sogenannten Rechtspflegeerlassen des neuen Staatsrates Anfang der 1960er-Jahre verbunden waren.[36] Parteichef Ulbricht trieb über diese Institution eine Justizreform voran. In deren Zuge wurde das Justizministerium teilweise entmachtet und auch das MfS verlor an Einfluss, wohingegen das Oberste Gericht und auch die Generalstaatsanwaltschaft aufgewertet wurden. In solchen Phasen der Neuorientierung der Justiz flackerten in der DDR immer wieder kleinere Konflikte auf, zwischen den Staatsanwälten und dem MfS, aber auch unter verschiedenen Gruppen der Staatsanwaltschaft. Einer dieser Konflikte drehte sich um die Gesetzeskonformität von Entscheidungen. Solche Kontroversen gab es auch in späteren Jahren, aber nie wieder so stark wie um das Jahr 1960. Die Korrespondenzen der obersten Justizorgane jener Tage belegen deutliche Differenzen über Zuständigkeiten, beispielsweise bei der Anleitung der Gerichtsbarkeit. Hier standen sich vor allem der Präsident des Obersten Gerichtes, Heinrich Toeplitz, und die damalige Justizministerin, Hilde Benjamin, gegenüber.[37] Zur gleichen Zeit rang das MfS mit der

---

32 Ebd., S. 68.
33 Siehe Booß: Käfig (Anm. 14), S. 158.
34 Siehe HA V/1, Vermerk vom 8.2.1962, BStU, MfS, HA XX 2944, Bl. 762.
35 Siehe HA V/1/I, [Roscher], Vermerk, 28.8.1962, BStU, MfS, HA XX 2944, Bl. 759.
36 Siehe Der Staatsrat der DDR (Hg.): Rechtspflegeerlass, Berlin 1963, S. 61–65, hier S. 61.
37 Beispielsweise entspann sich eine Kontroverse zu der Frage, wer Musterurteile zu Republikflüchtlingen für die nachgeordneten Gerichte zur Rechtsprechung nach dem Mauerbau auswählen sollte. Diese Vorgaben dienten der geheimen Justizsteuerung. Siehe OG. Toeplitz. Schreiben an MdJ, Benjamin, 12.1.1962, Bundesarchiv (im Folgenden: BArch), DP2/1517.

Generalstaatsanwaltschaft um die Kontrolle über die Personalpolitik. Unter anderem ging es dabei um die Frage, welche Staatsanwälte zu einer engen Kooperation mit dem MfS bereit waren, und welche Staatsanwälte eher eigene Kompetenzen durchsetzen wollten.[38]

Im Verlauf der 1960er-Jahre erlosch Ulbrichts Reformelan. Im Jahr 1968 regelte ein neuer Normierungsschub mit einer neuen Verfassung und erstmals mit einem genuinen DDR-StGB und einer neuen StPO die Delikte, aber auch die Beziehung der Justizorgane untereinander genauer. Mit dem Machtantritt Erich Honeckers 1971 begann ein justizpolitisches Rollback, eine »neue Justizpolitik«.[39] Insbesondere nach der förmlichen Abschaffung des Rechtspflegeerlasses 1973 wurden die Rollen der Justizorgane neu austariert und die Staatsanwaltschaft aufgewertet. Diese zunehmende Verregelung bestand vor allem darin, dass der Rahmen für die einzelnen Ermittlungs- und Justizorgane enger gefasst wurde und ihr Handeln, selbst bei relativer Eigenständigkeit, für die Partei und die Organe untereinander berechenbarer wurde. In diesem Prozess spielte die tendenzielle Aufwertung der Staatsanwaltschaft eine nicht unwichtige Rolle.

Auch in den Phasen der einzelnen politischen Verfahren veränderte sich die Stellung der Ermittlungsorgane zueinander. Vereinfacht ausgedrückt: Zu Beginn eines Verfahrens dominierte das MfS, gegen Ende die Staatsanwaltschaft. Das MfS entschied weitgehend allein, ob überhaupt Ermittlungen gegen Personen eingeleitet, beziehungsweise Ermittlungen bis zur Anklagereife vorangetrieben wurden. Dass bei solchen politischen Opportunitätsentscheidungen offenbar des Öfteren auch die SED konsultiert wurde, belegen Einzelbeispiele.[40] Systematisch erforscht ist dieser Bereich jedoch bislang nicht. Die vom MfS geforderte Untersuchungshaft wurde von Haftstaatsanwälten und Haftrichtern wohl meist gebilligt. Diese hatten ihre Positionen manchmal mehrere Jahrzehnte lang inne und wurden zu willfährigen Helfern des Systems.

Für die sogenannten IA-Verfahren, benannt nach den sie führenden IA-Staatsanwaltschaften und Richterkammern, in denen das MfS ermittelt hatte, waren bei der Generalstaatsanwaltschaft der DDR von 1956, beziehungsweise 1958 bis 1986, also fast drei Jahrzehnte, Walter Wagner und Erich Nienkirchen zuständig, bevor sie aus gesundheitlichen Gründen aus dem Amt ausschieden. Zuvor hatten sie sich schon als IA-Staatsanwälte bei der Bezirksstaatsanwaltschaft und als leitende Kreisstaatsanwälte bewährt.[41] Ab dem Moment der Anklageerhebung übernahm die Staatsanwaltschaft die Regie. Im Wesentlichen waren die vom MfS ermittelten Verfahren dann aber präjudiziert. Die politische Staatsanwaltschaft, die sogenannten IA-Staatsanwälte, kontrollierte, ob die Ermittlungen formal den Gesetzen entsprachen, und wies ideologisch die »Gesellschaftsgefährlichkeit« der Tat nach.[42] Innerhalb der Staatsanwaltschaft und ohne Hinzuziehung

---

38 Am bekanntesten ist die Kontroverse um den ehemaligen stellvertretenden Generalstaatsanwalt Bruno Haid, die mit dessen Ablösung endete. Im Anschluss gab es aber auch weitere, weniger prominente Fälle. Zum Fall Haid: Engelmann/Joestel: Hauptabteilung IX (Anm. 2), S. 69 ff.

39 Raschka: Justizpolitik und SED-Staat (Anm. 22), S. 49.

40 Siehe Werkentin: Politische Strafjustiz (Anm. 7).

41 Siehe Erich Nienkirchen, Walter Wagner. Personalkarten A, BArch, DP3.

42 Mit diesem Begriff wurde der Grad der Bedrohung des Staates und die Einstellung gegenüber dem sozialistischen System beschrieben, was auch das Strafmaß nachhaltig beeinflusste. Juristisch

des MfS wurde das zu beantragende Strafmaß austariert. Die untergeordneten Staatsanwälte schickten ihre Anklage und ihr Strafmaßplädoyer schon vor Prozessbeginn zur
Bestätigung an die Abteilung IA der Generalstaatsanwaltschaft.[43] Damit war faktisch
auch der Prozessausgang selbst präjudiziert. Ein Fallenlassen der Anklage oder gar ein
Freispruch war unwahrscheinlich, und selbst eine größere Modifizierung des Strafmaßes
unterblieb in der Regel. In späteren Jahren war das Urteil nach Antrag zwar nicht mehr
maßgeblich, aber die durchschnittliche Höhe des Richterspruches lag im Schnitt nur ca.
drei Prozent unter dem Strafantrag der Staatsanwaltschaft.[44] Diese Abweichung war
deutlich geringer als in Strafverfahren in der Bundesrepublik, auch als in nicht MfS-
bestimmten in der DDR, sogar geringer als in der willkürlichen Volksgerichtsjustiz des
NS-Staates.[45] Dieses eher auf eine »verkrüppelte« Prozesskultur hinweisende Indiz war
gerade einmal ausreichend, die unterschiedlichen Rollen der staatlichen Verfahrensbeteiligten im Prozess zu markieren.

Richter und Staatsanwälte in hervorgehobenen Positionen waren Nomenklaturkader
der SED und unterlagen insofern der doppelten Anweisung und Kontrolle. Die oberen
Gerichts- und Staatsanwaltschaftsinstitutionen schalteten sich, wenn es sein musste,
schon vor dem Urteil in das Verfahren ein, berieten oder »instruierten«.[46] Dieser Mechanismus funktionierte vom zentralen Partei- und Staatsapparat, vom Obersten Gericht
beziehungsweise der Generalstaatsanwaltschaft bis hinunter in den kleinsten Gerichtssaal. Allein dieser Befund verdeutlicht, dass es sich bei den Veränderungen in der politischen Strafjustiz der DDR eher um eine Verbürokratisierung und eine Verregelung und
weniger um eine Verrechtlichung handelte.

Die Staatsanwälte arbeiteten oft jahrelang mit dem MfS eng, in manchen Fragen und
Phasen unkritisch, ja unterwürfig zusammen. Aber die Staatsanwaltschaft war keineswegs
ohne Einfluss, vielmehr erhöhte und sicherte die Zusammenarbeit die Regelkonformität
des Verfahrens nach außen hin. Mitte der 1980er-Jahre forderte die Partei die Staatsanwälte geradezu explizit auf, eigenständiger zu agieren. Die parteikameradschaftliche
Zusammenarbeit der Ermittlungsorgane sei gewünscht, aber »kumpelhaftes« Miteinander sollte unterlassen werden, hieß es.[47]

In der Regel gab es also keine Weisung des MfS, sondern eine relative Eigenständigkeit der Staatsanwaltschaft bei grundsätzlich großer Konformität und einer Präjudizie-
rung durch die anfänglichen Ermittlungen. Dies steht der schlichten Dominanzthese
entgegen, die eine Art Weisungsabhängigkeit unterstellt. Vielmehr wurde durch Formen
indirekter Steuerung erreicht, dass bei relativer Eigenständigkeit der Justiz- und Ermitt-

wurden Verbrechen aufgrund von »Gesellschaftsgefährlichkeit« im Strafrecht der DDR von Ver-
gehen wegen »Gesellschaftswidrigkeit« unterschieden und entsprechend dem »Grundsatz der
Differenzierung« höher bestraft. John Lekschas u. a. (Hg.): Strafrecht. Lehrbuch, Berlin 1988,
S. 162 f., 169 ff. u. 172 ff.
43 Siehe Booß: Käfig (Anm. 14), S. 595 f.
44 Ebd., S. 602.
45 Siehe Rottleuthner (Hg.): Das Havemann-Verfahren (Anm. 9), S. 379 ff.
46 Booß: Käfig (Anm. 14), S. 599 f.
47 Ebd., S. 520.

lungsorgane die von der SED geforderte Einheitlichkeit der Rechtsprechung gewahrt wurde.[48] Dies setzte eine Konformität der Ermittlungs- und Justizorgane voraus, die etwa durch die Kaderauswahl, die Ausbildung, gesetzliche und auch untergesetzliche Regelungen sowie Kontrolle und Parteimitgliedschaft sichergestellt werden sollte. Die Kontrolle des Staatsapparates durch das MfS war dabei nur ein – wenngleich bedeutender – Faktor unter mehreren anderen.

III. Justizlenkung mithilfe der Leiter- und Stellvertreterberatungen

Die konformitätsfördernden Faktoren der indirekten Justizlenkung sind grundsätzlich von Hubert Rottleuthner beschrieben worden.[49] An dieser Stelle soll einer der bedeutsamsten und bisher wenig erforschten Aspekte dieser Steuerungspraxis näher untersucht werden: die Leiterberatungen der Justiz- und Sicherheitsorgane sowie ihrer Stellvertreter.[50] Die Genese dieser Zusammenkünfte wird oft auf die Zeit um das Jahr 1973 datiert.[51] Im Rahmen der neuen Forschung zur Staatsanwaltschaft konnte ihre Entstehung jedoch im Kontext der Rechtsreformen von 1963/64 sowie ihrer Arbeitsweise rekonstruiert werden.[52]

Als mit den Rechtspflegebeschlüssen Anfang der 1960er-Jahre eine neue Phase der Justizreform eingeleitet wurde, musste die Rangfolge zwischen den Institutionen neu ausgehandelt werden. Insbesondere das Oberste Gericht und das Justizministerium rangen um eine Art Leitkompetenz. Außerdem bemängelte Ulbricht, dass die inhaltliche Umsetzung der Reform – hier ging es um die Zurückdrängung der Kriminalität durch Resozialisierungsentscheidungen – zu langsam erfolge. In den Jahren nach dem Mauerbau hoffte man, die Mehrheit irregeleiteter Delinquenten integrieren zu können. Dieser Resozialisierungsgedanke war allerdings stark politisiert und strebte die Eingliederung in die sozialistische Gemeinschaft an. Wer mangels günstiger politischer Sozialprognose in diesem Sinne als nicht besserungsfähig galt, fiel nach wie vor dem harten »Feind«-Strafrecht anheim. Dennoch sollte bei der Beurteilung der Straftäter stärker differenziert werden.[53]

Da die Gerichte und die an der Resozialisierung beteiligten Institutionen nach Ansicht von Ulbricht die Reformgedanken zu zögerlich umsetzten, drängte er auf eine stärkere Kooperation der Leiter der obersten Justiz- und Ermittlungsorgane: zwischen der Ministerin der Justiz, dem Präsidenten des Obersten Gerichtes und dem General-

48 Siehe Rottleuthner (Hg.): Steuerung der Justiz (Anm. 3), S. 18.
49 Ebd.
50 Dies ist v. a. ein Verdienst des Forschungsteams um Hubert Rottleuthner in den 1990er-Jahren. Ebd., S. 10.
51 Siehe Engelmann/Joestel: Hauptabteilung IX (Anm. 2), S. 21.
52 Siehe Bericht über die hauptsächlichen Erfahrungen bei der Durchführung des Rechtspflegeerlasses. 25.3.1964, BArch, DA 5/5431.
53 Siehe Rainer Schröder: Geschichte des DDR-Rechts: Straf- und Verwaltungsrecht, forum historia iuris (2004), https://forhistiur.net/en/2004-04-schroder/?l=de (ges. am 8. August 2022).

staatsanwalt.[54] Die Justizabstimmung in der DDR war auf der obersten Ebene daher nicht das Ergebnis von Weisungen, sondern das Resultat einer »Nomenklaturkaderkommunikation« der genannten Institutionen im Benehmen mit dem zentralen Parteiapparat.[55] Die Reibungsverluste, die in der Abstimmung zwischen diesen Institutionen aufgetreten waren, sollten auch dadurch reduziert werden, dass die Bedeutung der Institutionen untereinander neu austariert wurde. Die Federführung für die Leiterberatungen wurde im ersten Jahrzehnt nach ihrem Entstehen dem Obersten Gericht zugesprochen, was als ein Signal in Richtung einer stärkeren Gesetzeskonformität verstanden werden kann. Das Justizministerium unter Hilde Benjamin, die jahrelang das Gesicht der politischen Justiz geprägt hatte, verlor damit an Einfluss. Es ist bezeichnend für diese Reformjahre, dass nicht von vornherein feststand, dass das MfS zu dieser Runde der Rechtspflegeorgane automatisch hinzugezogen würde. Offenbar musste Erich Mielke erst um die Teilnahme in diesem Gremium der obersten Juristen buhlen.[56] Das neue Gremium taucht bis zum Ende der DDR in keinem Gesetz, in keiner Verfassung auf. Dennoch sollte es in enger Abstimmung mit der Partei bis zum Untergang Honeckers die Leitlinien der Justizpolitik maßgeblich bestimmen. Hier wurden Kriminalstatistiken zusammengestellt, Gesetzesvorschläge erarbeitet und abgestimmt und Gesetzesinterpretationen im Detail festgelegt, wobei der letztgenannte Aspekt für die Justizsteuerung am bedeutsamsten war.

Ab 1973 – bereits unter Erich Honecker – übernahm die Generalstaatsanwaltschaft die Federführung für das wichtigste Steuerungsorgan. Zu diesem Zeitpunkt wurde der Rechtspflegeerlass Ulbrichts auch förmlich aufgehoben.[57] Es ist bezeichnend für die Verschiebung der Gewichte innerhalb der Justiz- und Ermittlungsorgane, dass die Initiative dazu von Generalstaatsanwalt Streit selbst ausgegangen war, dem Honecker in dieser Frage folgte.[58] Es entsprach Honeckers Rechtspolitik, die Justiz wieder stärker parteilich zu binden. Da der ehemalige ZK-Mann Streit nun dieses Gremium leitete, war es stärker der Partei untergeordnet. Ohnehin war ein hoher Vertreter des ZK-Apparates, meist der Sektorenleiter Justiz und damit ein Nachfolger Streits in dieser Funktion, als »Gast« in den Sitzungen vertreten. Mit der strukturellen Veränderung wurde eine Straffung der Verfahren und eine Verhärtung der politischen Justiz eingeleitet. Insbesondere Ende der 1970er-Jahre, als unter dem Eindruck der KSZE-Entscheidung von Helsinki und dem Druck der Ausreisebewegung die Strafgesetze verschärft wurden, kam das Gremium besonders intensiv zum Einsatz. Durch fast im Monatsturnus stattfindende Sitzungen wurde die Rechtsanwendung durch »gemeinsame Standpunkte« der aktuellen Situation angepasst. An diesen Sitzungen war das MfS in der Regel beteiligt, wenn auch meist

54   Siehe Der Vorsitzende des Staatsrates der DDR. Schreiben an den Präsidenten des OG. 22.4.1965, BArch, DP2/1374.
55   Booß: Käfig (Anm. 14), S. 608 f.
56   Siehe MfS. Schlussfolgerungen zur Richtlinie des Vorsitzenden des Staatsrats vom 31.3.1964, 13.4.1964, BStU, MfS, SDM 1009, Bl. 41–45, hier Bl. 42. Mit handschriftlichen Korrekturen von Mielke.
57   Siehe Raschka: Justizpolitik und SED-Staat (Anm. 22), S. 82 f.
58   Siehe GStA, Streit. Schreiben an ZK, SuR, Sorgenicht, 30.11.1972, BArch, DP 3/214.

nicht hochrangig.[59] Wie die MfS-internen Dokumente zeigen, brachte sich das MfS auch mit eigenen Stellungnahmen in die Diskussionen ein. Nach außen, in den »Informationen des Obersten Gerichtes«, wurde die Beteiligung des MfS jedoch kaschiert. Die Urheberschaft der »Standpunkte« wurde meist auf das Oberste Gericht und die Staatsanwaltschaft beschränkt, gelegentlich auch im Verbund mit anderen Organen, wie dem Ministerium des Innern (MdI).[60] So wurden beispielsweise 1984 in der gemeinsamen Position zur Aufenthaltsbeschränkung das Oberste Gericht, das Ministerium des Innern, die Generalstaatsanwaltschaft und das Ministerium der Justiz genannt. Jedoch hatte auch das Ministerium für Staatssicherheit dem Dokument zuvor seine »Zustimmung gegeben«.[61]

Das geschilderte Abstimmungsprozedere führte – zugespitzt formuliert – zu »Kochbuch«-Verfahren. Jeder der von Staats wegen am Prozess Beteiligten konnte aufgrund der normativen Vorabstimmung wissen, was von ihm erwartet wurde. Der Ermittler, der Staatsanwalt und der Richter bekamen durch diese abgestimmten Standpunkte präzise Orientierungen. Bekannt ist vor allem der gemeinsame Standpunkt, der Entlassungen und Versetzungen von Ausreiseantragstellern an ihrer Arbeitsstelle rechtsfest machen sollte. Durch die Beachtung von Formalien und die Regelung von Zuständigkeiten sollte verhindert werden, dass derartige Personalentscheidungen vor Gerichten angegriffen werden konnten. Gleichzeitig sollte der wahre Hintergrund der Kündigung – der Ausreisewunsch – im Verfahren durch vorgeschobene Gründe verschleiert werden.[62]

Im Bereich der politischen Justiz scheint am ausführlichsten die »Kommentierung« des dritten Strafrechtsänderungsgesetzes gewesen zu sein, das Ende der 1970er-Jahre der Abwehr von Ausreiseanträgen diente, deren Zahl sich im Gefolge der Unterzeichnung der KSZE-Schlussakte geradezu explosionsartig entwickelte. Was war beispielsweise als schwere Republikflucht einzustufen und was nicht, wie war der eine Straftatbestand gegen den anderen abzugrenzen? Jede Institution hatte durch geeignete interne Anweisungen und Kontrollen dafür zu sorgen, dass diese Vorschriften eingehalten wurden. Jeder von Staatsseite Verfahrensbeteiligte konnte und sollte selbst im »Kochbuch« nachschlagen, was zu tun war. So unterschied beispielsweise § 213 StGB (Republikflucht) die schwere von der minder schweren Republikflucht. Dieser Unterschied wirkte sich auf das Strafmaß aus. Gegenüber 1968[63] wurde in den 1970er-Jahren für die Republikflucht

---

59 Mielke nahm allenfalls in den Anfangsjahren an den Gremiensitzungen teil, später ließ er sich durch den Leiter der HA IX oder sogar nur durch einen Grundsatz-Offizier vertreten. Jahrelang übernahm diese Aufgabe der »Netzwerker« Konrad Lohmann. Booß: Käfig (Anm. 14), S. 209 ff.

60 Eine nahezu komplette Sammlung der Informationen des Obersten Gerichtes lag in der Abteilung Bildung und Forschung (BF) des BStU bei Erstellung der Auswertung vor, o. Signatur.

61 Siehe OG, Vizepräsident, Sarge, Schreiben an GStA, Streit, 18.12.1984, BArch, DP3/888.

62 Dass dieser Standpunkt die Entlassung selbst regelte, ist eine Überinterpretation. Siehe Orientierung […] zur einheitlichen Behandlung arbeitsrechtlicher Probleme, die sich bei Versuchen von Bürgern der DDR, die Übersiedlung nach nichtsozialistischen Staaten und Westberlin zu erreichen, […] ergeben können. Anlage 7, MfS-Dienstanweisung 2/83. Zit. nach Hans-Hermann Lochen/Christian Meyer-Seitz (Hg.): Die geheimen Anweisungen zur Diskriminierung Ausreisewilliger. Dokumente der Stasi und des Ministeriums des Innern, Köln 1992, S. 194–204.

63 § 225 Abs. 1 StGB-DDR 1968.

das Kriterium einer »Tat mit besonderer Intensität« hinzugefügt,[64] wobei die offiziellen Kommentare diese Intensität nur vage als einen »erheblichen physischen Aufwand« definierten.[65] Wo genau die Grenze lag, war weder dem Gesetz noch der offiziellen Kommentierung exakt zu entnehmen. Lediglich die interne Festlegung definierte die schwere Republikflucht eindeutig als eine gemeinsam mit anderen Personen beziehungsweise mit Werkzeugen begangene Flucht.

Infolge des 3. Strafrechtsänderungsgesetzes fanden die Leiterberatungen in so dichter Reihenfolge und so stark an dieser Thematik orientiert statt, dass sie förmlich als »Konsultativrat« tagten. Anhand von Problemen aus der Rechtsprechung wurden laufend interne Orientierungen herausgegeben, die für die Justizorgane, insbesondere die Gerichte, unmittelbar rechtswirksam werden sollten.[66] So wurde beispielsweise festgehalten, wie die §§ 106 StGB (»Staatsfeindliche Hetze«) und 220 StGB (nun öffentliche Herabwürdigung) genau zu definieren und voneinander abzugrenzen seien.[67] Pejorative Äußerungen nach § 106 StGB mussten sich gegen die »verfassungsmäßigen Grundlagen« der DDR richten.[68] Damit diese Einschränkung nicht zu eng interpretiert wurde, war klargestellt, dass darunter auch die ökonomischen Grundlagen, »Wissenschafts-, Bildungs- und Kulturpolitik« zu verstehen seien. »Hetze« könne sich auch nur »gegen Teilbereiche« dieser verfassungsmäßigen Grundlagen richten.[69] Eine Rolle bei der Subsumtion spiele auch die »objektive Schwere des Angriffs«.[70] Auch Tagebuchaufzeichnungen könnten »Grundlage für mündliche Hetze sein. Dieser Zusammenhang müsse aber nachgewiesen werden.«[71] Gerade diese Passage, die nicht öffentlich geäußerte Gedanken potenziell als Hetze strafbar machte, zeigt, wie konkret die Vorgaben in den geheimen Kommentierungen waren. Auf diese Weise sollten Unsicherheiten bei der Anwendung des Gesetzes in der Praxis verbindlich für alle Justiz- und Ermittlungsorgane beseitigt werden. Ähnlich wurde für eine andere Fallgruppe geregelt, der § 106 StGB könne auch in Tateinheit mit dem § 107 StGB (staatsfeindliche Gruppenbildung) angeklagt werden. Das sollte verhindern, dass Straftaten nach § 106 StGB mit dem geringer strafbewährten § 107 StGB abgeurteilt würden.

Die Formulierung derart filigraner juristischer Vorgaben, sofern sie den Gesetzen selbst nicht entnommen werden können, liegt in einem Rechtsstaat in der Verantwortung eines Gerichts, letztlich des Verfassungsgerichts. In gewisser Hinsicht substituierten die Leiterberatungen also die in der DDR fehlende Verfassungsgerichtsbarkeit. Aber gerade diese Form der Rechtsfindung und Rechtsetzung macht den Unterschied beider

---

64 Siehe MdJ (Hg.): Strafrecht der DDR. Kommentar, Berlin 1987, Kommentar zu § 213 Abs. 1, 3, S. 474.
65 Ebd.
66 Siehe Standpunkte zur Anwendung von Tatbeständen des 2. Kapitels des StGB in der Fassung des 3. StÄG, o.D. BStU, MfS, IX 9159, Bl. 44–50.
67 Ebd., hier Bl. 46.
68 Ebd., hier Bl. 44.
69 Ebd.
70 Ebd.
71 Ebd., hier Bl. 46.

Rechtsordnungen deutlich. Niklas Luhmann hat – mit etwas anderen Worten – darauf hingewiesen, dass die rechtsstaatliche Verfasstheit eines Rechtssystems auch davon abhängt, wie die rechtliche Norm selbst zustande kommt.[72] Klassischerweise geschieht dies in Form vom Parlament beschlossener Gesetze und des Richterrechts. Es ist offenkundig, dass dieses Geheimgremium in der DDR, die Leiterberatung, das in enger Abstimmung mit dem zentralen Parteiapparat rechtliche Normen und ihre Auslegung festschrieb, geradezu das Gegenteil von dem verkörpert, was Luhmann als legitime Rechtsetzung beschreibt. In diesem Sinne war also das DDR-Recht an sich, sogar unabhängig von der Einzelentscheidung, grundsätzlich politisiert. Versuche, etwa mithilfe der Doppelstaat-Theorie von Fraenkel normenstaatliche und maßnahmenstaatliche Handlungen voneinander zu unterscheiden, sind daher problematisch.[73] Das maßnahmenstaatliche Vorgehen war oft Bestandteil der Norm selbst. Die Beschränkung des Rechts auf Freizügigkeit etwa steckte im § 213 StGB, der die Republikflucht ahndete. Deren Ahndung verlief normenkonform entsprechend dem geschilderten Gesetzes- und Kommentierungsapparat. Das interessantere und typischere Phänomen der späten DDR ist daher nicht die Regelverletzung beziehungsweise die »Normensimulation«,[74] sondern die Durchsetzung repressiver Maßnahmen durch die Justiz- und Ermittlungsorgane mithilfe eines Regelkataloges.

Den SED-Oberen war die Angreifbarkeit dieser Rechtsetzung durch die Hintertür offenbar bewusst. Gerichtsbeschlüsse oder Beschlüsse der Volkskammer wurden vorgegaukelt, wo in Wirklichkeit die Leiter- und Stellvertreterberatung mit dem zentralen Parteiapparat präjudiziert hatten. Um dies zu verschleiern, wurde es explizit abgelehnt, das Gremium durch ein Gesetz zu regeln und damit öffentlich zu machen. Damit sollte gewährleistet werden, dass »unsere Gegner […] keine Informationen darüber erhalten«,[75] die der Reputation der DDR hätten schaden können. Die Standpunkte und Informationen des Obersten Gerichtes wurden nur einem erlesenen Kreis zugänglich gemacht. Selbst den Anwälten wurden sie erst spät, unvollständig und nur personengebunden zugänglich gemacht. Den Beschuldigten waren sie nicht bekannt. Als geheim zu haltende Dienstinterna durften die Verteidiger sie nicht darüber informieren.[76] Da die Vertreter der Rechtspflegeorgane einschließlich des Anwalts zumindest einen Teil der Regelungen kannten, die Angeklagten jedoch nicht, wirkten die Verfahren auf diese oft so, als seien sie abgesprochen, auch wenn sie es im wörtlichen Sinne nicht waren.

---

72   Siehe Niklas Luhmann: Rechtssoziologie, Reinbek 1972, S. 194.
73   Siehe Werkentin: Politische Strafjustiz (Anm. 7), S. 401; Sélitrenny: Doppelte Überwachung (Anm. 2), S. 412.
74   Ebd., S. 420.
75   OG, der Präsident, Toeplitz. Schreiben an den stellv. Vorsitzenden des Staatsrates und Präsidenten der Volkskammer, Horst Sindermann, 28.2.1977, Stiftung Archiv der Parteien und Massenorganisationen der DDR im Bundesarchiv (SAPMO-BArch), DY 30/22458.
76   Siehe Booß: Käfig (Anm. 14), S. 243.

IV. Das Beispiel Guben: Eine Leiterrunde auf Kreisebene

Abstimmungsrunden in Analogie zu den zentralen Leiterberatungen gab es auch auf Bezirks- und Kreisebene. Bislang sind diese Gremien kaum Gegenstand der Forschung gewesen. Dies hängt nicht zuletzt damit zusammen, dass sich die DDR-Justiz-Forschung bisher stark auf die Zentrale konzentriert hat.[77] Eine stärkere Beachtung lokaler Vorgänge würde das Verständnis über die politische Justiz in der SED-Diktatur deutlich bereichern. Dies deutet etwa ein Blick auf den Kreis Guben in den 1980er-Jahren an.[78] Die Leiterrunde, darunter der Kreisgerichtsdirektor, je ein Vertreter des Volkspolizeikreisamtes und der Kreisdienststelle des MfS, tagte in diesen Jahren unter Führung des Kreisstaatsanwalts. Anwesend war außerdem der Mitarbeiter für Sicherheit der SED-Kreisleitung. Auch wenn dessen Funktionsbeschreibung unscheinbar wirkte, waren solche Funktionäre in leicht variierender Bezeichnung üblicherweise persönliche Mitarbeiter des Ersten Sekretärs der SED-Kreisleitung, die sich auch um Justizfragen kümmerten. Insofern war eine unmittelbare Rückkoppelung des Gremiums an den höchsten Parteifunktionär im Territorium gegeben.

Bei diesen Abstimmungsrunden auf Kreisebene standen weniger die Normen an sich im Vordergrund, die, wie geschildert, zentral festgelegt wurden. Stattdessen ging es primär um die Schwerpunktsetzungen in Sicherheitsfragen und bei der Kriminalitätsbekämpfung. Das konnte auch politische Delikte im engeren Sinne betreffen. Bürger, die einen Ausreiseantrag gestellt hatten, sollten beispielsweise durch ein gutes Zusammenspiel des MfS, des Rates des Kreises und der Betriebe zur Rücknahme ihrer Anträge bewegt werden.[79] Die Runde beriet sogar konkrete Einzelfälle. So wurde erwähnt, dass ein namentlich genannter Bürger Schulden habe und wohl deswegen einen Ausreiseantrag gestellt habe. Da er eine örtliche Versorgungseinrichtung leitete, fand der Vorschlag Zustimmung, dass ihm besondere »Aufmerksamkeit« zu widmen sei.[78] In der Regel ging die Leiterrunde von bestimmten Problemlagen, Auffälligkeiten in der Kriminalstatistik beziehungsweise Fallhäufigkeit aus. Als probates Mittel zur Rücknahme der Ausreiseanträge wurde es nicht selten angesehen, Täter exemplarisch zu überführen, demonstrativ anzuklagen und zu verurteilen. Von daher widmete man sich weniger Staatssicherheitsverfahren, die in der Regel geheim abliefen, sondern Verfahren, die von einer justizpädagogischen Öffentlichkeitsarbeit begleitet werden konnten.[80] Diese regionalen Leiter legten also fest, wo Ermittlungsschwerpunkte gesetzt werden sollten, wo die Staatsanwaltschaft schnell ein Ergebnis präsentieren und das Gericht ein Exempel statuieren sollte. Das Ganze konnte dann in Kollektiven oder in der regionalen SED-

77 Siehe Raschka: Justizpolitik und SED-Staat (Anm. 22); Werkentin: Politische Strafjustiz (Anm. 7). Mit einzelnen Ausnahmen in den Aufsätzen bei Rottleuthner (Hg.): Steuerung der Justiz in der DDR (Anm. 3).

78 Siehe Kreisstaatsanwalt Guben. Bestand zur Einsicht zur Verfügung gestellt vom seinerzeitigen Generalstaatsanwalt von Brandenburg, Dr. Erardo Rautenberg. Auswertung im Projekt »MfS und Staatsanwaltschaft«, MS Berlin 2021.

79 Ebd., Protokoll, 3. 8. 1984.

80 Ebd., Protokoll, 19. 9. 1986.

Zeitung propagandistisch als Erfolg der Partei verkauft werden, die sich um die Sicherheit ihrer Bürger sorgte. Das war es, was die SED unter Erich Honecker unter »Rechtssicherheit« verstand:[81] der verlässliche Schutz von Leib, Leben und Eigentum der Bürger, komplementär zur Sozialpolitik Honeckers. Sicherheit im doppelten Sinne war das zentrale Versprechen der herrschenden Partei an die Staatsbürger der DDR in der Ära Honecker. Gerade an der regionalen Ausformung der Justizlenkung mithilfe der Leiterberatungen zeigt sich, dass die Justiz im SED-Staat noch stärker politisiert war, als es eine Beschäftigung mit der politischen Justiz im engeren Sinne in der Regel erwarten lässt. Der Radius der Politisierung von Justizentscheidungen betraf, selbst wenn die rechtlichen Normen beachtet wurden, wesentlich mehr Bereiche als nur die im eigentliche Sinne politischen Delikte. Und zumindest in der Ära Honecker war es nicht das MfS, sondern die Staatsanwaltschaft gemeinsam mit der SED und in Kooperation mit anderen Organen, die diesen Prozess anleitete.

V. Fazit

Resümierend ist festzuhalten, dass die Annahme von der Dominanz des MfS in Strafverfahren zumindest relativiert werden muss. Insbesondere der Staatsanwaltschaft kann eine relative Eigenständigkeit zugebilligt werden. Vor allem in der Ära Honecker hatte die Generalstaatsanwaltschaft auch im Bereich der politischen Strafjustiz maßgeblichen Einfluss auf die allgemeine Justizpolitik. In Einzelverfahren hatte das MfS als Untersuchungsorgan vor allem vor und bei Ermittlungsbeginn einen großen Spielraum, den es – wohl zusammen mit der Partei – im Sinne politischer und geheimpolizeilicher Opportunitätsentscheidungen nutzen konnte. Die Staatsanwaltschaft sorgte eher für die äußere Rechtskonformität, nachdem die Ermittlungen weitgehend abgeschlossen waren, und trug damit zum Trend der allgemeinen Verregelung der politischen Strafjustiz bei. Damit soll nicht bestritten werden, dass es Verfahren mit anweisungsähnlichen Vorgaben gab. Zumindest in der späten DDR war aber, insbesondere in den Massenverfahren gegen Personen, die die DDR verlassen wollten, eine solche Einzelintervention in den meisten Fällen unnötig und nicht erwünscht. Die Vorsteuerung der staatlichen Verfahrensbeteiligten fand vielmehr mithilfe der Normenabstimmung in den Leiter- und Stellvertreterberatungen und den flankierenden Kontrollmechanismen statt und wies den Prozessbeteiligten wie bei einem »Kochbuch« nur einen geringen, tolerierten Spielraum zu. Die Verfahrenspolitisierung bestand nicht in der Regelverletzung, sondern in der Durchsetzung der parteilich interpretierten Rechtsnorm. Als federführende Institution bei den Leiterberatungen spielte die Staatsanwaltschaft eine wichtige, keineswegs nur untergeordnete Rolle.

---

81 Booß: Käfig (Anm. 14), S. 154.

Udo Grashoff

Kern und Peripherie. Zur Struktur politischer Tabus in der DDR. Das Suizidtabu als Beispiel

Tabus sind universell. Diktaturen sollten jedoch gesondert betrachtet werden – allein schon deshalb, weil ideokratische Regime (wie das der DDR) besonders oft politische Tabus erzeugen und bewahren, um die dominante Doktrin zu etablieren und aufrechtzuerhalten.[1] Das Abstecken der Grenzen des Sagbaren und die Herausbildung einer Tabukommunikation kann als Teil der Normalisierung kommunistischer Parteiherrschaft angesehen werden. Durch Tabus werden stabile Bezugsgrößen geschaffen, wodurch Skandale vermieden und eine gewisse »Verregelung« des Diskurses erfolgen kann. Allerdings schwinden Unsicherheit und Angst damit keineswegs, sondern treten nach der Abkehr von offeneren Formen der stalinistischen Repression lediglich in anderer Form in Erscheinung.

Das gilt in besonderem Maße für die DDR, denn das Sprechen über Tabuthemen ging hier mit einer Reihe von Unwägbarkeiten einher. So waren die Regeln der Tabukommunikation nicht exakt festgelegt, sondern mussten von den Akteuren erahnt und ausgetestet werden. Die Teilhabe am Privileg des Tabubruchs war ungleich verteilt. Zudem unterlag das, was gesagt werden durfte und was nicht, historischen Veränderungen. Generell wurde die Sprache im Sozialismus daher von vielen Ostdeutschen nicht nur als ungeeignet für das Ansprechen sozialer Probleme, sondern auch als Einschränkung ihrer Handlungsfähigkeit empfunden.[2]

Diskurse im Gravitationsfeld politischer Tabus bieten somit eine geeignete Sonde, um Sozialkontrolle und Handlungsspielräume in poststalinistischen Staaten genauer zu analysieren. Dafür, so argumentiert dieser Essay, ist allerdings ein verfeinerter Tabubegriff notwendig.

Die folgenden Ausführungen erläutern exemplarisch, wie genau der Tabubegriff erweitert und dabei zugleich seine Konturen geschärft werden sollten. Am Beispiel des politischen Suizidtabus in der DDR wird ein neues Konzept für die Untersuchung kommunikativer Tabus entwickelt. Dieses Konzept unterscheidet Kernbereich und Peripherie

1   Allgemein zu Ideokratien siehe Jaroslaw Piekalkiewicz/Alfred Wayne Penn: The Politics of Ideocracy, Albany 1995; Uwe Backes/Steffen Kailitz (Hg.): Ideocracies in Comparison, London 2015. Dass politische Führer Tabus bewusst erzeugen, ist im Übrigen keine Besonderheit moderner Gesellschaften. Bereits James Cook stellte fest, dass zum Tabu auf den polynesischen Inseln nicht nur magische Sanktionen, sondern auch scheinbar willkürliche Erlasse von Häuptlingen und Priestern gehörten. Franz Baermann Steiner: Taboo, London 1956, S. 143.
2   Siehe Ulla Fix: Was hindert die Bürger am freien Sprechen? Die Ordnung des Diskurses in der DDR, in: dies.: Sprache, Sprachgebrauch und Diskurse in der DDR. Ausgewählte Aufsätze, Berlin 2014, S. 61–81, hier S. 66.

von politischen Tabus und versteht das Verschwiegene im Kern eines Tabus, und die gleichzeitig zu beobachtende Vielfalt der sprachlichen Techniken, mit denen Tabuthemen kommuniziert werden, als Einheit. Durch eine solche holistische, auch subjektive Dimensionen wie Wahrnehmung und Grenzüberschreitung einbeziehende Herangehensweise kann das Verständnis diskursiver Regime in Diktaturen, in denen eine dominante Ideologie in den meisten Aspekten der Gesellschaft tief verwurzelt ist, sowohl differenziert als auch vertieft werden.

I. Zensur und Tabu

Der Rückgriff auf den vagen Begriff des Tabus mag unzeitgemäß erscheinen, aber die relative Unschärfe ist für das Thema der politischen Tabus in der DDR eher ein Vorteil. Der britische Entdecker James Cook, dessen Tagebuch den Begriff »Tabu« aus Polynesien nach Europa brachte, stellte bereits fest, dass es sich um ein Wort von sehr umfassender Bedeutung handelt, das jedoch im Allgemeinen »verboten« bedeutet.[3] Im Gegensatz zu gesetzlich kodifizierten Verboten ist das Tabu selten eindeutig formuliert. Es muss in der Regel durch soziale Interaktion erkannt werden.

In jüngerer Zeit kam der Begriff »Tabu« in der Wissenschaft etwas aus der Mode. Aber er wird in der historischen Forschung immer noch verwendet, insbesondere in Studien zur Zensur in repressiven Regimen, wenngleich diese selten das Potenzial des Tabubegriffs ausschöpfen.[4] Simone Barck hat wie auch andere Literaturwissenschaftler den »modernen« Charakter von Institutionen und Praktiken der Zensur in der DDR hervorgehoben.[5] In der SED-Diktatur war Zensur weniger eine direkte Top-down-Intervention der Behörden als vielmehr eine alltägliche Praxis der sozialen Kontrolle. Publikations- und Sprechverbote waren das Ergebnis eines »verborgenen Kräftespiels«.[6] Zu den Mechanismen, welche die Deutungsmacht der SED langfristig absicherten, gehörte ein komplexes System ständiger Kontrollen, das »tief in den sozialen Strukturen verankert« war.[7] Dieser interessante Sachverhalt hat den Blick der Wissenschaftler, die das Phänomen der Zensur in der DDR studiert haben, vorwiegend auf Institutionen sowie die Akteure, die an bürokratischen Prozessen beteiligt sind, gelenkt.[8] In einer solchen

3 Siehe Steiner: Taboo (Anm. 1), S. 143.
4 Siehe Kate Burridge: Taboo Words, The Oxford Handbook of the Word, Oxford 2015, S. 270–283; Keith Allan: Taboo Words and Language: An Overview, in: Keith Allan (Hg.): The Oxford Handbook of Taboo Words and Language, Oxford 2018, S. 1–29.
5 Siehe Simone Barck/Christoph Classen/Thomas Heimann: The Fettered Media: Controlling Public Debate, in: Konrad H. Jarausch (Hg.): Dictatorship as Experience: Towards a Socio-Cultural History of the GDR, New York 1999, S. 213–239.
6 Siegfried Lokatis: Verantwortliche Redaktion. Zensurwerkstätten der DDR, Stuttgart 2019, S. 19.
7 Sylvia Klötzer/Siegfried Lokatis: Criticism and Censorship: Negotiating Cabaret Performance and Book Production, in: Konrad H. Jarausch (Hg.): Dictatorship as Experience: Towards a Socio-Cultural History of the GDR, New York 1999, S. 241–263, hier S. 260.
8 Siehe Dominic Boyer: Censorship as a Vocation: The Institutions, Practices, and Cultural Logic of Media Control in the German Democratic Republic, in: Comparative Studies in Society and History 45 (2003), H. 3, S. 511–545.

Perspektive erscheint der zensierte Inhalt oft als Randerscheinung, die keiner vertieften Diskussion bedarf. Tabus werden nur anekdotisch erwähnt.[9] Die meisten Studien zu Zensurpraktiken setzen Tabus als gegeben voraus, ohne sie eingehend zu analysieren.[10] So gibt es eine Vielzahl von Arbeiten zur Literaturzensur in der DDR, die Tabuthemen berühren, in deren prozessorientierter Perspektive Tabus aber nicht selten willkürlich bzw. lächerlich erscheinen. Beispielsweise spricht Siegfried Lokatis von »absurden, jeder erinnerten Erfahrung widersprechenden Tabus für den Umgang mit der unmittelbaren Vorgeschichte der DDR«.[11]

Studien, die sich auf politische Tabus konzentrieren, greifen zudem häufig auf ein rigides Verständnis von Tabu als »totale kulturelle Unterdrückung« zurück.[12] Damit bleibt das Verständnis von Zensurprozessen bisweilen etwas zu abstrakt, denn Tabus sind Dreh- und Angelpunkt von Zensur: Sie sind sowohl die Grundlage von Zensurprozessen als auch ihr Ergebnis. Tabus sind der sprichwörtliche »Elefant im Raum« – das offensichtliche Problem, das zwar im Raum steht, aber von den Anwesenden nicht angesprochen wird.

Ergänzend zum bisher vorherrschenden Fokus auf bürokratische Prozesse (wer, wann und wie) lenkt die folgende Diskussion den Blick auf die Inhalte. Dabei zielt der hier entwickelte Ansatz auf ein ganzheitliches Verständnis von politischen Tabus, das als notwendig erachtet wird, um die Konturen des Nichtsagbaren und des Sagbaren genauer zu lokalisieren, und die Wirkungen von Tabus besser verstehen zu können.

II. Das politische Suizidtabu in der DDR

Im Folgenden werde ich, als empirische Fallstudie, den Umgang mit dem Thema Suizid in der DDR analysieren.[13] Konkrete Beispiele aus verschiedenen gesellschaftlichen Berei-

9   Das trifft für die meisten Publikationen von Siegfried Lokatis zu, die eher auf Verfahren als auf Inhalte fokussieren. Zum Teil gilt es auch für Robert Darnton: Die Zensoren. Wie Staatliche Kontrolle die Literatur beeinflusst hat. Vom vorrevolutionären Frankreich bis zur DDR, München 2016. Ironischerweise war Zensur nicht nur eine Praxis, sondern auch selbst ein Tabuthema in der DDR. Die Verleugnung der Existenz von Zensur (der Kern) war umgeben von einer Reihe von Euphemismen (Peripherie) und wurde, wie Laura Bradley treffend festgestellt hat, durch die Rede von der Verantwortung ergänzt, die wiederum Selbstzensur gefördert und sogar vorgeschrieben hat. Siehe Laura Bradley: Cooperation and Conflict. GDR Theatre Censorship, 1961–1989, Oxford 2010, S. 14.

10 Eher eine Ausnahme bietet Ann-Kathrin Reichardt, die zwar den Inhalt der Zensur ausführlich diskutiert, sich jedoch eher auf die ideologische Norm (das Äquivalent von »Mana«) als auf das Tabu konzentriert. Siehe Ann-Kathrin Reichardt: Die Zensur belletristischer Literatur in der DDR, in: Ivo Bock (Hg.): Scharf überwachte Kommunikation. Zensursysteme in Ost(mittel)europa (1960er–1980er-Jahre), Münster 2011, S. 363–446.

11 Siegfried Lokatis: Entdeckungsreisen ins Leseland, in: Siegfried Lokatis/Theresia Rost/Grit Steuer (Hg.): Vom Autor zur Zensurakte. Abenteuer im Leseland DDR, Halle 2014, S. 11–16, hier S. 13.

12 Bill Niven: On a Supposed Taboo: Flight and Refugees from the East in GDR Film and Television, in: German Life and Letters 65 (2012), H. 2, S. 216–236, hier S. 223.

13 Nachfolgend wird vor allem der Begriff »Suizid« verwendet. Zu den anderen möglichen Bezeichnungen für Selbsttötungen siehe Udo Grashoff: »In einem Anfall von Depression …«. Selbsttötungen in der DDR, Berlin 2006, S. 15–26.

chen wie Journalismus, Belletristik und medizinischer Fachliteratur sollen verdeutlichen, wie omnipräsent das Tabu in der SED-Diktatur war. Suizid ist in der modernen Zivilisation im Allgemeinen ein Tabu, aber in der DDR bestand zusätzlich zum anthropologischen Meidungsgebot ein politisches Suizidtabu.[14] Trotz ständiger Propaganda-Behauptungen, der Sozialismus würde soziale Integration, Fürsorge und Solidarität fördern, hatte die DDR eine der höchsten Selbsttötungsraten der Welt. Die hohe Zahl der Suizide war eine ernsthafte Herausforderung für die kommunistische Ideologie.

Unmittelbar nach dem Ende der DDR erschienen mehrere Publikationen, die das Suizidtabu in der DDR beschrieben.[15] Im Jahr 1993 erhoben jedoch die Medizinhistoriker Susanne Hahn und Tilo Nimetschek kritische Einwände gegen die Existenz eines solchen Tabus. Ihr Hauptargument lautete, dass das Thema keineswegs immer totgeschwiegen worden sei und sowohl im medizinischen Diskurs als auch in der Belletristik angesprochen werden konnte. Das ist zutreffend: Suizid wurde nur teilweise verschwiegen. Mitunter war das heikle Thema im offiziellen Diskurs aber auch präsent. Aber heißt das im Umkehrschluss, dass es kein Tabu gab? Oder vielleicht, wie Hahn und Nimetschek vorgeschlagen haben, dass es nur ein »durchbrochenes Tabu« gab?[16] Wie passt das dann aber zur Wahrnehmung der Dresdner Suizidexperten Ehrig Lange und Werner Felber, die von einer ausgeprägten politischen Tabuisierung ausgehen?[17] Die Lösung für dieses Dilemma könnte das im Folgenden entwickelte erweiterte Tabukonzept bieten, das über die Gleichsetzung von Tabu und Verschweigen hinausgeht.

III. Kern und Peripherie politischer Tabus

Tabu bedeutet im engeren Sinne, dass Wörter, Begriffe und Ideen, die als gefährlich gelten, aus dem öffentlichen Diskurs entfernt werden. In Bezug auf das politisch heikle Thema Suizid hielt die SED die Statistiken streng geheim und verhinderte eine öffentliche Diskussion über die Suizidrate, insbesondere nach dem 1961 erfolgten Bau der Berliner Mauer. Die medizinische Forschung unterlag danach strengen Vorschriften. Psychiater und Sozialwissenschaftler, die das Auftreten und die Häufigkeit von Suizid in der DDR untersuchen wollten, konnten ihre Studien nicht veröffentlichen, wenn sie Zahlen enthielten. Eine offene Debatte über das Suizidproblem war somit fast unmöglich. Neben der Verschleierung statistischer Daten wurden durch politische Konflikte

14 Siehe Werner Felber: Das Suizidtabu in der ehemaligen DDR – Notizen, Erscheinungsformen, Auswirkungen, Gründe, in: Paul Götze/Michael Mohr (Hg.): Psychiatrie und Gesellschaft im Wandel, Regensburg 1992, S. 147–163.

15 Ebd. sowie z. B. Waltraud Casper: Moralität. Ein Tabu ist gebrochen, in: humanitas 3 (1990), H. 8, S. 11; Matthias Matussek: Das Selbstmord-Tabu. Von der Seelenlosigkeit des SED-Staats, Reinbek b. Hamburg 1992.

16 Susanne Hahn/Tilo Nimetschek: Suizidalität. Durchbrochenes Tabu, in: Suizidprophylaxe 20 (1993), S. 181–201.

17 Siehe Werner Felber/Ehrig Lange: Der restriktive Umgang mit dem Suizidphänomen im totalitären System, in: Medizinische Akademie Dresden, der Rektor (Hg.): »Pro et contra tempora praeterita« (= Schriftenreihe der Medizinischen Akademie Dresden, Bd. 27), Dresden 1993, S. 140–145.

motivierte Selbsttötungen vertuscht. Zum Beispiel legte die SED angesichts des Todes von Funktionären wie Willi Kreikemeyer (1950), Vincenz Müller (1961), Max Sens (1962), Anton Ackermann (1973) und Siegfried Böhm (1980) die wahre Todesursache nicht offen, um provokative Fragen und kritische Diskussionen zu vermeiden (obwohl die letzten drei dieser Selbsttötungen hauptsächlich durch private Konflikte motiviert waren).

Ebenso wie Journalisten waren auch Schriftsteller oft strengen Einschränkungen ausgesetzt. Ein typisches Beispiel ist Brigitte Reimanns Roman *Franziska Linkerhand* (1974). Die veröffentlichte Version des Romans hinterlässt den Eindruck, die Autorin habe das Suizidthema nur vorsichtig angesprochen. Das Originalmanuskript enthielt jedoch viel eindeutigere, direkte Passagen, in denen auch die Suizidrate der DDR erwähnt wurde. Diese sind, wie wir heute wissen, während des Zensurprozesses aus dem Text entfernt worden.[18] Andere literarische Texte, die Selbsttötungen in Verbindung mit politischen Faktoren diskutieren wollten, konnten in der DDR nicht publiziert werden. Kurzgeschichten wie Thomas Braschs Geschichte von einem Studenten, der nach seiner Relegierung von der Universität aufgrund eines gescheiterten Fluchtversuchs Suizid begangen hatte, oder Jürgen Fuchs' Kurztext über Reaktionen auf den Suizid eines Soldaten wurden verboten. Der Student Siegfried Reiprich, der Fuchs' Text an der Universität Jena verteidigte, wurde 1975 aus der Freien Deutschen Jugend ausgeschlossen und musste sein Studium abbrechen.[19]

Das Verschweigen der Suizidrate und von Suiziden mit politischen Auswirkungen war jedoch nie vollständig. Anders als die angeführten Beispiele wurden einige Selbsttötungen hochrangiger Politiker in offiziellen Zeitungsberichten erwähnt. Auch in Theater und Literatur war die Selbsttötung in den 1970er-Jahren ein häufiges Thema. Ebenso war im fachmedizinischen Diskurs zeitweise viel von Suizidalität die Rede. 1968 plante das DDR-Gesundheitsministerium sogar die Einrichtung von »Suizidpräventionszentren«, für deren erfolgreiches Wirken ein gewisses Maß an Publizität erforderlich war.

Das Verschweigen war somit auf einen von der SED definierten Kern beschränkt. In der Peripherie dieses Kerns gab es zugleich eine Vielzahl von möglichen Sprechhandlungen. Man mag sich fragen, warum die SED das Thema nicht komplett zum Schweigen gebracht hat. Der Hauptgrund scheint gewesen zu sein, dass das Thema unvermeidlich war. Mit bis zu 6000 Selbsttötungen pro Jahr war das Problem einfach zu massiv, um völlig vertuscht zu werden. Und in manchen Fällen konnte bzw. wollte die SED-Führung Suizide von Politikern auch nicht geheim halten.

Tabuthemen konnten aber nur verzerrt, eingeschränkt und kontrolliert angesprochen werden. Verschiedene sprachliche Effekte zeugen davon.[20] Im Folgenden werden sechs

---

18 Siehe Withold Bonner: Franziska Linkerhand: Vom Typoskript zur Druckfassung, in: Brigitte Reimann: Franziska Linkerhand, 2. Aufl. Berlin 2001, S. 605–637.

19 Siehe Grashoff: In einem Anfall (Anm. 13), S. 337 f.

20 In Studien zu zeitgenössischen kommunikativen Tabus werden zahlreiche rhetorische Mittel benannt, mit denen Tabus in westlichen Gesellschaften kommuniziert werden und die nicht ohne Weiteres auf einen diktatorischen Kontext übertragbar sind. Die rhetorischen Strategien umfassen Verschweigen, Ellipse, Abkürzung, Euphemismus, Klischee, Unbestimmtheit, Unterstellung, Umschreibung, Metapher, Verkehrung und Remodelling.

konkrete Elemente der Tabusprache näher betrachtet. Allen diesen Kommunikationsstrategien war gemeinsam, dass die Rede über ein gefährliches Thema neutralisiert
werden sollte.

Eine Strategie war die *De-Kontextualisierung*. Diese kam insbesondere dann zum Einsatz, wenn Selbsttötungen durch politische Konflikte verursacht wurden. Anstatt die
wahren Gründe anzusprechen, die (soweit bekannt) zu einem Suizid führten, präsentierte die SED diese Todesfälle als Folge einer Krankheit. Als sich der Sekretär des ZK
Gerhart Ziller 1957 nach offenen Vorwürfen, sich an einer Intrige gegen Parteichef
Walter Ulbricht beteiligt zu haben, das Leben nahm, erklärte die SED den Suizid als
Folge einer Depression. Als sich der Leiter der staatlichen Planungskommission, Erich
Apel, im Jahr 1965 als Reaktion auf Konflikte innerhalb der Partei erschoss, behauptete
die SED irreführend, Apel sei krank gewesen. Mit dieser Pathologisierung sollten politi-
sche Konflikte vertuscht werden.[21]

Eine weitere gängige Strategie der SED im Umgang mit Suizid war die Verwendung
von *Euphemismen*. Für einige Jahre nach dem Bau der Berliner Mauer lag die Suizidrate
der DDR um rund zehn Prozent höher als zuvor. Ein Faktor, der dazu beitrug, waren
Konflikte, die durch die plötzliche Trennung von Familien und Freunden verursacht
wurden. In der offiziellen Statistik tauchten diese Suizide unter Rubriken wie »Einsam-
keit«, »Familienprobleme« oder »Liebeskummer« auf, womit die tragischen Todesfälle als
privat und unpolitisch dargestellt wurden.[22]

Drittens wurden *indirekte Anspielungen* verwendet, um Tabuthemen zu kommunizieren. Offizielle Nachrufe verheimlichten häufig den Suizid und enthielten nur indirekte
Umschreibungen wie »plötzlich und unerwartet verstorben« (oder wiederum Euphemismen wie »Unfall«).[23] Obwohl Suizid in den 1970er-Jahren ein häufiges Thema in der
DDR-Literatur wurde, verwendeten Schriftsteller vage Andeutungen, insbesondere
wenn politische Faktoren eine Rolle spielten. Ein prominentes Beispiel ist die Schriftstellerin Christa Wolf, die sehr vorsichtig historische Ereignisse wie den Aufstand vom
Juni 1953 und den Bau der Berliner Mauer im Jahr 1961 mit Suizidtendenzen in Verbindung brachte.[24]

Die Verwendung von *Synekdochen*, also die Substitution des Ganzen durch einen Teil,
war eine weitere Strategie, um Selbsttötungen zu entpolitisieren.[25] Das Erzählen von
Halbwahrheiten (Darstellung eines Aspekts und Verschweigen eines problematischen
Aspekts) kann beispielsweise bei der Erinnerung an die Selbsttötungswelle Ende des
Zweiten Weltkriegs beobachtet werden. Die im Jahr 1945 insbesondere während des
Vormarsches der Roten Armee begangenen Massensuizide wurden in der DDR nur in

---

21 Siehe Grashoff: In einem Anfall (Anm. 13), S. 111–114.
22 Ebd., S. 123–125. Es gab auch Fälle, die in Motivstatistiken unter »Krankheit« oder »Depression«
    verzeichnet wurden.
23 Ein Beispiel hierfür ist der Nachruf auf Karl Griewank im Jahr 1953. Siehe Grashoff: In einem
    Anfall (Anm. 13), S. 196.
24 Siehe Christa Wolfs Romane »Der geteilte Himmel« und »Nachdenken über Christa T.«.
25 Siehe Kate Burridge: Euphemism and Language Change: The Sixth and Seventh Ages, in: Lexis
    7 (2012), H. 7, S. 65–92, hier S. 73.

reduzierter Form erwähnt. Der Dokumentarfilmer Karl Gass beispielsweise zeigte Bilder von toten Frauen auf Parkbänken, präsentierte diese Selbsttötungen jedoch als verzweifelte Taten fanatischer Nazianhänger.[26] In Wirklichkeit begingen Tausende ostdeutscher Frauen Suizid, nachdem sie von sowjetischen Soldaten vergewaltigt und gefoltert worden waren, oder aus Angst vor solchen Gewalttaten.[27] Aufgrund der vorgeschriebenen »Freundschaft« zur Sowjetunion war es aber unmöglich, die Vergewaltigungen und ihre Folgen zu erwähnen.

Während der erzwungenen Kollektivierung der ostdeutschen Landwirtschaft im Frühjahr 1960 tendierten offizielle Berichte gleichermaßen dazu, die Suizidursache auf private Konflikte und Krankheiten zu reduzieren. Im Bezirk Karl-Marx-Stadt gab es zum Beispiel mehrere Selbsttötungen, die mehr oder weniger direkt durch die Kollektivierungskampagne verursacht worden waren, insbesondere durch Kriminalisierung und gegen Privatbauern ausgeübten Psychoterror. In einem Fall beschuldigte der offizielle Bericht die Frau eines Bauern, am Suizid ihres Mannes schuldig zu sein, weil sie sich gegen den Beitritt zur LPG ausgesprochen hatte. Das deswegen geführte Streitgespräch mit seiner Frau war aber höchstens der Auslöser für den Entschluss, sich das Leben zu nehmen, gewesen.[28]

Die Strategie der *Externalisierung* ging noch einen Schritt weiter und unterstellte, dass Selbsttötungen durch externe Faktoren verursacht wurden. Während des Kalten Krieges spielte diese Strategie höchstwahrscheinlich eine Rolle bei den Entscheidungen der SED, ob ein Suizid in der Öffentlichkeit diskutiert werden konnte oder nicht. Ein prominenter Fall war die Selbsttötung des ostdeutschen Historikers Willy Flach, der sich nach seiner Flucht nach Westdeutschland im Jahr 1958 das Leben genommen hatte. Die SED veranstaltete eine Propagandakampagne mit Zeitungsartikeln und riesigen Plakaten, auf denen fälschlicherweise westdeutsche Agenten beschuldigt wurden, für den Tod des Historikers verantwortlich zu sein.[29]

Eine andere Strategie, manchmal in Kombination mit Externalisierung, ist die *Substitution*. Ein Beispiel ist ein denunzierender Artikel, der im SED-Zentralorgan *Neues Deutschland* nach der politisch motivierten Selbstverbrennung des evangelischen Pfarrers Oskar Brüsewitz im August 1976 veröffentlicht wurde.[30] Der Artikel versuchte nicht nur, den Pfarrer als geistig gestörten Mann darzustellen. Der Journalist beschuldigte sogar die Bundesrepublik (wo Brüsewitz' politische Protestaktion in den Medien viel Beachtung fand), eine der höchsten Suizidraten der Welt zu haben.[31] Die Behauptung konnte kaum unzutreffender sein: Die Suizidrate der DDR lag permanent 50 Prozent über jener der BRD.

---

26 Siehe Karl Gass: Das Jahr 1945, DEFA-Dokumentarfilm 1985.

27 Siehe Gerhard Schmidt: Über den Selbstmord als Katastrophenreaktion, in: Bibliotheca psychiatrica neurologica (1968), H. 137, S. 84–90; siehe auch Grashoff: In einem Anfall (Anm. 13), S. 182–187.

28 Ebd., S. 361–363.

29 Ebd., S. 204 f.

30 »Du sollst nicht falsch Zeugnis reden«, in: Neues Deutschland vom 31. August 1976.

31 Siehe Udo Grashoff: Wie ein Blitzschlag in der »hochelektrisch geladenen Atmosphäre eines totalitären Systems«? Zum 30. Jahrestag der Selbstverbrennung von Oskar Brüsewitz in Zeitz, in: Deutschland Archiv 39 (2006), H. 4, S. 619–628.

Das hier angedeutete, keineswegs vollständig ausgelotete Spektrum verschiedener Spracheffekte bei der Tabukommunikation verdeutlicht, dass heikle Themen in der DDR, wenn überhaupt, nur indirekt angesprochen werden konnten.[32] Die diskursive Sphäre in der Peripherie, die durch »verbogene« Sprache gekennzeichnet war, und die Stille im Kern bildeten die komplementären Elemente des Tabus.

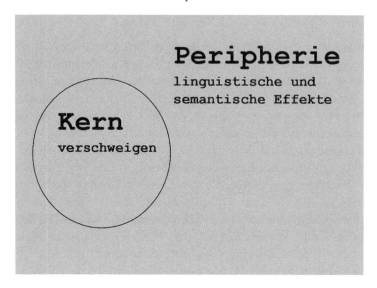

Abb. 1: Modell des politischen Tabus mit Kern und Peripherie

Das typische Erscheinungsbild kommunikativer Tabus in Diktaturen ähnelt also einer Struktur, die aus einem Kernbereich des Unsagbaren und einem davon ausgehenden weiteren Kraftfeld mit mehr oder weniger großen Diskurs-Schalen besteht. Das Tabu entspricht einem schwarzen Loch. Bilder von schwarzen Löchern zeigen durch Gravitationseffekte erzeugte Wirbel und Lichthöfe um den Kern. In ähnlicher Weise kann um den Kern des Tabus herum ein vielfältiger Diskurs über das heikle Thema beobachtet werden.

Diese Konzeptualisierung des Tabus als diskursive Sphäre, die aus Kern und Peripherie besteht, ähnelt dem Vorgehen der zeitgenössischen Forschung zu kommunikativen Tabus.[33] So unterscheidet Hartmut Schröder drei Arten von Tabus: »Nicht-Themen« (Themen, die nicht angesprochen werden dürfen), »zu vermeidende sprachliche Ausdrücke« (Wörter, die nicht verwendet werden dürfen) und »etikettierte Themen«

32   Dies ähnelt der von Bunn konstatierten Rolle der Zensoren bei der Weiterentwicklung eines neuartigen Vokabulars zur Kontrolle der Gefahren, die von der Sprache ausgehen. Siehe Matthew Bunn: Reimagining Repression. New Censorship Theory and After, in: History and Theory 54 (2015), H. 1, S. 25–44, hier S. 42.
33   Aus struktureller Sicht ähnelt der Dualismus von Kern und Peripherie auch Althussers Unterscheidung von repressiven und ideologischen Staatsapparaten. Übermäßig repressive Zensur (die nur als letztes Mittel durchgeführt wird) ist das Äquivalent des Kerns, und »unbewusst gewöhnte Formen der Konditionierung« (was er »Ideologie« nennt) entsprechen der Peripherie. Siehe ebd., S. 35.

(Themen, die nur auf eine bestimmte Weise kommuniziert werden können).[34] Die ersten beiden korrespondieren mit dem Kern, der letztgenannte Aspekt entspricht der Peripherie des Tabus.

IV. Diktatur-spezifische Tabukommunikation?

Fragt man nach diktaturspezifischen Merkmalen der Tabukommunikation, ist es aufschlussreich, zwischen *linguistischen Modifikationen* (Veränderungen der sprachlichen Form) und *semantischen Verschiebungen* (Veränderungen der Bedeutung) zu unterscheiden.[35] Schaut man sich die beobachteten Verzerrungen in der Peripherie noch einmal unter diesem Gesichtspunkt an, fällt auf, dass beim Sprechen über das Thema Suizid in der DDR solche Effekte, die hauptsächlich die Form betrafen, wie Strategien der höflichen Sprache (einschließlich Euphemismus und Umformulierung), von untergeordneter Bedeutung waren. Stattdessen handelte es sich bei den meisten hier beobachteten Effekten um semantische Veränderungen. Das heißt, die sprachliche Wirkung von Tabus betraf selten den Wortlaut, sondern verfälschte zumeist die Bedeutung.

Im Kern des Tabus standen also bestimmte politische »Tatsachen«, die von der regierenden SED als Angriffe auf die herrschende Ideologie angesehen wurden (analog, und zugleich im Kontrast zu den Verstößen gegen Moral und Anstand, die bisher oft im Mittelpunkt der Tabuforschung standen).[36] Hauptziel des Verschweigens dieser politischen Sachverhalte war es, das Dogma zu stärken (man könnte in Analogie zur anthropologischen Forschung sagen, um das »Mana«, d. h. die übernatürliche Kraft des ideologischen Dogmas, zu erhöhen), was dem Regime Legitimität verleihen sollte.[37] Die verzerrte Sprache in der Peripherie diente zumeist der Abschirmung dieser Realitätsverleugnungen.

Politische Tabus waren wirksame Mittel zur Prävention von Opposition und Widerstand. Aufgrund der entscheidenden Rolle von Ideologie für die Stabilität des Regimes war die SED darauf bedacht, Tabuverletzungen schon im Vorfeld zu verhindern. Tatsächlich waren Skandale in der DDR selten, Angst und Vermeidung öffentlicher Auseinandersetzungen um heikle Themen herrschten vor.[38]

---

34   Hartmut Schröder: Zur Kulturspezifik von Tabus. Tabus und Euphemismen in interkulturellen Kontaktsituationen, in: Claudia Benthien/Ortrud Gutjahr (Hg.): TABU. Interkulturalität und Gender, München 2008, S. 51–70, hier S. 58.

35   Siehe zu Sprache und Tabukommunikation Keith Allan/Kate Burridge: Forbidden Words. Taboo and the Censoring of Language, Cambridge/New York 2006, Kap. 1.

36   Auch im Unterschied zu Tabus, die in der klassischen anthropologischen Forschung untersucht wurden und sich auf Obszönitäten wie Sex und Ausscheidung, Blasphemie und Tiermissbrauch konzentriert haben. Siehe Schröder: Zur Kulturspezifik von Tabus (Anm. 34), S. 55.

37   Siehe Hartmut Kraft: Die Lust am Tabubruch, Göttingen 2015, S. 39.

38   Siehe Matthias Aumüller: Skandalisierung und Autorschaft in der DDR, in: Andrea Bartl/Martin Kraus (Hg.): Skandalautoren. Zu repräsentativen Mustern literarischer Provokation und Aufsehen erregender Autorinszenierung, Würzburg 2014, S. 9–27.

Die Durchsetzung von Redeverboten war ein Rückkopplungsmechanismus, der auf der Wahrnehmung von Tabus beruhte. Es gab eine weit verbreitete Selbstzensur, die eine »Geiselmentalität« hervorrief, die zu Ausweichmanövern und Unbestimmtheit führte.[39] Die Grenzen von Tabus erschienen, anders als eindeutige Ge- und Verbote, diffus und vage und mussten durch Intuition, Verdacht, Anspielung und (selten) Versuch und Irrtum identifiziert werden.[40]

Das wahrgenommene Tabu war dabei, das ist wichtig, nicht nur für Autoren und Leser eine Realität. Auch für Bürokraten, die an der Zensur von Büchern, Filmen, Musik und Theater beteiligt waren, war dies von entscheidender Bedeutung. Literaturzensoren waren keineswegs die Schöpfer von Tabus. In der Regel mussten sie genauso wie die Autoren antizipieren, was in der jeweiligen historischen Situation akzeptabel war und was nicht. Eine ostdeutsche Zensorin des Kulturministeriums, Christine Horn, erinnert sich daran, wie sie gelernt hatte, bestimmte »Allergien« der Mitglieder des Zentralkomitees zu identifizieren.[41] In Anbetracht des Fehlens schriftlicher Richtlinien erkannte sie nach und nach, wo die sensiblen Themen lagen. Walter Cikan, Leiter der Abteilung Jugendmusik des DDR-Rundfunks, der in den 1980er-Jahren für die Zensur von Texten ostdeutscher Rock- und Popbands zuständig war, berichtet ebenfalls davon, dass das Tabu indirekt erspürt werden musste.[42]

Diese empirischen Befunde erinnern an Judith Butlers Konzept der impliziten Zensur. Demnach ermöglicht Zensur Handeln und setzt zugleich die notwendigen Grenzen. So folgt das Handeln aller Beteiligten (inklusive Zensoren) einer konstituierenden Norm, die das Sagbare vom Nichtsagbaren unterscheidet (Butler benutzt den Begriff »foreclosure«).[43]

Diese Norm war in der DDR nicht eindeutig definiert. Anders als in anderen kommunistischen Regimen gab es keine verbindliche Liste von Elementen, die DDR-Schriftsteller meiden bzw. tilgen mussten (eine solche Liste gab es nur für Journalisten). Je nach politischer Situation und Prestige des Autors existierten Handlungsspielräume. Personen, die an Zensurpraktiken beteiligt waren, zeigten »einen intuitiven und disziplinierten

---

39   Siehe Matei Calinescu, in: Lidia Vianu (Hg.): Censorship in Romania, Budapest 1998, S. 63–68. Die Folge war eine gewisse Vagheit, ein Hang zum Ausweichen der Autoren in ihrem Schreiben (ebd., S. 64).

40   Die klar formulierten Tabuthemen, die Journalisten in der DDR vorgelegt wurden, bildeten eine Ausnahme, und selbst hier gab es Spielraum, da einige Chefredakteure sie lediglich als Richtlinien betrachteten. Siehe Boyer: Censorship (Anm. 8), S. 527–529.

41   Siehe Robert Darnton: Censorship. A Comparative View: France, 1789 – East Germany, 1989, in: Representations 49 (1995), Special Issue: Identifying Histories: Eastern Europe Before and After 1989, S. 40–60, hier S. 54. Eine retrospektiv erstellte Liste heikler Themen findet sich hier: Christine Horn: Staatliche Literaturaufsicht, Themenplan und Druckgenehmigungsverfahren, in: Lokatis/Rost/Steuer (Hg.): Vom Autor zur Zensurakte (Anm. 11), S. 17–32, hier S. 29.

42   »Es gab zwar keinen Katalog von Themen, die tabu waren, aber wir meinten alle zu wissen, woran besser nicht gerührt wurde, und haben dann eben entsprechend entschieden.« Interview in: Peter Wicke/Lothar Müller (Hg.): Rockmusik und Politik – Analysen, Interviews und Dokumente, Berlin 1996, S. 81–88, hier S. 82.

43   Judith Butler: Ruled Out: Vocabularies of the Censor, in: Robert Post (Hg.): Censorship and Silencing: Practices of Cultural Regulation, Los Angeles 1998, S. 247–259.

Respekt für die von der SED ausgeübte hermeneutische Macht« und verhandelten gleichzeitig die Konturen von Tabus neu.[44] Im Allgemeinen waren die Grenzen des realisierten Tabus ziemlich eng. Versuche, die Grenzen zu testen, kratzten im Großen und Ganzen nur an der Oberfläche des Kerns. Fast alle diese Versuche bestätigten zudem weitgehend die herrschende Ideologie. Aber manchmal erwiesen sich die Grenzen des Kerns auch als dehnbar, insbesondere im Bereich der Belletristik. Viele Schriftsteller, darunter Ulrich Plenzdorf, Günter Görlich und Sibylle Muthesius, konnten populäre Bücher über Suizid veröffentlichen, und einige prominente Autoren wie Christa Wolf, Volker Braun und Christoph Hein konnten selbst politische Implikationen ansprechen. Ein extremes Beispiel ist die Veröffentlichung von Werner Heiduczeks pessimistischem und selbstzerstörerischem Roman *Tod am Meer* (1977). Das Buch provozierte eine vernichtende Kritik des führenden SED-Literaturexperten Hans Koch, der warnte, dass hier die sozialistische Gesellschaft infrage gestellt werde. Nachdem auch die sowjetische Botschaft Protest eingelegt hatte, wurde die zweite Auflage verboten.[45]

In diesem Zusammenhang ist darauf hinzuweisen, dass Literatur und Kunst in der DDR als »Ersatzöffentlichkeit« fungierten.[46] In Romanen, Gedichten und Dramen konnten Autoren Probleme ansprechen, die in streng kontrollierten Medien wie Zeitungen oder Lehrbüchern nicht diskutiert werden durften. Während Journalisten in der DDR lange, detaillierte Listen von Tabuthemen erhielten, hatten Künstler mehr Handlungsspielraum, was die Literatur zu einem Ort von Transgressionen machte.[47] Darüber hinaus gab es Inkonsistenzen bei den Zensurverfahren. Daher war es keineswegs außergewöhnlich, dass sich Romane und andere fiktive Texte, Filme und Theaterstücke mit Tabus befassten. Dies war die »Nische«, die die SED für weniger konformistische und manchmal sogar provokante Ideen offenließ.[48] Übertretungen im Bereich der Literatur sind daher immer auch als Resultat dieser »Arbeitsteilung« im Kulturregime der DDR zu verstehen.

Sigmund Freud hat einmal zur Mehrdeutigkeit des Tabus bemerkt, dass ein Tabu sowohl für Verbot als auch für Verlangen stehe. Das Anreißen von tabuisierten Themen könne Literatur daher besonders attraktiv machen.[49] Romane wie Christoph Heins *Horns Ende* oder Ulrich Plenzdorfs *Die neuen Leiden des jungen W.* sind Beispiele dafür. Diese Bücher bezogen einen Teil ihrer Popularität aus der Tatsache, dass Suizid ein Tabu war. Sie erregten auch deshalb Aufmerksamkeit, weil sie ein Thema ansprachen, das als heikel

---

44   Boyer: Censorship (Anm. 8), S. 530. Siehe auch Barck/Classen/Heimann (Hg.): The Fettered Media (Anm. 5), S. 214: »These individuals became in the process both rulers and the ruled, integrated as they were within the apparatus of power and simultaneously faced with the representations of social reality they encountered on a daily basis.«

45   Siehe Hans Koch: Tod am Meer, abgedruckt in: Werner Heiduczek: Schatten meiner Toten. Eine Autobiographie, Leipzig 2015, S. 287.

46   Patricia A. Herminghouse: Literature as »Ersatzöffentlichkeit«? Censorship and the Displacement of Public Discourse in the GDR, in: German Studies Review 17 (Herbst 1994, Totalitäre Herrschaft – totalitäres Erbe), S. 85–99.

47   Siehe Gunter Holzweißig: Zensur ohne Zensor. Die SED-Informationsdiktatur, Bonn 1997.

48   Siehe Günter Gaus: Wo Deutschland liegt, Hamburg 1983.

49   Siehe Sigmund Freud: Totem and Taboo, Leipzig/Wien 1913.

und riskant galt. Gleichzeitig hat die Thematisierung von Suizid in der Belletristik das Tabu keineswegs überwunden. Der vom Ministerium für Volksbildung propagierte Roman von Günter Görlich *Eine Anzeige in der Zeitung*, der sogar Teil des schulischen Lehrplans wurde, bestätigte durch die Art und Weise, wie das Thema dargestellt wird, vielmehr die Existenz des Tabus.

Parallel zu den zahlreichen literarischen Veröffentlichungen zum Thema Selbsttötung gab es auch einen medizinischen Fachdiskurs, der die Möglichkeit gelegentlicher Übertretungen bot. So konnte etwa Karl Seidel, Professor für Psychiatrie und Sekretär für Gesundheit beim Zentralkomitee der SED, auf internationalen Konferenzen die hohe Suizidrate von Rentnern in der DDR, die er in seiner Habilitation untersucht hatte, erwähnen.[50]

Abgesehen von Transgressionen durch prominente Künstler und privilegierte Experten, die innerhalb der Grenzen des Regimes blieben, spielten Tabubrüche natürlich auch bei Protest und Kritik eine Rolle. Dissidenten wie Robert Havemann und Hermann von Berg ebenso wie kritische Künstler wie Bettina Wegner erwähnten nicht nur die hohe Suizidrate der DDR, sie bekundeten auch ihre Überzeugung, dass soziale und politische Faktoren die Ursache waren.[51]

Aber auch solche Verstöße gegen das Verbot waren nicht gleichbedeutend mit der Zerstörung des Tabus. Trotz eines umfangreichen medizinischen Diskurses, trotz einer Reihe veröffentlichter Romane und trotz aller Gerüchte und gelegentlicher provokativer Kommentare von Dissidenten blieb der politische Suizid während der gesamten Existenz der DDR ein Tabu.

V. Historischer Wandel

Tabuisieren lässt die problematischen Fakten nicht verschwinden. In sich ändernden historischen Kontexten können verbotene Ideen und Ausdrücke wieder auftauchen.[52] Selbst die relativ kurzlebige DDR war kein statisches Regime. Tabus entstanden nicht über Nacht. Oft dauerte es Jahre, bis sie voll ausgebildet waren, und ihre Reichweite änderte sich im Laufe der Zeit. Das Suizidtabu ist ein typisches Beispiel. Es durchlief mehrere Phasen von Lockerung und Verschärfung.[53] Zwar blieb das politisch auferlegte Tabu während der gesamten Existenz der DDR (oder zumindest nach dem Bau der Mauer im Jahr 1961) intakt, die Konturen des Kerns änderten sich jedoch mehrfach.

---

50   Siehe Grashoff: In einem Anfall (Anm. 13), S. 392.
51   Ebd., S. 297 f.
52   Siehe Alois Hahn: Kanonisierungsstile, in: Aleida und Jan Assmann (Hg.): Kanon und Zensur. Archäologie der literarischen Kommunikation II, München 1987, S. 28–37, hier S. 29: »Grundsätzlich erwächst daraus [dass in sich ändernden historischen Kontexten verbotene Ideen und Ausdrücke wieder auftauchen können] auch stets die Chance, auf bereits Verurteiltes in neuen Situationen wieder zurückzukommen.« Der Schwerpunkt liegt in Hahns Aufsatz allerdings nicht auf Tabuisierung, sondern, wie auch der Titel besagt, auf Kanonisierung.
53   Siehe Grashoff: In einem Anfall (Anm. 13), Kap. 6.

Dabei kann zwischen fünf Phasen unterschieden werden. In den ersten sechs Jahren ihres Bestehens veröffentlichte die DDR keine Suizidstatistiken. Dies änderte sich 1956, als das *Statistische Jahrbuch* begann, die (sehr hohen) Suizidzahlen des Landes offenzulegen. In den folgenden Jahren gab es in medizinischen Fachzeitschriften eine Debatte über die Ursachen der hohen Suizidrate in Ostdeutschland.[54] Nach dem Bau der Mauer beendete die SED die Entspannungsphase. Ab 1963 wurde die Suizidstatistik geheim gehalten, und die Forschung zu diesem Thema wurde erheblich behindert.

Der nächste Wendepunkt war um 1968. In diesem Jahr kündigte das DDR-Gesundheitsministerium ein Suizidpräventionsprogramm an. Zwei Suizidpräventionszentren nahmen 1968 und 1970 in Dresden und Brandenburg ihre Tätigkeit auf. Die DDR meldete der Weltgesundheitsorganisation sogar zwei Jahre lang die Suizidraten. In den folgenden Jahren bis 1977 gab es einen beispiellosen Boom wissenschaftlicher Aktivitäten. Es fanden mehrere Konferenzen statt. Intensivierte Forschung führte zu vielen Veröffentlichungen. Gleichzeitig wurde Suizid ein häufiges Thema in der DDR-Literatur.

Während sich der letztgenannte Trend nach 1977 fortsetzte, verschärfte das Politbüro in diesem Jahr die Beschränkungen in Bezug auf Statistiken (die nun selbst für interne Forschungszwecke nicht mehr verwendet werden konnten) und leitete eine Phase restriktiver Veröffentlichungspolitik ein, die zu einem starken Rückgang der Publikationen in medizinischen Fachzeitschriften führte.

Mitte der 1980er-Jahre kam es erneut zu einer Phase vorsichtiger Entspannung. Während die Zahl der in Fachzeitschriften veröffentlichten Artikel nur geringfügig zunahm, wurden immer mehr einschlägige Doktorarbeiten verfasst. Gleichzeitig unternahmen Psychiater und Psychologen neue Anstrengungen, um das Suizidproblem zu lösen. So wurden in mehreren Städten »Telefone des Vertrauens« zur Suizidprävention eingerichtet; teilweise in Konkurrenz zu etwa gleichzeitig geschaffenen kirchlichen Telefonseelsorgen. Schließlich und nicht überraschend führten der Zusammenbruch der DDR 1989/90 und das damit verbundene Ende der staatlichen Zensur zu einem Allzeithoch bei der Zahl der Veröffentlichungen.

Das oszillierende, politisch motivierte Suizidtabu in der DDR korrelierte mit der Entwicklung des Hauptelements des Tabukerns, der Suizidstatistik. Die DDR hat die Zahlen jährlich sehr akribisch zusammengestellt, aber geheim gehalten. Obwohl nur einer sehr kleinen Gruppe privilegierter Funktionäre zugänglich, korrespondierten Höhen und Tiefen der Suizidrate mit Verschärfungen und Lockerungen des Diskurses. Welche Mechanismen diese Koinzidenz konkret bewirkten, ist aufgrund des Mangels an aus-

---

54 Siehe Roderich von Ungern-Sternberg: Die Selbstmordhäufigkeit in Vergangenheit und Gegenwart, in: Jahrbücher für Nationalökonomie und Statistik 171 (1959), S. 187–207; W. F. Winkler: Über den Wandel in Häufigkeit, Bedingungen und Beurteilung des Suicides in der Nachkriegszeit, in: Der öffentliche Gesundheitsdienst 22 (1960), H. 4, S. 135–145; A[lexander] Lengwinat: Vergleichende Untersuchungen über die Selbstmordhäufigkeit in beiden deutschen Staaten, in: Das deutsche Gesundheitswesen 16 (1961), H. 19, S. 873–878; R[einhard] Cordes: Die Selbstmorde in der DDR im gesamtdeutschen und internationalen Vergleich, in: Zeitschrift für ärztliche Fortbildung 58 (1964), S. 985–992; Rainer Oehm: Sozialhygienische Analyse der unterschiedlichen Selbstmordverhältnisse unter besonderer Berücksichtigung der Bundesrepublik Deutschland, der »DDR« und West-Berlin, hrsg. von Hans Harmsen, Hamburg 1966.

sagekräftigen Quellen nicht nachweisbar. Evident ist jedoch, dass es eine solche zeitliche Korrespondenz gab. So begann die Veröffentlichung der jährlichen ostdeutschen Suizidrate im Jahr 1956 nach einem Rückgang der Suizidrate um 25 Prozent seit 1946. Umgekehrt fiel die Entscheidung, die Daten ab 1963 geheim zu halten, mit einem Anstieg der Suizidrate um zehn Prozent zusammen. In ähnlicher Weise korrelierten auch die anderen oben genannten Wendepunkte mit den jeweiligen Trends bei den Suizidraten.

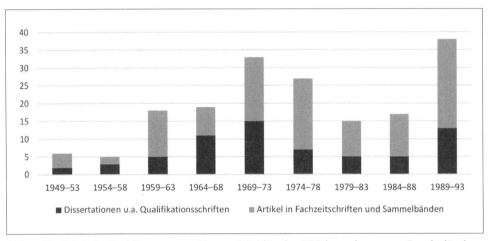

Abb. 2: Medizinische Fachliteratur zum Thema Suizid in der DDR bzw. den neuen Bundesländern (1949 bis 1993)[55]

Das Beispiel des Umgangs mit dem Thema Selbsttötungen deutet darauf hin, dass eine eher unsichtbare Veränderung innerhalb des Tabukerns (Veränderung der Suizidraten) einen signifikanten Einfluss auf den Diskurs in der Peripherie hatte. Diese Beobachtung fügt dem Konzept eine weitere Facette hinzu und bestätigt die Annahme, dass das Verschweigen im Kern und der Diskurs in der Peripherie eng miteinander verflochten sind und sich als Teile des kommunikativen Tabus gegenseitig bedingen.

VI. Tabuwahrnehmung

Ein vollständiges Verschweigen gelang trotz aller Bemühungen der SED nicht, das Tabu war vielmehr omnipräsent. Es war zu spüren, wenn etwas nur indirekt erwähnt oder angedeutet wurde, wenn Menschen ein Thema mieden und Selbstzensur praktizierten oder unverhältnismäßig reagierten. Wenn beispielsweise ein führender Gesundheitsexperte der DDR, der Rektor der Akademie für Ärztliche Fortbildung und langjährige Professor für Sozialhygiene an der Humboldt-Universität zu Berlin, Kurt Winter, im Jahr 1976 einen Aufsatz über Psychotherapie im Sozialismus veröffentlichte, in dem er auch auf die Suizidproblematik einging, und seinen Text gleich eingangs als »Wagnis« dekla-

55   Siehe Grashoff: In einem Anfall (Anm. 13), S. 330.

rierte, so war das in einer Gesellschaft, die es gewohnt war, zwischen den Zeilen zu lesen, bereits ein deutlicher Hinweis darauf, dass hier ein Meidungsbereich tangiert wurde.[56] Der Kommunist Winter, der 1937 im Spanienkrieg als Arzt bei den Internationalen Brigaden tätig gewesen war, konnte sich dem Tabu von einer privilegierten Position nähern. Zugleich stellte er sicher, dass der Kern unangetastet blieb.

Die konkrete Wirklichkeit des Tabus (das realisierte Tabu) war jedoch oft komplex und verwirrend. Nicht selten lösten schon winzige Hinweise auf Vorstöße in den politischen Kernbereich bei der Staatsicherheit Alarm aus. Im Jahr 1983 erwähnte ein Pfarrer bei einer »Bluesmesse« in Berlin eine steigende Zahl von Suiziden, ohne Einzelheiten zu erwähnen. Trotzdem war das provokativ genug, um in den Akten der Geheimpolizei vermerkt zu werden.[57] In anderen Fällen waren die Folgen schwerwiegender. Im Frühjahr 1978 nahm sich ein junger Mann in Halle-Neustadt das Leben. Nach einer unglücklichen Liebesbeziehung sprang er aus einem Hochhaus in den Tod. Seine Freunde trafen sich an der Stelle, an der er ums Leben gekommen war, um gemeinsam zu trauern. Sie brachten Kerzen und Blumen, und jemand legte schwarzen Stoff um die Kerzen. Dafür zerriss er eine DDR-Flagge, weil er gerade nichts anderes zu Hand hatte. Dies war keine politische Protesthandlung, aber das MfS reagierte mit Verhaftungen und Verhören und beobachtete den Ort mehrere Tage. Zufällig hatte die völlig unpolitische Verzweiflungstat einige Tage vor den Feierlichkeiten zum 1. Mai stattgefunden, was die Ängste der Stasi zusätzlich schürte.[58]

Die subjektive Wahrnehmung mag, wie im geschilderten Fall, übertrieben oder verzerrt gewesen sein, aber diese Übertreibung muss ernst genommen werden als eine weitere wesentliche Facette des Tabus, eine weitere Auswirkung seines »Gravitationsfeldes«. Die oft bei Herrschern und Beherrschten gleichermaßen mit Gefühlen wie Angst und Panik verknüpfte Art und Weise, wie ein Tabu erfahren und wahrgenommen wurde, ist bedeutsam.

Die emotionale Komponente von Tabukommunikation, über die schon James Cook berichtete, ist ein weiterer wesentlicher Aspekt, der durch das hier entwickelte erweiterte Tabukonzept erfasst wird. Statt Gefühle und überzogene Ängste lediglich als falsches Bewusstsein abzutun, muss die Wahrnehmung von Tabus als empirische Tatsache, als Effekt in der Peripherie, anerkannt und als wichtiges Indiz für die Alltagswirkung eines politisch repressiven Regimes in die Untersuchung von Tabus einbezogen werden.

VII. Fazit

Mittels einer Fallstudie zum politischen Suizidtabu in der DDR hat dieser Aufsatz ein neues Konzept für die Untersuchung kommunikativer Tabus entwickelt. Dieses Konzept

---

56   Kurt Winter: Psychotherapie aus soziologischer Sicht, in: Kurt Höck/Karl Seidel (Hg.): Psychotherapie und Gesellschaft, Berlin 1976, S. 44–55, hier S. 44.
57   Siehe Grashoff: In einem Anfall (Anm. 13), S. 337.
58   Siehe BStU, MfS, BV Halle, Abt. IX, Sachakten Nr. 76, Bl. 1–5.

umfasst die Analyse der Topografie des Tabus (Kern, Peripherie), die Untersuchung des realisierten Tabus (Wahrnehmung, Übertretungen) und die Herausarbeitung der zeitlichen Veränderungen des Tabus. Das Modell eines Tabus als Einheit von Kern und Peripherie ermöglicht ein umfassendes und differenziertes Verständnis der sozialen Bedeutung und Wirkung von Tabus. Es konzentriert sich nicht nur auf das Verschwiegene im Kern, sondern unterstreicht auch die Vielfalt der Kommunikationspraktiken, mit denen Tabuthemen angesprochen werden. Die Analyse verzerrter Sprache in der Peripherie des Tabukerns zeigt, dass Verbote und Einschränkungen selbst in Diktaturen mit strenger ideologischer Kontrolle produktive Auswirkungen auf die Sprache haben können.[59] Die vielfältigen Formen von Tabukommunikation zeugen von großen Anstrengungen, Tabuthemen zu zähmen und präsentabel zu machen, und zeigen das komplexe Gefüge des offiziellen Diskurses selbst in kommunistischen Diktaturen auf.

Ein tabuzentrierter Ansatz ergänzt den institutionalistischen Ansatz, der versucht, die Organisationsprinzipien der Zensur aufzudecken, um den Fokus auf den verbotenen Inhalt. Eine inhaltszentrierte Perspektive geht auch insofern über die bloße Analyse der Verwaltung von Tabus hinaus, indem sie auch deren Fernwirkungen in der Sprache und die Art und Weise, wie Tabus wahrgenommen und erlebt werden, untersucht.

Es gibt eine Reihe von Erkenntnissen, die sich aus einer so konzipierten Untersuchung der Topografie von Tabus ergeben. Die Analyse der Vielfalt der Kommunikationsaktivitäten, die in der Umgebung verbotener Themen beobachtet werden können, und des Grads der uneigentlichen, verzerrten Sprache ermöglicht es, die Konturen des Tabukerns zu erkennen. Durch die Herausarbeitung jener Elemente, die (auch auf indirekte Weise) angesprochen werden können, und deren Unterscheidung von solchen, die verschwiegen werden, kann präzise bestimmt werden, wo sich die Grenze der verbotenen Zone befindet. Für die Fallstudie zum Suizidtabu zeigt sich damit auch der tiefere Sinn des vor allem die Statistiken betreffenden Verbots: Im Kern des politisch motivierten Suizidtabus liegt ein impliziter Mordvorwurf gegen die kommunistische Diktatur.

Abgesehen von solchen allgemeinen Einsichten (die das Verständnis moderner Anthropologen bestätigen, dass Tabus keineswegs eine Besonderheit primitiver Kulturen sind), gibt es Aspekte des Tabus, die mit der in der DDR propagierten kommunistischen Ideologie und ihrer zentralen optimistischen Botschaft zusammenhängen. Die Tatsache, dass sich jedes Jahr bis zu 6000 Einwohner das Leben nahmen, untergrub das Selbstverständnis der DDR als bessere sozialistische Gesellschaft. Dies war ein Grund, warum die SED das Thema nicht ansprechen wollte, obwohl Experten wiederholt nachgewiesen hatten, dass die hohe Suizidrate nur eine historische Erblast war und nicht durch das derzeitige Regime verursacht wurde.

---

59 Gleiches gilt für die Zensur. Selbst in autoritären Regimen ist Zensur nicht immer und nicht überwiegend ein Unterdrückungsverfahren, sondern hat auch eine kreative, produktive Seite. Siehe Bunn: Reimagining Repression (Anm. 32), S. 26: »The central insight of New Censorship Theory has been to recast censorship from a negative, repressive force, concerned only with prohibiting, silencing, and erasing, to a productive force that creates new forms of discourse, new forms of communication, and new genres of speech.«

Über den spezifischen sozialen Kontext der DDR hinaus sind die Inhalte kommunikativer Tabus nicht immer kulturell übertragbar. Das hier vorgeschlagene theoretische Konzept für das Studium von Tabus ist dagegen umfassender und allgemeiner. Es empfiehlt sich als Grundlage für zukünftige Studien des historischen Wandels von Tabus in anderen Diktaturen, und auch darüber hinaus. Eine genaue Vorstellung vom allgemeinen Erscheinungsbild kommunikativer Tabus, einschließlich der Unterscheidung von Kern und Peripherie, einer umfassenden Analyse der Bandbreite sprachlicher und semantischer Verzerrungen, der Untersuchung privilegierter Sprecher, die Tabus überschreiten können, und der Beachtung des wahrgenommenen Tabus könnte ein Ausgangspunkt für das historische Studium von Tabus, einschließlich der Modifikationen und Transformationen, in verschiedenen politischen Systemen sein.

Damit könnte auch der Unterschied der sozialen Wirkungsweise politischer Tabus in pluralistischen Gesellschaften einerseits und modernen ideokratischen Regimen andererseits genauer bestimmt werden.[60] Es scheint, dass in westlichen Demokratien die Tabusprache hauptsächlich auf sprachliche Ver- und Gebote hinausläuft.[61] Tabuthemen können hier kommuniziert werden, und die größte Herausforderung besteht darin, einen angemessenen, sozial verträglichen Ausdruck zu finden. Schimpfwörter und politisch beleidigende Äußerungen sind Gegenstand von Kontroversen. Darüber hinaus wird die Erinnerung an traumatische Erlebnisse häufig vermieden. Aber es gibt kaum verbotene Tatsachen. In Diktaturen hingegen verursachen Tabus neben sprachlichen Effekten in erheblichem Maße semantische Verzerrungen und Tilgungen.[62] Viele etablierte Fakten können überhaupt nicht kommuniziert werden und werden sogar geleugnet.[63] Das Beispiel der hohen Suizidrate der DDR illustriert dies. Obwohl es um 1960 eine wissenschaftliche Debatte darüber gab, mit der wichtigsten Erkenntnis, dass die hohe Suizidrate eine langfristige Besonderheit Ostdeutschlands seit dem 19. Jahrhundert war, und also nicht der kommunistischen Diktatur angelastet werden konnte, geriet das Ergebnis der Debatte ost- und westdeutscher Experten bald in Vergessenheit. Infolgedessen musste die Debatte drei Jahrzehnte später, im Zuge der deutschen Wiedervereinigung, von vorn beginnen.

60 Siehe Hahn: Kanonisierungsstile (Anm. 52), S. 30 f., der kognitive, ästhetische und moralische Zensur unterscheidet.
61 Im Gegensatz zu Sprache (language = Kommunikationsregeln über Wörter, Gesten, Töne) verwenden Anthropologen den Begriff der Rede (speech), um »Sprache in Aktion« zu bezeichnen. Daher wäre es genauer, den Begriff Tabu-Rede zu verwenden. Siehe Stanley H. Brandes: An Anthropological Approach to Taboo Words and Language, in: Keith Allan (Hg.): The Oxford Handbook of Taboo Words and Language, Oxford 2018, S. 373–390, hier S. 375.
62 Man denke nur an Havels berühmtes Diktum vom »Leben in der Lüge«. Siehe John Keane (Hg.): Vaclav Havel: The Power of the Powerless, London 1985.
63 Eine extreme Konsequenz ist, dass Tabus bestimmte Gedanken auf lange Sicht fast undenkbar machen. Siehe Bunn: Reimagining Repression (Anm. 32), S. 36.

Anna Schor-Tschudnowskaja

Wahrheit und Lüge nach dem Terror. Literarisches Schaffen als Strategie und Hindernis im Erinnern an den Stalinismus

Die Herrschaft Iosif Stalins war durch ein beispielloses Ausmaß an Staatsterror und politischer Unterdrückung gekennzeichnet. Mit seinem Tod 1953 endeten die politischen Repressionen in der UdSSR zwar nicht, aber ihr Umfang sank drastisch. Nach vorläufigen Schätzungen der russischen Menschenrechtsorganisation »Memorial« wurden unter Stalin etwa fünf Millionen Menschen allein aufgrund einzelner politischer Anschuldigungen verhaftet und mindestens eine Million von ihnen erschossen; viele weitere kamen in den Lagern ums Leben. In diesen Zahlen sind die Opfer administrativer politischer Repressionen (z. B. Deportationen ganzer Völker nach Zentralasien) nicht enthalten, die »Memorial« auf rund sechs Millionen schätzt. Hinzu kommen die Millionen Opfer sowjetischer Hungersnöte.[1] Der Staatsterror unter Stalin zeichnete sich allerdings nicht nur durch sein Ausmaß und die Zahl der Opfer, nicht nur durch Folter und andere Formen der Repression in Gefängnissen und Lagern aus, sondern auch durch die grenzenlose Willkür des Gewaltgeschehens.

Viele Zeitzeugen erlebten und beschrieben den Staatsterror unter Stalin als absurd, unbegreiflich, bar jeder Logik. Berichtet wurde von vielen Details: Man denke an die zahllosen durch Prügel und Folter erzwungenen Geständnisse von »Volksfeinden« und »Konterrevolutionären« – Geständnisse, die sehr oft nicht nur nichts mit der Realität zu tun hatten, sondern ihr geradezu hohnsprachen. Oder etwa daran, wie Behörden von Angehörigen, die nichts von der Hinrichtung der Inhaftierten wussten, noch monate- oder sogar jahrelang Pakete mit warmer Kleidung oder Lebensmitteln annahmen und noch dazu Quittungen darüber aushändigten. Die Willkür der Gewalt wurde bürokratisch verwaltet, vermessen, verschriftlicht – und gründete zugleich auf zahlreichen Lügen.

Was waren die Reaktionen auf die Verlogenheit und Sinnlosigkeit des Massenterrors? Ich möchte dieser Frage nachgehen, indem ich nicht die Zeit des Terrors selbst, sondern die darauffolgenden Jahrzehnte betrachte. Im Fokus meiner Betrachtung stehen nicht die Erfahrungen der ehemaligen Opfer bzw. Überlebenden des Gulag, sondern Erfah-

---

1 Überblick über die verschiedenen Kategorien der »politisch Verfolgten«, die Arten des Staatsterrors in der Sowjetunion bzw. verschiedene Möglichkeiten, ihn zu definieren, und die Schwierigkeiten, eine mehr oder weniger genaue Opferzahl zu nennen: Elena Žemkova/Arsenij Roginskij: Meždu sočuvstviem i ravnodušiem – reabilitacija žertv sovetskich repressij [Zwischen Mitgefühl und Gleichgültigkeit – die Rehabilitierung der Opfer von sowjetischen Repressalien], Memorial, 2013/2016, https://www.memo.ru/ru-ru/history-of-repressions-and-protest/rehabilitation/ (ges. am 24. Dezember 2021).

rungen von Personen, die von diesem weitgehend verschont geblieben sind, selbst aber Angehörige oder ihnen anderweitig nahestehende Personen hatten, die Opfer der stalinschen Säuberungen wurden. Auf diese Weise möchte ich die Reaktionen in einer ganz spezifischen Gruppe analysieren, nämlich bei schreibenden Menschen, bei der schöpferischen Intelligenzija, bei Menschen also, die vorwiegend mit Sprache, Texten und Literatur zu tun hatten. Ich betrachte an einigen wenigen Schicksalen exemplarisch, wie sich ihr Umgang mit der Erfahrung des Großen Terrors in den späteren Jahrzehnten der Sowjetunion gestaltete, welche Motive und Ziele sie dabei verfolgten, welche Strategien sie wählten. Mich beschäftigt dabei auch die Frage, inwiefern sich die gescheiterten Versuche, im stalinistischen Terror eine Logik bzw. einen Sinn zu erkennen, darauf auswirkten, wie die (weniger massiven) politisch motivierten Repressalien nach Stalin wahrgenommen wurden. Inwiefern wurde eine Kontinuität in der repressiven Politik des Sowjetregimes wahrgenommen – und inwiefern nicht?

Als Quellen zur Beantwortung dieser Fragen werden schriftliche Zeugnisse – Tagebücher, Briefe, Erinnerungen, Interviews –, aber auch literarische Texte herangezogen. Dabei ist zu berücksichtigen, dass alle diese Dokumente, sofern sie zur Zeit der Sowjetunion entstanden sind, selbst wenn sie nicht veröffentlicht wurden, Spuren von Selbstzensur tragen – und zwar in einem schwankenden Ausmaß, das sich heute kaum noch objektiv bestimmen lässt. Die eigentümliche Lage der auf dem Gebiet der Literatur wirkenden Menschen war zudem nicht so sehr dadurch charakterisiert, dass sie sich nur sehr vorsichtig, zurückhaltend und eher zwischen den Zeilen zum Wesen des *politischen* Regimes in der Sowjetunion äußern konnten. Mit anderen Worten: Die Auflagen der ideologischen Zensur betrafen bei Weitem nicht nur direkte (kritische) Äußerungen über die Machthaber, sondern auch die Darstellung des *Alltags*lebens in all seinen Facetten, selbst stilistische Fragen. Die Literaten standen vor der Wahl, sich in die Selbstisolation zu begeben, mit List und Mut zu versuchen, sich durchzusetzen, oder den ideologischen Auflagen soweit wie möglich zu entsprechen. Die Entscheidung fiel vielen nicht leicht. Der bekannte sowjetische Schriftsteller Il'ja Ėrenburg (1891–1967) hielt in seinen umfangreichen Erinnerungen *Menschen, Jahre, Leben* fest: »Von Menschen, die kurz vor dem Ersten Weltkrieg geboren worden waren, wurde so viel Mut gefordert, dass er gleich für einige Generationen ausgereicht hätte; es war nicht nur der Mut bei der Arbeit oder im Kampf, sondern auch der Mut im Schweigen, im Staunen, in der Angst.«[2] Diesem Mut, diesem Schweigen und dieser Angst möchte ich am Beispiel von drei Autoren aus der von Ėrenburg genannten Generation nachgehen. Es handelt sich dabei zunächst um Veniamin Kaverin (eigentlich Veniamin Silber, 1902–1989), Mitglied der insbesondere in der ersten Hälfte der 1920er-Jahre aktiven Literatengruppe »Serapionsbrüder«. Er veröffentlichte zahlreiche Bücher, darunter das Kinderbuch *Zwei Kapitäne*,[3] das eine unglaubliche Popularität in der Sowjetunion genoss und verfilmt wurde. Dazu kommt

---

2   Il'ja Ėrenburg: Ljudi. Gody. Žizn'. Vospominanija, 3 Bde., Moskva 1990, Bd. 1, S. 557 [dt. Ausgabe: Menschen. Jahre. Leben: Memoiren, 4 Bde., Berlin 1978 ff.]. Alle Übersetzungen literarischer Texte stammen von der Autorin. Die Gastherausgeber danken zudem Martin Stoyanov für seine Unterstützung bei den Übersetzungen.

3   Veniamin Kaverin: Zwei Kapitäne, 2 Bde., Wien 1946/1947.

Aleksej Eremeev (1908–1987), der unter dem Pseudonym »L. Panteleev« (sic! ohne Vornamen) als Autor von Kinderbüchern in der frühen Sowjetunion sehr bekannt und später fast zu einer Kultfigur der sowjetischen Kinderliteratur wurde. Sein Kinderbuch *Schkid: Die Republik der Strolche*[4] wurde ebenfalls verfilmt. Und schließlich geht es um Lidija K. Čukovskaja (1907–1996), Dichterin und Schriftstellerin, die vor allem durch ihre redaktionelle Arbeit sowie Tagebücher und dokumentarische Prosa Aufmerksamkeit auf sich zog – allerdings vorwiegend erst in der Zeit nach dem Ende der Sowjetunion.

Diese drei Autoren, so unterschiedlich ihre Texte in Stil und Inhalt auch waren, teilen miteinander einige ähnliche Erfahrungen mit Blick auf ihr literarisches und persönliches Schicksal. Alle drei waren vom Großen Terror nicht direkt betroffen. Sie waren aber insofern mittelbar involviert, als Verwandte und andere ihnen nahestehende Personen im Gulag inhaftiert waren und manche auch umkamen. Alle drei hatten sich der Aufgabe verschrieben, die Geschehnisse unter Stalin literarisch festzuhalten und so darüber Zeugnis abzulegen. Sie sind allerdings keinesfalls der bekannten und gut erforschten sowjetischen Lagerliteratur zuzurechnen. Vielmehr legten sie biografisch und schriftlich Zeugnis davon ab, wie es sich anfühlte, »draußen« zu bleiben; Gefängnisse und Lager nicht selbst zu kennen. Sie waren zudem persönlich und literarisch mit der Frage konfrontiert, welche mittel- und langfristigen Folgen Stalinismus und Gulag auch nach dem Ende des Großen Terrors bzw. nach Stalins Tod hatten.

Ihre Schicksale und ihr Schaffen sind exemplarisch auch für andere Literatinnen und Literaten in der Sowjetunion nach Stalin.

I. Veniamin Kaverin

1982 beschrieb sich Kaverin selbst in einer Fernsehsendung: »Ich halte mich im Leben an ganz einfache Prinzipien: Sei ehrlich, lass dich nicht verstellen, bemühe dich darum, die Wahrheit zu sagen, und bleibe dir unter den schwierigsten Umständen selbst treu. Ich habe versucht, diese Prinzipien in meinen Werken zum Ausdruck zu bringen, sie in den Charakteren meiner Hauptfiguren lebendig werden zu lassen. Diese Wahrheiten sind ja an sich einfach, sie aber so darzustellen, dass sie die Herzen heutiger Leser berühren, ist keine einfache Aufgabe.«[5]

Aufgrund solcher Äußerungen und angesichts der prinzipiellen Ausrichtung von Kaverins Prosa kamen die sowjetischen Literaturkritiker Olga Novikova und Vladimir Novikov 1986 zu dem – positiv gemeinten – Urteil, dass Kaverin einen »moralischen Maximalismus« verfolge.[6] Die sowjetischen staatlichen Repressalien, ein erstaunlich häufig angedeutetes oder sogar direkt dargestelltes Thema in Kaverins Prosa, erwähnten

---

4   G. Belych/L. Panteleev: Schkid, die Republik der Strolche, Berlin 1929.
5   Zit. nach Olga Novikova/Vladimir Novikow: V. Kaverin. Kritičeskij očerk [V. Kaverin. Ein kritisches Essay], Moskva 1986, S. 282.
6   Ebd.

sie hingegen nicht – wahrscheinlich aus Zensurgründen. Aber vielleicht auch, weil damals das letzte autobiografische Buch Kaverins, *Epilog*, noch unbekannt war.

Epilog ist das ehrlichste Werk Kaverins: Dieses Buch sollte dazu dienen, möglichst alles in den Jahrzehnten davor Verschwiegene endlich auszusprechen, beim Namen zu nennen. Erst in den 1970er-Jahren hielt er es für möglich, mit der Abfassung zu beginnen – wenngleich ohne jegliche Hoffnung auf Veröffentlichung. Nach der Fertigstellung des Manuskripts 1979 wurde es zur Sicherheit heimlich (mithilfe eines österreichischen Diplomaten) ins westeuropäische Ausland gebracht. Erst zehn Jahre später, dank der Perestroika, konnte es 1989 kurz nach Kaverins Tod erscheinen. Er selbst hatte nur noch die Druckfahnen lesen können. In dem Buch ist die Geschichte der sowjetischen Literatur aufs Engste mit der Unfreiheit der Menschen in der Sowjetunion verwoben. Kaverin schreibt darin: »Jahrzehntelang lebte ich mit dem Gefühl, dass ich festgenommen werden könnte, insbesondere ab Mitte der Dreißigerjahre, als die lebensrettende Formel ›Wenn du verhaftet bist, dann bist du offensichtlich schuldig‹ in sich zusammengefallen war.«[7] Für Kaverin hatten sich Mitte der 1930er-Jahre alle logischen Erklärungen, warum Menschen verhaftet wurden, erschöpft: Es wurde endgültig klar, dass man auch »einfach so«, »für nichts« verhaftet werden konnte. Kaverin selbst – damals bereits ein bekannter Schriftsteller – wurde kein einziges Mal verhaftet. Er bemühte sich aber immer wieder um die Freilassung von Menschen aus seinem nahen Umfeld – und beobachtete sehr genau, was der Große Terror für das Alltagsleben bedeutete.

Sein berühmtes Kinderbuch (das durchaus auch viele Erwachsene lasen) *Zwei Kapitäne (Dva kapitana)* erschien 1938 bis 1940 in Abschnitten in der Kinderzeitschrift *Kostёr*, 1946 erhielt Kaverin für diesen pathetischen Roman den Stalinpreis, die höchste Auszeichnung des Landes. Im selben Jahr begann Kaverin, am Roman *Das offene Buch (Otkrytaja kniga)* zu arbeiten.[8] Später, in *Epilog*, wird er angeben, dass die Handlung von *Das offene Buch* beinahe zweitrangig gewesen sei; entscheidend sei vielmehr der historische Kontext gewesen. In erster Linie ist der Roman die spannende Geschichte einer wissenschaftlichen Entdeckung und eine sehr kurzweilige Darstellung von Forschungsarbeit, erzählt aber gleichzeitig die Geschichte der sowjetischen Mikrobiologie und Virologie. Eng damit verbunden ist der historische Kontext, den Kaverin 1989 rückblickend als Atmosphäre »einer eisernen, auf nichts reagierenden, von einer groben Stummheit umgebenen Gewalt« bezeichnete.[9] Die eigentliche Grundlage für den Roman lieferten das Leben des älteren Bruders Kaverins, Lev Silber, sowie die Schicksale einiger weiterer Wissenschaftler, die Kaverin persönlich kannte und die während der stalinschen Säuberungen ums Leben kamen. Sein Bruder jedoch, einer der Mitbegründer der sowjetischen Immunologie, der unter Stalin dreimal (1930, 1937 und 1940) verhaftet wurde, überlebte den Gulag.

---

7   Veniamin Kaverin: Epilog, Moskva 1989, S. 129.
8   Veniamin Kaverin: Otkrytaja kniga, 3. Bde., o. O., 1948–1956 (dt. Ausgabe: Das offene Buch, Darmstadt/Neuwied 1977).
9   Kaverin: Epilog (Anm. 7), S. 126.

Zehn Jahre feilte Kaverin an diesem großen Roman – für ihn eine Art Zeitzeugnis. Er wollte das Werk unbedingt publizieren. 1948 erschien in einer Literaturzeitschrift ein erster Teil, wenngleich von der Zensur stark gekürzt und »bereinigt«. Es ist nicht bekannt, in welcher Form das Manuskript ursprünglich eingereicht worden war, aber es ist davon auszugehen, dass Kaverin sich schon selbst vorzensiert hatte. Dennoch löste auch diese Veröffentlichung eine Vielzahl negativer Kritiken aus, die Kaverin später in *Epilog* als »organisierten Angriff« bezeichnete.[10] In der Folge bemühte er sich um eine Anpassung des Romans an die Forderungen der Zensur. Erst 1956, zu Beginn des politischen Tauwetters, war das Manuskript fertig. Entgegen dem ursprünglichen Plan erschien es mit weiteren zahlreichen Kürzungen und Auslassungen. Kaverin kommentierte dies 1989: »Die Zeit, über Verhaftungen zu schreiben, war noch nicht gekommen.«[11]

Der Roman wurde in der Sowjetunion immer wieder neu aufgelegt. Der Autor überarbeitete ihn jedes Mal und passte ihn so an die jeweils aktuellen, von der Zensur vorgegebenen Rahmenbedingungen an. Dabei versuchte er jahrzehntelang, bis 1980, den Text der Wahrheit näher zu bringen. Und dennoch wurden alle seine Romane, die das Thema der Verhaftungen und Säuberungen unter Stalin auch nur am Rande berührten, in der Sowjetunion nur in zensierter Fassung veröffentlicht.[12]

Die Hauptfiguren in *Das offene Buch* sind als Vertreter der sowjetischen wissenschaftlichen Intelligenzija nicht nur einfach gebildete Menschen, sondern vielfach herausragende Wissenschaftler. Der Roman wirft die Frage auf, wie diese gehobene soziale Schicht zu begreifen versuchte, was in den 1930er-Jahren tatsächlich vor sich ging. Diese geradezu abenteuerliche Suche nach einer Antwort mischt sich in diesem Buch mit der Angst und dem Staunen, denn eine solche Alltagsrealität lässt sich viel schwerer verstehen als Mikroben in einem Reagenzglas. *Das offene Buch* dokumentiert auch die Versuche, dieser Realität Widerstand zu leisten. 1989 wird Kaverin sie als naiv bezeichnen, denn »was tatsächlich im Land geschah, haben wir erst 40 Jahre später erfahren [während der Perestroika]; in der Zwischenzeit war unser Unwissen das allumfassende Kennzeichen des Lebens«.[13] An einer anderen Stelle vergleicht er dieses Unwissen mit dem Bann der Sinnlosigkeit »dieser Atmosphäre des verzerrten Bewusstseins, in der wir uns damals alle befanden«.[14] Im Land herrschte eine »gefährlich sinnlose Ordnung der Dinge«, die für gebildete Menschen auf den ersten Blick der zügellosen mittelalterlichen Inquisition ähnelte, aber Kaverin, der in *Epilog* über diese Ähnlichkeit nachdenkt und sich auf die Ansichten seines Bruders, des freigekommenen Gulag-Häftlings, bezieht, kommt zu dem Schluss, dass »es keine Ähnlichkeit gab. Die Handlungen der Inquisition fanden nicht im Stillen, im Verborgenen statt«, so seine Schlussfolgerung. Was sich unter Stalin abspielte, entziehe sich somit jedem Vergleich.

10   Ebd., S. 297.
11   Ebd., S. 300.
12   Ebd.
13   Ebd., S. 96.
14   Ebd., S. 125.

Kaverin bezeichnete den Großen Terror wiederholt als stumm und betonte, dass es in diesen Jahren nicht nur unmöglich war, irgendetwas zu verstehen, sondern dass man auch keine rationalen Argumente, keine treffenden Worte, keine Verweise auf Fakten, ja keine Sprache an sich zur Erklärung benutzen konnte. Alles wurde ent-sinnlicht, was die Menschen völlig wehrlos zurückließ. Vielleicht gerade deshalb äußerte er in den folgenden Jahrzehnten die Überzeugung, wie zwingend notwendig es war, dass »die Literatur über die zwanzig Jahre des Terrors erzählen musste – über die schlimmste Volksplage in der ganzen tausendjährigen Geschichte Russlands.«[15]

Das offene Buch ist trotz allem ein erstaunlich optimistischer Roman. Die eigentliche Heldin des Romans, Tatjana Vlasenkova (Vorbild für sie war die bekannte sowjetische Mikrobiologin Zinaida Ermol'eva), lässt sich nicht einschüchtern und versucht, sich der absurden Terrormaschinerie zu widersetzen. Mit Erfolg! Ihr verhafteter Ehemann kommt aufgrund ihrer Bemühungen frei. Im realen Leben wurde Ermol'evas erster Mann, Kaverins älterer Bruder Lev Silber, tatsächlich freigelassen, ihr zweiter Ehemann aber, der Mikrobiologe Alexej Zacharov, wurde 1938 nach seiner Verhaftung erschossen. Mit hoher Wahrscheinlichkeit wurde Zacharov denunziert, bevor er verhaftet wurde. Mit dieser Situation ist auch Vlasenkova im Roman konfrontiert. Sie geht der Sache systematisch nach, versucht, die Logik der Verhaftungen zu entschlüsseln, und kommt zu dem Schluss, dass die treibende Kraft des Großen Terrors die totale, alle sozialen Schichten und politischen Ebenen umfassende Lüge ist. Die Denunziation ist dabei nur eine ihrer Erscheinungsformen. Millionen von Menschen verschwinden, denn »mit dem Anschein einer streng wissenschaftlich begründeten Logik wurde Schwarz als Weiß und Weiß als Schwarz definiert«.[16] Damit wird der Große Terror von einer ganz speziellen Art der Lüge dominiert, die bar jeder Logik und jedes Sinns ist. Paradoxerweise lässt sich eine solche Lüge besonders schwer (oder gar nicht) entlarven. Vlasenkova fühlt sich an ein Bild von Francisco de Goya erinnert: »Zwei Gesichter waren zu mir zugewandt: Das eine lächelte mit einer Aufrichtigkeit, der man schwer misstrauen konnte; das andere war düster, starr, mit zusammengepressten Lippen, mit den halbgeschlossenen Augen eines Mörders.«[17] So beschreibt sie den Urheber der Denunziation, einen Arbeitskollegen. Die Worte passen erstaunlich gut zu den vielen Erinnerungen von Gulag-Opfern an zwei sich stets abwechselnde Mitarbeiter des Volkskommissariats für Innere Angelegenheiten (NKWD), einen freundlichen und einen sadistischen, die die Verhafteten mit ihren unterschiedlichen Verhörstilen zusätzlich quälten.

Der Optimismus, den der Roman versprüht, gründet auf der Überzeugung, dass sich selbst einer sinnlosen, schizophrenen Lüge stets etwas entgegensetzen lässt. Bis zuletzt bewahrt sich Vlasenkova einen klaren Blick und die Fähigkeit, eine Lüge von der Wahrheit zu unterscheiden. Und sie entscheidet sich für eine kluge und mutige Taktik: Wenn

15   Ebd., S. 379.
16   Veniamin Kaverin: Očerk raboty. Otkrytaja kniga. Literaturnye zametki. Izbrannye pis'ma [Ein Essay über die Arbeit. Das offene Buch. Literarische Notizen. Ausgewählte Briefe], Moskva 1999, S. 588.
17   Ebd., S. 596.

man die Lüge nicht entlarven kann, kann man sie wenigstens überlisten – was aber nur dann funktioniert, wenn man selbst weiß, was stimmt und der Wahrheit entspricht und was gelogen ist: »Ich sprach schnell, fast ohne nachzudenken, und sorgte mich nur darum, möglichst überzeugend und präzise zu lügen. Zum ersten Mal in meinem Leben habe ich mit gutem Gewissen gelogen, denn nur so konnte man die andere Lüge besiegen, gegen die es keine andere Waffe gab«, so Vlasenkova in einer Schlüsselszene, in der sie mit dem wichtigsten Denunzianten spricht.[18]

Staatliche Gewalt und omnipräsente Lügen sind bei Kaverin eng miteinander verknüpft. Eine solche Situation erfordert spezifische, durchaus listige Gegentaktiken. Auch er selbst blieb dem Prinzip des Widerstandes treu, genauso wie dem Wahrheitsprinzip. Vielfach hat er sich sowohl unter Stalin als auch in späteren Jahrzehnten für andere eingesetzt, wissend, was er riskiert und was alles auf dem Spiel steht. Vielfach wurde er dabei selbst zur Zielscheibe »organisierter Angriffe«. In seinen Memoiren hielt er fest: »Davon, dass ich jemand bin, der sich öffentlich nicht verwirklichen konnte, zeugen meine Reden, die ich nie gehalten habe. Bei meinen Spaziergängen im Wald hielt ich nicht weniger als hundert Reden zu verschiedenen Anlässen, aber sie alle waren gegen die Angst gerichtet, die die Konturen der Kunst verzerrt, sowie gegen die Willkür und die Sinnlosigkeit.«[19] Auch in den späteren Jahrzehnten der Sowjetunion sprach Kaverin immer wieder von der Sinnlosigkeit der staatlichen Repressalien. In seinen Romanen erweckte er deshalb stets den Eindruck, dass dieser Sinnlosigkeit etwas entgegenzusetzen wäre. Aber dennoch war Kaverin auch ein Meister der Selbstzensur, woran er sich mit Bitterkeit erinnerte: »Auch ich wurde betrogen und ohne Verschulden für schuldig erklärt, bestraft mit Erniedrigung und Angst. Auch ich glaubte und glaubte nicht, arbeitete eigensinnig, stolperte bei jedem Schritt und verlor mich in Widersprüchen, um mir selbst zu beweisen, dass die Lüge die Wahrheit war. Auch ich sehnte mich danach, die schweren Träume zu vergessen, in denen ich mich mit der Sinnlosigkeit abfinden musste, in denen ich schummeln und heucheln sollte.«[20]

Sein ganzes Leben lang versuchte Kaverin, sich selbst als Schriftsteller treu zu bleiben. Dieses moralische Prinzip prägte nicht nur seine Werke, sondern auch sein Handeln. Sein Sohn Nikolaj Kaverin beschreibt in seinen Erinnerungen, wie sich der Vater Anfang 1953 weigerte, einen vermeintlich »offenen Brief« zu unterzeichnen, und dies mit unmissverständlichen Worten begründete – damit habe er sich in Lebensgefahr gebracht. Hätte Stalin länger gelebt, so Nikolaj Kaverin, wäre die Biografie seines Vaters kürzer gewesen.[21] Auch später habe sein Vater mit einem beneidenswerten Optimismus immer wieder das Prinzip verfolgt, dass man die Treue zur Literatur über das eigene Wohlergehen stellen müsse.

18   Ebd., S. 596.
19   Kaverin: Epilog (Anm. 7), S. 331.
20   Ebd., S. 392.
21   Nikolaj Kaverin: Neskol'ko slučaev z žizni otca [Einige Begebenheiten aus dem Leben meines Vaters], in: V. D. Oskockij (Hg.): »Borot'sja i iskat', najti i ne sdavat'sja!« K 100-letiju so dnja roždenija V. A. Kaverina (1902–1989) [»Kämpfen und suchen, finden und nicht aufgeben!« Zum 100. Geburtstag von V. A. Kaverin (1902–1989)], Moskva 2002, S. 82–89.

Seine Biografie ist eine bemerkenswerte Verflechtung von hochmoralischen Prinzipien, offenen und ehrlichen Worten der Ablehnung des »sozialistischen Realismus« in
der Literatur und konsequenter Selbstzensur. Diese Mischung machte es möglich, seine
Prosa Millionen von begeisterten Leserinnen und Lesern in der Sowjetunion zugänglich
zu machen.

II. L. Panteleev

Aleksej I. Eremeev, der unter dem Pseudonym »L. Panteleev« veröffentlichte (ohne vollen
Vornamen), vertraute sein Archiv, einschließlich zahlreicher unveröffentlichter Manuskripte und Memoiren, gegen Ende seines Lebens dem viel jüngeren Leningrader bzw.
Petersburger Schriftsteller und Literaturkritiker Samuil Lur'e (1942–2015) an. Zu
Sowjetzeiten konnten die Texte nicht erscheinen, erst nach dem Ende der Sowjetunion
wurde die Wahrheit über das Leben von Eremeev veröffentlicht. In dem 2015 von Lur'e
herausgegebenen Buch mit Notizen und Erinnerungen Eremeevs steht: »Ich bin tatsächlich schuldig: vor meinem Gewissen, vor Gott, vor den Menschen, die mir geglaubt
haben, die meine Erzählungen und Novellen als Wahrheit lasen […] – ich aber habe sie
belogen, und dafür kann es keine Vergebung geben; dieses Grauen, das mich begleitet
und das ich für den Rest meines Lebens wie ein Kreuz tragen muss – das ist der Preis für
meine eigene Lüge. Nicht die Umstände waren schuld – ich selbst bin schuldig.«[22]
  Das Leben Aleksej I. Eremeevs war ungleich dramatischer als das Kaverins, obwohl
das oben zitierte Geständnis durchaus auch von Kaverin hätte stammen können. Eremeev
schuf eine Legende, einen Mythos, eigentlich eine Fälschung, die als autobiografisch
dargestellt wurde, obwohl dies nur sehr bedingt zutraf. Da seine Bücher aber sehr popu-
lär und später sogar Teil der sowjetischen Propaganda wurden, war er als Autor gezwungen, sein Leben als Gefangener der eigenen literarischen Lügen zu leben.
  Lur'e erinnerte sich: »Aleksej Ivanovič übergab mir kurz vor seinem Tod sein Archiv.
Das war Mitte der 1980er-Jahre, in der tiefen Nacht der allumfassenden Lüge. Er litt
darunter, dass er sein ganzes Leben wie ein Spion zugebracht hatte, dem man eine
Legende auferlegt hatte und die er gelebt hatte. Und er hoffte, dass irgendjemand, zum
Beispiel ich, früher oder später die Wahrheit erzählen und sein Handeln rechtfertigen
würde.«[23]
  Panteleev kam früh in den Literaturbetrieb. Bereits 1927 erschien sein zusammen mit
Grigorij Belych (eigentlich Grigorij Jankel') verfasstes Buch *Respublika Škid*,[24] eine autobiografisch inspirierte Darstellung einer (nach Fjodor Dostojewskij benannten) Schule
für schwer erziehbare Jugendliche (russische Abkürzung: SchkID – *Škola imeni Dosto-*

22 L. Panteleev: Istorija moich sjužetov [Die Geschichte meiner Sujets], hrsg. von Samuil Lur'e,
    St. Petersburg 2015.
23 Zit. nach Ol'ga Kanunnikova: Byl' i nebyl' L. Panteleeva [Das Gewesene und das nicht Gewesene
    bei L. Panteleev], in: Vesti obrazovanija vom 7. August 2019, https://vogazeta.ru/articles/2019/8/7/
    culture/8809-byl_i_nebyl_leonida_panteleeva (ges. am 10. April 2021).
24 Siehe Anm. 4.

*jevskog*o), in der beide Autoren einige Jahre verbracht hatten. 1935 wurde Belych – zu diesem Zeitpunkt ein junger, sehr talentierter Schriftsteller und Journalist – denunziert, verhaftet und als »Konterrevolutionär« zu drei Jahren Lagerhaft verurteilt. Er überlebte die Haft nicht. Den Lagerdokumenten zufolge starb er angeblich an Tuberkulose. Seinen Namen zu nennen, war von nun an verboten, und Neuauflagen des gemeinsamen Buches setzten die Streichung seines Namens voraus. Dies lehnte Panteleev ab.

Bis zur Rehabilitierung Belychs 1957 durfte *Respublika Škid* nicht mehr erscheinen. Aber Panteleev schrieb und veröffentlichte weiter. Er verfasste weiterhin ausschließlich als »autobiografisch« markierte Erzählungen, die das zuversichtliche und heitere Pathos des ersten Buches weiterentwickelten. Seine Texte handeln von Kindern, die selbst in schwierigsten Lebenssituationen Mut und Standfestigkeit zeigen, die andere Menschen nicht verraten, aber vor allem ihren strengen moralischen Idealen treu bleiben; von Kindern, die quasi in die Oktoberrevolution 1917 hineingeboren werden und in den Wirren der dramatischen Jahre danach mit euphorischer Zuversicht aufwachsen und viel mehr als manche Erwachsene die utopischen Verheißungen der schönen neuen Welt verinnerlichen und leben.

Diese Bücher gleichen, so Lidija Čukovskaja, Manifesten der neuen sowjetischen Kinderliteratur.[25] Nur sehr bedingt traf das von ihm entworfene Bild der Kinder in seinen Büchern auf Aleksej I. Eremeev selbst zu. Als Sohn eines Offiziers, der im zaristischen Russland für seine Verdienste einen Adelstitel bekam und von der Sowjetmacht während des Bürgerkrieges erschossen wurde (die Quellenlage ist nicht eindeutig, aber vieles spricht dafür), teilte er mit seinen Kinderhelden wohl nur den fast schon fanatischen Wunsch, sich selbst treu zu bleiben, denn in den Wirren der Oktoberrevolution hatte Ereméev alles verloren: seinen Vater, sein Zuhause, seinen Besitz, sein geordnetes Leben. Von da an musste er vieles verheimlichen, um überleben zu können: soziale Herkunft, starke Religiosität, das Schicksal des Vaters, das des Freundes und Koautors Belych etc. Dazu Lur'e: »Jederzeit konnten die Behörden dafür sorgen, dass seine Leser sich betrogen fühlten und sich von ihm abwandten. Diesen literarischen Tod fürchtete Aleksej Ivanovič beinahe mehr als den politischen oder sogar den physischen – mehr als alles andere auf der Welt. Und dort [KGB], wo man alles über ihn wusste, wusste man offensichtlich auch von dieser Furcht, fasste Aleksej Ivanovič […] aber nicht zu hart an, denn das von ihm angefangene Spiel diente auch der richtigen Erziehung der jungen Generationen.«[26]

Gefühle der Angst und Erniedrigung und vor allem das Gefühl, beständig im Visier der Staatssicherheit zu stehen, begleiteten Panteleev nach eigenen Angaben sein ganzes Leben lang. Kurz vor seinem Tod entschied er sich, als Schriftsteller festzuhalten, wie sein Leben und vor allem wer er selbst wirklich war. Er verfasste einige tagebuchartige Werke und Erinnerungen, die, so seine Hoffnung, seine wahre Persönlichkeit, seine

25 Lidija Čukovskaja: O knigach zabytych ili nezamečennych [Über vergessene oder nicht bemerkte Bücher], in: Voprosy literatury (1959), H. 6, https://www.chukfamily.ru/lidia/prosa-lidia/stati-prosa-lidia/o-knigax-zabytyx-ili-nezamechennyx (ges. am 16. September 2021).
26 Kanunnikova: Byl' i nebyl' L. Panteleeva (Anm. 23).

wahren Überzeugungen, aber vor allem seine wahre Art zu schreiben zum Ausdruck bringen würden. Dabei ging es ihm nicht um die Veröffentlichung dieser Texte in der Sowjetunion, auch eine Veröffentlichung im Ausland kam für Panteleev nicht infrage.

Tatsächlich zeichnen die nach seinem Tod erschienen Texte ein anderes, den früheren Werken stark widersprechendes Bild von Panteleev: insbesondere die von Lur'e herausgegebenen Texte aus seinem Nachlass, darunter auch die in den 1970er-Jahren verfasste Novelle *Ich glaube,* und der von Elena Čukovskaja (Tochter von Lidija Čukovskaja) herausgegebene über fünf Jahrzehnte umfassende Briefwechsel zwischen Panteleev und Lidija Čukovskaja – von Elena Čukovskaja sehr behutsam gekürzt und ausführlich kommentiert. Wichtige Themen in Panteleevs Nachlass sind der christliche Glaube und die religiösen Inhalte seines Lebens. Ebenso beschäftigte ihn die Frage, in welchem Maße sich ein Schriftsteller den Machthabern anpassen durfte. Vielleicht ist diese Trennung aber auch künstlich, denn für Panteleev waren beide – der Glaube und der Nonkonformismus – eng miteinander verbunden.

Wie Kaverin musste Panteleev immer wieder abwägen, wann was und vor allem weswegen zu verschweigen war. Sosehr es ihm etwa wichtig war, dass der Name seines Koautors Belych nach dessen Rehabilitierung wieder in der Literaturwelt bekannt wurde und auf den Buchumschlägen und in den Texten Erwähnung fand, so musste er sich doch von dem Wunsch verabschieden, öffentlich zu machen, was mit Belych passiert war. Selbst 1980 wurde es ihm noch untersagt. Lediglich folgende andeutungsreiche Notiz durfte erscheinen: »Mein Freund und Koautor Griša Belych war ein Schriftsteller. Außer *Respublika Škid* schrieb er noch einige weitere Bücher. Eines davon, *Dom vesëlych niščich* (Das Haus der heiteren Bettler), ist nach einer langen Pause im vorletzten Jahr im Verlag Detskaja literatura neu aufgelegt worden. Auch *Respublika Škid* wurde den Lesern lange Zeit vorenthalten. Der Grund dafür ist, dass G. G. Belych 1939 tragisch ums Leben gekommen ist.«[27]

Dem Briefwechsel mit Čukovskaja ist zu entnehmen, wie oft es nur um einen Satz, ein einziges Wort ging, den oder das man bei Veröffentlichung der eigenen Texte zu verteidigen hatte, und wie groß die Freude war, wenn dieser Kampf erfolgreich war. Čukovskaja vertrat die Position, dass man nicht nachgeben dürfe, nicht einmal bei einem einzigen Wort. Dem widersprach Panteleev.

1966 schrieb Čukovskaja an Panteleev: »Wahrscheinlich haben Sie […] recht. Ich meine das nicht heuchlerisch. Aber ich *will* in dieser Sache *nichts* mildern, dämpfen, verdunkeln. Ich will mich mit keinem Wort, mit keinem Laut an dem Erschaffen einer neuen Lüge beteiligen, die ich für abscheulicher halte als die alte. Der XX. und der XXII. Parteitag schenkten uns Worte: verhaftet, repressiert, in Haft umgekommen, nach dem Tode rehabilitiert. Ich will keines davon hergeben, für nichts und niemanden.«[28] Darauf antwortete Panteleev: »Verzeihen Sie, Lidotschka […], aber ich kann nicht mit Ihnen einverstanden sein, Ihre feste Position gutheißen. […] Die Entscheidungen der Parteitage sind uns genauso teuer wie Ihnen. Und damit sie nicht endgültig in Vergessenheit gera-

---

27 L. Panteleev: Priotkrytaja dver' [Eine halb offene Tür], Leningrad 1980, S. 190.
28 Ders./L. Čukovskaja: Perepiska [Briefwechsel], Moskva 2011, S. 242 [Hervorhebung im Original].

ten, muss man daran erinnern, vielleicht nicht mit voller Stimme, aber wenigstens gedämpft, mit Andeutungen, allegorisch, wie auch immer, wenigstens mit zwei Worten: ›unschuldiges Opfer‹.«[29] Der Streit um die richtige Position setzte sich im Briefwechsel über Jahrzehnte fort. 1983 wurde Panteleev nicht nur untersagt, über die Opfer des Staatsterrors zu sprechen, sondern auch jene zu erwähnen, die darüber sprachen, so z. B. Čukovskaja. Da nun wich er von seiner Haltung ab, folgte ihrem Prinzip und weigerte sich, im betreffenden Text den Namen Čukovskajas zu streichen. Der Text blieb unveröffentlicht.

Am Ende seines Lebens litt Panteleev unter dem Gefühl, dass alle erkämpften Andeutungen, Allegorien und selbst Namen nicht viel wogen und dass der eigentliche Schriftsteller Aleksej I. Eremeev dem Leser unbekannt geblieben war.

III. Lidija Čukovskaja

Die Verhaftung ihres Ehemannes, des bedeutenden Physikers Matvej Bronštejn, im Jahre 1937 teilte das Leben Čukovskajas in ein Davor und Danach. Sie sah ihn nach der Verhaftung nie wieder und kämpfte ihr ganzes Leben lang darum, die Wahrheit über sein Schicksal zu erfahren. Jederzeit die eigene Verhaftung erwartend, verfasste sie im Winter 1939/1940 die Novelle *Sofja Petrowna*[30] – einen Text, der in jenen Jahren wohl ihre Erschießung bedeutet hätte, wäre er entdeckt worden. Mit Zahlen und Mathematik konnte sie nichts anfangen, doch sie war mit einem Gefühl für die Stimmigkeit von Wörtern und Sätzen sowie einer Gabe für analytisches Denken gesegnet. Diese Fähigkeiten halfen ihr, den Großen Terror analytisch, dokumentarisch und zugleich künstlerisch festzuhalten – auf eine Art und Weise, derer sich sonst niemand bediente. Es grenzt an ein Wunder, dass nicht nur Čukovskaja selbst, sondern auch das Manuskript Staatsterror und Krieg überlebten.

Sofja Petrowna enthält keine Schilderungen der Schrecken in Lagern und Gefängnissen. Stattdessen geht das Werk einer anderen Frage nach: Wie konnten Menschen, deren Verwandte verhaftet wurden, der Lüge des Großen Terrors widerstehen? Čukovskaja war wie Kaverin davon überzeugt, dass solch eine spezielle Lüge ein essentieller Bestandteil des Staatsterrors war. Daher gab sie auf die Frage, ob Menschen, weil sie nicht verhaftet wurden, auch nicht zu den Opfern des Großen Terrors zählten, eine verneinende Antwort. Sie beschrieb die eigene »Dummheit«, die »Leichtgläubigkeit gegenüber der Verlogenheit von leeren Worten«, die »Fähigkeit, mich täuschen zu lassen«,[31] als Symptome, an denen damals Millionen von Menschen litten. Ihrer Ansicht nach waren diese die Ursache für die verheerenden Folgen des Staatsterrors unter Stalin.

---

29   Ebd., S. 243.
30   Lidija Čukovskaja: Sofja Petrovna, in: dies.: Prozess isključenija [Ein Ausschlussprozess], Moskva 2007, S. 7–89 (dt. Ausgabe: Sofja Petrowna, Zürich 1990).
31   Dies.: Pročerk [Gedankenstrich], Moskva 2009, S. 451.

Im Mittelpunkt der Novelle steht eine Frau, deren einziger Sohn verhaftet wird. Wie in den meisten Fällen gibt es dafür keine Erklärung. Ebenso wenig erhält die Mutter, Sofja Petrovna, Informationen darüber, wie es mit ihrem Sohn weitergehen soll. Sie reagiert in dieser Situation so, wie die Autorin selbst in ihrem eigenen Leben zu reagieren sich standhaft weigerte: Sofja Petrovna kann und will nicht begreifen, dass es für das Geschehen keine Erklärung gibt – sie belügt sich selbst und lässt sich belügen. Čukovskaja will dieses literarische Gegenüber verstehen und sich in diesem Verstehen ihrer eigenen Position, einer Position der Verweigerung, versichern: »Ich schrieb nicht über Mitja [Matvej Bronštejn], auch nicht über mich selbst, ich schrieb über eine Frau, die glaubt, dass ›bei uns niemand umsonst verhaftet wird‹, aber jedes Wort [in dieser Novelle] war verbunden mit dem Schicksal von Mitja […], mit meinem neuen Zustand, der mir von unserer neuen Realität auferlegt wurde.«[32]

In der Rückschau bezeichnete Čukovskaja die schlimmsten Jahre des stalinistischen Staatsterrors als eine Zeit der Sinnlosigkeit. Ihre Novelle ist eine akribische psychologische Analyse, wie die Sinnlosigkeit eines Geschehens den Menschen zerstört. Sofja Petrovna ist damit konfrontiert, dass ihr Sohn »umsonst« verhaftet wird, dass Menschen um sie herum »umsonst« verschwinden, dass Menschen »umsonst« umgebracht werden. Ihr Verstand weigert sich, dies zur Kenntnis nehmen. Diese Wahrheit ist sinnlos und daher nicht glaubwürdig. Also gibt Sofja Petrovna, wie Millionen von Sowjetbürgern damals, den Ereignissen ihren eigenen Sinn, ihre eigene Erklärung und Rechtfertigung. Und deshalb glaubt sie auch den Lügen, die ihr von der Staatsbürokratie vermittelt werden. Die falschen Worte erweisen sich als glaubwürdiger als die Wahrheit – die Wahrheit, die gelautet hätte, dass das Land von Wahnsinnigen regiert wird.

Sofja Petrowna ist eine Novelle über eine einfache Frau, die der Wahnsinn des Staatsterrors verrückt macht. Indem sie es ablehnt, die Wahrheit über das Schicksal ihres verhafteten Sohns zu akzeptieren, und der Lüge glaubt, verliert Sofja Petrovna langsam den Verstand. »Der Mensch versteckte sich vor der Wahrheit wie vor einem auf ihn gerichteten Revolver«, schreibt Čukovskaja später.[33] Es ist, als ob die Heldin in ihrem Wahnsinn Deckung suchen und schließlich finden würde. Ihrer Leichtgläubigkeit, ihrer Fähigkeit, sich täuschen zu lassen, verdankt sie ihr Leben. Sie lebt weiter – und wartet auf ihren Sohn.

Diese Fähigkeit zur Selbsttäuschung wird Čukovskaja auch in den Jahren nach Stalins Tod fesseln, eigentlich bis zum Zusammenbruch der Sowjetunion. Sie hat Mitleid mit Menschen, die diese Fähigkeit haben, und gleichzeitig ist sie wütend auf sie. In den 1960er- bis 1980er-Jahren schildert sie immer wieder, wie einsam sie mit ihrem Willen war, diese Fähigkeit zu begreifen, ihr einen Namen zu geben, sie zu einem wichtigen Thema zu machen.

Čukovskaja berichtete, dass in den Schreckensjahren zwischen 1937 und 1939 viele Menschen in ihrem Umfeld diese Fähigkeit zur Selbsttäuschung entwickelt hatten. Das Argument war immer wieder dasselbe: »Der Staat wird sich doch nicht einfach so

32 Ebd., S. 453.
33 Ebd., S. 268.

Tausende von Menschen schnappen? [...] Wozu denn? Doch auf diese Frage hatten weder die Dummen noch die Klugen eine Antwort.«[34] Und an einer anderen Stelle fragt die Autorin: »Warum verhaftet man in der Tat einen Menschen, von dem man weiß, dass er unschuldig ist, und schlägt ihn dann so lange, bis er gesteht, dass er vorhatte, den Smolnyj in die Luft zu sprengen? [...] Und woher kamen auf einmal so viele Menschen, die fähig waren, Wehrlose zu verprügeln? Und: Wozu das alles?«[35]

Diese Zeilen verfasste sie in den 1980er-Jahren. Sie bezeugen, dass Čukovskaja auch 50 Jahre nach dem stalinistischen Terror keine Antworten auf diese Fragen gefunden hat. Auch die Novelle *Sofja Petrowna* lässt das »Wozu?« unbeantwortet. Aber sie dokumentiert die Wahrheit: dass unschuldige Menschen massenhaft verhaftet und umgebracht wurden. Dieses »dass« wird nach dem Tod von Stalin zu einer wichtigen Lebensaufgabe der Schriftstellerin Čukovskaja. So wie sie immer wieder analytisch und literarisch die Fähigkeit untersucht, sich vor der Wahrheit zu verstecken, sich täuschen zu lassen, anfällig für Lügen zu sein, so wird sie unnachgiebig darauf bestehen, dass die literarischen Zeugnisse des Großen Terrors, aber auch der späteren Repressalien in der Sowjetunion das wichtigste Instrument zur Bekämpfung der Lügen sind; jener Lügen, auf denen der Terror und die späteren Repressalien gründeten. Sie war davon überzeugt, dass die Verheimlichung dieser Zeugnisse den Fortgang der staatlichen Repressalien sichern würde.

So schrieb sie 1968 in ihrem berühmten offenen Brief anlässlich des 15. Todestag von Stalin: »Die Beziehung zur stalinschen Periode unserer Geschichte, die sich mit Krallen an unserer Gegenwart festklammert, bestimmt heute die persönliche Würde eines Schriftstellers und den Ertrag seiner Arbeit [...]. Auf den Tod der Unschuldigen soll nicht eine neue Hinrichtung folgen, sondern ein klarer Gedanke. Ein treffendes Wort [...]«, appelliert sie. So will sie dem »Mord an der Wahrheit« entgegentreten, der für sie »eine der schlimmsten Gräueltaten« der stalinschen Herrschaft war.[36]

Wahrscheinlich erschien *Sofja Petrowna* gerade wegen dieser Haltung erst 1988 in der Sowjetunion. In der kurzen Tauwetter-Periode hatte Čukovskaja mehrere Versuche unternommen, die Novelle zu veröffentlichen. Am 5. Februar 1962 berichtete sie in einem Brief an Panteleev über die Absage der Zeitschrift *Novyj mir*, den Text zu drucken. Die Gründe für diese Absage wurden ihr am Telefon mitgeteilt, nicht schriftlich. Einer der Gründe lautete: »Die Hauptheldin [...] begreift nicht, was los war und warum.« Erstaunt erwidert Čukovskaja in dem Brief an Panteleev auf diesen Absagegrund: »Die Hauptheldin begreift tatsächlich nicht, was los war und warum, aber niemand kann sich bis jetzt in dieser Sache brüsten, dass er die Gründe [für den Großen Terror] begreift.«[37]

1958 beendete Čukovskaja eine weitere Novelle, mit der sie bereits 1949 begonnen hatte, mitten in einer neuen Terrorwelle, als viele Menschen, die aus den Lagern und

---

34 Ebd., S. 278.
35 Ebd., S. 142 f.
36 Lidija Čukovskaja: Ne kazn', no mysl', no slovo. Otkrytoe pis'mo v gazetu »Izvestija« k 15-letiju so dnja smerti Stalina [Keine Hinrichtung, sondern ein Gedanke, ein Wort. Ein offener Brief in der Zeitung »Iswestija« zum 15. Todestag von Stalin], in: Sverstniku [Dem Gleichaltrigen], Bibliothek der Zeitschrift Ogonëk (1991), H. 7, S. 7–12, hier S. 7, 9.
37 Panteleev/ Čukovskaja: Perepiska (Anm. 28), S. 192.

Gefängnissen zurückkamen, zum zweiten Mal verhaftet wurden. Sie notiert: »Das erste Mal [wird man verhaftet] für nichts, einfach so, das zweite Mal, weil man schon einmal dort [im Gulag] war.«[38]

Spusk pod vodu (Untertauchen) ist letztlich derselben Thematik gewidmet wie *Sofja Petrowna*: inwiefern man den Großen Terror als etwas Sinnloses nicht begreifen kann, aber dennoch als Schriftsteller verpflichtet ist, Zeugnis darüber abzulegen. Diese Novelle erschien zuerst 1972 in den USA und erst 1988, während der Perestroika, in der Sowjetunion. In dieser Novelle, deren Heldin Nina Sergeevna viele Ähnlichkeiten mit Čukovskaja aufweist, hält die Autorin erneut analytisch genau fest, wie sie Jahre nach der Verhaftung und dem Verschwinden ihres Ehemannes erfährt, dass er nicht mehr lebt und einige Monate nach seiner Verhaftung erschossen wurde. Sie sieht sich erneut mit derselben Frage konfrontiert: Warum wurde so lange und so eloquent gelogen? Wozu die Willkür der Lüge, die die Willkür der Gewalt begleitete? Mit Erstaunen notiert sie: »Nachdem sie ihn [den Ehemann] ermordet haben, haben sie mich jahrelang angelogen.«[39] Sie sehnt sich nach Gleichgesinnten, nach Menschen, die ihr erklären können, was vor sich geht, nach »künftigen Brüdern, denen ich alles erzählen kann«.[40] Ihnen sind die meisten ihrer Werke gewidmet. In den letzten Jahren der Sowjetunion hält Čukovskaja allerdings mit Bedauern fest, wie wenig sich diesbezüglich geändert hat, wenn überhaupt, eher verschlechtert hat: »Wie frei und mutig waren wir im Jahr 1955! Am Telefon nannten wir Namen der Verhafteten, teilten einander deren Schicksale mit! Nun, im Jahre 1983, ist es wieder gefährlich geworden. Am Telefon benutzen wir Metaphern.«[41] Und nach der Perestroika hielt sie 1993 fest: Die Ermordung von Matvej Bronštejn sei immer noch nicht entlarvt worden.[42]

Sehr sensibel den falschen Worten gegenüber reagierte sie 1957 mit Empörung auf den Rehabilitierungsbescheid von Matvej Bronštejn, den sie später in dem Buch *Pročerk* (Gedankenstrich) veröffentlichte. Dieses Dokument besagt, dass die Rehabilitierung von Bronštejn aufgrund von »neu in Erfahrung gebrachten Umständen« erfolgte.[43] Dabei gab es laut Čukovskaja nur einen Grund: Stalins Tod. »Auch hier konnten sie nicht nicht lügen«, hält sie sachlich in ihren Notizen fest.[44] Auch weitere Dokumente, wie der erst nach Stalins Tod ausgestellte Totenschein, enthielten Lügen. Kein einziges offizielles Papier sagte die Wahrheit über das Schicksal Bronštejns. Selbst nach dem Ende der Sowjetunion gelang es Čukovskaja nicht, dass seiner Ermordung wie auch den zahlreichen Lügen, die sie jahrzehntelang begleiteten, mit einem klaren Gedanken öffentlich bzw. offiziell begegnet wurde – außer in ihren eigenen heimlich verfassten Texten.

---

38 Lidija Čukovskaja: Spusk na vodu (Ein Tippfehler, gemeint ist »Spusk pod vodu«) [Untertauchen], in: dies.: Prozess isključenija (Anm. 30), S. 152.
39 Ebd., S. 143.
40 Ebd., S. 153.
41 Čukovskaja: Pročerk (Anm. 31), S. 473.
42 Ebd., S. 488.
43 Ebd., S. 484.
44 Ebd.

1988 war der bereits erwähnte Samuil Lurʼe bei der Leningrader Literaturzeitschrift *Neva* für die Prosa und damit für das Erscheinen von *Sofja Petrowna* zuständig. Er erinnerte sich, dass die Zensur dieses Mal sehr wohlwollend gewesen war und dass es eigentlich nur eine einzige Forderung gegeben hatte: Aus dem Text der Novelle sollte die Erwähnung der »Spezialabteilung« (NKWD-Abteilung) verschwinden, die es in dem Verlag gab, in dem Sofja Petrovna arbeitete; die »Spezialabteilung« sollte nach dem Willen der Zensur durch die »Personalabteilung« ersetzt werden. Als Lurʼe Čukovskaja diese Forderung mitteilte, reagierte sie sofort und unmissverständlich: Sie werde es nicht zulassen, dass nur ein einziges Wort in dieser Novelle verändert werde. »Nun, was sollʼs! Mehr als fünfzig Jahre hat dieser Text auf seine Veröffentlichung gewartet, er kann auch weitere fünfzig warten«, so Čukovskaja zu Lurʼe. Dessen diplomatischem Geschick und dem neuen politischen Klima der Perestroika war es letztlich zu verdanken, dass die Novelle doch noch erscheinen konnte – ohne dass auch nur ein Satzzeichen verändert worden wäre.[45]

Lurʼe war erstaunt. In seinen Notizen hielt er fest: Er habe gedacht, solche mutigen Schriftsteller, solche mutigen Menschen wie Čukovskaja gebe es nicht: »Wir alle waren an die beständige Erniedrigung und Konformität gegenüber der Zensur gewohnt«, so Lurʼe. Seiner Meinung nach hätte die poststalinistische Geschichte unter Umständen einen anderen Lauf nehmen können, hätte Aleksandr Tvardovskij 1962 in der Zeitschrift *Novyj mir* statt der (stark an die Forderungen der Zensur angepassten) Erzählung Aleksandr Solženicyns *Ein Tag im Leben des Iwan Denissowitsch* die unzensierte Fassung von *Sofja Petrowna* drucken lassen, so wie diese sie bei Tvardovskij eingereicht hatte.[46]

Ähnlich wie Lurʼe äußerte sich auch die Petersburger Journalistin Tatjana Woltskaja: »Dieses kleine Büchlein *[Sofja Petrowna]*, fast eher eine Broschüre, wiegt mehr als manch andere Bände, jedenfalls für mich wiegt es auf seine besondere Art mehr als die Bände von *Der Archipel Gulag* von Solženicyn. *Der Archipel Gulag* ist eben ein Archipel, gewaltig und enorm schwer, aber *Sofja Petrowna* ist lediglich eine geheime Feder innerhalb der menschlichen Seele – doch nur mit ihrer Hilfe kann man den Mechanismus des Terrors zum Laufen bringen. Hätte nicht jeder so eine Feder in sich, vielleicht wäre auch kein *Archipel* entstanden.«[47]

IV. Nach dem Terror über den Terror schreiben?

An den hier dargestellten schriftlichen Zeugnissen und allgemein an der russischen Literatur des 20. Jahrhunderts wird deutlich, dass als Leitmotiv beim Schreiben häufig

---

45 Ivan Tolstoj: O publikacii »Sofji Petrovny« v »Neve« [Über die Veröffentlichung von »Sofja Petrowna« in »Neva«], Radio Svoboda vom 10. Februar 1996, https://www.chukfamily.ru/lidia/biblio/radio-peredachi-biblio/radio-svoboda-vedushhij-ivan-tolstoj-ob-istorii-publikacii-sofi-petrovny-v-zhur-nale-neva (ges. am 16. September 2021).

46 Ebd.

47 »Perečityvaja ›Sofju Petrovnu‹« [»Sofja Petrowna« neu gelesen], Radio Svoboda vom 30. Mai 2009, https://www.svoboda.org/a/1619830.html (ges. am 16. September 2021).

die Erniedrigung diente: Die Erniedrigung infolge der Notwendigkeit, sich konform zu verhalten. Vielleicht war es sogar mehr: weil die Zensur und die Aufmerksamkeit der Staatssicherheit das wahre literarische Schaffen zu verhindern versuchten. In diesem Kontext fällt auf, dass die drei hier betrachteten Schriftsteller immer wieder über die »Wahrheit der Kunst« *(chudožestvennaja pravda)* oder auch die »literarische Wahrheit« nachgedacht haben. Diese musste nicht unbedingt strikt mit den historischen bzw. dokumentierten Tatsachen übereinstimmen, sie sollte allerdings imstande sein, die historisch, politisch und moralisch relevanten Zeugnisse zu liefern, und damit für Kultur und Gesellschaft unentbehrlich werden.

Ein wichtiges Thema der hier analysierten Texte ist aber auch, was *nicht* gesagt wurde. Die bedeutsame Abwesenheit von potenziell möglichen, aber nicht geschriebenen Erzählungen, Romanen oder selbst Tagebüchern und Briefen begleitete die drei Autoren unablässig. Hinsichtlich ihrer eigenen Biografien ziehen alle drei rückblickend eine traurige Bilanz, unabhängig davon, wie viele Bücher sie in der Sowjetunion tatsächlich veröffentlichen konnten. Sie wollten, dass das nicht Gesagte und nicht Geschriebene sowie auch nicht Erschienene ebenfalls zu ihrem schriftstellerischen Werk gezählt würde. Sowohl die Geschichte der sowjetischen Literatur als auch die politische Geschichte der Sowjetunion – beide eng miteinander verwoben – sollten auch die Auslassungen und das Verschwiegene analysieren (was nicht zuletzt eine interessante methodologische Herausforderung darstellt).

Nach dem stalinschen Terror folgten Jahrzehnte der Sowjetgeschichte, in denen der Staatsterror ein sehr heikles, immer mehr tabuisiertes Thema war. Alle drei hier dargestellten Autoren kämpften gegen die strenge Kontrolle der staatlichen Zensur und ihre Vorgaben, was erinnert werden durfte und was nicht. Aber vor allem kämpften sie für die Möglichkeit, konkrete Namen und Fakten, deren Zeugen sie selbst waren, aussprechen zu dürfen. Gleichzeitig kämpften sie gegen das Unverständnis, selbst in den Kreisen der literarischen Intelligenzija, wozu man sich überhaupt an den Staatsterror und die Erfahrungen von Gewalt und Unrecht erinnern sollte. Alle drei waren von der Notwendigkeit dieser Erinnerung und der eigenen Pflicht, als Schriftsteller zu erinnern, überzeugt. Am ausführlichsten erklärte und begründete diese Notwendigkeit und diese Pflicht Čukovskaja. Doch auch Kaverin und Panteleev dachten über diese Probleme nach. Sie reflektierten sowohl über die eigene Ohnmacht als Zeitzeugen, die stumm bleiben sollten, als auch beständig darüber, welche Möglichkeiten das literarische Schaffen ihnen dennoch gewährte, die eigene Erfahrung mit dem Staatsterror unter Stalin nicht gänzlich zu verschweigen.

Eine Reflexion über die Prinzipien der Machtbeziehungen in der Sowjetunion fand auch während der kurzen Phase der Perestroika kaum statt. Die Rolle der staatlichen Gewalt an sich und die Grenzen ihrer Willkür wurden nur ansatzweise reflektiert. In den literarischen Zeugnissen wurden einige wichtige, prinzipielle Fragen zur Natur des sowjetischen Staatsterrors bzw. des Stalinismus aufgeworfen. Aber noch bevor eine solche Analyse überhaupt hätte angestellt werden können, ging es den drei hier vorgestellten Schriftstellern noch nicht so sehr darum, eingehend zu analysieren, *warum* der Große Terror passierte, sondern festzuhalten, *dass* er passiert war – und zwar aus der alltäglichen

Sicht der Menschen in der Sowjetunion, die nicht im Gulag gewesen waren. Selbst diese Aufgabe erwies sich als sehr riskant und erforderte viel Mut. Rückblickend waren sich die drei Autoren nicht sicher, ob ihnen dies gelungen war; sie waren jedoch bis zum Ende ihres Lebens darum bemüht.

Nach dem Terror folgte dessen Verschweigen. Die Aufarbeitung des Staatsterrors wurde damit ebenso verhindert wie das Verstehen seiner Ursachen und Mechanismen, stets begleitet von der Frage, wozu eine Erinnerung überhaupt notwendig sein sollte. Von Stalins Herrschaft strahlt im russländischen historischen Bewusstsein nach wie vor etwas Geheimnisvolles aus. Die bekannte russländische Journalistin Anna Narinskaja hielt dazu 2018 treffend fest: »Wir [d. h. die Bevölkerung Russlands] sind nicht nur nicht so weit, dass wir die Repressalien für etwas Böses halten, wir sind sogar noch nicht so weit, dass wir Einigkeit darüber erzielen könnten, dass es sie überhaupt gab!«[48]

48 Zit. nach Sergej Medvedev: Vojny za pamjat' [Kriege um das Erinnern], Radio Svoboda vom 7. November 2018, https://www.svoboda.org/a/29585618.html (ges. am 15. September 2021).

Hendrik Berth/Elmar Brähler/Peter Förster/Markus Zenger/
Yve Stöbel-Richter

Erinnerte Repressionserfahrungen in den letzten Jahren der DDR und deren Auswirkungen im Lebensverlauf

Im Jahr 2000 erhielt Eric R. Kandel den Nobelpreis für Medizin für seine Forschungen zum Gedächtnis. Durch seine Studien mit der Seeschnecke Aplysia wurde bekannt, auf welcher neurowissenschaftlichen Basis menschliche Erinnerungen entstehen.[1] Doch viele Gedächtnisprozesse gelten immer noch als wenig erforscht. Persönlich bedeutsame Erinnerungen (»Mein erster Kuss«) bleiben häufig lebenslang abrufbar. Und wer nur alt genug ist, wird sich noch recht detailliert erinnern können, was sie oder er am Tag des Mauerfalls 1989 getan hat. »Relevantes« Schulwissen, wie etwa die Berechnung des Scheitelpunkts einer Parabel (Mathematik der 9./10. Klassenstufe), haben die meisten Menschen hingegen bereits kurz nach Schulabschluss vergessen.

Zudem gibt es Gedächtnisinhalte, die die meisten Menschen gerne vergessen würden, aber nicht können. Der Gedächtnisforscher Daniel L. Schacter bezeichnet es als »Sünde der Persistenz«, dass es aufdringliche und unerwünschte Erinnerungen gibt, die nicht verlorengehen.[2] Dazu können auch Erfahrungen von politischer Unterdrückung und Verfolgung in der Vergangenheit gehören.

Die Auseinandersetzung mit den langfristigen Folgen von Repressionen in der DDR steht in letzter Zeit immer stärker im Zentrum der Forschung.[3] Als gut untersucht können die psychischen Folgen von politischer Inhaftierung in der DDR, als eine Maximal-Form der staatlichen Repression, angesehen werden. Es wird angenommen, dass zwischen 1949 und 1990 zwischen 200 000 und 250 000 Personen aus politischen Gründen wie Wehrdienstverweigerung, versuchte Republikflucht oder offen geäußerte Kritik am Staatssozialismus inhaftiert waren. Die dazu vorliegenden Studien zeigen recht eindeutig ein erwartungskonformes Muster: Personen, die aus politischen Gründen in der DDR eingesperrt wurden, leiden psychisch vielfach auch nach Jahrzehnten noch an den Folgen: Sie haben häufig posttraumatische Belastungsstörungen, sie berichten über mehr Ängstlichkeit, Depressivität und körperliche Beschwerden und eine geringere Lebensqualität.[4]

1   Siehe Larry R. Squire/Eric R. Kandel: Gedächtnis: Die Natur des Erinnerns, Heidelberg/Berlin/
    Oxford 1999.
2   Daniel Schacter: The Seven Sins of Memory, Boston 2001.
3   Siehe etwa die laufenden Vorhaben: »DDR-Vergangenheit und psychische Gesundheit«, https://ddr-
    studie.de/startseite.html (ges. am 3. August 2022). »SiSaP. Seelenarbeit im Sozialismus«, http://
    www.seelenarbeit-sozialismus.de/start.html (ges. am 3. August 2022).
4   Siehe Andreas Maercker u. a.: Long-term trajectories of PTSD or resilience in former East German
    political prisoners, in: Torture 23 (2013), H. 1, S. 15–27; Gregor Weißflog u. a.: Erhöhte Ängstlich-

Aber auch alle anderen denkbaren Formen staatlicher Unterdrückung, wie etwa die Bespitzelung und Überwachung, das Verbreiten von Gerüchten, Benachteiligungen in Ausbildung und Beruf, das Unterstellen beruflichen Fehlverhaltens oder der Entzug von Vermögen können bei den Betroffenen psychisches Leid als Langzeitfolge verursachen. Die von ihnen berichteten Beschwerden unterscheiden sich in Qualität und Quantität kaum von Personen, die inhaftiert waren.[5]

Eine Inhaftierung aus politischen Gründen durch die Staatssicherheit oder andere staatliche Organe der DDR stellte eine der massivsten Repressionsmaßnahmen dar. Die Mehrheit der DDR-Bevölkerung musste diese Sanktionen nicht erleiden, dennoch waren sich die meisten DDR-Bürger darüber im Klaren, dass es solche Formen der politischen Repression gab. Subtilere Unterdrückungsmechanismen, wie etwa das Gefühl der Beobachtung durch andere oder das Denunzieren bei Behörden, sind schwieriger zu erfassen. Die erinnerten Erfahrungen von Repressionen in der damaligen DDR und deren Auswirkungen sollen daher an den Daten der Sächsischen Längsschnittstudie untersucht werden. Angenommen wird, dass sich auch bei den Teilnehmerinnen und Teilnehmern dieser Studie, die im letzten Jahr der DDR 16 Jahre alt waren, Diktaturerfahrungen nachweisen lassen. Unter Beachtung des noch relativ jungen Alters der Befragten wird jedoch weiterhin angenommen, dass die erinnerten negativen Erfahrungen zum einen geringer sind als bei älteren Personen, die einen größeren Teil ihres Lebens in der DDR verbrachten, und dass bei den Erfahrungen mit repressiven Maßnahmen in der DDR zum anderen auch die Unterdrückung des näheren familiären Umfelds mit bedacht wird.

I. Die Sächsische Längsschnittstudie

Die Sächsische Längsschnittstudie wurde 1987 durch das Zentralinstitut für Jugendforschung der DDR in Leipzig als eine von zahlreichen Forschungsarbeiten begonnen.[6] Anfangs wurden für diese Studie insgesamt 1407 Schülerinnen und Schüler aus 72 Klassen an 41 Schulen in den damaligen DDR-Bezirken Leipzig und Karl-Marx-Stadt während des Unterrichts befragt. Die Schülerinnen und Schüler waren repräsentativ für den DDR-Geburtsjahrgang 1973 ausgewählt. Alle besuchten zu diesem Zeitpunkt die

keit und Depressivität als Spätfolgen bei Menschen nach politischer Inhaftierung in der DDR, in: Psychiatrische Praxis 37 (2010), H. 6, S. 297–299; ders. u. a.: Körperbeschwerden nach politischer Inhaftierung und deren Zusammenhang mit Ängstlichkeit und Depressivität, in: Verhaltenstherapie 22 (2012), H. 1, S. 37–46; Karl-Heinz Bomberg: Seelische Narben. Freiheit und Verantwortung in den Biografien politisch Traumatisierter der DDR, Gießen 2021.

5   Siehe Carsten Spitzer u. a.: Beobachtet, verfolgt, zersetzt – psychische Erkrankungen bei Betroffenen nichtstrafrechtlicher Repressionen in der ehemaligen DDR, in: Psychiatrische Praxis 34 (2007), H. 2, S. 81–86. Siehe dazu auch das laufende Forschungsprojekt »Landschaften der Verfolgung, Teilprojekt: Körperliche und psychische Folgen politischer Haft«, https://landschaften-verfolgung.de/projekt/struktur/modul_IV/modul_IV_TP_A/ (ges. am 3. August 2022).

6   Siehe http://www.wiedervereinigung.de/sls (ges. am 3. August 2022). Walter Friedrich/Peter Förster/Kurt Starke (Hg.): Das Zentralinstitut für Jugendforschung Leipzig 1966–1990. Geschichte, Methoden, Erkenntnisse, Berlin 1999.

8. Klassenstufe einer Polytechnischen Oberschule (POS). In den Klassenstufen 9 (1988) und 10 (Frühjahr 1989) erfolgten weitere Befragungen derselben Kohorte. Nach Abschluss der 3. Welle im Frühjahr 1989 gaben 587 Personen ihr schriftliches Einverständnis, auch weiterhin an der Studie mitzuarbeiten. Auf dieser Gruppe baut die Studienpopulation der Sächsischen Längsschnittstudie bis heute auf. [7]

In den ersten drei Jahren der Studie bis zum Frühjahr 1989 beschäftigten sich die Studieninhalte hauptsächlich mit der Lernmotivation, dem Interesse an Politik, der Identifikation mit dem politischen System der DDR oder den Zielen und Plänen für das weitere Leben. Mit dem Mauerfall 1989 und der Wiedervereinigung 1990 wurden die Fragestellungen auf das Erleben der ostdeutschen Transformation ausgerichtet. Trotz der schwierigen Bedingungen infolge der Abwicklung vieler ehemaliger DDR-Institutionen, darunter auch das Zentralinstitut für Jugendforschung, konnte die Studie dennoch bis heute fortgesetzt werden.[8] Die 32. Untersuchungswelle fand im Frühjahr/Sommer 2021, die 33. Welle im Herbst 2022 statt.

Die hier vorgestellten Daten wurden im Rahmen der 31. Welle der Sächsischen Längsschnittstudie erhoben. Unter der Annahme, dass sich die erinnerten Repressionserfahrungen nicht verändern, wurden diese in den nachfolgenden Wellen 32 und 33 nicht erneut gemessen. Die 31. Erhebung fand von November 2019 bis März 2020 statt. Es nahmen insgesamt 323 Personen teil. Dies entspricht 55 Prozent der Teilnehmerinnen und Teilnehmer, die sich im Frühjahr 1989 zur weiteren Mitarbeit bereit erklärt hatten. 56 Prozent der Befragten waren Frauen, das mittlere Alter betrug 47 Jahre. Von den Teilnehmerinnen und Teilnehmern lebten 2019/2020 22 Prozent (N = 71) in den alten Bundesländern und 2,5 Prozent (N = 8) im Ausland.

Die berufliche Stellung wurde in Welle 31 wie folgt angegeben:
- Arbeiter N = 60 (18,6 %)
- Angestellte N = 201 (62,4 %)
- Selbstständige N = 25 (7,6 %)
- Hausfrau/-mann, Elternzeit N = 4 (1,2 %)
- Beamte N = 20 (6,2 %)
- Arbeitslose N = 4 (1,2 %)
- Sonstiges N = 8 (2,5 %)
- Keine Angabe N = 1 (0,3 %)

---

7 Siehe Peter Förster: Junge Ostdeutsche auf der Suche nach der Freiheit. Eine systemübergreifende Längsschnittstudie zum politischen Mentalitätswandel vor und nach der Wende, Opladen 2002.

8 Siehe ders.: Über eine Studie, die schon mehrmals sterben sollte, noch immer lebt und weiterleben muss, in: Hendrik Berth u. a. (Hg.). 30 Jahre ostdeutsche Transformation. Sozialwissenschaftliche Ergebnisse und Perspektiven der Sächsischen Längsschnittstudie, Gießen 2020, S. 33–142; ders.: Einheitslust und Einheitsfrust. Junge Ostdeutsche auf dem Weg vom DDR- zum Bundesbürger. Eine sozialwissenschaftliche Längsschnittstudie von 1987–2006, Gießen 2007; ders. u. a. (Hg.): Innenansichten der Transformation. 25 Jahre Sächsische Längsschnittstudie (1987 bis 2012), Gießen 2012; ders. u. a. (Hg.): Gesichter der ostdeutschen Transformation. Die Teilnehmerinnen und Teilnehmer der Sächsischen Längsschnittstudie im Porträt, Gießen 2015; ders. u. a. (Hg.): 30 Jahre ostdeutsche Transformation. Sozialwissenschaftliche Ergebnisse und Perspektiven der Sächsischen Längsschnittstudie, Gießen 2020.

254 Personen (81,4 Prozent) lebten 2019/2020 in einer Partnerschaft, 80,9 Prozent von ihnen haben Kinder. Der Familienstand stellte sich wie folgt dar:

- Verheiratet mit Ehepartnerin/Ehepartner zusammenlebend N = 178 (55,1 %)
- Verheiratet getrennt lebend N = 9 (2,8 %)
- Ledig N = 95 (29,4 %)
- Geschieden N = 34 (10,5 %)
- Verwitwet N = 6 (1,9 %)
- Keine Angabe N = 1 (0,3 %)

Weitere Merkmale der Teilnehmenden und detaillierte Ergebnisse zur Welle 31 sind im Projektbericht dargestellt.[9]

II. Instrumente

In Welle 31 der Sächsischen Längsschnittstudie kamen u. a. fünf Items zu den erinnerten Repressionserfahrungen in der DDR zum Einsatz. Die Fragen sind im Wortlaut in Tabelle 1 dargestellt.

Den Schwerpunkt der Erhebung bildeten zahlreiche Fragen zum Erleben der ostdeutschen Transformation, zur Einschätzung der Wiedervereinigung, zur Zufriedenheit mit vielen politischen und anderen Lebensbereichen, zur Identität, zu Persönlichkeitsmerkmalen, zu erlebter Arbeitslosigkeit und zur Gesundheit. Die exakten Fragen (für alle bislang durchgeführten Wellen der Studie) und Antworthäufigkeiten sind im GESIS-Datenarchiv des Leibniz Instituts für Sozialwissenschaften abrufbar.[10]

Weiterhin wurden mit erprobten psychologischen Messverfahren verschiedene Indikatoren der psychischen Gesundheit erhoben. Im Rahmen dieser Auswertung werden die Daten des Kurzfragebogens Patient-Health-Questionnaire 4 (PHQ-4) herangezogen. Der PHQ-4 misst mit jeweils zwei Items die Ausprägung von Ängstlichkeit und Depressivität einer Person. Der PHQ-4 hat sich in zahlreichen Studien als valides und reliables Screeninginstrument erwiesen.[11]

---

9   Siehe ders. u. a.: 30 Jahre Deutsche Einheit aus sozialwissenschaftlicher Perspektive. Ausgewählte Ergebnisse der 31. Welle der Sächsischen Längsschnittstudie 2020, Dresden 2020. Siehe Volltext unter https://wiedervereinigung.de/wp-content/uploads/2020/10/30_Jahre_Deutsche_Einheit.pdf (ges. am 15. August 2022).

10 Siehe Peter Förster u. a.: Sächsische Längsschnittstudie – Welle 31, 2019. GESIS Datenarchiv, Köln 2020. ZA6249 Datenfile Version 1.0.0, https://doi.org/10.4232/1.13612.

11 Siehe Kurt Kroenke u. a.: An ultra-brief screening scale for anxiety and depression: The PHQ–4, in: Psychosomatics 50 (2009), H. 6, S. 613–621; Bernd Löwe u. a.: A 4-item measure of depression and anxiety: Validation and standardization of the Patient Health Questionnaire-4 (PHQ-4) in the general population, in: Journal of Affective Disorders 122 (2010), H. 1/2, S. 86–95.

III. Ergebnisse

In der 31. Welle der Sächsischen Längsschnittstudie wurden fünf Fragen zur erinnerten Repression aufgenommen, die auch im Sozioökonomischen Panel (SOEP) in einer Zusatzerhebung »Leben in der ehemaligen DDR« vorgegeben wurden.[12]

Tabelle 1 zeigt die Fragen im Wortlaut, die möglichen Antwortoptionen und die Ergebnisse aus der 31. Welle der Längsschnittstudie.

Tabelle 1: Fragen und Antworten (N, %) zur erinnerten Repression in der 31. Welle der Sächsischen Längsschnittstudie[13]

Fragen	Antwortoptionen			
Wussten Sie oder hatten Sie das Gefühl, dass Sie während der Zeit in der DDR in Ihrem Alltag von anderen Personen beobachtet/überwacht/ observiert wurden?	Ja, ich wusste es 33 (10 %)	Ja, ich hatte grundsätz- lich das Gefühl 24 (8 %)	Ja, ich hatte in bestimmten Momenten das Gefühl 74 (23 %)	Nein 189 (59 %)
Vermuten oder wissen Sie, dass jemand Sie bei den DDR-Behörden angeschwärzt/ denunziert hat?	Ja, ich weiß es 19 (6 %)	Ja, ich vermute es 53 (17 %)	Nein 246 (77 %)	
Hatte das Ministerium für Staatssicherheit jemals in irgendeiner Form aktiv Kontakt zu Ihnen aufge- nommen, z. B. in Form von Anwerbung, Befragung, Verhör, Androhung von Sanktionen etc.? (Berufliche und alltägliche Kontakte sind hier nicht gemeint.)	Ja, mehrmals 10 (3 %)	Ja, einmal 23 (7 %)	Nein 285 (90 %)	

12 Gert G. Wagner/Joachim R. Frick/Jürgen Schupp: The German Socio-Economic Panel Study (SOEP) – Scope, Evolution and Enhancements, in: Schmollers Jahrbuch 127 (2007), H. 1, S. 139– 170; Kantar Public: SOEP-Core – 2018: Leben in der ehemaligen DDR, Stichproben A-L3 + N (= SOEP Survey Papers 676: Series A – Survey Instruments), Berlin 2019.

13 An N = 323 fehlend haben keine Angaben gemacht. Die Prozentwerte beziehen sich jeweils auf die gültigen Antworten jeder Frage.

Waren Sie oder Familienmitglieder in der Zeit vor der Wiedervereinigung jemals aus politischen Gründen inhaftiert? Bitte kreuzen Sie auch dann »trifft zu« an, wenn der Haftgrund offiziell ein anderer war, Sie jedoch politische Gründe vermuten.		
Ja, ich selbst	Trifft zu 1 (0,3 %)	Trifft nicht zu 310 (99,7 %)
Ja, Familienmitglieder	Trifft zu 28 (9 %)	Trifft nicht zu 286 (91 %)

Die Mehrheit der Befragten (59 Prozent) hatte nicht das Gefühl, in ihrem Alltag von anderen Personen observiert worden zu sein. 77 Prozent der Befragten gaben an, dass sie nicht durch andere Personen bei Behörden angeschwärzt wurden. 90 Prozent gaben an, dass das Ministerium für Staatssicherheit niemals in irgendeiner Form aktiv Kontakt zu ihnen aufgenommen habe. Eine Person gab an, selbst aus politischen Gründen inhaftiert worden zu sein. 9 Prozent sagten, dass Familienmitglieder aus politischen Gründen eingesperrt gewesen seien.

Bei allen Items zu den erinnerten Repressionserfahrungen überwiegen somit die verneinenden Antworten. Die meiste Zustimmung erfährt mit 31 Prozent die Frage, ob man sich im Alltag durch andere Personen beobachtet gefühlt habe.

Die in Tabelle 1 dargestellten Einzelfragen wurden zu einem Index der erinnerten Repression zusammengefasst, wobei jeweils die Zustimmung zu einer Frage mit einem Punkt und die Ablehnung mit Null bewertet wurden. Die Summe des Index kann dann zwischen null und fünf Punkten liegen, wobei ein höherer Wert eine größere Anzahl an erinnerten Repressionen bedeutet. Tabelle 2 zeigt die deskriptiven Kennwerte des Index.

Tabelle 2: Deskriptive Ausprägung des Repressionsindex in der 31. Welle der Sächsischen Längsschnittstudie nach Geschlecht (N, %)

Wert	Gesamtgruppe (N = 298) N (%)	Männer (N = 132) N (%)	Frauen (N = 166) N (%)
0	144 (48,2 %)	52 (39,4 %)	92 (55,4 %)
1	86 (28,9 %)	40 (30,3 %)	46 (27,7 %)
2	47 (15,8 %)	29 (22,0 %)	18 (10,8 %)
3	19 (6,4 %)	10 (7,6 %)	9 (5,4 %)
4	2 (0,7 %)	1 (0,8 %)	1 (0,6 %)
5	0 (0,0 %)	0 (0,0 %)	0 (0,0 %)
Gesamtwert (Mittelwert, Standardabweichung)	0,82 (0,96 %)	1,00 (0,99 %)	0,68 (0,91 %)

Niemand unter den Befragten erinnerte fünf Repressionsereignisse. 48,2 Prozent der Gesamtgruppe erinnerten gar kein Repressionsereignis. Ein Drittel der Teilnehmerinnen und Teilnehmer (28,9 Prozent) berichtet über ein Repressionsereignis. Frauen berichten signifikant weniger Repressionsereignisse als Männer (Chi2 (df = 4) = 10,413, p = 0,034). Dies zeigte sich auch im statistischen Vergleich der Mittelwerte (hier nicht dargestellt). Der Mittelwert in der Gesamtgruppe beträgt 0,82, der Median beträgt 1,0.

Für die weiteren Berechnungen erfolgte eine Dichotomisierung des Repressionsindex, wobei jeweils die Personen, die keine Repression erinnerten (Wert 0), mit denen verglichen wurden, die mindestens eine Repressionserfahrung erinnerten (Werte 1 bis 4). Damit wird die Stichprobe in zwei nahezu gleich große Teilstichproben mit bzw. ohne erinnerte Repressionserfahrungen unterteilt. In Tabelle 3 werden ausgewählte soziodemografische Merkmale und das psychische Befinden der beiden Gruppen verglichen.

Tabelle 3: Erinnerte Repressionserfahrungen, soziodemografische Merkmale und psychische Belastung (N, % bzw. Mittelwert, Standardabweichung [M, SD])[14]

Merkmale	Keine Repressionserfahrungen	Repressionserfahrungen	Test
Wohnort			
Ostdeutschland (N = 225)	113 (50,2 %)	112 (49,8 %)	
Westdeutschland (N = 65)	30 (46,2 %)	35 (53,8 %)	
Ausland (N = 8)	1 (12,5 %)	7 (87,5 %)	Chi2 (df = 2) = 4,559 p = 0,10
Bildung			
Niedriger als Abitur (N = 148)	78 (52,7 %)	70 (47,3 %)	
Abitur oder höher (N = 131)	57 (43,5 %)	74 (56,5 %)	Chi2 (df = 1) = 2,351 p = 0,125
Einkommen (Netto/Monat)			
Bis 1999 € (N = 142)	80 (56,3 %)	62 (43,7 %)	
Ab 2000 € (N = 154)	63 (40,9 %)	91 (59,1 %)	Chi2 (df = 1) = 7,043 p = 0,008
In einer Partnerschaft lebend			
Ja (N = 236)	115 (48,7 %)	121 (51,3 %)	
Nein (N = 54)	24 (44,4 %)	30 (55,6 %)	Chi2 (df = 1) = 0,323 p = 0,570
Kinder			
Ja (N = 235)	110 (46,8 %)	125 (53,2 %)	
Nein (N = 55)	30 (54,5 %)	25 (45,5 %)	Chi2 (df = 1) = 1,068 p = 0,301
Arbeitslosigkeitserfahrung			
Ja (N = 203)	105 (51,7 %)	98 (48,3 %)	
Nein (N = 93)	38 (40,9 %)	55 (59,1 %)	Chi2 (df = 1) = 3,015 p = 0,083

14 An N = 323 fehlend haben keine Angaben gemacht. Die Prozentwerte beziehen sich jeweils auf die gültigen Antworten jeder Frage.

Merkmale	Keine Repressions-erfahrungen	Repressions-erfahrungen	Test
Psychisches Befinden			
PHQ-4 Ängstlichkeit (M, SD)	2,94 (1,28 %)	2,84 (1,09 %)	T (df = 291) = 0,679 p = 0,498
PHQ-4 Depressivität (M, SD)	2,80 (1,14 %)	2,85 (1,13 %)	T (df = 292) = -0,328 p = 0,743

Die Daten in Tabelle 3 belegen, dass der Wohnort, der Bildungsstand, der Partnerschaftsstatus, das Vorhandensein von Kindern und die erlebten Arbeitslosigkeitserfahrungen nicht in Zusammenhang mit den erinnerten Repressionserfahrungen stehen. Personen mit einem höheren Einkommen (> 2000 €/Monat persönliches Netto) erinnern mehr Repressionserfahrungen (59 Prozent) als Personen mit einem niedrigeren Einkommen (44 Prozent).

In den mittels Kurzfragebogen PHQ-4 ermittelten Maßen für Ängstlichkeit und Depressivität finden sich keine signifikanten Unterschiede zwischen den beiden Gruppen mit bzw. ohne erinnerte Repressionserfahrungen.

In Tabelle 4 werden zentrale Fragen zur Einschätzung von DDR und Wiedervereinigung in Bezug auf die erinnerten Repressionserfahrungen verglichen. Dargestellt ist zur besseren Übersichtlichkeit jeweils nur eine Auswahl der möglichen Antwortoptionen (zustimmende Antworten), sodass sich die Werte nicht zu 100 Prozent aufaddieren.

Tabelle 4: Erinnerte Repressionserfahrungen und Einstellungen zu DDR und Wiedervereinigung

Fragen	Keine Repressions-erfahrungen	Repressions-erfahrungen	Test
Ich bin froh, dass es die DDR nicht mehr gibt (Zustimmung N, %)	62 (43,1 %)	85 (55,2 %)	Chi2 (df = 4) = 7,472 p = 0,113
Ich bin froh, die DDR noch erlebt zu haben (Zustimmung N, %)	137 (95,1 %)	130 (84,4 %)	Chi2 (df = 4) = 9,533 p = 0,049
Ich fühle mich als Gewinner der deutschen Einheit (Zustimmung N, %)	97 (67,8 %)	129 (83,8 %)	Chi2 (df = 3) = 11,19 p = 0,011
Wie zufrieden waren Sie insgesamt mit ihrem Leben in der DDR? (starke Zufriedenheit N, %)	72 (50,0 %)	63 (40,9 %)	Chi2 (df = 10) = 13,29 p = 0,208
Welche persönlichen Erfahrungen haben Sie – alles in allem – mit dem neuen Gesellschaftssystem gemacht? (mehr positive N, %)	40 (28,4 %)	45 (29,2 %)	Chi2 (df = 4) = 2,348 p = 0,503

Die Zustimmung zur Aussage »Ich bin froh, dass es die DDR nicht mehr gibt« scheint bei den Personen mit Repressionserfahrungen mit 55 Prozent etwas höher zu sein, jedoch ist der Unterschied nicht signifikant. Ebenfalls keine statistisch bedeutsamen Unterschiede fanden sich bei den Fragen nach der Zufriedenheit mit dem Leben in der DDR und den (positiven) Erfahrungen im neuen Gesellschaftssystem.

Personen mit Repressionserfahrungen sind signifikant seltener froh, die DDR noch erlebt zu haben (84 Prozent Zustimmung vs. 95 Prozent Zustimmung bei Menschen ohne Repressionserfahrungen).

Personen, die über Repressionserfahrungen berichteten, fühlen sich häufiger als Gewinnerinnen und Gewinner der deutschen Einheit als Personen ohne Repressionserfahrungen. Abbildung 1 zeigt die Antworten auf diese Frage im Zeitverlauf von 2005 bis 2020. Das Ergebnis bleibt dabei für alle untersuchten Zeitpunkte identisch. Die Abbildung 1 zeigt aber, dass in der Stichprobe insgesamt das Gefühl, Gewinnerin oder Gewinner der deutschen Einheit zu sein, von 2005 bis 2020 deutlich zunimmt.

Abbildung 1: Zustimmung zur Aussage »Ich fühle mich als Gewinnerin/Gewinner der deutschen Einheit« nach erinnerter Repressionserfahrung 2005 bis 2020 (in %)

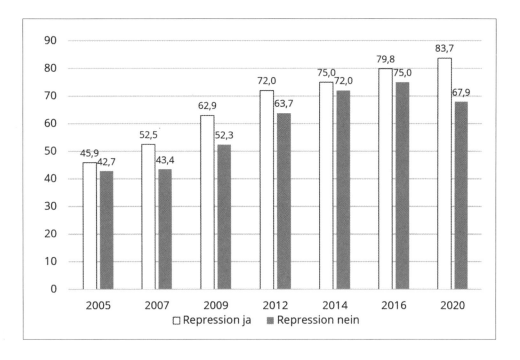

IV. Diskussion

Erstmals wurden 2019/2020 in der 31. Welle der Sächsischen Längsschnittstudie die erinnerten Repressionserfahrungen in der DDR bei den Studienteilnehmerinnen und

-teilnehmern erfasst. Knapp die Hälfte der Befragten (48 Prozent) berichtete keine Repressionserfahrungen. Am häufigsten wurde die Erfahrung genannt, sich beobachtet gefühlt zu haben (31 Prozent).

Frauen berichteten weniger erinnerte Repressionserfahrungen als Männer. Personen mit einem höheren Einkommen gaben mehr Repressionserfahrungen an als Personen mit einem niedrigen Einkommen. Die meisten der untersuchten soziodemografischen Merkmale standen jedoch nicht in Zusammenhang mit den Repressionserfahrungen.

Das psychische Befinden (Ängstlichkeit/Depressivität), das mit einem etablierten psychologischen Messinstrument untersucht wurde, unterschied sich ebenfalls nicht zwischen den beiden Gruppen mit bzw. ohne Erinnerungen an Repression in der DDR.

In den Fragen zur Einschätzung von DDR und Wiedervereinigung belegen die Zahlen erwartungsgemäß ein kritischeres Bild auf die DDR und eine positivere Sicht auf die Wiedervereinigung bei Personen, die Repressionserfahrungen erinnerten. Jedoch ist der Unterschied zwischen den untersuchten Gruppen nicht bei allen Fragen statistisch signifikant.

Bei der Interpretation der Ergebnisse ist zu beachten, dass es sich bei den Befragten der Studie um ein altershomogenes Sample aus Sachsen handelt (Geburtsjahrgang 1973). Detaillierte Kriterien zur Auswahl der damaligen Stichprobe sind nicht verfügbar. Die Aussagen können daher nur mit Bedacht auf andere ostdeutsche Altersgruppen übertragen werden. Zum Zeitpunkt des Mauerfalls waren die Befragten etwa 16/17 Jahre alt und daher vermutlich allein aufgrund ihres Alters nicht primäre Zielgruppe für Repressionsmaßnahmen der staatlichen Organe der DDR. Dies kann auch eine Erklärung für den Befund sein, dass es in den vorliegenden Daten keine Zusammenhänge zwischen erinnerter Repression und psychischer Belastung gab.

Die im Rahmen der Sächsischen Längsschnittstudie erfassten Maßnahmen, die aus der Zusatzerhebung »Leben in der ehemaligen DDR« des Sozioökonomischen Panels (SOEP) übernommen wurden, enthielten keine Fragen, die eher den vorstellbaren Erfahrungen von Schülerinnen und Schülern entsprechen könnten. Eine solche Frage wäre z. B., ob Bildungschancen (etwa der Zugang zum Abitur/Studium) verwehrt wurden. Bei der Auswahl von Schülerinnen und Schülern für höhere Bildungswege spielten in der DDR nicht nur Leistungsmerkmale, sondern häufig auch ideologische Aspekte (wie z. B. die Parteizugehörigkeit der Eltern, die Herkunft aus der Arbeiterklasse, der Berufswunsch Offizier der Nationalen Volksarmee oder die Nichtzugehörigkeit zu einer Kirche) eine große Rolle. Es ist auch vorstellbar, dass Schülerinnen und Schüler, die nicht Mitglied von Massenorganisationen wie der »Freien Deutschen Jugend« (FDJ) oder der »Deutsch-Sowjetischen Freundschaft« (DSF) werden wollten, auch von anderen Aktivitäten ausgeschlossen oder anderweitig benachteiligt wurden. Ebenfalls vor dem Hintergrund des Alters der Teilnehmerinnen und Teilnehmer am Ende der DDR wären Fragen nach den wahrgenommenen Repressionserfahrungen der Eltern und ob diese im Rahmen der Familie thematisiert wurden, wichtig.

Die damalige Rekrutierung in den auch heute noch stark industriell geprägten Ballungsräumen Karl-Marx-Stadt (Chemnitz) und Leipzig erschwert die Verallgemeinerung auf andere ostdeutsche Regionen, wie etwa die strukturschwächeren Gebiete in Teilen

Brandenburgs, Mecklenburg-Vorpommerns oder Sachsen-Anhalts. Auch wenn die Teilnahmequote nach mehr als 33 Jahren in der Sächsischen Längsschnittstudie immer noch sehr hoch ist, kann keine Aussage über die Dropouts getroffen werden. Bei Teilnahmezahlen von ca. 300 sind Subgruppenanalysen nicht immer statistisch zuverlässig möglich.

Das Bildungsniveau in der Sächsischen Längsschnittstudie ist relativ hoch, alle haben den Abschluss der 10. Klasse einer Polytechnischen Oberschule, der etwa einem heutigen Realschulabschluss entspricht. Mehr als ein Drittel der Teilnehmerinnen und Teilnehmer hat Abitur oder einen höheren Bildungsgrad erworben.

Eine zeitnähere Erhebung der Repressionserfahrungen, etwa zu Beginn der 1990er-Jahre, wäre eventuell reliabler gewesen. Die Fragen in der Sächsischen Längsschnittstudie waren jedoch in dieser Zeit eher auf die Verarbeitung des aktuellen ostdeutschen Transformationsprozesses ausgerichtet und weniger auf die Aufarbeitung der DDR-Vergangenheit. Im Zuge des 30-jährigen Jubiläums der deutschen Wiedervereinigung wurden auch Aspekte des Lebens in der ehemaligen DDR stärker in den Fokus der Studie gerückt und in diesem Zusammenhang auch die Repressionserfahrungen. Es kann aufgrund der vergangenen Jahrzehnte auch nicht ausgeschlossen werden, dass es zu Erinnerungslücken bei den Befragten gekommen sein könnte.

Anhang

Autorinnen und Autoren
des Jahrbuches für Historische Kommunismusforschung 2023

JÖRG BABEROWSKI
Prof. Dr. phil., geb. 1961 in Radolfzell. 1982 bis 1988 Studium der Geschichte und Philosophie an der Universität Göttingen, 1989 bis 1994 Wissenschaftlicher Mitarbeiter am Seminar für Osteuropäische Geschichte an der Universität Frankfurt a. M. 1994 Promotion an der Historischen Fakultät der Universität Frankfurt a. M.; September 2000 Habilitation an der Universität Tübingen; 2001/2002 Vertretung des Lehrstuhls für Osteuropäische Geschichte an der Universität Leipzig, seit Oktober 2002 Professor für Geschichte Osteuropas an der Humboldt-Universität zu Berlin. Veröffentlichungen u. a.: *Der bedrohte Leviathan. Staat und Revolution in Russland*, Berlin 2021; *Räume der Gewalt*, Frankfurt a. M. 2015; *Der bedrohte Leviathan. Staat und Revolution in Russland*, Berlin 2021. Gastherausgeber des *Jahrbuches für Historische Kommunismusforschung 2023*.

HENDRIK BERTH
Prof. Dr. rer. medic. habil. Dipl.-Psych., geb. 1970. 1991 bis 1996 Studium der Psychologie TU Dresden. Promotion 2003, Habilitation 2009, Ernennung zum apl. Prof. 2015. 1996 bis 2000 Wissenschaftlicher Mitarbeiter TU Dresden Pädagogische Psychologie, seit 2000 Wissenschaftlicher Mitarbeiter TU Dresden, Medizinische Fakultät, Medizinische Psychologie und Medizinische Soziologie/Psychosoziale Medizin und Entwicklungsneurowissenschaften; 2010 bis 2016 komm. Leiter, TU Dresden, Medizinische Fakultät, Medizinische Psychologie und Medizinische Soziologie. Seit 2016 Leiter der Forschungsgruppe Angewandte Medizinische Psychologie und Medizinische Soziologie an der Medizinischen Fakultät der TU Dresden. Ausgewählte Forschungsinteressen: Transformationsforschung, Inhaltsanalyse, Krankheitsbewältigung, Psychoonkologie, Psychonephrologie, Arbeitslosigkeit und Gesundheit, Psychosoziale Aspekte der Humangenetik, Psychologie und Zahnmedizin.

MURIEL BLAIVE
Dr., Historikerin. Studium am Institut d'études politiques in Paris, Promotion in Geschichte an der EHESS in Paris. Dozentin am Institute for the Study of Totalitarian Regimes in Prag, derzeit als Stipendiatin eines Elise-Richter-Stipendiums an der Universität Graz (2022–2026). Forschungsfelder: Sozial- und Politikgeschichte der Nachkriegszeit, des kommunistischen und postkommunistischen Mitteleuropas, insbesondere der Tschechoslowakei und der Tschechischen Republik. Veröffentlichungen u. a.: Hg.: Sonderteil in der Zeitschrift *East European Politics and Society* zum Thema »Writing on Communist History in Central Europe«, einschließlich des Artikels »The Reform Communist Interpretation of the Stalinist Period in Czech Historiography and its Legacy«, in: EEPS 36 (2022), H. 3, S. 957–969 (online erstmals November 2021); Hg.: *Perceptions of Society in Communist Europe. Regime Archives and Popular Opinion*, London 2018.

CHRISTIAN BOOß

geb. 1953 in Berlin (West). Studium der Geschichte und Germanistik an der Freien Universität Berlin. 1980 bis 2001 Hörfunk- und Fernsehjournalist u. a. als Reisekorrespondent während der friedlichen Revolution und Bildung der deutschen Einheit, danach Hauptstadtkorrespondent für den Sender Freies Berlin (SFB). 2001 Pressesprecher der Stasiunterlagenbehörde. Von 2007 bis 2018 Forschungskoordinator in der dortigen Forschungsabteilung. Ab 2019 Forschungskoordinator an der Europauniversität Viadrina im Rahmen des BMBG-Forschungsverbunds »Landschaften der Verfolgung«. Ehrenamtlicher Vorsitzender des Aufarbeitungsvereins Bürgerkomitee 15. Januar e.V. und Mitherausgeber des Aufarbeitungsforums H-und-G.info. Rechtshistorische Dissertation 2017: *Im Goldenen Käfig. Die DDR-Anwaltschaft im Spannungsverhältnis zwischen MfS, SED, Justizministerium, Mandat und Gesetz. Die Ära Honecker*, Göttingen 2017. Veröffentlichung u. a.: *Vom Scheitern der kybernetischen Utopie. Die Entwicklung von Überwachung und Informationsverarbeitung im MfS*, Göttingen 2019.

JENS BOYSEN

Dr. phil., geb. 1968 in Offenbach am Main. 1991 bis 1997 Studium der Geschichte, Slawistik und Politologie an der Johann-Wolfgang-Goethe-Universität Frankfurt am Main und am Trinity College Dublin. 1997 bis 1998 Masterstudium am College of Europe in Warschau-Natolin. 2008 Promotion in Neuerer Geschichte an der Universität Tübingen. Wissenschaftlicher Mitarbeiter am College of Europe in Brügge (1999–2000), an der Universität Leipzig (2002–2007), am Deutschen Historischen Institut Warschau (2010–2016) sowie am Institut für Europäische Geschichte der TU Chemnitz (2017). Seit 2020 Professor CC für Internationale Beziehungen am Collegium Civitas in Warschau. Veröffentlichungen u. a.: »Integration through ›Militarism‹ in the Warsaw Pact: The East German and Polish Leaderships as Soviet Allies«, in: Krzysztof Brzechczyn (Hg.): *New Perspectives in Transnational History of Communism in East Central Europe*, Berlin u. a. 2019, S. 57–76; »Identitätspolitik im Kalten Krieg – die DDR und Volkspolen zwischen nationaler Kontinuität und supranationaler Neubestimmung«, in: *Zeitschrift für Genozidforschung* 16 (2018), H. 1, Thema: Identität und Krieg, S. 85–105.

ROGER ENGELMANN

Dr., geb. 1956 in München. Studium der Geschichte, Germanistik und Sozialwissenschaften an der Ludwig-Maximilians-Universität München (1. Staatsexamen für das Gymnasiallehramt). Von 1985 bis 1989 Stipendiat und Werkvertragsnehmer am Deutschen Historischen Institut in Rom. 1990 Promotion an der Ludwig-Maximilians-Universität München mit einer Arbeit über Ursprünge und Frühphase des italienischen Faschismus in der Marmorregion von Carrara, anschließend bis 1992 Wissenschaftlicher Mitarbeiter am Institut für Zeitgeschichte München. Von 1992 bis 2021 in verschiedenen leitenden Funktionen im Forschungsbereich des Stasi-Unterlagen-Archivs in Berlin. Forschungsschwerpunkte: DDR-Geschichte der 1950er-Jahre, das Ministerium für Staatssicherheit und die politische Strafjustiz der DDR sowie die Quellenkunde der Stasi-Akten.

JÖRG GANZENMÜLLER

Prof. Dr., geb. 1969 in Augsburg. Studium der Neueren und Neuesten Geschichte, Osteuropäischen Geschichte und Wissenschaftlichen Politik an der Albert-Ludwigs-Universität Freiburg i. Br. 2003 Promotion an der Albert-Ludwigs-Universität Freiburg i. Br., 2010 Habilitation an der Friedrich-Schiller-Universität Jena. Seit 2014 Vorstandsvorsitzender der Stiftung Ettersberg in Weimar und seit 2017 Professor für Europäischen Diktaturenvergleich an der Friedrich-Schiller-Universität Jena. Veröffentlichungen u. a.: Hg.: *Verheißung und Bedrohung: Die Oktoberrevolution als globales Ereignis*, Köln, Weimar, Wien 2019; Hg.: *Sowjetische Verbrechen und russische Erinnerung. Orte – Akteure – Deutungen*, München 2014 (mit Raphael Utz); *Das belagerte Leningrad 1941 bis 1944. Die Stadt in den Strategien von Angreifern und Verteidigern*, Paderborn u. a. 2005, 2., durchges. Auflage 2007.

JENS GIESEKE

Dr. phil., geb. 1964 in Langenhagen. 1984 bis 1990 Studium der Geschichte, Politologie und Rechtswissenschaften an der Universität Hannover, 2000 Promotion an der Universität Potsdam. 1993 bis 2008 Wissenschaftlicher Mitarbeiter in der Forschungsabteilung des/der Bundesbeauftragten für die Stasi-Unterlagen. Seit 2008 Wissenschaftlicher Mitarbeiter und Leiter der Abteilung Kommunismus und Gesellschaft am Leibniz-Zentrum für Zeithistorische Forschung Potsdam. Veröffentlichungen u. a.: Hg.: *Psychologie als Instrument der SED-Diktatur*, Bern 2020 (mit Andreas Maercker); *Die SED als Mitgliederpartei*, Berlin 2019 (mit Michel Christian, Florian Peters); Hg.: *Communist Parties Revisited*, New York/Oxford 2018 (mit Rüdiger Bergien); Hg.: *The Silent Majority in Communist and Post-Communist States*, Frankfurt a. M. 2016 (mit Klaus Bachmann); *Die Stasi 1945–1990*, München 2011; *Die Staatssicherheit und die Grünen*, Berlin 2016 (mit Andrea Bahr); *Die hauptamtlichen Mitarbeiter der Staatssicherheit*, Berlin 2000.

UDO GRASHOFF

PD Dr. phil, geb. 1966 in Halle (Saale). 1986 bis 1992 Studium der Biochemie; 1993 bis 1999 Studium der Geschichte, Germanistik und vergleichenden Literaturwissenschaft; 2006 Promotion, 2019 Habilitation. Seit 2008 Wissenschaftlicher Mitarbeiter am Historischen Seminar der Universität Leipzig. Von 2014 bis 2020 DAAD-Fachlektor an der School of Slavonic and East European Studies, University College London. Veröffentlichungen u. a.: *Gefahr von innen. Verrat im kommunistischen Widerstand gegen den Nationalsozialismus*, Göttingen 2021; Hg.: *Comparative Approaches To Informal Housing Around The Globe*, London 2020; *Die DDR im Jahr 1977. Zwischen Routine und Resignation*, Erfurt 2019; *Studenten im Aufbruch. Unabhängige studentische Interessenvertretung an der Martin-Luther-Universität Halle-Wittenberg 1987–1992*, Halle 2019; *Schwarzwohnen. Die Unterwanderung der staatlichen Wohnraumlenkung in der DDR*, Göttingen 2011; *»In einem Anfall von Depression ...« Selbsttötungen in der DDR*, Berlin 2006.

ROBERT KINDLER

Prof. Dr., geb. 1978. Studium der Geschichte, Politik- und Kulturwissenschaften in Berlin und Woronesch. Promotion 2012, Habilitation 2021. Seit 2022 Professor für Geschichte Ost- und Ostmitteleuropas an der Freien Universität Berlin. Veröffentlichungen u. a.: *Robbenreich. Russland und die Grenzen der Macht am Nordpazifik*, Hamburg 2022; *Stalin's Nomads. Power and*

Famine in Kazakhstan, Pittsburgh 2018. Gastherausgeber des *Jahrbuchs für Historische Kommunismusforschung 2023*.

PAVEL KOLÁŘ

Prof. Dr. Seit 2018 Professor für Osteuropäische Geschichte an der Universität Konstanz. 2003 Promotion in Geschichte an der Karls-Universität Prag; von 2003 bis 2010 Wissenschaftlicher Mitarbeiter am Zentrum für Zeithistorische Forschung Potsdam; von 2010 bis 2018 Professor für Vergleichende und Transnationale Geschichte Europas am Europäischen Hochschulinstitut in Florenz; Arbeitsschwerpunkte: Geschichte der kommunistischen Diktaturen, Historiografiegeschichte, Nationalismus, historische Gewaltforschung. Veröffentlichungen u. a.: *Der Poststalinismus. Ideologie und Utopie einer Epoche*, Köln 2016; *Co byla normalizace? Studie o pozdním socialismu* [Was war *normalizace*? Studien zum frühen Sozialismus], Prag 2016 (mit Michal Pullmann); *Geschichtswissenschaft in Zentraleuropa: Die Universitäten Prag, Wien und Berlin um 1900*, Leipzig 2008.

DANIELA MÜNKEL

Prof. Dr., Leiterin der Forschung des Stasi-Unterlagen-Archivs im Bundesarchiv; u. a. Herausgeberin der Reihe »Die DDR im Blick der Stasi. Die geheimen Berichte an die SED-Führung 1953–1989«. Zahlreiche Veröffentlichungen zur deutschen Geschichte des 20. Jahrhunderts, besonders des Nationalsozialismus, der Bundesrepublik und der DDR.

OKSANA NAGORNAIA

Dr. habil., geb. 1977 in Tscheljabinsk. 2006 bis 2007 Wissenschaftliche Mitarbeiterin des Sonderforschungsbereichs »Kriegserfahrungen« an der Universität Tübingen. 2016 bis 2018 Leiterin eines wissenschaftlichen Projektes zur sowjetischen Kulturdiplomatie im Zeichen des Kalten Krieges. Seit 2018 Professorin an der Staatlichen Pädagogischen Universität Jaroslawl, wissenschaftliche Leiterin des Masterprogramms »Public History«. Veröffentlichungen u. a.: *Eine andere Kriegserfahrung: Russische Kriegsgefangene des Ersten Weltkriegs in Deutschland (1914–1922)*, Moskau 2010 [auf Russisch erschienen]; *Sowjetische Kulturdiplomatie im Zeichen des Kalten Krieges (1945–1989)*, Moskau 2018 [auf Russisch erschienen].

ANDREAS PETERSEN

Dr. phil., geb. 1961 in Frankfurt a. M. Studium der allgemeinen und osteuropäischen Geschichte sowie Germanistik an der Universität Zürich. Promotion im Jahr 2000 mit einer politikwissenschaftlichen Arbeit zum Thema »Radikale Jugend. Die sozialistische Jugendbewegung der Schweiz 1900–1930«. Ehemals Wissenschaftlicher Mitarbeiter beim Forschungsverbund SED-Staat der Freien Universität Berlin, Gründungspräsident des »Forums für Zeitzeugen« in Aarau; aktuell Dozent für Zeitgeschichte an der Fachhochschule Nordwestschweiz und Inhaber der Geschichtsagentur zeit & zeugen, Zürich/Berlin. Veröffentlichungen u. a.: *Die Moskauer. Wie das Stalintrauma die DDR begründete*, 2. Aufl., Berlin 2019; *Unerzähltes Stalingrad. Eine biographische Recherche zu Kurt und Edith Oppers*, Berlin 2016; *Deine Schnauze wird dir in Sibirien zufrieren. Ein Jahrhundertdiktat. Erwin Jöris*, 6. Aufl. Wiesbaden 2012.

MOLLY PUCCI

Dr., Assistenzprofessorin für Europäische Geschichte des 20. Jahrhunderts am Trinity College Dublin. 2015 Geballe Dissertation Prize Fellow am Stanford Humanities Center, 2015 Promotion in Geschichte an der Stanford University; 2015–2016 Max Weber Postdoctoral Fellow am Europäischen Hochschulinstitut in Florenz. 2009 MA in Russisch, Osteuropäischen und Zentralasiatischen Studien (REECA) an der Harvard University. Veröffentlichungen u. a.: *Security Empire: The Secret Police in Communist Eastern Europe*, New Haven 2020, ausgezeichnet mit dem Kulczycki Book Prize in Polish Studies der Association for Slavic, East European, and Eurasian Studies, sowie dem Oskar Halecki Prize in Polish and Central European History des Polish Institute of Arts and Sciences of America und dem Polly Corrigan Prize in Intelligence Studies der Intelligence and Security Group am King's College London. Ihr aktuelles Buchprojekt wird von der Hoover Institution und der Harry Frank Guggenheim Foundation unterstützt und befasst sich mit der Geschichte des Kommunismus in der Tschechoslowakei in den 1920er-Jahren, von der Komintern bis zur künstlerischen Avantgarde.

TATJANA RAEVA

Dr. phil., geb. 1977 in Tscheljabinsk. Von 1994 bis 2000 Studium der Geschichte, 2004 Promotion. Seit 2000 Dozentin an der Süduralischen Staatlichen Universität. Von 2016 bis 2018 Wissenschaftliche Mitarbeiterin im Projekt zur sowjetischen Kulturdiplomatie im Zeichen des Kalten Krieges. Veröffentlichungen u. a.: *Sowjetische Kulturdiplomatie im Zeichen des Kalten Krieges (1945–1989)*, Moskau 2018 [auf Russisch erschienen].

ANNA SCHOR-TSCHUDNOWSKAJA

Dr. soz., geb. 1974. Studium der Psychologie, Soziologie und Politikwissenschaft an der Justus-Liebig-Universität Gießen. 2003 bis 2007 Mitarbeit an der Hessischen Stiftung für Friedens- und Konfliktforschung/Frankfurt a. M. Promotion 2010. Seit 2011 Wissenschaftliche Mitarbeiterin, seit 2019 Assistenz-Professorin an der Fakultät für Psychologie der Sigmund-Freud-Privatuniversität Wien. Projektleiterin von verschiedenen Forschungsprojekten zur politischen Kultur in Russland. Veröffentlichungen u. a.: »Internationale Bewegung ›Die letzte Adresse‹. Wie die Idee der Stolpersteine in eine Erinnerung an den Staatsterror in der Sowjetunion umgewandelt wird«, in: Silvija Kavčič u. a. (Hg.): *Steine des Anstoßes*, Berlin 2021, S. 239–263; *Post-Wahrheit. Über Herkunft und Bedeutung eines modisch gewordenen Begriffs*, Berlin 2021 (mit Gerhard Benetka); Hg.: *Der Zerfall der Sowjetunion*, Baden-Baden 2013 (mit Martin Malek); *Gesellschaftliches Selbstbewusstsein und politische Kultur im postsowjetischen Russland*, Baden-Baden 2011.

DOUGLAS SELVAGE

Dr. phil., geb. 1966 in Ashland, Ohio, USA. 1984 bis 1988 Studium der Germanistik und der Internationalen Studien am Macalester College in St. Paul, Minnesota; 1991 M.A. in Geschichte der USA an der University of Wisconsin-Madison; 1998 Promotion an der Yale University zur Geschichte der ostdeutsch-polnischen Beziehungen 1955–1967. 2001 bis 2006 (Mit)herausgeber von Akteneditionen der Reihe *Foreign Relations of the United States* im U.S. Department of State; von 2008 bis 2013 Wissenschaftlicher Mitarbeiter und von 2013 bis 2019 Projektleiter in der Abteilung Bildung und Forschung der Bundesbeauftragten für die Stasi-Unterlagen (BStU), seit

2019 Wissenschaftlicher Mitarbeiter am Institut für Geschichte der Humboldt-Universität zu Berlin. Veröffentlichungen u. a.: Mithg.: *Der »große Bruder«: Studien zum Verhältnis von KGB und MfS 1958 bis 1989*, Göttingen 2021 (mit Georg Herbstritt); *Staatssicherheit und KSZE-Prozess: MfS zwischen SED und KGB*, Göttingen 2019 (mit Walter Süß); *Die AIDS-Verschwörung. Das Ministerium für Staatssicherheit und die AIDS-Desinformationskampagne des KGB*, Berlin 2014 (mit Christopher Nehring).

Sebastian Stude

Dr. phil. des., geb. 1979 in Halle (Saale). 1998 bis 2006 Studium der Neueren und Neuesten Geschichte, Politikwissenschaft und Philosophie; 2020 Promotion an der Martin-Luther-Universität Halle-Wittenberg; 2015 bis 2017 Mitarbeiter im Stasi-Unterlagenarchiv, Abteilung Bildung und Forschung; seit 2019 Wissenschaftlicher Mitarbeiter der Stiftung Gedenkstätte Lindenstraße in Potsdam, Teilprojekt des BMBF-Forschungsverbunds »Landschaften der Verfolgung«. Veröffentlichungen u. a.: *»Strom für die Republik«. Die Stasi und das Kernkraftwerk Greifswald*, 2. Aufl. Göttingen 2019; *»Wir haben ja auch diesen Staat überdauert.« Die evangelische Kirche in der Prignitz zwischen 1971 und 1989/90*, Berlin 2016; *1955 Rheinsberg. Das Kernkraftwerk Rheinsberg in der DDR*, 2. Aufl. Rheinsberg 2014; *Aufbruch in der brandenburgischen Provinz. Die friedliche Revolution 1989/90 in Pritzwalk*, Pritzwalk 2010.

Martin Wagner

geb. 1990. Studium der Modernen Europäischen Geschichte sowie Chinastudien in Berlin, Peking und Moskau. Seit 2018 Wissenschaftlicher Mitarbeiter und Doktorand an der Humboldt-Universität zu Berlin. Veröffentlichungen u. a.: Mithg.: *Crises in Authoritarian Regimes: Fragile Orders and Contested Power*, Frankfurt a. M./New York 2022 (mit Jörg Baberowski); »Scheine drucken, Schätze evakuieren. Kontingenzbewältigung in Russland angesichts der Bedrohung St. Petersburgs 1812« (mit B. Conrad), in: *Historische Zeitschrift* 312 (2021), H. 1, S. 62–97, »KPD-Verbot – KPÖ-Gebot. Antikommunismen und staatlicher Umgang mit Kommunistischen Parteien in den 1950er Jahren«, in: *Geschichte und Gesellschaft* 47(2021), H. 3, S. 438–466.

Herausgeber sowie wissenschaftliche Beiräte des Jahrbuches für Historische Kommunismusforschung 2023

Jörg Baberowski

Prof. Dr. phil., geb. 1961 in Radolfzell. 1982 bis 1988 Studium der Geschichte und Philosophie an der Universität Göttingen, 1989 bis 1994 Wissenschaftlicher Mitarbeiter am Seminar für Osteuropäische Geschichte an der Universität Frankfurt a. M. 1994 Promotion an der Historischen Fakultät der Universität Frankfurt a. M.; September 2000 Habilitation an der Universität Tübingen; 2001/2002 Vertretung des Lehrstuhls für Osteuropäische Geschichte an der Universität Leipzig, seit Oktober 2002 Professor für Geschichte Osteuropas an der Humboldt-Universität zu Berlin. Gastherausgeber des *Jahrbuches für Historische Kommunismusforschung 2023*.

Bernhard H. Bayerlein

Dr. habil., geb. 1949 in Wiesbaden. Historiker und Romanist, Honorary Senior Researcher am Institut für soziale Bewegungen, Ruhr-Universität Bochum. Studium der Romanistik, Philosophie und Geschichte in Heidelberg, Toulouse, Coimbra und Bochum. Gastprofessuren in Mexiko, Frankreich und Brasilien. Forschungsschwerpunkte: Vergleichende historische Kommunismus- und Sozialismusforschung sowie europäische Archivprojekte (The International Comitee for the Computerization of the Komintern Archives/INCOMKA, Internationales Willi Münzenberg Forum u. a.), portugiesische und spanische Studien. U. a. 2000 bis 2014 Mitarbeiter der Deutsch-Russischen Historikerkommission.

Bernd Faulenbach

Prof. Dr., geb. 1943. Historiker an der Fakultät für Geschichtswissenschaft der Ruhr-Universität Bochum, bis 2007 stellvertretender Direktor des Forschungsinstitutes Arbeit, Bildung, Partizipation. 1992 bis 1998 Mitglied der Enquetekommissionen des Bundestages zur Aufarbeitung der SED-Diktatur und ihrer Folgen, 1998 bis 2015 stellvertretender Vorsitzender der Bundesstiftung Aufarbeitung. Seit 2002 Mitglied der wissenschaftlichen Leitung des Editionsprojektes Dokumente zur Deutschlandpolitik, 2002 bis 2015 Mitglied der Deutsch-Russischen Historikerkommission. 1989 bis 2018 Vorsitzender der Historischen Kommission beim Parteivorstand der SPD, 2015 bis 2020 Vorsitzender von Gegen Vergessen – Für Demokratie e. V.

Thomas Wegener Friis

Ph. D., geb. 1975. Associate Professor am Zentrum für das Studium des Kalten Krieges an der Süddänischen Universität in Odense. Mitbegründer der Tagungsreihe »Need to Know«, Herausgeber der dänischen Zeitschrift *Arbejderhistorie*, Regional-Redakteur beim *International Journal of Intelligence, Security, and Public Affairs* sowie Beiratsmitglied der polnischen Zeitschrift *Aparat Represji w Polsce Ludowej 1944–1989*. Außerdem Mitglied des Beirats der Forschungsabteilung der Dänischen Zentralbibliothek in Flensburg, des Zagreb Security Forums sowie des Museums »Grenzhus« in Schlagsdorf.

Stefan Karner

Univ.-Prof. Dr. Dr. h. c., geb. 1952. Historiker, Gründer und ehemaliger Leiter des Ludwig Boltz-
mann Instituts für Kriegsfolgenforschung, Graz – Wien – Raabs; ehemaliger Vorstand des Instituts für Wirtschafts-, Sozial und Unternehmensgeschichte der Universität Graz; Kovorsitzender
der Österreichisch-Russischen Historikerkommission; u. a. Österreichischer Wissenschaftler des
Jahres 1995; Gründungsdirektor des Österreichischen »Hauses der Geschichte« (St. Pölten); wissenschaftlicher Leiter der Republiksausstellung im Parlament 2008/2009 (mit Lorenz Miko-
letzky); wissenschaftlicher Leiter der NÖ Landesausstellung 2009 »Österreich – Tschechien«.

Robert Kindler

Prof. Dr., geb. 1978. Studium der Geschichte, Politik- und Kulturwissenschaften in Berlin und
Woronesch. Promotion 2012, Habilitation 2021. Seit 2022 Professor für Geschichte Ost- und
Ostmitteleuropas an der Freien Universität Berlin. Gastherausgeber des *Jahrbuches für Historische
Kommunismusforschung 2023*.

Mark Kramer

Prof. Dr., Direktor des Cold War Studies Program an der Harvard University und Senior Fellow
des dortigen Davis Center for Russian and Eurasian Studies. Lehrtätigkeit für vergleichende
Politikwissenschaft und Internationale Beziehungen an den Universitäten Harvard, Yale und
Brown. Ehemals Wissenschaftlicher Mitarbeiter an der Harvard Academy of International and
Area Studies sowie Rhodes-Stipendiat an der University of Oxford. Übersetzer und amerikanischer
Herausgeber des Bandes *Schwarzbuch des Kommunismus*, Autor zahlreicher wissenschaftlicher
Aufsätze und Bücher.

Norman LaPorte

Ph. D. (Stirling), geb. 1964. Historiker, seit 2000 an der University of South Wales, Dozent
(Reader) am Fachbereich Geschichte. Forschungsschwerpunkte: Kommunismus in Deutschland
und Kommunismus im Vergleich, Beziehungen zwischen Großbritannien und der Deutschen
Demokratischen Republik (1949–1990), Kalter Krieg. LaPorte ist Mitbegründer der Zeitschrift
Twentieth Century Communism: A Journal of International History (seit 2009).

Ulrich Mählert

Dr. phil., geb. 1968 in Neckarsulm. 1987 bis 1992 Studium der Politischen Wissenschaft, Anglistik
und Germanistik, 1994 Promotion und bis 1998 Mitarbeiter eines internationalen Forschungs-
projekts an der Universität Mannheim zur Geschichte der Parteisäuberungen im Kommunismus.
Seit 1999 Mitarbeiter bei der Bundesstiftung zur Aufarbeitung der SED-Diktatur, Leiter des
Arbeitsbereichs Jahresausstellungen und Kommunismusgeschichte. Leitender Herausgeber des
Jahrbuches für Historische Kommunismusforschung.

Krzysztof Ruchniewicz

Prof. Dr., geb. 1967 in Wrocław (Polen). Studium der (osteuropäischen) Geschichte an der Universität Wrocław, der Universität des Saarlandes und der Philipps-Universität Marburg; 2000
Promotion, 2007 Habilitation mit dem Thema »Die polnischen Bemühungen um die deutsche

Wiedergutmachung in den Jahren 1944/45–1975«. Professor für Zeitgeschichte an der Universität Wrocław; Direktor des Willy-Brandt-Zentrums für Deutschland- und Europastudien der Universität Wrocław, gleichzeitig Lehrstuhlinhaber für Zeitgeschichte ebendort.

Peter Steinbach
Prof. em. Dr., geb. 1948 in Lage (Lippe). Studium der Geschichte, Politikwissenschaft und Philosophie, Staatsexamen 1972, Promotion 1973, Habilitation mit Doppelvenia Neuere Geschichte und Politikwissenschaft 1978; seit 1983 wissenschaftlicher Leiter der Gedenkstätte Deutscher Widerstand in Berlin, seit 1982 Professuren in Passau, Berlin, Karlsruhe und Mannheim. Mitherausgeber von *Neue Politische Literatur* (NPL) sowie der *Zeitschrift für Geschichtswissenschaft* (ZfG). Bis 2001 Herausgeber von *Internationale wissenschaftliche Korrespondenz zur Geschichte der deutschen Arbeiterbewegung* (IWK).

Brigitte Studer
Prof. em. Dr., lehrte an den Universitäten Zürich, Genf, Bern sowie an der Washington University in St. Louis (USA). Professorin emerita für Schweizer und Neueste Allgemeine Geschichte an der Universität Bern. 2001 bis 2004 Gastprofessorin in Glasgow, 2013 Professeure invitée an der EHESS in Paris. 2001 bis 2007 Mitglied des Forschungsrates der Abteilung I des Schweizerischen Nationalfonds, 2001 bis 2005 ausländisches Mitglied des CNRS in Paris. Mitherausgeberin der *Österreichischen Zeitschrift für Geschichte*.

Stefan Troebst
Prof. Dr., geb. 1955 in Heidelberg. Osteuropahistoriker und Slawist. Professor für Kulturgeschichte des östlichen Europa an der Universität Leipzig sowie bis 2021 stellvertreter Direktor des dortigen Leibniz-Instituts für Geschichte und Kultur des östlichen Europa (GWZO). Studium in Tübingen, (West-)Berlin, Sofia, Skopje und Bloomington; 1984 Promotion, 1995 Habilitation an der Freien Universität Berlin.

Krisztián Ungváry
Dr. der Ungarischen Akademie der Wissenschaften, geb. 1969. Freier Historiker. Studium in Budapest, Jena und Freiburg/Breisgau. Promotion 1998 zum Thema »Belagerung Budapests im Zweiten Weltkrieg«. 2012 bis 2019 Wissenschaftlicher Mitarbeiter der Ungarischen Nationalbibliothek Széchényi, Budapest; Mitglied des Wissenschaftlichen Beirats des Volksbundes Deutscher Kriegsgräberfürsorge.

Alexander Vatlin
Prof. Dr., geb. 1962 in Aschgabad (Turkmenien). 1987 Promotion am Lehrstuhl für Neue und Neueste Geschichte an der Moskauer Lomonossow-Universität. Seit 1991 Leiter des Programms »Moderne Geschichte« am Institut für Menschenrechte und demokratische Forschung. Seit 1997 Lehrtätigkeit am Lehrstuhl für Neue und Neueste Geschichte der Lomonossow-Universität; 1998 Habilitation; seit 2006 Professor ebendort. 2001 Mitbegründer und seitdem Koordinator der »Arbeitsgruppe zur Erforschung der neuesten Geschichte Deutschlands« an der Lomonossow-Universität (www.rusgermhist.ru); seit 2015 Mitglied der Deutsch-Russischen Historikerkommission.

MANFRED WILKE (†)

Prof. Dr., gest. April 2022. 1976 Promotion, 1976 bis 1980 Wissenschaftlicher Assistent an der Technischen Universität Berlin, 1981 Habilitation im Fach Soziologie an der Freien Universität Berlin, 1985 Professor für Soziologie an der Fachhochschule für Wirtschaft Berlin, 1992 Mitbegründer und bis 2006 Leiter des Forschungsverbundes SED-Staat an der Freien Universität Berlin. 1992 bis 1998 sachverständiges Mitglied der Enquetekommissionen des Bundestags zur Aufarbeitung der SED-Diktatur und deren Folgen; seit 2007 Wissenschaftlicher Mitarbeiter am Ludwig Boltzmann-Institut für Kriegsfolgen-Forschung, Graz.